ESPIRITISMO PARA JOVENS

Eliseu Rigonatti

ESPIRITISMO PARA JOVENS

A História de Jesus e o Livro dos Espíritos
para Iniciantes da Doutrina Espírita

Editora
Pensamento
SÃO PAULO

Copyright © 2018 Eliseu Rigonatti.

Originalmente publicado com os títulos: *O Evangelho da Meninada* e *O Livro dos Espíritos para a Juventude*.

Texto de acordo com as novas regras ortográficas da língua portuguesa.

1ª edição 2018./1ª reimpressão 2023.

Todos os direitos reservados. Nenhuma parte deste livro pode ser reproduzida ou usada de qualquer forma ou por qualquer meio, eletrônico ou mecânico, inclusive fotocópias, gravações ou sistema de armazenamento em banco de dados, sem permissão por escrito, exceto nos casos de trechos curtos citados em resenhas críticas ou artigos de revista.

A Editora Pensamento não se responsabiliza por eventuais mudanças ocorridas nos endereços con-vencionais ou eletrônicos citados neste livro.

Editor: Adilson Silva Ramachandra
Editora de texto: Denise de Carvalho Rocha
Gerente editorial: Roseli de S. Ferraz
Preparação de originais: Alessandra Miranda de Sá
Produção editorial: Indiara Faria Kayo
Editoração eletrônica: Join Bureau
Revisão: Claudete Agua de Melo

Dados Internacionais de Catalogação na Publicação (CIP)
(Câmara Brasileira do Livro, SP, Brasil)

Rigonatti, Eliseu
   Espiritismo para jovens: a história de Jesus e o Livro dos Espíritos para iniciantes da doutrina espírita / Eliseu Rigonatti. – São Paulo: Pensamento, 2018.

   ISBN 978-85-315-2001-3
   1. Espiritismo – Doutrinas 2. Espiritismo – Filosofia 3. Jesus Cristo – Interpretações espíritas I. Título.

18-13381   CDD-133.901

Índices para catálogo sistemático:
1. Doutrina espírita para jovens: Espiritismo   133.901

Direitos reservados
EDITORA PENSAMENTO-CULTRIX LTDA.
Rua Dr. Mário Vicente, 368 – 04270-000 – São Paulo – SP
Fone: (11) 2066-9000
http://www.editorapensamento.com.br
E-mail: atendimento@editorapensamento.com.br
Foi feito o depósito legal.

Este livro é dedicado ao grande editor Diaulas Riedel e ao nobre e inesquecível espírito de Monteiro Lobato, inspiradores destas páginas – a quem eu ofereço, dedico e consagro esta obra.

– O Autor

Sumário

Apresentação do Editor 21
Prólogo do Autor 23

**Parte I – A História de Jesus e a Doutrina Espírita
Através das Parábolas**
LINA, A CONTADORA DE HISTÓRIAS 29
    Lina Começa a Contar-nos a História de Jesus 30
    O Nascimento de Jesus 30
    Os Pastores de Belém 31
    Os Magos do Oriente 33
    A Fuga Para o Egito, a Matança dos Inocentes 35
    A Volta do Egito 36
    O Menino Jesus no Meio dos Doutores: Sua Infância 37
    A Pregação de João Batista 39
    A Tentação de Jesus 40
    As Bodas de Caná – A Água Feita Vinho 42
    Jesus é Expulso de Nazaré 43
    Cura de um Endemoninhado 45
    A Cura da Sogra de Pedro 46
    A Pesca Maravilhosa – Os Primeiros Discípulos 46
    Cura de um Leproso 48
    Cura de um Paralítico 48
    A Vocação de Levi 50
    Acerca do Jejum 51
    Jesus é Senhor do Sábado 52
    Cura de um Homem que Tinha uma das Mãos Ressecada 53
    Eleição dos Doze 54
    O Sermão da Montanha 55
    O Centurião de Cafarnaum 58

O Filho da Viúva de Naim	59
Jesus Instrui Nicodemos Acerca do Novo Nascimento	60
João Envia Dois Discípulos Seus a Jesus	61
A Morte de João Batista	62
A Mulher que Perfumou Jesus	63
As Mulheres que Serviam a Jesus com os Seus Bens	64
Cura de um Surdo-Mudo de Decápolis	64
A Parábola do Semeador	65
A Família de Jesus	66
Jesus Apazigua a Tempestade	66
O Endemoninhado Geraseno	67
A Filha de Jairo e a Cura de uma Mulher	67
A Missão dos Doze	68
Herodes e João Batista	69
A Multiplicação dos Pães	69
A Confissão de Pedro	70
Cada um Deve Levar a Sua Cruz	71
Jesus Anda Sobre o Mar	71
A Transfiguração	72
Cura de um Jovem Lunático	73
O Maior no Reino dos Céus	73
Quem Não é Contra Nós, é Por Nós	73
O Reino dos Céus	74
A Parábola do Credor Incompassivo	75
A Parábola dos Trabalhadores e das Diversas Horas do Dia	75
A Quem te Bater Numa Face, Oferece-lhe Também a Outra	77
O Tesouro que a Traça não Rói	78
Acerca dos que Seguem Jesus	79
A Missão dos Setenta e Dois Discípulos	81
O Bom Samaritano	81
Marta e Maria	82
A Oração Dominical	83
Parábola do Amigo Importuno	84
A Blasfémia dos Fariseus	85
A Parábola do Rico Louco	87
Solicitude Pela Nossa Vida	88
A Mulher Culpada	89
A Ressurreição de Lázaro	90

Advertências de Jesus	91
Cura de uma Mulher Paralítica	92
A Porta Estreita	93
Jesus é Avisado do Ódio de Herodes	93
A Cura de um Hidrópico	94
Parábola dos Primeiros Assentos e dos Convidados	94
Parábola da Grande Ceia	95
Parábola Acerca da Providência	96
Parábola da Ovelha e da Dracma Perdidas	98
Parábola do Filho Pródigo	99
Parábola do Mordomo Infiel	100
A Autoridade da Lei	101
A Parábola do Rico e de Lázaro	102
Cura de Dez Leprosos	104
A Vinda Súbita do Reino de Deus	105
A Parábola do Juiz Injusto	105
A Parábola do Fariseu e do Publicano	106
Jesus Abençoa os Meninos	107
O Moço Rico	108
Jesus Anuncia sua Paixão	109
O Cego de Jericó	109
Zaqueu, o Publicano	110
Parábola dos Dez Talentos	111
A Entrada Triunfal de Jesus em Jerusalém	112
O Sermão Profético; o Princípio das Dores	113
A Purificação do Templo	114
O Batismo de João	115
Parábola dos Fazendeiros Maus	116
A Questão do Tributo	116
Os Saduceus e a Ressurreição	117
Jesus Censura os Escribas	118
A Pequena Oferta da Viúva Pobre	118
O Pacto da Traição	119
Jesus Lava os Pés dos seus Discípulos	119
A Última Páscoa, a Santa Ceia	120
O Maior Será como o Menor	121
Pedro é Avisado	121
As Últimas Instruções de Jesus a seus Discípulos	121

Jesus no Getsêmani	122
Jesus é Preso	123
Pedro Nega Jesus	124
Jesus perante o Sinédrio	125
Jesus Perante Pilatos e Perante Herodes	125
A Crucificação	127
A Sepultura de Jesus	128
A Ressurreição	129
Jesus se Apresenta aos Discípulos	129

Parte II – O Livro dos Espíritos para Jovens e Iniciantes na Doutrina Espírita

1ª Aula
NOTÍCIA SOBRE O LIVRO E ALLAN KARDEC	133
O Balaio (historieta)	135

2ª Aula
INTRODUÇÃO AO ESTUDO DA DOUTRINA ESPIRITA	137
Espiritismo e Espiritualismo	137
Alma, Princípio Vital e Fluido Vital	138
Mentiras (poesia)	138

3ª Aula
A DOUTRINA ESPÍRITA E SEUS CONTRADITORES	141
As Irmãs Fox (biografia)	143

4ª Aula
RESUMO DA DOUTRINA DOS ESPÍRITOS	147
Prolegômenos	148
Trovas (versos)	151

5ª Aula – LIVRO PRIMEIRO
AS CAUSAS PRIMÁRIAS	153
Deus	153
Deus e o Infinito	153
Provas da Existência de Deus	153

Atributos da Divindade 154
Panteísmo 156
O Sonho de Mariana (historieta) 156

6ª Aula
ELEMENTOS GERAIS DO UNIVERSO 159
Conhecimento do Princípio das Coisas 159
Espírito e Matéria 160
Propriedades da Matéria 161
Espaço Universal 161
Tio Mateus (historieta) 162

7ª Aula
CRIAÇÃO 164
Formação dos Mundos 164
Formação dos Seres Vivos 165
Povoamento da Terra. Adão 167
Diversidade das Raças Humanas 167
Pluralidade dos Mundos 168
Considerações e Concordâncias Bíblicas Relativas à Criação 169
Retalhos Luminosos (sentenças morais) 172

8ª Aula
PRINCIPIO VITAL 174
Seres Orgânicos e Inorgânicos 174
A Vida e a Morte 175
Inteligência e Instinto 176
O Presente (historieta) 178

9ª Aula – LIVRO SEGUNDO
MUNDO ESPÍRITA OU DOS ESPÍRITOS 180
Dos Espíritos 180
  Origem e Natureza dos Espíritos 180
Mundo Normal Primitivo 181
Forma e Ubiquidade dos Espíritos 182
Perispírito 183
A Caridade (poesia) 184

10ª Aula
DIFERENTES ORDENS DE ESPÍRITOS 186
   Escala Espírita 187
   Terceira Ordem: Espíritos Imperfeitos 187
   Segunda Ordem: Espíritos Bons 188
   Primeira Ordem: Espíritos Puros 188
   O Aguadeiro (historieta) 189

11ª Aula
A PROGRESSÃO DOS ESPÍRITOS 192
   O Filho Pródigo 194
   Anjos e Demônios 195
   A Primeira Aula de Catecismo Espírita (historieta) 197

12ª Aula
ENCARNAÇÃO DOS ESPÍRITOS 199
   Finalidade da Encarnação 199
   Da Alma 199
   Materialismo 201
   Retorno da Vida Corpórea à Vida Espiritual 201
      A Alma Após a Morte 201
   Na Fazenda (poesia) 202

13ª Aula
SEPARAÇÃO DA ALMA E DO CORPO 204
   Perturbação Espírita 205
   Pluralidade das Existências 205
      Da Reencarnação 205
   Retalhos Luminosos (sentenças morais) 206
   Sonhos de Nerusca (receita de doce) 207

14ª Aula
JUSTIÇA DA REENCARNAÇÃO 208
   Encarnação nos Diferentes Mundos 208
   Transmigração Progressiva 209
   Caminhos Diferentes (historieta) 210

15ª Aula
SORTE DAS CRIANÇAS APÓS A MORTE 212
   Sexo nos Espíritos 212
   Parentesco, Filiação 213
   Semelhanças Físicas e Morais 214
   Deus (poesia) 216
   Meu Filho (soneto) 217

16ª Aula
IDEIAS INATAS 218
   Considerações Sobre a Pluralidade das Existências 218
   A Lenda da Cruz (poesia) 221
   Progressos no Sítio 224

17ª Aula
VIDA ESPÍRITA 227
   Espíritos Errantes 227
   Mundos Transitórios 228
   Percepções, Sensações e Sofrimentos dos Espíritos 229
   Ensaio Teórico Sobre a Sensação nos Espíritos 231
   O Olho (historieta) 232
   Retalhos Luminosos 233

18ª Aula
ESCOLHA DAS PROVAS 235
   Relações de Além-túmulo 236
   Relações Simpáticas e Antipáticas dos Espíritos. Metades Eternas 238
   Lembrança da Existência Corpórea 238
   Comemoração dos Mortos. Funerais 239
   Preces da Infância (poesia) 240

19ª Aula
DONA CORINA 242
   Retorno à Vida Corporal 242
      Prelúdios do Retorno 242
   União da Alma com o Corpo. Abortos 244

20ª Aula
FACULDADES MORAIS E INTELECTUAIS 245
   Influência do Organismo 245
   Idiotismo e Loucura 246
   Da Infância 247
   Simpatias e Antipatias Terrenas 248
   Esquecimento do Passado 249
   A Minhoca que Achou um Tesouro (historieta) 253

21ª Aula
EMANCIPAÇÃO DA ALMA 257
   O Sono e os Sonhos 257
   Visitas em Espírito Entre Vivos 258
   Transmissão Oculta do Pensamento 258
   Letargia, Catalepsia, Morte Aparente 258
   Ascensão de Jesus (poesia) 259
   Pudim de Casca de Laranja (receita de doce) 261

22ª Aula
O SONAMBULISMO 262
   Êxtase 262
   Dupla Vista 263
   Resumo Teórico do Sonambulismo, do Êxtase e da Dupla Vista 263
   Intervenção dos Espíritos no Mundo Corpóreo 263
      Penetração de Nosso Pensamento pelos Espíritos 263
   Influência Oculta dos Espíritos Sobre os Nossos Pensamentos
      e as Nossas Ações 263
   Possessos 264
   Convulsionários 265
   Dedicação (historieta) 265
   O Aniversário do Vovô 268
   Marcha Soldado (poesia) 269
   Onardo, o Velhinho (versos) 270
   As Ruguinhas do Papai (soneto) 270
   Ato de Caridade (soneto) 271
   Ladainha (poesia) 272
   Minervinus, o Delator (historieta) 273

Anedotas	276
Helen Keller (biografia)	277
Credo de Helen Keller	280
Luís Braille (biografia)	281

23ª Aula
AFEIÇÃO DOS ESPÍRITOS POR CERTAS PESSOAS ... 283

Anjos da Guarda, Espíritos Protetores, Familiares ou Simpáticos	283
Pressentimentos	285
Retalhos Luminosos (sentenças morais)	286
O Mandiocal da Bondade (poesia)	287

24ª Aula
INFLUÊNCIA DOS ESPÍRITOS SOBRE OS ACONTECIMENTOS DA VIDA ... 289

Ação dos Espíritos Sobre os Fenômenos da Natureza	290
Os Espíritos Durante os Combates	290
Dos Pactos	290
Poder Oculto. Talismãs. Feiticeiros	291
Bênção e Maldição	291
Retalhos luminosos (sentenças morais)	292
Um creme (receita de doce)	293

25ª Aula
OCUPAÇÕES E MISSÕES DOS ESPÍRITOS ... 294

O Credo (poesia)	297

26ª Aula
OS TRÊS REINOS ... 299

Os Minerais e as Plantas	299
Os Animais e o Homem	300
Metempsicose	302
Reviravoltas da Vida (historieta)	302

27ª Aula - LIVRO TERCEIRO ... 304
AS LEIS MORAIS ... 304

A Lei Divina ou Natural	304
Caracteres da Lei Natural	304

Conhecimento da Lei Natural 305
O Bem e o Mal 307
Divisão da Lei Natural 308
O Rabi (poesia) 309

28ª Aula
LEI DA ADORAÇÃO 312
Finalidade da Adoração 312
Adoração Exterior 312
Vida Contemplativa 313
Da Prece 313
Politeísmo 315
Sacrifícios 315
Hino a Deus (Poesia) 316
Biscoitos (receita de doces) 317

29ª Aula
VOVÔ CONTA UMA HISTÓRIA 318
Memórias de Uma Formiga (historieta) 318

30ª Aula
LEI DO TRABALHO 324
Necessidade do Trabalho 324
Limite do Trabalho. Repouso 325
A Ovelha Perdida (Poesia) 327

31ª Aula
LEI DA REPRODUÇÃO 328
População do Globo 328
Sucessão e Aperfeiçoamento das Raças 329
Anedotas 332

32ª Aula
Obstáculos à Reprodução 336
Casamento e Celibato 338
Poligamia 338
Perdoa! (soneto) 342

33ª Aula
LEI DA CONSERVAÇÃO 343
    Instinto de Conservação 343
    Meios de Conservação 343
    Gozo dos Bens da Terra 345
    Necessário e Supérfluo 346
    Privações Voluntárias. Mortificações 346
    A Catacumba Marcelina (historieta) 347

34ª Aula
LEI DA DESTRUIÇÃO 350
    Destruição Necessária e Abusiva 350
    Flagelos Destruidores 351
    Guerras 352
    Assassinato 353
    Crueldade 353
    Duelo 354
    Pena de Morte 354
    O Caçador de Esmeraldas (poema) 355

35ª Aula
LEI DA SOCIEDADE 358
    Necessidade da Vida Social 358
    Vida de Isolamento. Voto de Silêncio 358
    Laços de Família 359
    Lei do Progresso 359
        Estado Natural 359
    Marcha do Progresso 360
    Povos Degenerados 360
    Jenner (biografia) 364

36ª Aula
A GRÉCIA (HISTÓRIA GERAL) 366
    Civilização 368
    Progresso da Legislação Humana 369
    Influência do Espiritismo no Progresso 370
    Retalhos Luminosos (sentenças morais) 372

37ª Aula
LEI DA IGUALDADE 374
    Igualdade Natural 374
    Desigualdade de Aptidões 374
    Desigualdades Sociais 375
    Desigualdade das Riquezas 375
    Provas da Riqueza e da Miséria 376
    Igualdade dos Direitos do Homem e da Mulher 377
    Igualdade Perante o Túmulo 378
    Gratidão (historieta) 378

38ª Aula
LEI DA LIBERDADE 382
    Liberdade Natural 382
    Escravidão 382
    Liberdade de Pensamento 383
    Liberdade de Consciência 383
    Livre-arbítrio 384
    Fatalidade 384
    Conhecimento do Futuro 387
    Resumo Teórico do Móvel das Ações Humanas 388
    O Suave Milagre (poesia) 389
    Eusápia Paladino (biografia) 391

39ª Aula
LEI DA JUSTIÇA, DO AMOR E DA CARIDADE 395
    Justiça e Direito Natural 395
    Direito de Propriedade. Roubo 396
    Caridade e Amor do Próximo 397
    Amor Maternal e Filial 400
    Hahnemann, o Criador da Homeopatia (biografia) 401

40ª Aula
PERFEIÇÃO MORAL 403
    As Virtudes e os Vícios 403
    Das Paixões 405
    Do Egoísmo 406

Caracteres do Homem de Bem	409
Conhecimento de Si Mesmo	410
Psique (poesia)	412

41ª Aula – LIVRO QUARTO 413
ESPERANÇAS E CONSOLAÇÕES 413

Penas e Gozos Terrenos	413
Felicidade e Infelicidade Relativas	415
Perda de Entes Queridos	416
Decepções, Ingratidão, Quebra de Afeições	418
Uniões Antipáticas	418
Preocupação com a morte	419
Desgosto pela Vida. Suicídio	420
Salmo (poesia)	423

42ª Aula

Lázaro Zamenhof (biografia)	425

43ª Aula
PENAS E GOZOS FUTUROS 431

O Nada. A Vida Futura	431
Intuição das Penas e dos Gozos Futuros	432
Intervenção de Deus nas Penas e Recompensas	433
Natureza das Penas e dos Gozos Futuros	434
Penas Temporais	437
Expiação e Arrependimento	439
Duração das Penas Futuras	441
Ressurreição da Carne	445
Paraíso, Inferno, Purgatório, Paraíso Perdido	446
O Último Serão	448

CONCLUSÃO

Pai-Nosso (poesia)	451

Apresentação do Editor

Autor de várias obras didáticas sobre a Doutrina Espírita, Eliseu Rigonatti volta-se neste livro para o público jovem. Na obra, ele relembra, na forma de um contador de histórias, do tempo em que, à tarde, na cidadezinha em que nasceu, reunia-se com seus colegas para ouvir os mais fantásticos enredos ao redor de uma professorinha que, dotada do raro dom de saber contar histórias, narrava-lhes a vida de Jesus.

Desejoso de poder compartilhar essa experiência com outras pessoas, este livro que ora o leitor tem em mãos é fruto da época em que Rigonatti era uma criança. Assim, ele nos conta que este livro "nasceu quando eu [ainda] era menino. Naquele tempo, era comum contar histórias para as crianças. Elas nos levavam ao mundo encantado da fantasia". Utilizando-se de suas lembranças, o autor recria na primeira parte deste livro a história de Jesus. Baseado nos quatro Evangelhos, Rigonatti traça um diálogo paralelo, quase sempre comparando as situações vividas por Jesus Cristo na Palestina, há mais de dois mil anos, com o dia a dia de uma criança brasileira dos nossos tempos. E, junto com a história, traz-nos valiosas lições de vida e um simpático incentivo para reviver, de forma prática, os ensinamentos de Jesus, sempre atuais, em sua divina e eterna sabedoria.

Inspirado por esse estilo leve de contação de histórias, Rigonatti nos leva a conhecer de forma didática, mas nem por isso maçante, a obra máxima de Allan Kardec: *O Livro dos Espíritos*. Na segunda parte do livro, recontados em forma de 44 lições, o autor traz aos leitores jovens, ou iniciantes na Doutrina, os ensinamentos essenciais do codificador do Espiritismo, revelando importantes passagens sobre ética e moral dentro da Doutrina, sem deixar de lado a parte evangélica da obra. Em suas palavras: "sem que o leitor o perceba, o ensinamento evangélico está disseminado por todos os seus capítulos, porque um dos pilares fundamentais do Espiritismo é a propagação do Evangelho de Jesus. Não se concebe o Espiritismo sem as palavras sublimes do Evangelho; e, neste modesto livro, abundam, sob as mais variadas formas, as palavras do Mestre".

Contudo, para o bom aproveitamento das lições contidas neste livro junto ao público a que se destina, não basta, o autor ser um bom contador de histórias; é preciso recriar as situações, dar vida aos personagens, desencadear com interesse as falas, qualidades que – felizmente para o leitor – são apenas algumas das características do estilo de Eliseu Rigonatti, destacando-se pela simplicidade de sua escrita, pelo cuidado com que comenta e divulga os princípios da Doutrina Espírita e, principalmente, por seu poder de persuasão, fruto da honestidade de suas convicções.

Com o grande mérito de facilitar a compreensão de temas tão complexos, como a origem e a natureza dos espíritos, a mediunidade, a pluralidade da existência e como funcionam as leis divinas que regem os destinos da humanidade, este livro é dedicado à juventude espírita do Brasil, assim como a todos os que desejam conhecer melhor o Espiritismo. Por meio da reprodução de *O Livro dos Espíritos* na íntegra, comentado linha a linha, em diálogos entremeados de contos, poesias e curiosidades que elucidam os pontos principais desta obra básica da filosofia espírita, de modo agradável, *Espiritismo para Jovens* vai ajudar você a ter mais luz em sua busca pela compreensão da mensagem espiritual codificada por Allan Kardec.

Boa leitura!

Adilson Silva Ramachandra, primavera de 2017.

Prólogo do Autor

Espiritismo para Jovens nasceu quando eu era menino. Naquele tempo, era comum contar histórias para as crianças. Elas nos levavam ao mundo encantado da fantasia e faziam desfilar diante de nós fadas, bruxas, anões, animais que falavam, rainhas, reis, castelos enfeitiçados, as estripulias de Pedro Malazartes e muitos outros personagens, até que o sono, fazendo a cabeça pender, chegava de mansinho, embalando-nos com visões coloridas de um reino maravilhoso.

Contrariando o que pensam muitos psicólogos, psiquiatras e educadores, mesmo os mais modernos e arrojados, a criança jamais viverá fora do Reino do Maravilhoso e da Fantasia. No país dos sonhos infantis, tudo tem vida e se movimenta. Até um palito de fósforo tem pernas e braços, e em sua cabecinha, olhos, nariz, boca; e, é claro, ele fala.

Foi o que Monteiro Lobato bem compreendeu quando criou os personagens do Sítio do Picapau Amarelo e do Reino das Águas Claras, com o Príncipe Escamado, o Escorpião Negro, o Doutor Caramujo, o Major Agarra e Não Larga Mais, o sapo, o sentinela do palácio, Emília, bonequinha de pano viva e muito arteira, o Marquês de Rabicó, o Visconde de Sabugosa, um sabugo de milho vivo e um dos maiores sábios que o mundo já viu. Narizinho Arrebitado, seu primo Pedrinho, Dona Benta, Tia Anastácia, e tantos outros personagens inesquecíveis, são sínteses perfeitas de histórias contadas para todas as crianças do mundo. Alguns exemplos universais são: *A Maravilhosa Viagem de Nils Holgersson através da Suécia*, que, tendo Nils sido transformado em um gnomo de um palmo de altura por Selma Lagerlöf, ele viaja nas costas de um pato selvagem por todo o país; os Irmãos Grimm com seus "contos de fadas"; Hans Christian Andersen, criador e compilador de contos notáveis pela graça de sua imaginação fértil; *Pinóquio*, de Carlo Collodi; Peter Pan e o terrível Capitão Gancho, de J. M. Barrie; *Alice no País das Maravilhas*, de Lewis Carroll; *O Mágico de Oz*, de L. Frank Baum – todos, todos que compreenderam a alma infantil e que povoam o mundo das crianças com esses personagens imortais.

Hoje em dia, não é um hábito comum contar histórias às crianças, e isso é pena. Elas contribuíam bastante para a união e a harmonia familiar. Antigamente, à noite, após o jantar, ao redor dos pais, e muitas vezes dos avós, ou mesmo de tios e primos, reunia-se a criançada e se ouviam histórias até que alguém caísse de sono, fato que se verificava uma hora ou menos depois do início da sessão. O papai e a mamãe carregavam então as crianças para a cama, e nós íamos sonhando que tripulávamos o navio pirata à procura da ilha do tesouro. Depois, papai lia os jornais e mamãe retomava a cesta de costura; os avós cochilavam até que o relógio grande batesse 22 horas; todos se recolhiam, as luzes se apagavam e o lar mergulhava em doce quietude.

Assim, a história que vão ler neste livro, eu a ouvi em minha longínqua meninice. Ela me acompanhou durante a vida, e até hoje, com meus cabelos branquinhos, avisto o porto de chegada.

Todos sabem da existência dos Evangelhos, a parte mais conhecida do Novo Testamento contido na Bíblia Cristã, mas poucos os leram; e esses poucos raramente repetem a leitura para lhes fixar as lições. Na primeira parte deste livro, de maneira fácil e compreensiva para o leitor leigo, ajudarei os que quiserem conhecer os quatro Evangelhos: os de Mateus, Marcos, Lucas e João, que compareçam aqui, não resumidos, mas na íntegra. Deles aboli apenas a repetição dos fatos que lhes são comuns, e lhes tornei a linguagem mais direta, como no tempo em que as palavras fluíam dos lábios de Dona Lina, a contadora de histórias.

Na segunda parte da obra, O *Livro dos Espíritos*,* texto básico de Allan Kardec, é apresentado para jovens e iniciantes na Doutrina, com anotações que o caminhar da Ciência nos proporciona hoje. Assim, ele foi atualizado para que siga sempre par a par com a Ciência, o que demonstrará que o Espiritismo continua e continuará fiel à afirmação de Allan Kardec: "O Espiritismo caminhará ao lado da Ciência ou desaparecerá".

O perigo de o Espiritismo desaparecer, como veremos pela leitura deste modesto comentário, já não existe, pois nele não se encontrará uma linha sequer em que a Ciência e o Espiritismo não marchem juntos. E não se descuidou aqui também da parte concernente aos aspectos morais da Doutrina.

* * *

Dentre os vários fatores que concorrem para a infelicidade humana, nenhum é mais grave do que a falta de moral em que o mundo mergulhou. Eis por que

---

* Publicado pela Editora Pensamento, São Paulo, 1956. (fora de catálogo)

uma das principais tarefas do Espiritismo é moralizar a Humanidade. Certo, não lhe será possível moralizá-la totalmente, e de uma só vez; todavia, seus ensinamentos, pouco a pouco, conquistarão os indivíduos, as famílias, as cidades e assim por diante, até que suas lições, espalhando-se pelas nações, iluminem o mundo.

Neste livro, deu-se também muita atenção à parte evangélica. Sem que o leitor o perceba, o ensinamento evangélico está disseminado por todos os seus capítulos, porque um dos pilares fundamentais do Espiritismo é a propagação do Evangelho de Jesus. Não se concebe o Espiritismo sem as palavras sublimes do Evangelho; e, neste modesto livro, abundam, sob as mais variadas formas, as palavras do Mestre.

* * *

O Espiritismo é para ser estudado e compreendido, e, sobretudo, para ser rigorosamente analisado, a fim de que se não o deturpe nem se dê abrigo a teorias e ideias absurdas, nem se concorra a fazer adeptos ignorantes, cheios de preconceitos e fanatismos. Muito mais que isso, a Doutrina quer, sim, adeptos conscientes, esclarecidos; e, para serem adeptos assim, há um só meio: o estudo, que traz a compreensão do que é o verdadeiro Espiritismo. E a verdadeira compreensão da Doutrina somente se adquire com o estudo contínuo e disciplinado da Codificação Kardecista, ou seja, da obra de Allan Kardec. Então os leitores compreenderão, a Humanidade compreenderá, por que é que se diz que o Brasil é a Pátria do Evangelho, o berço da LUZ.

Parte I

A História de Jesus e
a Doutrina Espírita
Através das Parábolas

Lina, a Contadora de Histórias

Foi no tempo em que eu morava no Itambé,* já lá se vão muitos, muitos anos, talvez mais de quarenta.** Eu andava pelo curso primário, na escola do professor Amador.

Itambé era um povoado tranquilo, rodeado de matas quase virgens, de fazendas de criação e de sítios; distava de Barretos quatro léguas, ao norte do Estado de São Paulo. Era o que então se chamava uma boca do sertão. Ali minha infância decorreu serena, sem cuidados, como são todas as infâncias dos que têm a fortuna de nascer no seio de famílias moralmente bem formadas.

A tranquilidade daquele agrupamento humano quebrava-se apenas uma vez por semana, aos domingos, quando o pessoal das fazendas e dos sítios ia à vila fazer compras. Nesse dia, as frentes das vendas, dos armazéns e das lojas ficavam cheias de cavalos amarrados nas estacas, e as ruas arenosas eram cruzadas por troles e carroças. O automóvel era uma raridade; de quando em quando aparecia um, e todos corriam para vê-lo, apalpá-lo, admirá-lo.

Outra coisa que desfazia um pouco a monotonia daquele viver eram os períodos das férias escolares, quando os filhos das famílias que estudavam nas cidades grandes voltavam para passar as férias em suas casas. Organizavam frequentemente, ora na casa de um, ora na casa de outro, serões alegres que ajudavam a passar algumas horas da noite. Fora disso, os habitantes adormeciam logo após o aparecimento das estrelas, já que não tinham luz elétrica.

Dentre os estudantes que nas férias apareciam por lá, guardo suave lembrança de uma mocinha morena, de olhos pretos, grandes e rasgados, que lhe iluminavam o rosto; chamava-se Lina, e era minha vizinha. Lina gostava de contar histórias. E quantas que ela sabia!

---

* Hoje Ibitu.
** Corria o ano de 1918.

À tardinha, depois do jantar que era servido cedo, ela reunia um grupo de crianças em sua casa, e os personagens de um mundo maravilhoso ganhavam vida ante nossos olhos, evocados por sua voz doce e mansa, até que o relógio da parede batesse oito horas, quando ela nos mandava para casa, dormir.

Lina Começa a Contar-nos a História de Jesus

Uma noite, Lina nos disse:
— Tenho agora uma história muito bonita e muito verdadeira para contar-lhes. É a história de um homem bom, que viveu unicamente para ensinar os homens a amarem-se como irmãos, e a fazerem o bem uns aos outros. Esse homem chamava-se Jesus, e é a história dele que vocês vão ouvir.
— Essa história também eu quero ouvir —, falou dona Leonor, tia de Lina, que num canto da sala cerzia meias. — Eu a conheço, mas quero recordá-la.
— Como coisa que a senhora não ouviu todas as outras —, disse Lina com um sorriso. E, dirigindo-se ao círculo de crianças que bebiam suas palavras, começou:

O Nascimento de Jesus

— Havia em Roma um imperador chamado César Augusto. Esse imperador promulgou uma lei mandando que fosse feito um recenseamento em todo o mundo. Vocês sabem o que é um recenseamento?
— Não senhora —, respondemos em coro.
— Eu sei —, disse o sr. Antônio, tio de Lina, que também não perdia nenhuma história.
— Muito bem, titio! —, exclamou dona Lina, e explicou: — recenseamento é fazer, por ordem do governo, uma lista de todos os habitantes do país, homens, mulheres e crianças; procede-se em seguida à contagem, e fica-se sabendo quantas pessoas há no país.
— E por que, dona Lina, o imperador mandou que o alistamento se fizesse em todo o mundo? — perguntei.
— Porque, naquele tempo, Roma era a senhora do mundo. Os romanos governavam todas as nações conhecidas da Terra, e, como eram muito poderosos, todos lhes obedeciam. Assim, cada um tinha de ir alistar-se em sua cidade, mesmo que morasse em cidade diferente.
Procurem no mapa-múndi o mar Mediterrâneo, que começa aqui no estreito de Gibraltar, por onde se comunica com o oceano Atlântico, e banha as terras da

Europa, da África e da Ásia; lá no fim onde ele termina, vocês encontrarão um país, também banhado por ele, e que se chama Palestina. É nesse país que se passa a história que lhes estou contando.

Ora havia em Nazaré, pequena aldeia da Palestina, um casal: José e Maria. Este casal precisava ir alistar-se em seu lugar de origem, que era Belém.

— O que é lugar de origem, dona Lina? — perguntou Cecília, a filha de dona Júlia, a costureira.

— Lugar de origem de uma família — explicou dona Lina —, é onde se julga que uma família começa. José e Maria acreditavam-se descendentes do rei Davi, cujo berço foi Belém; e por isso dirigiram-se para lá.

A viagem foi penosa, naqueles tempos não havia as comodidades de hoje para viajar. E um pouco a pé, outro pouco montados num burrico, venceram a distância que separava as duas povoações. E quando chegaram a Belém... que judiação! Não havia lugar para o casal se hospedar; nem um quartinho, nem uma cama, nada!

— E por que, dona Lina? — perguntamos.

— Porque todos aqueles que eram originários de Belém, e que estavam espalhados pelo mundo, tinham ido também alistar-se ali. E com isso as pensões, os abrigos, as casas, tudo estava cheio. José não sabia mais aonde se dirigir para arranjar um lugarzinho. E o pior é que Maria estava para ganhar um nenê.

— Para ganhar um nenê! — exclamou Joaninha, a filhinha do sapateiro da esquina. — Que bom! Nós também lá em casa, na semana passada, ganhamos um. Ele é tão bonitinho!

— Com muito custo — prosseguiu dona Lina —, conseguiram acomodar-se num curral, nos arrabaldes. E, numa noite muito bonita, de um céu todo estrelado, perfumada pela brisa suave que vinha dos campos, Maria ganhou o seu nenê. Vestiu-o com suas roupinhas, enfaixou-o e deitou-o na manjedoura, que lhe serviu de berço; e pôs-lhe o nome de Jesus.

Nisto o relógio da sala de jantar deu oito horas. Dona Lina despediu-nos dizendo:

— Agora vocês vão para casa dormir. Amanhã continuaremos.

E, com um alegre "boa-noite, dona Lina", dispersamo-nos.

Os Pastores de Belém

Na tardinha seguinte estávamos a postos, e dona Lina continuou:

— Ora, ali pelos arredores, os pastores traziam seus rebanhos para passarem a noite em segurança; enquanto uns dormiam, outros vigiavam.

— Vigiavam por quê, dona Lina? — perguntou a Joaninha.

— Para que os lobos maus não lhes furtassem as ovelhas, querida. Alguns deles estavam ao pé de uma fogueirinha aquecendo-se, quando junto deles apareceu um anjo de Deus, e uma luz brilhante os iluminou a todos.

— O que é um anjo, dona Lina? — perguntou o João André, cuja mãe também estava ouvindo a história.

— Papai disse que anjo é um Espírito superior muito bom e muito puro, e que, se nós fizermos sempre o bem para todos, acabaremos virando anjos — explicou apressadamente a Joaninha.

— Isso mesmo, querida! — exclamou dona Lina. — Os pastores levaram um susto e ficaram com medo; mas o anjo lhes disse: "Não tenham medo; venho trazer-lhes uma notícia que será de grande alegria para vocês e para todo o povo; é que hoje nasceu o Salvador do mundo, que é Jesus. E, se quiserem ir vê-lo, este é o sinal que lhes fará conhecê-lo: acharão um menino envolto em panos e posto numa manjedoura".

E, quando o anjo acabou de falar, apareceram ao seu lado muitos e muitos outros anjos, todos eles irradiando uma luz tão brilhante, que clareou aqueles campos até ao longe. E os anjos cantavam: "Glória a Deus lá nas alturas, e paz na Terra a todas as suas criaturas".

Em seguida os anjos subiram para o céu, e os pastores ficaram sozinhos ao pé da fogueira, que se extinguia.

Um deles, pensativo e admirado, abaixou-se, avivou as chamas e disse: "Vamos até Belém e vejamos o que é que aconteceu, o que é que Deus nos revelou".

Deixaram um de guarda às ovelhas, e os outros foram a Belém. E, como o anjo dissera que o menino estava numa manjedoura, dirigiram-se diretamente ao curral.

— Será que havia só um curral em Belém, Lina? — perguntou a mãe do João André.

— Creio que sim, dona Aninhas; além do mais, Belém era pequenina e seria fácil aos pastores visitarem em pouco tempo outros currais, se houvesse mais do que um. Mas os pastores chegaram ao curral e de fato acharam Jesus envolto em seus paninhos, dormindo na manjedoura, forradinha de capim bem fofinho. Maria estava acomodada ao seu lado, e José, de pé à cabeceira, velava pelos seus dois entes queridos.

Os pastores achegaram-se à manjedoura e contemplaram respeitosamente o menino. E contaram aos pais a visão maravilhosa que tiveram. Junto com os pastores chegou mais gente, e todos ficaram admiradíssimos do que ouviam. Vendo os pastores que era verdade o que o anjo lhes anunciara, retiraram-se dando graças a Deus. Maria ajeitou melhor o menino e, um pouco preocupada com a visita dos pastores, pediu ao Altíssimo que amparasse o seu filhinho; e, sorrindo para José, que estava pensativo, adormeceu.

— E por hoje chega — concluiu dona Lina. — Vão direito para casa, que tenho muito que fazer ainda.

— Dona Lina, a senhora poderia explicar-nos por que o anjo disse que Jesus seria o Salvador do mundo? Depois iremos embora — pedi eu.

— Jesus é o Salvador do mundo porque veio ensinar os homens a praticarem somente boas ações, a se amarem como irmãos, e a perdoarem uns aos outros, porque só assim serão felizes. E agora até amanhã para todos.

Os Magos do Oriente

— Mas não foram apenas os pastores que foram visitar Jesus quando ele nasceu. Ele recebeu também a visita dos magos do Oriente — continuou dona Lina na noite seguinte, com o pessoalzinho acomodado ao seu redor.

— Dos magos do Oriente! — exclamou de olhos arregalados o Roberto, filho do advogado.

— Sim, dos magos do Oriente. Eles apareceram em Jerusalém, que era a capital da Palestina, e se puseram a indagar onde estava o rei dos judeus que tinha nascido, porque tinham visto no Oriente a sua estrela e queriam adorá-lo.

Dona Lina percebeu que muitas perguntas iam chover sobre ela, dos grandes e dos pequenos ouvintes, e por isso apressou-se a explicar:

— Mago quer dizer sábio. Eram sacerdotes de antigas religiões daquelas terras da Pérsia, donde esses magos tinham vindo; ocupavam-se do culto religioso e estudavam todas as ciências. E, como conheciam também as coisas da espiritualidade, sabiam que um dia viria ao mundo um Espírito muito superior, o superior de quantos já tinham vindo à Terra, para ensinar aos homens a viverem de acordo com as leis divinas. Esse Espírito superior exerceria entre os homens um reinado espiritual, e por isso o chamaram de rei. Compreenderam?

— E a estrela, dona Lina, e a estrela? — perguntamos sem que nos pudéssemos conter.

— Oh! A estrela! Essa é maravilhosa — continuou dona Lina alfinetando-nos a curiosidade. — Imaginem vocês que ela guiou os magos através das montanhas da Pérsia, dos desertos ardentes da Arábia, dos vales perfumados da Síria, até Jerusalém, onde chegaram montados em camelos, chamando a atenção de todos. E lá ela desapareceu.

— Com o que então deixou os pobres magos atrapalhados! — exclamou o sr. Antônio. — Mas ela não podia tê-los guiado diretamente a Belém?

— Calma, meu caro tio, calma que lá chegaremos também — disse dona Lina rindo. Eu gostava de vê-la rir, porque se formavam duas covinhas encantadoras em suas faces; e prosseguiu:

— Por já não enxergarem a estrela é que os magos começaram a perguntar onde tinha nascido o menino. E assim foram conduzidos à presença do rei Herodes, o qual, quando soube o que os magos procuravam, não gostou muito.

— Por que ele não gostou, dona Lina? — perguntou o Roberto.

— Porque ficou com medo de perder o trono. E, como também ele não sabia responder, curiosíssimo, mandou chamar todos os sábios da cidade e lhes perguntou onde havia de nascer o Cristo. Os sábios leram nos antigos livros sagrados e encontraram a indicação no livro do profeta Miqueias, que vivera há setecentos anos antes de Jesus, o qual profetizava que havia de nascer em Belém.

— O que é um profeta, dona Lina? — perguntou a Joaninha.

— Profeta, naqueles tempos, era um homem que recebia avisos do mundo espiritual e os transmitia aos homens. Herodes deu a indicação aos magos e inquiriu deles, com todo o cuidado, o tempo que havia de lhes aparecer a estrela. Pediu-lhes que fossem a Belém e se informassem muito bem sobre que menino era esse, e que depois de o terem achado voltassem para dizer-lhe, porque ele também queria ir adorá-lo.

E os magos partiram; e logo a estrela que os guiara do Oriente reapareceu diante deles e levou-os até onde estava o menino.

— Não compreendo por que a estrela não os fez seguir diretamente a Belém — insistiu o sr. Antônio.

— Porque, com a passagem dos magos pela capital, a atenção do povo seria despertada e veriam que se cumpriam as profecias, isto é, os avisos que de há muito tempo vinham recebendo do mundo espiritual sobre a vinda do Salvador; e assim seria inaugurada no mundo uma era de paz e de amor. Infelizmente isso não aconteceu; os dirigentes do povo não souberam ou não quiseram tomar conhecimento do fato, de medo de perderem suas regalias.

Os magos ficaram contentíssimos quando viram de novo a estrela. E, parando a estrela em cima do curral, nele entraram e acharam o menino.

Maria velava por ele, como o fazem todas as mães quando seus filhos são pequeninos. Os magos o adoraram e mandaram que seus criados descessem dos camelos as malas; e tiraram delas ouro, incenso e mirra, e deram de presente ao menino.

— O meu irmãozinho também ganhou presentes; só que foi talco, roupinhas e uma canequinha de prata — falou a Joaninha.

— Pois é; por aí vemos que o costume de se dar presentes às criancinhas vem de muito longe — disse dona Aninhas.

— Estou intrigado é com essa estrela — tornou a falar o sr. Antônio. — Como é que ela podia mover-se tanto no céu, sem despertar a atenção do mundo inteiro?

— Explico — disse dona Lina. Não era realmente uma estrela. Era um Espírito elevado, cuja luz espiritual se fazia visível aos magos e assim lhes facilitava encontrar o lugar onde Jesus tinha nascido; do contrário, eles nunca poderiam achá-lo.

— Agora compreendo — disse o sr. Antônio.

— À noite, quando os magos dormiam, tiveram um sonho: sonharam que não deviam voltar a Herodes. E, de madrugada, arrumaram suas coisas no dorso dos camelos, despediram-se do casal e voltaram para seu país por outro caminho.

— E por quê, dona Lina? — perguntaram três ou quatro vozes.

— Amanhã vocês saberão. São horas de dormir, e tenham lindos sonhos — concluiu dona Lina levantando-se e acompanhando-nos até a porta da rua.

A Fuga para o Egito, a Matança dos Inocentes

No dia seguinte, nem bem acabáramos de jantar, já estávamos em casa de dona Lina, à espera da continuação da história.

Joaninha trouxe mais dois meninos, o Juquinha e o Antoninho, seus vizinhos. Dona Lina ajudava dona Leonora a arrumar a cozinha e gritou-nos lá de dentro:

— Esperem que já vou; enquanto isso acomodem-se direitinho.

E, quando veio, sentou-se em seu lugar e começou a história da noite assim:

— Alguns dias depois que os magos partiram, dormia José recostado ao lado da manjedoura, depois de Maria ter cuidado do menino, e sonhou. Sonhou que lhe apareceu um anjo vestido de luz, que lhe disse: "Levanta-te, José, toma o menino e sua mãe, e foge para o Egito, e fica-te lá até que eu te avise. Porque Herodes vai procurar o menino para matá-lo".

— Ah! Era por isso que ele queria que os magos voltassem! — exclamou a Joaninha.

— E por que Herodes queria matar o menino, dona Lina? — perguntou o Antoninho.

— Porque os magos disseram que tinham vindo adorar o rei dos judeus que nascera; e os profetas antigos profetizaram que ele reinaria sobre todo o povo; e, como Herodes era o rei, ficou com medo de perder o lugar. José obedeceu ao aviso celeste; embora fosse noite alta levantou-se, contou o sonho à Maria, arrumaram suas coisas e partiram para o Egito.

— Foram a pé, dona Lina? — perguntou o Juquinha.

— Não; José tinha um burrico, com o qual tinham ido para Belém. Maria com Jesus no colo ia montada no burrico, e José ia a pé, puxando o burrico; passaram por entre as ovelhas que dormiam no curral, seguiram por uma ruazinha e ganharam a estrada.

— Mas o Egito é tão longe! — exclamou Roberto.

— Sim, daqui do Brasil; mas da Palestina ao Egito não é assim tão longe, porque são países vizinhos. Herodes esperou por alguns dias, talvez uma semana, que os magos voltassem com a notícia. E, quando percebeu que os magos não voltariam, e que já deviam estar a caminho de suas terras, ficou furiosíssimo. Querendo a qualquer preço liquidar com Jesus, sabem o que ele fez?

— Não, senhora — respondemos.

— Mandou soldados a Belém, com ordem de matar todos os meninos que tivessem a idade de 2 anos para baixo. Os soldados chegaram e executaram a ordem, para desespero daquelas pobres mãezinhas.

— Mas por que matar todas as criancinhas? — perguntou a Joaninha, que era a que mais falava.

— Todas as criancinhas, não. Só os meninos. Herodes esperava que no meio deles estivesse Jesus, mas enganou-se; Jesus já estava longe.

— Será que eles mataram muitas crianças, Lina? — perguntou dona Aninhas.

— Não. Segundo os historiadores, Belém naquela época era uma aldeia que contava com dois mil habitantes, mais ou menos. Admitindo-se que nascem em cada ano trinta crianças para cada mil habitantes, e ainda levando-se em conta que são meninos e meninas, e que só os meninos foram atingidos, teremos uns vinte e cinco meninos sacrificados por Herodes.

— Que judiação! — exclamou alto dona Leonor.

— Esses pequeninos são considerados os primeiros mártires da doutrina de Jesus — concluiu dona Lina, dando-nos boa-noite e mandando-nos para casa.

A Volta do Egito

Eis o que ouvimos de dona Lina na noite seguinte:

— Passaram-se alguns meses. José continuava no Egito com sua família, aguardando o momento oportuno de voltar para sua terra.

No Egito viviam muitos compatriotas de José, e eles o ajudavam dando-lhe serviço, pois que José era um hábil carpinteiro. Uma noite estava ele dormindo e sonhou que lhe apareceu o mesmo anjo vestido de luz cristalina, e de seus lábios puros saíram estas palavras: "Levanta-te, José, toma o menino e sua mãe, e vai para Israel; porque já morreram os que queriam matar o menino".

— Israel, dona Lina, o que é isso? — perguntou Cecília.

— É o nome que também tinha a Palestina. Para que vocês possam compreender melhor as diversas coisas que se passarão em nossa história, vou dar-lhes uma lição de geografia.

A Palestina ou Israel, no tempo de Jesus, tinha uma superfície de 25.590 quilômetros quadrados. Era mais ou menos do tamanho de nosso Estado de Alagoas. Era banhada pelo mar Mediterrâneo; seu principal rio é o rio Jordão, com um percurso sinuoso de 322 quilômetros, correndo do norte para o sul. Se o rio Jordão não fosse tão cheio de curvas, ele faria o mesmo percurso em linha reta em apenas 105 quilômetros.

A Palestina dividia-se em três partes, que eram: a Galileia, a Samaria e a Judeia. A Galileia era a mais bonita das três; possuía muitos riachos e poços d'água; produzia azeitonas, uvas, trigo, cevada, frutas, e gado. Foi na Galileia que Jesus passou sua infância, e ali começou a trabalhar em benefício da humanidade; na Galileia também nasceram quase todos os seus doze discípulos.

As outras duas regiões, a Samaria e a Judeia, já não eram tão férteis, sendo a Judeia uma região pedregosa, e a Samaria muito montanhosa.

Pois bem; quando José chegou com sua família à Judeia, soube que lá reinava Arquelao, filho de Herodes. E, como Arquelao não era melhor do que seu pai, José receou ficar ali, e retirou-se para sua antiga casa em Nazaré, que fica na Galileia. É por isso que Jesus também é chamado Nazareno.

— Mas Arquelao não mandava também na Galileia? — perguntou o Juquinha.

— Não; as três regiões eram quase independentes, e por isso tinham governos diferentes.

Nisso, para grande desespero nosso, chegaram visitas, e dona Lina interrompeu a história, para continuá-la na noite seguinte.

O Menino Jesus no meio dos Doutores; sua Infância

— Foi em Nazaré que Jesus cresceu e passou sua infância. Ele era muito inteligente, estudioso e trabalhador. Quando completou 7 anos, seus pais o matricularam na escola, onde aprendeu a ler e a escrever; dedicava uma parte de seu tempo a brincar com seus companheiros, e outra parte a trabalhar com seu pai na carpintaria e a estudar as lições.

— O Juquinha também faz assim, dona Lina — falou Joaninha.

— Muito bem, Juquinha!, — exclamou dona Lina. — Conte-nos como você faz.

— Vou à escola, ajudo papai a vender pão na padaria, brinco um pouco e estudo minhas lições — respondeu ele modestamente.

— Esse viver pacífico — prosseguiu dona Lina — era interrompido uma vez por ano, quando todos os que moravam no interior iam a Jerusalém para assistir à festa da Páscoa, que se realizava no grande templo. Formavam caravanas e partiam para Jerusalém; lá se demoravam durante os dois dias de festa, e depois se reuniam de novo e voltavam.

Ora, quando Jesus tinha 12 anos, aconteceu um fato interessante com ele. Como de costume, foram a Jerusalém para a festa da Páscoa, assistiram a ela e, uma vez terminada, puseram-se de volta de madrugada. José e Maria caminhavam no grupo de trás, de pessoas mais velhas, e os moços nos grupos da frente, brincando pela estrada. Por isso estavam tranquilos, julgando que Jesus seguia adiante com a rapaziada.

Lá pelas tantas do dia, ao acamparem para se alimentar, procuraram Jesus por entre todos, e só então perceberam que ele tinha ficado em Jerusalém. Aflitos, os pobres pais voltaram imediatamente e durante três dias percorreram a cidade, sem que o achassem. Foi quando se dirigiram ao templo, e nele encontraram Jesus no meio dos doutores, conversando com eles e fazendo-lhes perguntas, e respondendo ao que lhe perguntavam.

— Quem eram os doutores, dona Lina? — perguntou Roberto.

— Os doutores da lei, isto é, homens que conheciam de cor e salteado tudo o que estava escrito nos livros dos profetas. E Jesus deu mostras de conhecer tais livros a fundo, visto que os doutores pasmavam-se de suas perguntas e de suas respostas. E seus pais admiraram-se de vê-lo ali, e sua mãe o repreendeu dizendo: "Filho, por que você fez isso conosco? Seu pai e eu passamos por um grande susto, e o procurávamos cheios de aflição".

Ao que docemente Jesus respondeu: "Para que me procuravam, mamãe? Pois não sabem que devo interessar-me pelas coisas que são do serviço de meu Pai?"

Entretanto seus pais não compreenderam o que ele queria dizer.

— Eu também não estou compreendendo, dona Lina — falou Cecília.

— É fácil. Jesus quis dizer-lhes que viera ao mundo para ensinar os homens a seguirem as leis de Deus, que era Pai dele, como é Pai de todos nós. E assim desde cedo precisava preparar-se para cumprir o seu dever.

— Jesus despediu-se dos doutores e de braços dados com seus pais desceu a majestosa escadaria do templo, e foi com eles para Nazaré, onde cresceu e se tornou um homem cheio de bondade e de sabedoria. É como vocês devem fazer:

crescerem bons, inteligentes, trabalhadores e estudiosos, concluiu dona Lina, mandando-nos para casa.

A Pregação de João Batista

Na noite seguinte, dona Lina continuou a história do seguinte modo:

— Enquanto Jesus crescia, houve vários acontecimentos que mudaram os governos do mundo daquele tempo. Augusto, o imperador romano, sob o qual Jesus nascera, tinha morrido; em seu lugar estava Tibério César. A Judeia era governada por um procurador romano chamado Pôncio Pilatos; a Galileia, por Herodes...

— O quê! — exclamou Joaninha.

— Tranquilize-se — disse dona Lina. — Esse Herodes era filho daquele que vocês já conhecem; por morte de seu pai, o reino foi dividido e tocou-lhe a parte da Galileia e da Pérsia; seu irmão Filipe ficou com as províncias da Itureia e de Traconites; e Lisânias, com a de Abilina. Em Jerusalém governavam o templo os grandes sacerdotes, Anás e Caifás.

Foi quando apareceu no deserto João, filho de Zacarias, um dos maiores profetas que o mundo teve; sua missão era preparar o povo para receber Jesus. A vida de João era muito simples; inteiramente entregue ao trabalho de anunciar a vinda de Jesus, não se importava com as coisas da Terra, e assim não possuía nada, a não ser uma pele de camelo com a qual se vestia e um cinto de couro para prendê-la ao corpo; alimentava-se de gafanhotos e de mel silvestre.

— De gafanhotos, dona Lina! — exclamou o Roberto.

— Sim; eram insetos abundantes naquelas paragens e muita gente os comia. E o mel silvestre, João o achava nas fendas dos rochedos, ou nos arbustos que havia por ali, fabricado pelas abelhas do mato.

— Eu conheço gente que come tanajuras — falou Joaninha. — Nossa lavadeira disse que torradas com sal são gostosas.

— A humanidade sempre comeu de tudo, querida. João percorria as margens do rio Jordão, transmitindo as mensagens que recebia do mundo espiritual, porque ele era um profeta muito bem inspirado. E dizia: "Eu sou a voz do que clama no deserto. Preparai o caminho do Senhor, façam direitas as suas veredas. Arrependam-se do mal que vocês fizeram, e assim poderão ver o Salvador enviado por Deus".

E muitas outras coisas falava ele ao povo que acorria para vê-lo. Aos que lhe perguntavam o que deviam fazer, respondia: "Quem tiver duas roupas, dê uma ao que não tem nenhuma; e quem tiver o que comer, reparta com quem não tem".

— Esse de quem você está falando é João Batista, não é, Lina? — perguntou dona Leonor.

— Sim, titia. Chamavam-no de João Batista porque ele batizava nas águas do rio Jordão quem se arrependia de seus pecados. Logo o povo pensou que ele fosse o Cristo, mas ele declarou que não; depois dele é que viria o Cristo, do qual ele não era digno nem mesmo de desatar a correia das sandálias. Foram também a ele os publicanos, que eram os cobradores dos impostos, e lhe perguntaram o que deviam fazer.

— Os publicanos eram os fiscais daquele tempo — explicou o sr. Antônio.

— Mais ou menos, titio. E João lhes respondeu que não deviam cobrar mais do que fosse realmente justo. Um grupo de soldados também foi ter com ele; fizeram-lhe a mesma pergunta e a resposta foi que não maltratassem ninguém, não oprimissem pessoa alguma e que se dessem por contentes com seu soldo.

Como vocês estão vendo, para todos João tinha uma palavra boa e um conselho amigo. Por algum tempo João continuou com suas pregações anunciando a vinda de Jesus e exortando o povo a fazer o bem. Até que um dia ele soube que Herodes se tinha comportado muito mal e chamou-lhe a atenção. Herodes, em vez de se corrigir, ficou furioso e mandou prender João e trancá-lo num cárcere.

— Coitado! — exclamou Joaninha. — E não saiu mais de lá?

— Não; contudo o encontraremos mais tarde. Porém, antes de João ser preso, Jesus também esteve com ele nas margens do rio. João o reconheceu e ouviu uma voz que vinha do alto dos céus, que dizia: "Este é o meu filho especialmente amado; nele tenho posto toda minha complacência".

— Quem falou isso, dona Lina? — perguntou o João André.

— Eram palavras de um hino de glória que os anjos celestes entoavam em louvor de Jesus.

Nisso o relógio da sala bateu oito horas. Levantamo-nos, demos boa-noite a todos e fomos para casa.

A Tentação de Jesus

Eis o que ouvimos de dona Lina na noite seguinte:

— Depois que Jesus se retirou das margens do rio Jordão, dirigiu-se ao deserto para meditar.

— Meditar no quê? — perguntou Cecília.

— Na elevada missão que o tinha trazido à Terra e nos meios de cumpri-la — explicou dona Lina.

— Dona Lina, o que é meditar? — perguntei.

— Meditar é pensar com sinceridade no que se fez e no que se pretende fazer. É um hábito saudável que devemos adquirir; se todos o tivessem, muitos males seriam evitados.

— Ensina-nos a meditar, Lina — pediu o sr. Antônio.

— Com prazer, titio. Como lhes disse, meditar é pensar em nossas ações, tanto nas já praticadas como nas que vamos praticar. Nas ações praticadas, para verificar se não cometemos algum mal; e nas que vamos praticar, para que sejam corretas e dignas. Se durante nossa meditação descobrirmos que cometemos uma ação má, devemos tratar de corrigi-la imediatamente.

A meditação se divide em duas partes: a parte moral e a parte material. Pela parte moral, procuraremos os vícios e os defeitos que por acaso temos; assim evitaremos os vícios e corrigiremos os defeitos. Pela parte material, meditaremos em nossas obrigações diárias; que sejam baseadas em absoluta honestidade e rigorosamente cumpridas.

Reservem alguns minutos para a meditação antes de dormirem. A sós em seu quarto, pensem no que fizeram durante o dia; se não fizeram nada de mau e se cumpriram bem seus deveres, agradeçam a Deus; se perceberem que praticaram algum ato mau ou errado, peçam ao Pai celeste que lhes dê forças para corrigi-lo logo no dia seguinte. Compreenderam?

— Sim, senhora — respondemos.

— E no deserto — prosseguiu dona Lina —, muitas tentações se apresentaram a Jesus.

— Não foi o demônio que o tentou? — perguntou dona Aninhas.

— Não senhora; o demônio ou diabo não existe. O que existe são irmãos nossos inferiores que ainda não sabem fazer o bem e que dão aos homens pensamentos maus. Nós também, sempre que aconselhamos ou fazemos o mal, somos diabos, demônios ou irmãos inferiores.

— Então, dona Lina, o Juquinha hoje foi um irmão inferior ou um demônio, porque ele matou um passarinho perto da porteira da chácara do sr. Gabriel — disse Antoninho.

— Que horror, Juquinha, que demônio você foi! — exclamou dona Lina.

— Pois você não sabe que é proibido pelas leis de Deus matar passarinhos?

— Vendo o tico pousado tão disponível, não resisti à tentação, dona Lina. Mas ele não morreu — respondeu Juquinha. — Levei-o para casa atordoado e dei-lhe um banho de água e sal; reanimou-se e então voou para o alto da laranjeira no quintal; logo depois tomou o rumo da chácara.

— Ainda bem — disse dona Lina. — É preciso resistir às tentações do mal. E no deserto, como Jesus tivesse fome, foi-lhe sugerido que transformasse as pedras em pão. Porém, Jesus afastou a tentação dizendo que não somente de pão vive o homem, mas de toda palavra de Deus.

E depois afigurou-se a Jesus que ele estava no alto de um monte e que, se obedecesse aos irmãos inferiores, ganharia todos os reinos da Terra. Jesus repeliu a tentação dizendo que só a Deus devemos obedecer, servir e adorar. Noutra ocasião pareceu a Jesus estar no cimo da torre do templo de Jerusalém, e um irmão inferior lhe sugeria que se atirasse da torre abaixo, que nenhum mal lhe sucederia, uma vez que ele era o filho de Deus. Jesus sorriu e respondeu que não devemos tentar a Deus, nosso Pai e Senhor.

E daquele dia em diante os irmãos inferiores se afastaram dele e passaram a respeitá-lo.

— Por que os irmãos inferiores se afastaram de Jesus, dona Lina? — perguntou o João André.

— Porque viram que Jesus não dava ouvidos às sugestões do mal. Vocês também poderão ficar livres dos irmãozinhos inferiores, comportando-se direitinho e nunca pensando em prejudicar ninguém.

E agora todos para casa. Amanhã lhes contarei mais um bonito episódio da vida de Jesus, nosso Mestre muito amado.

As Bodas de Cana – a Água feita Vinho

— Há na Galileia uma cidadezinha chamada Cana e nela um dia realizou-se um casamento. Por esse tempo Jesus já era homem-feito. A família de Jesus recebeu um convite para assistir ao casamento, e Jesus compareceu com sua mãe e seus irmãos.

— Jesus tinha irmãos, Lina? — perguntou dona Leonor.

— Os historiadores ainda não chegaram a uma conclusão positiva a esse respeito. Mas o Evangelho, em várias passagens, diz claramente que sim.

A festa decorria bem animada, quando acabou o vinho; Maria percebeu e disse a Jesus: "Eles não têm vinho". "Não se inquiete por isso, mamãe", respondeu-lhe Jesus. "Daqui a pouco eles o terão."

Maria então se dirigiu aos que serviam aos convidados e disse-lhes que fizessem como Jesus lhes ordenasse.

Ora, ali na sala, num canto, havia seis potes; Jesus mandou que os enchessem de água até a tampa. Feito isso, mandou que levassem um pouco daquela água para o mordomo experimentar. E, quando ele começou a beber a água, ela se transformou em vinho. O vinho era tão bom que o mordomo arregalou os olhos e disse ao noivo: "Esse era o vinho que devia ser servido em primeiro lugar e deixar o outro que é inferior para o fim; porque sempre se costuma dar aos convidados o melhor no começo".

Aqueles que sabiam a origem do vinho admiraram-se muito do poder de Jesus. E foi assim que Jesus iniciou os seus trabalhos, concorrendo para a alegria de uma festa que é uma das mais bonitas que os homens fazem: a festa de casamento.

— No casamento da filha de nossa vizinha não tinha vinho; mas havia doces, guaraná e refrescos que só a senhora vendo, dona Lina! — disse Joaninha.

— Então é muito antigo o uso do vinho, Lina? — perguntou o sr. Antônio.

— Sim, titio, perde-se na noite dos tempos, e o homem o tem associado a quase todas as suas atividades festivas, religiosas, solenes e familiares. Tido pelos antigos como remédio e alimento, o vinho era usado com muita moderação, sendo muito criticado quem dele abusasse. E agora vão dormir, que está na hora — concluiu dona Lina mandando-nos para casa.

Jesus é Expulso de Nazaré

E, na noite seguinte, dona Lina nos contou que:

— Tendo começado a trabalhar, Jesus percorria o país ensinando os homens a fazerem o bem, a compreenderem e a respeitarem as leis de Deus. Para isso ele entrava nas sinagogas aos sábados, tomava um dos livros, desenrolava-o, lia um trecho e explicava-o aos ouvintes.

— O que é sinagoga, dona Lina? — perguntou a Cecília.

— Sinagoga era a casa onde o povo se reunia para estudar as leis de Moisés e dos profetas, isto é, as Escrituras Sagradas.

— Por que é que Jesus desenrolava o livro, dona Lina? — perguntou o Juquinha.

— Porque os livros daquele tempo não eram como os de hoje, encadernados em folhas. Eram feitos em rolos, como um rolo de papel que o leitor desenrolava à medida que lia.

Depois de Jesus ter visitado muitas cidades e aldeias, sentiu saudades de sua pequenina Nazaré, o povoado tranquilo onde se criara. E para lá se dirigiu e descansou em sua antiga casa. Jesus tinha então mais ou menos 30 anos de idade.

Aconteceu que num sábado, segundo o costume, Jesus entrou na sinagoga e levantou-se para ler. Deram-lhe o livro do profeta Isaías. E, desenrolando o livro, achou o lugar onde estava escrito: "O Espírito do Senhor repousou sobre mim, pelo que ele me consagrou com a sua unção e enviou-me a pregar o Evangelho aos pobres, a curar os abatidos de coração, a anunciar aos cativos redenção e aos cegos vista, a pôr em liberdade os debilitados para seu resgate, a publicar o ano favorável do Senhor e o dia da retribuição".

— Não entendi nada, Lina — falou dona Aninhas.

— É fácil. Esse trecho de Isaías significa que Jesus foi escolhido por Deus para vir à Terra ensinar-nos as leis divinas, reanimar os desanimados, abrir-nos os olhos para o mundo espiritual, livrar-nos da maldade e das imperfeições, anunciar que já era tempo de os homens pensarem em Deus e mostrar-nos a retribuição que teremos pelas nossas ações. Compreenderam todos?

— Sim, senhora — respondemos. — Queríamos agora que a senhora nos dissesse quem foi Isaías.

— Isaías foi um dos grandes profetas de Israel e viveu 740 anos antes de Jesus; exerceu grande influência política e religiosa; seu livro, dividido em 66 capítulos, é uma das joias da literatura antiga; nele se intercalam predições sobre Jesus de uma realidade impressionante.

Jesus enrolou o livro, deu-o ao ministro e sentou-se. Todos os que estavam na sinagoga tinham os olhos fixos nele. E ele começou a ensiná-los e disse-lhes: "Hoje se cumpriu esta escritura aos seus ouvidos". O povo se admirava das palavras que saíam da boca de Jesus e diziam: "Mas não é este o oficial, filho de José e de Maria? E não vivem entre nós seus irmãos e suas irmãs?"

E ficaram indignados por Jesus dizer que era a ele que Isaías se referia. Porém, Jesus não perdeu a calma e disse: "Sem dúvida, vocês me aplicarão este provérbio: 'Médico, cura-te a ti mesmo e faze aqui na tua terra tudo quanto ouvimos dizer que fizeste em Cafarnaum'. Mas na verdade eu lhes digo que nenhum profeta é bem-aceito em sua pátria".

— Ninguém é santo em sua casa! — exclamou o sr. Antônio.

— Isso mesmo — continuou dona Lina. — Como todos o conheciam ali em Nazaré, onde era oficial de carpinteiro, ninguém queria acreditar nele. E o pior é que o agarraram e o levaram para fora da vila, e o quiseram atirar por um morro abaixo. Mas Jesus calmamente passou pelo meio deles e retirou-se.

— E fez muito bem — disse dona Leonor.

— Dali Jesus foi para Cafarnaum, agradável vilarejo situado às margens do lago Tiberíades, onde ficou morando na casa de Simão Pedro, a quem vocês conhecerão mais adiante. E todas as tardes, depois do trabalho diário, Jesus ensinava ao povo, que se espantava e admirava de sua doutrina e de suas palavras cheias de doçura e de autoridade.

— E agora vão para casa que já é hora — ordenou dona Lina, pondo ponto-final na narração da noite.

Fui para casa com o pensamento cheio daquelas recordações da vida de Jesus. A noite era morna e um luar esplendoroso banhava as coisas e os campos até ao longe. Em casa mamãe cerzia meias ao pé do lampião e papai lia ao seu lado. Um grande silêncio reinava na sala. Mamãe quebrou-o dizendo-me:

— Lave os pés, meu filho, e vá dormir. — Obedeci.

Cura de um Endemoninhado

— Hoje tenho dois bonitos fatos para lhes contar acerca de Jesus — começou dona Lina quando nos viu reunidos. — Ouçam bem:

Certa vez estava Jesus na sinagoga e apareceu por lá um homem obsidiado por um espírito imundo.

— O que é um espírito imundo, dona Lina? — perguntou o Roberto.

— Um espírito imundo é um irmão inferior que em lugar de se elevar para as regiões espirituais de paz e de luz, tornando-se assim um espírito luminoso, fica aqui junto dos homens, atormentando alguns deles, como a esse pobre obsidiado. Quando o homem viu Jesus, o espírito começou a gritar pela boca dele: "Deixa-nos, que tens conosco, Jesus Nazareno? Vieste perder-nos? Bem sei quem és; és o santo de Deus". Mas Jesus o repreendeu, dizendo: "Cala-te e sai desse homem!"

E, depois de ter lançado o homem por terra, ele se retirou sem lhe fazer nenhum mal.

— Dona Lina, esses irmãos inferiores de onde é que vêm? — perguntou o Roberto.

— Eles vêm daqui mesmo; são as almas dos homens que morreram. Para vocês entenderem isso, devo explicar-lhes que somos compostos de duas partes: o nosso corpo de carne e o nosso espírito, ou nossa alma. Pela morte, rompe-se o laço que liga nossa alma ao corpo. O corpo então morre e vai para a sepultura; e nossa alma, que compreende nós mesmos, vai para o mundo espiritual. As almas ou espíritos dos homens bons nos ajudam para o bem; e as dos maus se tornam irmãos inferiores enquanto não resolverem praticar o bem.

— Então ninguém morre, dona Lina! — exclamou o Antoninho.

— Ninguém morre e nós nunca morreremos. Somos espíritos imortais. Por isso aprendam desde já a não terem medo da morte.

E todos aqueles que estavam na sinagoga falavam uns com os outros, dizendo: "Que coisa é esta, por que ele manda com poder e com virtude aos espíritos imundos e estes lhe obedecem?" E a fama de Jesus corria por toda a parte.

A Cura da Sogra de Pedro

— Numa outra ocasião, Jesus saiu da sinagoga e foi até a casa de Pedro, onde encontrou a sogra dele de cama, com muita febre. Jesus teve dó dela e, inclinando-se sobre ela, pôs-lhe as mãos e a febre passou, e a sogra de Pedro ficou boa; e imediatamente foi providenciar um lanche para eles.

Sabendo o povo que Jesus estava na casa de Pedro, para lá foram levados muitos doentes de todas as moléstias e muitos obsidiados também. E Jesus punha as mãos sobre cada um deles e os curava. E, logo que raiou o dia, Jesus se levantou da cama e foi a um lugar deserto para orar, mas todos o procuravam e foram até onde ele estava, não querendo que ele fosse embora. Mas Jesus lhes dizia: "Às outras cidades também é necessário que eu anuncie o reino de Deus; que para isso é que fui enviado".

E Jesus percorria toda a Galileia, curando os enfermos e ensinando nas sinagogas deles.

Agora chega. Amanhã lhes contarei mais alguma coisa — concluiu dona Lina.

A Pesca Maravilhosa – os Primeiros Discípulos

— Começaremos nossa história de hoje com uma aula de geografia — disse dona Lina sorrindo.

No centro da Galileia existe um grande lago de água doce, chamado mar da Galileia; tem 20 quilômetros de comprimento e mede 13 de largura em sua parte mais larga. As ondas que nele se formam cintilam à luz do sol e no fundo de suas águas há grande fartura de peixes. Suas margens são agradáveis e nelas se edificaram várias cidadezinhas e aldeias, das quais, por vezes, o mesmo mar da Galileia toma o nome, tais como: Cafarnaum, Genezaré, Tiberíades, Juiverete e outras. O mar da Galileia foi o cenário da maior parte da vida de Jesus. Havia por ali muitas colônias de pescadores e foi entre eles que Jesus foi buscar quase todos seus discípulos, como vocês verão. Jesus gostava muito desse lago e percorria constantemente suas margens ensinando ao povo o seu Evangelho e sempre que lhe deparava uma oportunidade curava os enfermos. Outras vezes, quando o povo era muito, ele subia numa barca, afastava-se um pouco da praia onde o povo se acomodava e, sentado na barca, ele pronunciava palavras de fé e de esperança, de conforto e de alívio, de paz e de resignação. E a tarde suave descia lenta e luminosa, espalhando serenidade sobre a Terra.

— Que beleza! — exclamou dona Aninhas.

— Sim, era um quadro magnífico, cuja beleza ultrapassa tudo quanto os grandes pintores já criaram.

Uma vez Jesus viu duas barcas que estavam à beira do Lago de Genezaré; e os pescadores haviam saltado em terra e levavam as redes. Enorme era a multidão que tinha vindo ouvir a palavra de Jesus e quase o empurrava para a água. Jesus entrou numa das barcas, que era de Simão, e pediu-lhe que o afastasse um pouco da terra. E, estando sentado na barca, dali ensinava o povo:

— Quem era Simão? — perguntou João André.

— Simão era o mesmo Pedro; o nome dele era Simão Pedro.

— E o que é que Jesus ensinava? — perguntou ainda João André.

— Jesus ensinava o povo a fazer o bem — respondeu prontamente a Joaninha.

E dona Lina continuou:

— Jesus notou que Pedro estava um tanto triste; e, logo que acabou de falar, disse-lhe: "Vamos mais para o meio do lago e soltem as redes para pescar".

Ao que Simão respondeu: "Mestre, depois de trabalharmos a noite inteira não apanhamos peixe algum. Mas, para obedecer-te, soltarei a rede".

Qual não foi o espanto deles quando viram a rede cheia de peixes a ponto de arrebentar; vocês não podem imaginar! Os peixes eram tantos e a rede estava tão pesada que tiveram de chamar os companheiros da outra barca para ajudá-los. E sabem vocês que as duas barcas ficaram tão cheias que pouco faltou para afundarem?

— E Pedro ficou contente, dona Lina? — perguntou Roberto.

— Certamente; mas olhava desconfiado para Jesus e, quando as barcas aproximaram-se da praia, Pedro lançou-se-lhe aos pés e disse-lhe: "Retira-te de mim, Senhor, que sou um homem pecador".

— Por que Pedro fez isso — dona Lina? — Eu pensava que Pedro ia agradecer a Jesus com grandes palavras — falou o Juquinha.

— Pedro era um homem humilde, Juquinha. E dentro de sua humildade compreendeu que havia recebido uma graça de Deus por meio de Jesus e não se julgou merecedor de tamanho favor...

— Ato contrário de muitos, que quanto mais recebem mais querem e sempre acham pouco! — atalhou dona Aninhas.

— Ele e todos se admiraram muito de ver a pesca que tinham feito. E junto com Pedro estavam os filhos de Zebedeu, que eram Tiago e João, os quais também fitavam Jesus, maravilhados. Mas Jesus disse a Pedro: "Não tenhas medo; de agora em diante serás pescador de homens".

Com isso, Jesus quis dizer-lhe que ele o ajudaria a ensinar aos homens como chegarem a Deus.

E, depois de terem tratado do pescado, os três pescadores, Simão Pedro, Tiago e João, seguiram Jesus. Estes foram seus primeiros discípulos.

Agora vão para casa depressa que parece que vai chover — disse dona Lina encerrando a história daquela noite.

De fato, nem bem cheguei em casa, caiu o temporal.

Cura de um Leproso

— Vocês tomaram chuva ontem? — perguntou-nos dona Lina logo que chegamos.

— Não, senhora; deu tempo de chegarmos em casa — respondemos.

E, afagando os cabelos de Joaninha, dona Lina narrou:

— Sucedeu que se achava Jesus numa daquelas aldeias das margens do mar da Galileia e lhe apareceu um homem doente de lepra. Assim que o homem o viu, cobriu o rosto, lançou-se por terra e lhe rogou: "Senhor, se tu queres, bem me podes curar". Jesus estendeu a mão sobre ele e disse: "Quero, fica curado".

O homem se retirou contente e com isso a fama de Jesus crescia; a ele ia muita gente, não só para ouvi-lo como também para ser curada de suas enfermidades. Mas Jesus ia para o deserto, onde se punha em oração.

— Por que é que Jesus fazia assim, dona Lina? — perguntou Cecília.

— Porque Jesus gostava de orar a Deus nos lugares sossegados, onde ninguém o perturbasse; e, com suas orações, ele pedia forças a Deus para bem cumprir os seus deveres. É o que vocês precisam fazer também: orar a Deus a fim de se fortificarem para as lutas da vida.

Cura de um Paralítico

— Ouçam agora como Jesus curou um paralítico.

Um dia Jesus estava numa casa ensinando. A casa estava cheia de gente, de modo tal que era difícil a alguém entrar. Junto com ele havia muitos fariseus, doutores da lei e escribas que tinham vindo das aldeias da Galileia e até mesmo de Jerusalém.

Já sei que vocês vão perguntar quem eram os escribas, os doutores da lei e os fariseus, não é verdade? Prestem atenção:

Doutor da lei e escriba são a mesma coisa; eram os que conheciam a fundo as Escrituras Sagradas e por isso as explicavam ao povo nas sinagogas. Fariseus eram os membros de uma seita religiosa que tinha a pretensão de ser a única que bem observava a lei de Moisés. Os fariseus não se misturavam com ninguém e julgavam-se quase santos. Mais tarde eu lhes contarei o que Jesus pensava deles. Entenderam?

— Sim, senhora — respondemos.

— É quando chegam uns homens trazendo deitado numa cama um paralítico. E queriam levá-lo para dentro da casa para pô-lo diante de Jesus. Mas não conseguiam porque o povo atravancava as portas e as janelas.

O que fizeram então? Subiram ao telhado da casa, içaram o paralítico lá para cima, descobriram um pedaço do telhado e pelo buraco, com umas cordas, desceram o paralítico em frente de Jesus.

— Que corajosos! — exclamou a Joaninha.

— Sim, não só foram corajosos como demonstraram muita fé em Jesus. Quando ele viu diante de si aqueles homens com o paralítico, cheios de fé, disse: "Homem, os teus pecados te são perdoados".

Porém, os escribas e os fariseus não gostaram daquilo e se puseram a murmurar, dizendo que só Deus é que tem o poder de perdoar pecados, e outras coisas mais contra Jesus.

— Que gente! Em vez de ficarem contentes! — exclamou a Cecília.

— Pois é. Jesus reprovou-os dizendo: "O que vocês estão aí falando? Para mim tanto faz dizer que os pecados lhe são perdoados, como que se levante e ande. Querem ver?"

E, voltando-se para o paralítico, ordenou-lhe: "A ti te digo, levanta-te, toma o teu leito e vai para tua casa".

O paralítico pulou da cama, pegou-a de um lado, e os homens que o tinham trazido do outro, e foram para casa agradecendo a Deus.

— E os escribas e os fariseus, dona Lina? — perguntou o Roberto.

— Ficaram boquiabertos, mas não tiveram outro remédio senão agradecer a Deus e exclamar: "Hoje vimos prodígios!"

Bateram oito horas. Dona Lina mandou-nos para casa.

A Vocação de Levi

Quase cheguei tarde à casa de dona Lina. Aconteceu que tive de fazer um serviço para mamãe, o que me atrasou. Dona Lina me disse:

— Íamos começar justo agora. Julguei que você não viria hoje.

Desculpei-me e ela continuou:

— Um dia Jesus saiu e passou em frente da casa onde se pagavam os impostos. Lá viu um publicano chamado Levi, em sua escrivaninha. Quem sabe o que é um publicano? Já lhes expliquei.

— Eram os cobradores de impostos daquele tempo — respondeu prontamente a Joaninha.

— Isso mesmo. Jesus olhou bem para ele e ele para Jesus, como que encantado, e sorriu. E, quando ele sorriu, Jesus lhe disse bondosamente: "Segue-me".

Levi fechou a escrivaninha e, tomado de alegria, seguiu Jesus, tornando-se assim seu discípulo. Tempos depois, Levi adotou o nome de Mateus e escreveu o Evangelho que traz o seu nome.

— O que é o Evangelho, dona Lina?, perguntou o Pedro Luís, um menino novo que a Joaninha tinha trazido para ouvir a história.

— Chama-se Evangelho o livro que conta a história da vida de Jesus e contém os seus ensinamentos. Há quatro evangelhos, escritos por quatro dos discípulos de Jesus, que são: o de Mateus, que é esse Levi do qual estamos falando; o de Marcos, o de Lucas e o de João.

— Por que Levi trocou de nome, Lina? — perguntou dona Leonor.

— Esse é um caso que ainda não está esclarecido pelos historiadores. Parece que foi o próprio Jesus quem lhe mudou o nome.

Muito contente, Levi convidou Jesus e seus discípulos para irem à sua casa, onde lhes ofereceu um grande banquete. Levi convidou também seus colegas publicanos e outras pessoas, entre as quais alguns escribas e fariseus.

Como vocês sabem, os escribas e os fariseus não gostavam de se misturar com os outros.

— Já sei que vão falar contra Jesus! — exclamou Joaninha. — Desse jeito vou acabar não gostando deles.

— De fato — continuou dona Lina —, começaram a murmurar de modo que Jesus os ouvisse, dizendo a seus discípulos: "Por que é que vocês comem e bebem com os publicanos e pecadores?"

Porém Jesus, que de tudo sabia tirar valiosos ensinamentos, respondeu-lhes: "Os que se acham sãos não necessitam de médico, mas os que estão enfermos.

Eu não vim chamar os justos mas os pecadores, para que também eles alcancem a misericórdia de Deus".

— Foi muito bem respondido — falou dona Aninhas. — Se Jesus só procurasse a companhia dos santos, ele não poderia vir ao nosso mundo onde quase há somente pecadores. E como é que nós, pobrezinhos, nos arranjaríamos sem ele?

— É verdade — dona Aninhas — confirmou dona Leonor. — Depois que Jesus veio aqui, até parece que ninguém mais ficou abandonado!

— E não ficou mesmo — concluiu dona Lina despedindo-nos.

Acerca do Jejum

— Hoje lhes vou falar de um assunto que não sei se vocês compreenderão — disse dona Lina reiniciando a história.

— Do que é, dona Lina? — perguntamos em coro.

— É de uma pergunta que fizeram a Jesus a respeito do jejum.

— Eu sei o que é jejum — disse a Joaninha.

— O que é? — perguntou o João André.

— É não comer nada — respondeu a Joaninha.

— Isso mesmo — prosseguiu dona Lina. — Mas não comer nada por motivo religioso e de tristeza. Acreditavam que não comendo e entristecendo-se pagariam os pecados.

— De verdade, dona Lina? — perguntou o Juquinha.

— Assim pensavam. Entretanto vocês bem sabem que os pecados, isto é, os erros que cometemos, só os pagaremos fazendo o bem.

Alguns discípulos de João foram ter com Jesus e lhe fizeram esta pergunta: "Qual é a razão por que nós e os fariseus jejuamos com frequência e os teus discípulos não jejuam?"

E Jesus lhes respondeu: "Porventura devem estar tristes enquanto eu estou com eles? Quando eu lhes faltar, então ficarão tristes".

— A senhora jejua, dona Lina? — perguntou Cecília.

— Eu não, menina! — exclamou dona Lina. — Por que hei de jejuar se sei que Jesus está sempre conosco, procurando por todos os meios que sejamos felizes?

E Jesus continuou: "Ninguém remenda um vestido velho com um pedaço de pano novo. Porque o pano novo, sendo mais forte, acaba rasgando mais o vestido. Nem se põe vinho em odres velhos; porque os odres rebentam e o vinho se perde. Mas vinho novo se põe em odres novos e assim ambas as coisas se conservam".

— Não compreendemos, dona Lina — dissemos.

— Dona Lina, o que é odre? — perguntou o João André.

— Vou explicar-lhes tudo. Odres eram vasilhas feitas de peles de animais, principalmente de ovelhas. Tiravam a pele da ovelha, curtiam-na e costuravam-na de maneira que o odre tinha quase o formato do animal. E, pela abertura no lugar da boca, enchiam-no de vinho ou de água. Acontece que, quando o odre envelhecia, já por demais curtido, não aguentava a fermentação do vinho novo e arrebentava.

Com essas comparações Jesus nos ensina que as pessoas velhas, que foram criadas nas ideias antigas, dificilmente acatam as ideias novas, e, como o que ele estava ensinando eram ideias novas, os antigos, isto é, os fariseus e seus seguidores, não as suportavam.

— Então, nós aqui todos somos odres novos! — exclamou rindo dona Leonor.

— Sim, sim, são todos odres novos e assim espero que guardem bem o vinho novo que Jesus nos trouxe — concluiu dona Lina.

E, como estava na hora, fomos para casa.

Jesus é Senhor do Sábado

— Vocês sabem — perguntou-nos dona Lina quando nos viu reunidos ao seu redor, ávidos por suas palavras —, vocês sabem quem instituiu o descanso semanal?

Nenhum de nós sabia; nem mesmo o sr. Antônio, que estava ali no seu cantinho e já tinha lido muitos livros.

— O descanso semanal foi instituído por Moisés, um grande chefe do povo hebreu.

— Quem era o povo hebreu, dona Lina? — perguntou o Antoninho.

— Era o mesmo povo judeu em cujo meio Jesus nasceu. Judeu, hebreu e israelita são nomes aplicados ao mesmo povo. Podemos até dizer que são palavras sinônimas. Quando vocês forem maiores, não deixem de ler a história desse povo. Ele exerceu enorme influência nos destinos da humanidade. A Bíblia é o livro que conta a história do povo judeu.

— Lá em casa temos uma Bíblia — falou a Joaninha. — Papai não me deixa lê-la porque ainda sou pequena. Mas, de vez em quando, ele me mostra as figuras, tão bonitas!

— Pois bem. Moisés, que era inteligentíssimo, compreendeu que o homem necessita de um dia de descanso por semana, por dois motivos: primeiro, para recuperar as forças do corpo, gastas no trabalho da semana; segundo, para ter um dia livre em que se dedique à religião, ao culto a Deus. E deu esta lei a seu povo: "Trabalharás seis dias da semana e no sétimo dia descansarás".

O sétimo dia da semana é o sábado; e por isso passaram a guardar o sábado. Nesse dia eles não faziam nada por acharem que era pecado fazer alguma coisa. Quem fizesse algo no sábado era desprezado e perseguido por ter desrespeitado a lei.

Aconteceu que, num dia de sábado, Jesus passeava com seus discípulos pelos trigais; eles apanhavam espigas de trigo e, esmagando-as com os dedos, comiam-nas.

Alguns fariseus viram aquilo e disseram: "Por que vocês fazem o que não é permitido fazer nos sábados?"

E Jesus lhes respondeu: "Porventura vocês não sabem que os sacerdotes no templo quebram o sábado? Vocês não sabem também que o rei Davi e os que o acompanhavam um dia entraram no templo e comeram os pães, o que era proibido pela lei? Ora, se os grandes o podem fazer, por que não o podem os pequenos? Fiquem sabendo que eu quero misericórdia e não sacrifícios".

— Muito bem respondido! —, bradou o sr. Antônio. — Bonita lição Jesus lhes deu!

— Lina, por que hoje descansamos no domingo e não no sábado? — perguntou dona Aninhas.

— A causa ainda não está bem averiguada — respondeu dona Lina. — Parece que isso vem desde o princípio do Cristianismo, quando os primeiros cristãos começaram a se reunir aos domingos para estudarem o Evangelho e assim se diferenciarem dos judeus, que se reuniam aos sábados para comentar a lei de Moisés. O descanso aos domingos, primeiro dia da semana, foi adotado por todos os povos que abraçaram o Cristianismo.

E agora até amanhã — terminou dona Lina, levantando-se da poltrona.

Cura de um Homem que Tinha uma das Mãos Ressecada

— Querem saber o que Jesus fez num outro sábado, deixando furiosos os escribas e os fariseus? — perguntou-nos dona Lina na noite seguinte.

— Queremos, sim senhora — respondemos.

— Aconteceu que Jesus entrou na sinagoga deles e se pôs a ensiná-los. E viu que entre os ouvintes se achava um pobre homem que tinha a mão direita seca. Os escribas e os fariseus ficaram atentos, observando se Jesus curaria o homem no sábado e desse modo poderiam acusá-lo de desrespeitar a lei. Jesus percebeu o que eles pensavam e chamou o homem dizendo-lhe: "Levanta-te e põe-te em pé no meio". E o homem levantando-se ficou de pé. Jesus se dirigiu aos escribas e aos fariseus e lhes perguntou: "É lícito nos sábados fazer o bem ou mal? Salvar uma vida ou tirá-la?"

Ninguém respondeu.

Então Jesus, correndo os olhos sobre todos eles, disse para o homem: "Estende tua mão".

Quando o homem a estendeu, a mão ficou boa.

Mas os escribas e os fariseus não se conformaram; encheram-se de furor e falavam entre si para ver o que fariam de Jesus.

— Por que foi que eles não se conformaram, dona Lina? — perguntou João André.

— Porque acharam que Jesus tinha feito alguma coisa no sábado, o que era proibido pela lei deles.

— Mas que gente de coração endurecido! — exclamou o sr. Antônio. — O bem se faz a qualquer hora, em qualquer dia e em qualquer lugar. Não há lei que proíba fazer o bem.

— Pois era isso mesmo, titio, o que Jesus queria ensinar-lhes ao fazer curas nos sábados. E agora vou contar-lhes como Jesus escolheu seus doze discípulos.

Eleição dos Doze

Certa vez, Jesus foi a um monte solitário e ali passou toda a noite em oração a Deus. E, quando foi dia, reuniu os seus discípulos e dentre eles escolheu doze, os quais chamou apóstolos.

— Por que foi que Jesus os chamou apóstolos, dona Lina? — perguntou a Joaninha.

— A palavra apóstolo quer dizer mensageiro e é usada especialmente para designar os doze discípulos a quem Jesus encarregou de pregar o Evangelho. Portanto, eles eram os mensageiros de Jesus; chamavam-se: Simão, a quem deu o sobrenome de Pedro; André, irmão de Pedro; Tiago, João, Felipe e Bartolomeu; Mateus e Tomé; Tiago, filho de Alfeu, e Simão, apelidado o zelador; Judas, irmão de Tiago; e Judas Iscariotes, que foi quem traiu Jesus, entregando-o aos escribas e aos fariseus.

— O quê? Como foi isso!? — perguntou admirada a Joaninha.

— Vamos com calma que o saberão em seu devido tempo. Repitam comigo os nomes dos doze apóstolos.

Em voz alta repetimos com ela os nomes dos doze primeiros trabalhadores do Evangelho. Depois fomos para casa.

O Sermão da Montanha

Ao chegarmos à casa de dona Lina na noite seguinte, ela não estava; fora visitar dona Rosina, mas não devia demorar, explicou-nos o sr. Antônio, que já ocupava o seu lugar. De fato, chegou dali a minutos e vendo-nos reunidos sentou-se também.

— Pensei que hoje não teríamos história — disse dona Lina. — Precisei ir à casa de dona Rosina e ela quase me segura por lá.

— Tive vontade de ir buscá-la. Fiquei com medo de que a senhora não viesse — falou a Joaninha.

— Mas aqui estou; ouçam:

Um dia Jesus parou numa planície acompanhado da comitiva de seus discípulos e de grande multidão de povo que tinha vindo da Judeia, de Jerusalém, das aldeias da beira do lago e das cidades marítimas de Tiro e da Sidônia.

Essa multidão viera para ouvi-lo e para que lhe curassem as enfermidades. Jesus, vendo que todos queriam tocá-lo, subiu num monte e com um gesto mandou que se acomodassem. Foi aí que ele pronunciou o Sermão da Montanha, repositório de maravilhosos ensinamentos. Prestem bem atenção que vou repeti-lo para vocês:

Jesus, correndo os olhos por aquele povo, ensinava dizendo:

"Bem-aventurados os pobres de espírito; porque deles é o reino dos céus.

"Bem-aventurados os mansos; porque eles possuirão a Terra.

"Bem-aventurados os que choram; porque eles serão consolados.

"Bem-aventurados os que têm fome e sede de justiça; porque eles serão saciados.

"Bem-aventurados os misericordiosos; porque eles alcançarão misericórdia.

"Bem-aventurados os limpos de coração; porque eles verão a Deus.

"Bem-aventurados os que padecem perseguição por amor da justiça; porque deles é o reino dos céus.

"Bem-aventurados vocês serão quando sofrerem injúrias e perseguição por amor de mim. Alegrem-se, porque grande recompensa vocês terão nos céus".

Essas são as oito bem-aventuranças que Jesus pronunciou no monte. Querem perguntar alguma coisa?

— Eu quero, Lina. O que Jesus quis dizer por pobres de espírito? — perguntou dona Aninhas.

— Pobres de espírito são as pessoas que não são orgulhosas e que tratam bem a todos — respondeu dona Lina. — Espero que vocês sejam sempre pobres de espírito, isto é, bondosos e delicados para com todos. Agora ouçam a continuação do que Jesus disse:

"Mas digo a vocês que me ouvem: amem seus inimigos, façam o bem aos que lhes têm ódio e emprestem sem daí esperarem nada.

"Falem bem das pessoas que dizem mal de vocês e orem por quem os caluniar.

"Se alguém bater numa de suas faces, ofereça-lhe também a outra. E, se lhes tirarem a capa, não se importem que lhes levem também a roupa.

"Deem a todos os que lhes pedirem e, a quem tomar o que é de vocês, não lhe tornem a pedir.

"E tudo aquilo que vocês querem que os outros lhes façam, isso mesmo vocês devem fazer a eles. Porque, aquilo que vocês fizerem aos outros, isso mesmo vocês receberão.

"Se vocês amarem somente a quem os ama, que merecimento vocês terão com isso? Porque os maus também amam os que amam a eles.

"E, se vocês fizerem o bem só para quem lhes fizer o bem, do que lhes valerá isso? Porque os maus e pecadores também procedem assim.

"Se vocês emprestarem só àqueles dos quais vocês esperam receber, que mérito vocês terão com isso? Também os pecadores emprestam uns dos outros, para que se lhes faça outro tanto".

— Pelo que vejo, Lina, Jesus não admite que não gostemos de alguém. Para ele não pode haver inimizades — disse dona Leonor.

— E não admite mesmo — confirmou dona Lina. — Quem quiser seguir-lhe os ensinamentos deve desenvolver em seu coração o amor fraterno, a estima para com todos. Ouçam ainda o que ele ensinava:

"Assim fazendo vocês terão uma grande recompensa nos céus e serão filhos do Altíssimo, que faz o bem aos mesmos que são ingratos e maus.

"Sejam pois misericordiosos, como também seu Pai que está nos céus é misericordioso.

"Não julguem e não serão julgados; não condenem e não serão condenados; perdoem e serão perdoados.

"Deem e darão a vocês; vocês receberão uma boa medida, bem cheia e bem calcada. Porque, qual for a medida de que vocês usarem para com os outros, essa mesma medida será usada para com vocês."

— Não compreendi bem isso, dona Lina — falou o Roberto.

— É fácil. A medida são nossas ações. Se praticarmos somente boas ações, Deus nosso Pai que vê tudo nos dará em dobro a recompensa que merecermos pelas nossas boas ações.

— E se os outros nos fizerem o mal, dona Lina? — perguntou a Cecília.

— Pior para eles! — exclamou dona Lina.

Nosso dever é fazer o bem, até para os que nos fazem o mal. O resto é com nosso Pai celeste, que sabe como tratar cada um de seus filhos.

— E isso de não julgar e não condenar, o que é, Lina? — perguntou dona Aninhas.

— É não falar mal de ninguém — respondeu dona Lina e continuou: "Por que vês tu um cisco no olho de teu irmão e não percebes que também há ciscos nos teus olhos? Como podes dizer a teu irmão: deixa-me tirar o cisco de teus olhos, quando não vês que teus próprios olhos têm um cisco maior? Hipócrita, tira primeiro o cisco de teus olhos, para depois tirares o cisco dos olhos de teus irmãos".

— Faça o favor de nos explicar isso, dona Lina — pediu a Joaninha.

— Com prazer. Os ciscos que temos nos olhos são os nossos defeitos. Temos o péssimo costume de querer corrigir os defeitos dos outros, sem que antes de tudo corrijamos os nossos. Jesus nos ensina que devemos corrigir nossos defeitos primeiro; só depois de estarmos corrigidos é que poderemos corrigir os outros. Compreenderam?

— Sim, senhora — respondemos.

— E Jesus tinha muita razão! — exclamou o sr. Antônio. — Isso de viver falando mal dos outros precisa acabar.

— Realmente precisa. Ouçamos o que Jesus disse mais: "Porque quando a árvore dá maus frutos não é boa; e, quando os frutos da árvore são bons, a árvore é boa; pois ninguém colhe figos em espinheiros.

O homem bom, do bom tesouro de seu coração tira o bem; e o homem mau, do mau tesouro tira o mal. Porque, conforme o coração, assim fala a boca".

— Não estou entendendo nada, dona Lina — falou o João André.

— Explico: as árvores somos nós, e os frutos, nossos atos.

Se nossos atos forem bons, boas árvores seremos. Porém, se nossos atos forem maus, seremos árvores sem valor algum.

— Então agora somos arvorezinhas, não é, dona Lina? — ajuntou rindo a Joaninha.

— Sim, mas já estamos dando alguns frutos e que esses frutos sejam sempre bons — replicou dona Lina. — E tenham também um coraçãozinho bom, para que a boca de vocês fale somente bem de tudo e de todos. E Jesus ensinava: "E por que é que vocês me chamam de Senhor e não fazem o que eu digo?"

— Ah! Desses eu conheço muitos — exclamou dona Leonor. — Vivem dizendo Jesus, Jesus, meu Deus, meu Deus, mas nada de viverem direito.

— Notem a comparação que Jesus faz entre as pessoas que ouvem e praticam seus ensinamentos e as que ouvem e não os praticam: "Todos os que vêm a mim e ouvem minhas palavras e as põem por obra, eu lhes mostrarei com quem se parece: é parecido com um homem que edificou uma casa, cavando profundamente para assentar os alicerces sobre rocha. E, quando veio a tempestade e os ventos assopraram furiosos e a água inundou tudo, a casa se manteve firme, porque estava assentada sobre rocha.

"Mas as pessoas que ouvem e não praticam os meus ensinamentos são iguais a um homem que construiu sua casa sobre areia. E, quando veio a tempestade e os ventos assopraram com força, a enxurrada levou a areia e a casa caiu, e foi grande o prejuízo daquele homem."

E, pondo um ponto-final na história, dona Lina recomendou:

— Por isso vocês tratem de viver de acordo com os ensinamentos de Jesus, para que o sofrimento não os apanhe mais tarde.

O Centurião de Cafarnaum

— Esperem um pouco que estou acabando de ajudar a titia a arrumar a cozinha — disse-nos dona Lina, quando lá chegamos. Logo depois apareceu enxugando as mãos no avental e começou:

— Depois que Jesus pronunciou o Sermão da Montanha, entrou na aldeia de Cafarnaum. E ali se achava gravemente enfermo, já quase às portas da morte, o criado de um centurião que o estimava muito.

— O que é centurião, dona Lina? — perguntou o Juquinha.

— Centurião era o comandante dos soldados romanos da aldeia. E, quando ouviu falar de Jesus, mandou pedir-lhe que viesse curar o seu servo. Os judeus reforçaram o pedido, dizendo a Jesus: "É pessoa que merece que lhe faças este favor; porque é amigo de nossa gente, e ele mesmo fundou uma sinagoga para nós".

Ia pois Jesus com eles.

E, quando já estava perto, o centurião enviou-lhe este recado: "Senhor, não sou digno de que entreis em minha casa; mas dizei uma só palavra e o meu criado será salvo".

— Como esse homem tinha fé em Jesus! — exclamou dona Aninhas.

— De fato, o próprio Jesus se admirou, porque se voltou para o povo que o seguia e disse: "Em verdade lhes afirmo que nem em Israel tenho achado tamanha fé".

E os que foram à casa do centurião viram que o criado estava curado.

O Filho da Viúva de Naim

— No dia seguinte caminhava Jesus para uma cidade chamada Naim e iam com ele seus discípulos e numerosa multidão. Ao chegarem à cidade, encontraram o enterro do filho único de uma pobre viúva.

Jesus compadeceu-se daquela mãe que chorava o filho, chegou-se a ela e disse-lhe: "Não chores".

Ordenou que parassem e, abeirando-se do esquife, tocou-o e disse: "Moço, eu te mando, levanta-te". E o rapaz sentou-se e pôs-se a falar; e Jesus o entregou à mãe contentíssima.

O povo vendo aquilo dava graças a Deus, dizendo: "Um grande profeta se levantou entre nós e Deus visitou o seu povo".

E a fama de Jesus corria por toda a parte.

— Lina, tenho uma pergunta que me está roendo a língua, — falou o sr. Antônio.

— Pois faça-a, titio. É melhor fazê-la do que deixar a coitadinha de sua língua sofrer — disse dona Lina rindo, no que a acompanhamos.

— Onde é que Jesus morava? Vemo-lo andar de cá para lá, de uma aldeia para outra, sempre ensinando e sempre espalhando o bem. Mas ele deve ter tido uma casa.

— É claro que a teve. Até os 30 anos morou com sua família na aldeia de Nazaré, para onde seu pai se retirou, como lhes contei no início de nossa história. Ali desempenhava seu ofício de carpinteiro, aprendido com o pai. A vida em Nazaré era tão sossegada e simples como a que levamos aqui no Itambé. Entre as madeiras da oficina, as plainas, as goivas, os serrotes, os martelos, os sarrafos, as maravilhas, os fregueses e as reclamações quando as encomendas estavam atrasadas, decorriam os seus dias. À tardinha, depois da oficina limpa e fechada, entregava-se à leitura dos profetas de Israel, ou conversava com seus amigos e conhecidos da vila, até a hora de recolher-se. Sua vida se transformou quando ele achou que já era tempo de ensinar aos homens a sua doutrina. Isso foi quando ele completou 30 anos. Escolheu então a vila de Cafarnaum como ponto central de seus trabalhos e onde se encontravam estabelecidos os seus discípulos, que eram quase todos pescadores.

Simão Pedro amou-o desde o instante em que o viu e convidou-o a morar em sua casa, como um filho bem-amado. Jesus aceitou e ficou morando com Pedro durante quase três anos.

Jesus não foi pesado a ninguém; como gostava de trabalhar, ajudava Simão Pedro na pesca. O peixe era o principal alimento dos habitantes das cidades e aldeias situadas nas cercanias do mar da Galileia e por isso não lhes faltava trabalho.

Quando o sol principiava a se pôr no horizonte, tingindo as nuvens do céu muito azul de uma cor rosada, e depois de executadas as tarefas diárias, reuniam-se os discípulos ao pé de Jesus e com eles vinha gente do povo e Jesus os ensinava. Deparando-se-lhe uma oportunidade e principalmente nos dias de descanso e quando não era tempo da pesca, Jesus aproveitava para ir com seus discípulos às aldeias e demais cidades da Galileia pregar sua doutrina. Não havia dificuldades de locomoção, porque andavam a pé. As distâncias não eram grandes. Como vocês estão vendo, a vida deles era simples e por isso sem grandes problemas. Se vocês quiserem viver tranquilos e felizes, procurem viver com simplicidade, compreenderam?

— Agora compreendi, Lina — disse o sr. Antônio. — E, como vejo que Jesus foi um homem como nós, mais eu o admiro e amo.

— Sim, titio, a superioridade de Jesus sobre nós provém de seu espírito muito adiantado e de seu coração capaz de amar a humanidade inteira.

E agora todos para casa, que já são horas.

Jesus Instrui Nicodemos acerca do Novo Nascimento

Chegados que fomos, dona Lina continuou a história do seguinte modo:

— Não somente os pequeninos procuravam Jesus; por vezes os grandes também o buscavam.

Entre os fariseus havia um homem chamado Nicodemos. Uma noite, Nicodemos foi visitar Jesus e lhe disse: — "Rabi, sabemos que és mestre, vindo da parte de Deus, porque ninguém pode fazer o que tu fazes, se Deus não estiver com ele".

Jesus lhe respondeu: "Na verdade, na verdade te digo que só verá o reino de Deus aquele que nascer de novo".

Nicodemos, que não esperava por essa resposta, espantou-se e disse: "Mas como pode um homem nascer de novo sendo velho? Como pode ser isso?" Ao que Jesus replicou: "Tu és mestre em Israel e não sabes estas coisas? Não te maravilhes de eu te dizer: é preciso nascer de novo para se chegar ao reino de Deus".

— Olhe, Lina, se você não souber explicar-nos isso, vamos ficar como o mestre de Israel, sem entender nada — falou dona Leonor.

— Explico sim, titia. É fácil. A senhora sabe que somos espíritos imortais. O que morre é nosso corpo apenas. E assim nascemos e renasceremos tantas vezes quantas forem necessárias para a educação de nossa alma. Quando essa educação se completar, veremos o reino de Deus.

— E como educaremos nossa alma, dona Lina? — perguntei.

— Muito facilmente. Prestem atenção. Nunca façam o mal, gostem de todos, façam o bem, ajudem sempre, cumpram rigorosamente seus deveres, trabalhem com alegria, estudem bastante, e, quando alguém lhes fizer algum mal, perdoem de todo coração. Entenderam? E, como antes de me deitar tenho de costurar um pouco, paremos aqui.

João Envia dois Discípulos seus a Jesus

— A fama de Jesus chegou aos ouvidos de João Batista, o qual enviou dois discípulos seus para lhe perguntar: "És tu o que hás de vir, ou é outro o que esperamos?" Os discípulos assim fizeram; e na mesma hora, na presença deles, curou muitos doentes.

— Lina, eu não compreendi a pergunta de João Batista — disse dona Aninhas.

— Explicarei com prazer, mesmo porque creio que não foi só a senhora. Desde muitos séculos e pela boca de muitos profetas, tinha sido anunciada a vinda de Jesus. Ele viria tirar o seu povo do cativeiro, isto é, viria ensinar a humanidade a se livrar da escravidão do mal. E, como um dos sinais pelos quais ele seria reconhecido eram justamente seus atos, diante dos discípulos de João Jesus cura a muitos de enfermidades e de feridas; expulsa irmãos inferiores que atormentavam suas vítimas e dá vista a cegos. Ora, João Batista era o profeta que viera especialmente para anunciar a chegada de Jesus.

Os discípulos voltaram a João e lhe contaram o que tinham visto: que Jesus curava os doentes e pregava o Evangelho.

João disse então a seus discípulos: "É preciso que ele cresça e que eu diminua". Desse modo reconhecia e proclamava que Jesus era mesmo quem havia de vir.

A Morte de João Batista

— Vocês se lembram de que eu já lhes disse que Herodes mandou prender João Batista? Agora vou contar-lhes tudo direitinho.

Um dia João Batista, sabendo que o rei Herodes tinha praticado um ato contrário à lei, repreendeu-o.

— E fez muito bem! — exclamou Joaninha. — Se ele era rei, tinha que dar o bom exemplo.

— Mas acontece que Herodes não pensava assim e mandou prender João Batista.

Herodias, mulher de Herodes, não gostava de João Batista.

— E por quê, Lina? — perguntou dona Leonor.

— Porque Herodias ajudava Herodes em suas maldades; e João Batista muitas vezes chamara-lhe a atenção por isso. Assim, ela vivia instigando Herodes a que mandasse matar João. Porém Herodes não queria, porque considerava João um homem justo e santo, e de boa vontade ouvia-lhe os conselhos.

Mas um dia Herodes, para celebrar seu aniversário, deu uma esplêndida festa e para ela convidou os grandes de sua corte, as autoridades romanas e os principais da Galileia.

Durante a festa, a filha de Herodias dançou diante de Herodes, o qual, entusiasmado, prometeu dar-lhe o que ela quisesse como recompensa. Herodias não perdeu a oportunidade e mandou que ela pedisse a cabeça de João Batista.

Ela então se apresentou a Herodes e disse-lhe: "Quero que me dês já, neste prato, a cabeça de João Batista".

Herodes ficou muito triste, mas, como tinha prometido perante todos dar-lhe o que ela quisesse, mandou degolar João no cárcere, e um soldado trouxe a cabeça dele numa bandeja de prata.

Foi assim que João Batista morreu; seu nobre espírito alçou-se ao mundo espiritual e seus discípulos sepultaram-lhe o corpo; em seguida foram contar a Jesus o que tinha acontecido. E Jesus retirou-se com seus discípulos para um lugar deserto a fim de orar pelo seu grande profeta.

Dona Lina calou-se. Estávamos comovidos e mudos; não sabíamos o que dizer. Ela então concluiu:

— João foi sacrificado porque não quis transigir com o mal. Vocês hoje são meninos e meninas; mais tarde serão homens e mulheres; serão grandes, como vocês dizem. Pois bem, quando vocês forem grandes nunca aprovem o mal, mesmo que isso lhes custe sacrifícios e lágrimas; e serão benditos de Deus. Prometem?

— Prometemos, sim senhora.

A Mulher que Perfumou Jesus

Fizemos tanta propaganda das histórias de dona Lina entre nossos familiares, que raro era o serão que não contasse com novos ouvintes.

Nessa noite, meus pais compareceram e lá já se encontravam os pais de Joaninha.

Depois dos cumprimentos habituais e de puxarem cadeiras arranjando lugares, o pai de Joaninha disse:

— Essa menina falou tanto sobre a história de Jesus que você conta, Lina, que tive vontade de ouvi-la, apesar de sabê-la.

— Recordar é sempre bom, sr. Orlando — observou dona Lina com um sorriso gentil. — Ouçam:

Um dia, um fariseu convidou Jesus para comer com ele. E, havendo entrado na casa do fariseu, sentou-se à mesa. Ora, havia na cidade uma mulher pecadora que, quando soube que Jesus estava na casa do fariseu, para lá se dirigiu levando um frasco de perfume. E, arrependida de seu mau comportamento, pôs-se aos pés de Jesus, lavando-os com lágrimas, enxugando-os com os cabelos e beijando-os; por fim perfumou Jesus.

O fariseu ficou escandalizado com aquilo e pensou de si para consigo: "Se este homem fosse um profeta, bem saberia quem é e qual a mulher que o toca; porque é uma pecadora".

Jesus compreendeu logo o escrúpulo do fariseu e lhe disse: "Simão, tenho que te dizer uma coisa". "Mestre, dize-a", respondeu o fariseu. "Um credor tinha dois devedores: um lhe devia quinhentos dinheiros e outro cinquenta. Porém, não tendo os tais com que pagar, perdoou-lhes a ambos a dívida. Qual dos dois deverá amá-lo mais?" "Certamente aquele cuja dívida era maior". "Julgaste bem. Vês esta mulher? Entrei em tua casa, não me deste água para os pés; mas esta com lágrimas regou-me os pés e enxugou-os com os cabelos. Não me beijaste; mas esta, desde que entrou, não cessou de me beijar os pés. Não me perfumaste, mas ela me perfumou. Ela está amando-me muito, porque grandes são os seus erros".

E, voltando-se para a pobre mulher que ali, a seus pés, tudo ouvia, e em cujo coração começava a acender-se a luz da esperança, disse-lhe: "Perdoados são os teus pecados. A tua fé te salvou. Vai-te em paz".

E os que ali comiam diziam entre si: "Mas quem é esse que até perdoa os pecados?"

— É Jesus! — gritou a Joaninha entusiasmada. — O fariseu devia pouco e por isso amou pouco a Jesus. A mulher devia muito e por isso amou muito a Jesus. Não é verdade, dona Lina?

— Isso mesmo, Joaninha — respondeu dona Lina.

— Como está sabida essa minha filhinha! — exclamou admirado o pai. — Muito bem!

As Mulheres que Serviam a Jesus com os Seus Bens

— Quando Jesus caminhava pelas cidades e aldeias às margens do lago acompanhado de seus doze discípulos, pregando o Evangelho, acontecia que muitas vezes era seguido por outras pessoas também, entre as quais havia algumas mulheres. Elas lhe eram muito agradecidas por tê-las livrado de enfermidades e ajudavam Jesus e os discípulos no que podiam.

O Evangelho guardou o nome das seguintes: Maria Madalena, que Jesus livrou de sete irmãos inferiores; Joana de Cuza, cujo marido era empregado de Herodes; Susana e outras cujos nomes se perderam.

E com isso dona Lina encerrou a história daquela noite. Conversou-se ainda por algum tempo e depois retiramo-nos contentes.

Cura de um Surdo-Mudo de Decápolis

— Um dia Jesus passava pelo território de Decápolis, quando lhe trouxeram um surdo-mudo e lhe pediram que pusesse as mãos sobre ele.

— Para quê, dona Lina? — perguntou o João André.

— Para curá-lo, certamente. E foi o que Jesus fez. Apartou-o do povo, pôs-lhe os dedos nos ouvidos e também um pouco de sua saliva na língua do mudo. E, olhando para o céu, fez uma oração e disse: "Abre-te".

E no mesmo instante o surdo-mudo começou a ouvir e a falar.

Jesus proibiu o povo de dizer o que tinha acontecido. Mas o povo espalhava por toda a parte os feitos de Jesus e dizia: "Ele tudo tem feito bem; fez não só que ouvissem os surdos, mas que falassem os mudos".

A Parábola do Semeador

— E agora vou contar-lhes uma bonita parábola de Jesus; chama-se a Parábola do Semeador.

— Parábola! O que é parábola, dona Lina? — perguntamos curiosos.

— Parábolas são pequeninas histórias que encerram sempre um ensinamento. Jesus recorria muito a parábolas para ensinar ao povo.

Um dia um semeador saiu a semear trigo em seu campo. Uma parte das sementes caiu na beira da estrada, foi pisada pelos que passavam e os passarinhos comeram-nas. Um punhado caiu entre pedregulhos, nasceu, mas logo secou. Outra parte caiu entre espinhos. Os espinheiros cresceram e afogaram as plantinhas. E por fim muitas caíram em boa terra; germinaram, cresceram e deram muito trigo; cada grão produziu cem.

— Tal e qual a horta que o Antônio fez; onde tinha pedras, não deu nada — disse dona Leonor.

Todos olhamos para o sr. Antônio, que procurou justificar-se explicando que não percebera as pedras sob a leve camada de terra. Dona Lina riu e continuou:

— Vou dar-lhes o sentido da Parábola do Semeador. O campo que o homem semeou é o mundo; as sementes são os ensinamentos divinos que Jesus nos trouxe. Quem ouve os ensinamentos e não os pratica, é como a semente que caiu na beira da estrada, pisada pelos caminhantes e comida pelos passarinhos. Outros recebem com prazer os ensinamentos, mas pouco tempo depois os esquecem; são os que receberam a semente entre pedregulhos. Aqueles que recebem a semente entre espinheiros são os que acham difícil praticar as lições divinas e preferem viver entregues aos negócios do mundo. Finalmente os que recebem a semente em boa terra são todos aqueles que procuram viver de acordo com as lições de Jesus.

— E como é que se vive de acordo com as lições de Jesus, dona Lina? — perguntou a Cecília.

— Fazendo sempre o bem e perdoando as ofensas que os outros nos fizerem, respondeu prontamente o Roberto.

— Isso mesmo — confirmou dona Lina. — Jesus compara o mundo a uma grande roça onde devemos plantar as sementinhas do bem, as quais, germinando, farão a humanidade feliz.

— Mas o mundo é tão grande, Lina! — suspirou dona Aninhas.

— De fato, Jesus também notou a extensão do trabalho; por isso disse a seus discípulos: "A seara verdadeiramente é grande e os trabalhadores são poucos. Peçam ao Senhor da seara que mande trabalhadores para sua seara".

Quero ver em que terreno vão cair as sementes que hoje estou plantando no coração de vocês.

— Esperemos que nossos corações sejam terra boa, onde frutifiquem as lições do bem — disse dona Leonor.

— Jesus também afirmou que os que praticam suas lições são como uma lanterna que um homem acendeu para iluminar toda a casa. E agora até amanhã, que já passa das oito horas — concluiu dona Lina, levantando-se.

A Família de Jesus

Quando nos reunimos na noite seguinte, o sr. Antônio começou por perguntar:

— Lina, a família de Jesus tomou parte em seus trabalhos?

— Não, titio. Quase nada sabemos a respeito da família de Jesus. Entretanto, em uma ocasião em que ele ensinava numa casa cheia de gente, sua mãe e seus irmãos foram vê-lo. Como não conseguissem entrar, alguém avisou Jesus de que sua mãe e seus irmãos estavam lá fora e queriam falar-lhe. Ao que Jesus respondeu: "Minha mãe e meus irmãos são todos aqueles que ouvem os ensinamentos que Deus, nosso Pai, mandou que eu trouxesse, e que os pratiquem para que todos sejam felizes".

— Vocês também precisam esforçar-se para pertencer à família de Jesus; e para merecerem tamanha honra não se afastem jamais do caminho do bem e do perdão.

Jesus Apazigua a Tempestade

— Um dia o céu turvou-se e ameaçou tempestade. Jesus e seus discípulos tomaram uma barca para ir ao outro lado do lago. Ele se acomodou num cantinho e, cansado, adormeceu. Ao alcançarem o meio do lago, a tempestade desabou. Trovões ribombaram, relâmpagos riscavam os ares; acompanhado de chuva e granizo, o vento assoprava rijo; levantavam-se altas ondas e o barco enchia-se de água.

O perigo era iminente. Os discípulos atemorizados acordaram Jesus. "Mestre, acorda que morreremos todos".

Jesus acordou, ficou de pé e, fazendo um gesto ao vento e às águas, mandou que a tempestade cessasse. E a tempestade cessou. O lago se tornou tranquilo e o sol brilhou no firmamento.

— E os discípulos, dona Lina, o que disseram? — perguntou o Juquinha.

— Admirados de tal poder, diziam uns para os outros: "Quem é este a quem até os ventos e o mar obedecem?"

Jesus voltou-se para eles e censurou-os dizendo: "Onde está a fé de vocês?"

O Endemoninhado Geraseno

— Dali navegaram para a terra dos gerasenos, que fica defronte da Galileia. Ao saltarem em terra, veio ter com eles um pobre homem atormentado por muitos irmãos inferiores.

O homem assemelhava-se a um louco furioso. Todos fugiam dele porque atacava e arrebentava tudo o que encontrava pela frente. Quando viu Jesus, começou a gritar que não o aborrecesse e o deixasse em paz.

— E Jesus não teve medo, dona Lina? — perguntou o João André.

— Não. Simplesmente expulsou os irmãozinhos inferiores, os quais abandonaram o homem e foram mexer com uma porcada que havia por ali. Os porcos se enfureceram e se atiraram no lago, onde se afogaram.

Os porqueiros saíram correndo e foram contar o que tinha acontecido; depois voltaram e pediram a Jesus que se retirasse dali, porque estavam amedrontados.

O homem, já em perfeito juízo, pediu a Jesus que o deixasse ir com ele. Mas Jesus lhe disse: "Volta para tua casa e conta as maravilhas que Deus te fez".

Em seguida, Jesus e seus discípulos embarcaram e se retiraram para a Galileia.

A Filha de Jairo e a Cura de uma Mulher

— Havia um homem chamado Jairo, que era o principal da sinagoga. Jairo foi procurar Jesus e, ajoelhado a seus pés, pediu-lhe que fosse à sua casa porque sua filha única, menina de 12 anos, estava às portas da morte.

— Ah!, dona Lina. Dizem que o sr. Manoel da venda também está — falou a Joaninha. — Chamaram um médico de Barretos, mas papai disse que o médico não deu esperanças.

— Tão bom o sr. Manoel! — exclamou o Juquinha.

— De fato, o sr. Manoel tem um grande coração — confirmou o sr. Antônio. — Pobre que bate naquela porta nunca sai com as mãos vazias: sempre leva algum alimento. Até nem sei como aquela vendinha dá para ele tratar da família e dos pobrezinhos!

— Ora, titio! Então o senhor não sabe que quem dá de coração nunca empobrece? — disse dona Lina.

— Se Jesus estivesse aqui, ele curaria o sr. Manoel? — perguntou o João André.

— Curaria, meu bem, respondeu dona Lina. — Mas Jesus procura curar primeiro nossas almas, porque é a nossa parte que não morre. O corpo, mais cedo ou mais tarde, tem de morrer. Todos aqueles que Jesus curou morreram também, inclusive o próprio Jesus.

Mas não se entristeçam; tenham a certeza de que Jesus curará o sr. Manoel. Ao terminarmos a história de hoje, faremos uma prece pedindo a Jesus pelo sr. Manoel.

De caminho para a casa de Jairo, uma mulher do povo, doente há muitos anos, tocou em Jesus e imediatamente ficou curada. Jesus percebeu o que se tinha passado, chamou-a e disse-lhe: "Filha, a tua fé te salvou; vai-te em paz".

Nisso chega um mensageiro da casa de Jairo e diz-lhe: "Não é preciso que o Mestre vá à tua casa, porque tua filha já morreu".

Jesus ouviu e disse-lhe: "Não temas; crê somente e ela será salva".

Lá chegados, depararam com todos chorando e se lastimando pela morte da menina. Jesus lhes pediu que não chorassem, porque a menina não estava morta, mas dormindo.

Em seguida chamou Pedro, Tiago, João, o pai e a mãe da menina e entrou com eles no quarto. Pegou na mão da menina e disse com voz alta: "Menina, levanta-te".

A menina se levantou e Jesus mandou que lhe dessem de comer.

E agora vamos orar pelo sr. Manoel; voltem seus pensamentos para Jesus e acompanhem minhas palavras.

Que bonita prece dona Lina fez! Nossos olhos se encheram de lágrimas. Concluída a prece, fomos para casa.

A Missão dos Doze

Joaninha no dia seguinte trouxe notícias do sr. Manoel. Estava um pouco melhor, dizia ela, e passou a noite calmo.

— Continuaremos a orar por ele, até que ele sare — disse dona Lina. — Passemos agora à nossa história.

Certa vez, Jesus chamou seus doze apóstolos e ordenou-lhes que fossem pregar o reino de Deus aos moradores das aldeias vizinhas. E deu-lhes autoridade sobre todos os irmãos inferiores e poder de curar enfermidades. Recomendou-lhes que não levassem nada, coisa alguma consigo; nem um pau em que se apoiassem, nem bornal, nem pão, nem dinheiro e partissem apenas com a roupa do corpo.

— Coitados! — exclamou dona Leonor. — E por que isso, Lina?

— Porque os apóstolos iam pregar o reino de Deus. E o reino de Deus é paz, tranquilidade, amor, desprendimento dos bens terrenos, fé, paciência, perdão, tolerância, desejo do bem, auxílio aos semelhantes e muitas outras coisas mais. Ora, como os apóstolos poderiam ensinar tudo isso àquele povo, se se apresentassem armados de pedaços de pau e carregados com as coisas da Terra? Poderiam falar muito bem, mas não convenceriam ninguém, não é verdade?

— E como eles se arranjariam, Lina? — perguntou dona Aninhas.

— Jesus providenciou sobre isso dizendo-lhes que aceitassem a hospitalidade das pessoas generosas que os quisessem receber em suas casas. E, se alguém não os quisesse receber, que sacudissem o pó de suas sandálias e passassem adiante.

Os discípulos obedeceram; andaram de aldeia em aldeia pregando o Evangelho e fazendo muitas curas.

Herodes e João Batista

— Por esse tempo, Herodes ouviu falar de Jesus e de tudo quanto ele fazia e ensinava. Ficou muito admirado e com medo, porque pensava que era João Batista que tinha ressurgido dos mortos. Então Herodes esperava uma ocasião favorável para ver Jesus.

— Eu, se fosse ele, virava discípulo de Jesus — disse a Joaninha, que era a que mais falava, obrigando muitas vezes dona Lina a ralhar com ela.

— Seria preciso saber se Jesus queria, não é, dona Lina? — perguntou a Cecília.

— Decerto naquele tempo isso não seria possível, porque Herodes não estava preparado para a responsabilidade de ser um discípulo de Jesus. Hoje acredito que ele o seja, porque durante esses dois mil anos seu espírito deve ter aprendido muito e corrigido seus defeitos.

A Multiplicação dos Pães

— Uma vez passou Jesus para o outro lado do mar da Galileia e aportou em Tiberíades. E uma grande multidão de gente o seguia, não só para ouvir-lhe os ensinamentos, como também porque ele curava os enfermos.

O dia já ia alto, aproximava-se a tarde e ninguém tinha ainda almoçado. Jesus sentou-se na relva, à sombra de uma árvore, e disse a Felipe: "A multidão é grande; como é que compraremos pão para todos comerem?"

"Nem duzentos denários darão para comprar pão que toque um bocadinho a cada um, respondeu-lhe Felipe. O melhor é que tu despeças o povo para que volte à aldeia e se alimente". "Aqui está um moço, disse André, irmão de Simão Pedro, que tem cinco pães de cevada e dois peixes. Mas o que é isso para tanta gente?" "É o suficiente, disse Jesus. Façam sentar-se o povo em grupos de cinquenta em cinquenta e vamos dar-lhe de comer".

Tomou os cinco pães e os dois peixes, elevou os olhos para o céu, deu graças a Deus, e dividiu os pães e os peixes em bocados que ia dando aos discípulos, e os discípulos os distribuíam pelo povo. Perto de cinco mil pessoas comeram e se fartaram. E, quando acabaram de comer, Jesus mandou que fossem recolhidos os pedaços que sobraram e com eles encheram-se doze cestos.

E agora vamos rogar a Jesus pelo sr. Manoel; depois, todos para casa.

A Confissão de Pedro

— Um dia Jesus orava com seus discípulos. Depois das orações puseram-se a conversar. A certa altura, perguntou-lhes: "O que fala de mim o povo? Quem dizem que eu sou?" Os discípulos responderam: "Uns dizem que és João Batista; outros que és Elias; e outros que voltou ao mundo um dos antigos profetas". "E vocês, que pensam que eu sou?" "Tu és o Cristo de Deus", respondeu Simão Pedro. Jesus pediu-lhes que não dissessem isto a ninguém e terminou avisando-os: "Sofrerei muitas coisas e serei desprezado por todos. Serei entregue à morte, mas no terceiro dia ressuscitarei".

— Dona Lina, o que quer dizer Cristo de Deus? — perguntei.

— Cristo é uma palavra grega que quer dizer enviado. Jesus era o Enviado, isto é, aquele que Deus mandou para ensinar os homens a amarem-se uns aos outros e a praticarem o bem.

— E por que diz ele que será entregue à morte? — perguntou a Joaninha.

— Porque os sacerdotes, os escribas e os fariseus não gostavam dele, como vocês verão mais tarde.

— E por que os sacerdotes, os escribas e os fariseus não gostavam de Jesus? — perguntou o João André.

— Porque Jesus ensinava a verdade, isto é, as leis divinas que eles não queriam respeitar.

Cada um Deve Levar a sua Cruz

— E que notícias vocês me dão do sr. Manoel? — perguntou dona Lina.

— Continua melhorando — respondeu o sr. Antônio. — Fui visitá-lo hoje. Nossas orações estão dando resultado. Vocês precisam ver a paciência que ele tem!

— É assim mesmo que Jesus quer que sejamos. Por isso ele nos recomendou que tomássemos nossa cruz de cada dia e o seguíssemos.

— Que cruz, Lina? — perguntou dona Aninhas.

— A cruz de nossos deveres, de nossos trabalhos, de nossas dificuldades e de nossos sofrimentos de cada dia. E com paciência e cheios de fé devemos ir até o fim. Assim teremos nossa alma salva, isto é, luminosa e pura no reino de Deus.

Jesus Anda Sobre o Mar

— Uma ocasião, era quase noite, Jesus mandou a seus discípulos que tomassem a barca para voltarem a Cafarnaum. Ele iria mais tarde, pois queria ficar sozinho para orar. Seus discípulos obedeceram e partiram; remavam com dificuldade porque o mar estava agitado. Já se tinham distanciado muitos quilômetros da praia, quando Jesus foi ter com eles, andando sobre o mar. Os discípulos ficaram amedrontados, tomando-o por um fantasma. "Não tenham medo, gritou-lhes Jesus. Sou eu. Tenham confiança".

Pedro criou coragem e falou: "Se és tu, Senhor, manda que eu vá até onde estás, por cima das águas".

"Vem, ordenou-lhe Jesus".

Pedro desceu da barca e foi. Lá adiante, depois de andar muitos metros, fraquejou na fé e começou a afundar.

— Coitado! — exclamou a Cecília. — E afogou-se?

— Jesus não deixaria! — gritou nervosamente o João André.

— De fato, Jesus não deixou — continuou dona Lina. — Pedro pediu-lhe que o salvasse. Jesus correu para ele, estendeu-lhe a mão e repreendeu-o, dizendo: "Homem de pouca fé, por que duvidaste?"

— É verdade. O erro de Pedro foi duvidar. Nunca devemos duvidar de Jesus — disse dona Leonor.

— Entraram na barca e todos os discípulos o adoraram, dizendo: "Verdadeiramente tu és filho de Deus!"

— E nós não somos também, dona Lina? — perguntou o Antoninho.

— Sim, todos somos filhos de Deus. Mas Jesus é um filho mais velho; por isso sabe mais do que nós e pacientemente nos está ensinando.

A barca aproximou-se da praia e cada um foi para sua casa. É o que vocês vão fazer, depois de orarmos pelo sr. Manoel.

A Transfiguração

Chegamos no dia seguinte à casa de dona Lina debaixo de chuva. O céu amanhecera cinzento anunciando chuva, que caiu ao entardecer. Dona Leonor colocou um balde ao lado da porta, onde deixamos os guarda-chuvas a escorrer; limpamos bem a lama dos sapatos e entramos.

— Vocês não deveriam ter vindo com um tempo desses! — ralhou dona Leonor. — Vejam como a Cecília está com as costas molhadas! Venha vestir uma blusa minha qualquer, senão você se resfria.

Quando Cecília apareceu na sala, todos rimos. Ela estava metida numa enorme blusa, com as mãozinhas sumidas dentro das mangas que pendiam.

— Vou contar-lhes hoje uma coisa muito bonita que aconteceu com Jesus — começou dona Lina.

Oito dias depois dos fatos que lhes narrei, Jesus convidou Pedro, Tiago e João para que o acompanhassem a orar. Dirigiram-se a um monte que, segundo a tradição, se chama monte Tabor, e, enquanto oravam, Jesus se tornou resplandecente. Seu rosto brilhantíssimo irradiava luz cristalina. Ao seu lado apareceram dois grandes profetas do passado: Moisés e Elias, que, cheios de majestade e luminosos, também conversavam com Jesus sobre o que lhe iria acontecer em Jerusalém.

Os discípulos quiseram fazer uma tenda para cada um, mas uma nuvem muito branca cobriu os três e uma voz se fez ouvir, dizendo: "Este é o meu filho muito amado; ouvi-o".

Depois tudo desapareceu, ficando somente Jesus. Voltaram para casa e Jesus recomendou-lhes que, por enquanto, nada dissessem do que tinham visto.

Esse episódio da vida de Jesus é conhecido como a Transfiguração.

— Por que Jesus se transfigurou? — perguntou o João André.

— Para mostrar que a bondade torna o homem luminoso.

— Por quê, Lina, você disse que o monte se chama Tabor "segundo a tradição"? — perguntou o sr. Antônio.

— Porque os evangelistas, isto é, os discípulos que escreveram os Evangelhos, não lhe mencionam o nome. Porém, desde os primeiros tempos do Cristianismo, se diz que a Transfiguração teve lugar no monte Tabor, formosa montanha ao norte de Tiberíades.

Cura de um Jovem Lunático

— Certa vez desceu Jesus do monte onde estivera a orar, e veio ao seu encontro uma grande multidão de gente, da qual se destacou um homem, que gritou: "Mestre, rogo-te que ponhas os olhos em meu filho, que é o único que tenho. Um irmãozinho inferior se apodera dele, e o faz dar gritos e o lança por terra; agita-o com violência e, quando o larga, o pobre do rapaz está em mísero estado. Teus discípulos foram vê-lo e nada puderam fazer".

Jesus mandou que trouxessem o moço, que em sua própria frente foi lançado por terra pelo espírito. Curou-o e restituiu-o ao pai agradecido.

— Por que os discípulos nada puderam fazer, Lina? — perguntou o sr. Antônio.

— Porque não tiveram suficiente fé em Deus. Para fazer o que Jesus fazia, era preciso não duvidar. Quem duvida não tem forças.

E, como todos se admirassem e elogiassem Jesus, ele não se iludiu e avisou seus discípulos de que seria entregue às mãos dos carrascos.

O Maior no Reino dos Céus

— Aconteceu que em uma ocasião os discípulos discutiram sobre qual deles era o maior. Jesus ouviu a discussão e repreendeu-os dizendo: "Aquele que dentre vocês for o mais humilde, o mais bondoso; aquele que servir a todos com a maior boa vontade, e se esforçar por ser sempre o menor, esse será o maior no reino dos céus. Porque quem se humilha será elevado; e quem se orgulha será rebaixado".

Quem não é Contra Nós, é por Nós

— João disse um dia a Jesus: "Mestre, encontramos um homem que em teu nome expulsava os irmãozinhos inferiores. Como não era teu discípulo, nós lhe proibimos."

Jesus respondeu: "Não lhe proíbam, porque quem não é contra nós está a nosso favor. Façam com que venham a mim todos os que andam em trabalhos, e todos os que estão sobrecarregados, e eu aliviarei a todos. Tomem sobre vocês o meu jugo e aprendam de mim que sou manso e humilde de coração. Então vocês terão paz e descanso, porque o meu jugo é suave e o meu peso é leve".

— Que lindas palavras! — exclamou dona Aninhas. — Só mesmo Jesus é quem as poderia pronunciar.

O Reino dos Céus

— Lina, eu queria que você nos explicasse o que vem a ser o reino dos céus, a que Jesus se refere continuamente — pediu dona Leonor.

— Com todo o prazer — respondeu dona Lina gentil. — Ouçam com atenção. O reino dos céus, do qual Jesus nos fala, tem dois aspectos: um deles está dentro de nós e é representado por uma consciência tranquila, que conseguiremos por uma conduta reta aliada à bondade. O outro são os planos felizes do universo, onde iremos habitar segundo nosso merecimento. Esses planos felizes começam dentro de nosso lar e se estendem pelo infinito. Compreenderam? Agora me digam qual dos dois aspectos do reino de Deus é o mais importante.

Pensamos um pouco, e o sr. Antônio respondeu:

— Creio que o mais importante é o da consciência tranquila. Quem tem uma consciência tranquila, que não o acuse de nenhum mal, alcançará facilmente os planos felizes do universo.

— Isso mesmo, titio, o senhor acertou! — exclamou dona Lina. — Vou contar-lhes algumas parábolas de Jesus a respeito do reino dos céus.

O reino dos céus é como uma semente que o lavrador planta na terra; nasce, cresce e, aos pouquinhos, se torna uma árvore frondosa, dando frutos para Deus.

O reino dos céus é como um campo onde nasce o bom trigo e a erva daninha. O bom trigo, que são os homens bons, será recolhido aos celeiros de Deus. A erva daninha, que são os homens maus, será entregue ao fogo, isto é, ao sofrimento.

O reino dos céus é como um grão de mostarda, que é a menor das sementes; mas, quando nasce e cresce, torna-se uma grande árvore em cujos ramos as aves vêm fazer seus ninhos.

O reino dos céus é como o fermento que o padeiro põe na massa; um pouquinho só fermenta a massa toda.

— Outro dia mamãe pôs fermento demais num bolo e quando cresceu vazou para fora da forma — disse Joaninha.

Dona Lina riu e continuou:

— O reino dos céus é como um tesouro escondido num campo. Um homem achou-o e vendeu tudo o que tinha para comprar aquele campo e ficar com o tesouro.

O reino dos céus é também igual a uma rede que, lançada ao mar, colhe muitos peixes. Os pescadores ficam com os bons e jogam fora os que não prestam.

E finalmente o reino dos céus é como um negociante de pérolas que, achando uma maravilhosa e de grande preço, vai e vende tudo o que tem para comprá-la.

De todas essas parábolas de Jesus sobre o reino dos céus, o que vocês aprenderam?

— Aprendemos que devemos esforçar-nos, trabalhar, lutar, sofrer se for preciso, para conquistarmos o reino dos céus respondemos em coro, com muita raiva da Joaninha, que queria ser a única a responder.

— Muito bem, e como prestaram atenção! Vamos terminar orando pelo sr. Manoel.

A Parábola do Credor Incompassivo

— Ouviremos hoje duas parábolas muito bonitas que Jesus ensinou ao povo.

Havia um rei que resolveu acertar as contas com os seus súditos. Entre outros, apresentou-se um que lhe devia dez mil talentos. Talento era o dinheiro daquele tempo. O pobre do devedor não tinha um níquel sequer com que pagar, e por isso o rei mandou vender tudo o que ele tinha, inclusive a mulher e os filhos como escravos, para receber o valor da dívida. Lançou-se ele então aos pés do rei, pedindo-lhe que tivesse paciência, porque trabalharia e pagaria tudo.

O rei se compadeceu, deixou-o ir livre e perdoou-lhe a dívida.

Nem bem esse homem tinha saído do palácio, quando se encontrou com um companheiro que lhe devia cem denários. Um denário é muito menos do que um talento. Agarrou-o e exigiu que ele lhe pagasse imediatamente o que lhe devia.

O companheiro lançou-se a seus pés e rogou-lhe que tivesse um pouco de paciência, que ele havia de lhe pagar tudo. Mas o credor não quis saber de nada e mandou que o pusessem na cadeia até pagar a dívida.

O rei soube disso, mandou buscar o mau servo e lhe disse: "Servo mau, eu te perdoei a dívida toda porque me pediste. Não podias logo perdoar a dívida de teu irmão?"

E mandou-o também para a prisão até que pagasse toda a dívida.

Assim também fará Deus com vocês se não perdoarem do fundo do coração cada um a seu irmão.

— O que é que devemos perdoar, dona Lina? — perguntou a Cecília.

— Devemos perdoar as ofensas que os outros nos fizerem, para que Deus também nos perdoe.

A Parábola dos Trabalhadores e das Diversas Horas do Dia

— Chegado o tempo das uvas, saiu de manhãzinha o dono de uma vinha para arranjar trabalhadores para colherem as uvas. Arranjou alguns e combinou com eles a tarefa pelo preço de um denário por dia e mandou-os para sua vinha. E, tendo saído junto da terceira hora, viu outros que estavam na praça ociosos e mandou-os também para o seu trabalho. A mesma coisa ele fez na sexta, na nona e na undécima hora.

Pelo fim da tarde chamou o administrador de sua vinha e ordenou-lhe que pagasse o salário dos trabalhadores, dando um denário a cada um, mesmo aos que tinham vindo para o trabalho na última hora, começando por estes e acabando pelos primeiros.

Quando os homens que tinham chegado de manhã viram que os contratados de tarde recebiam um denário, pensaram que receberiam mais. Vendo, porém, que recebiam a mesma coisa, foram queixar-se ao dono da vinha: "Como! Estes últimos trabalharam apenas uma hora e o senhor os igualou a nós, que trabalhamos o dia inteiro?" "Amigos, respondeu-lhes o dono da vinha, não estou sendo injusto com ninguém, porque estou dando a cada um aquilo que foi combinado".

— Lina, só você nos explicando essas duas parábolas, porque delas pouco compreendi — pediu o sr. Antônio.

— Nós também — dissemos todos.

— É fácil. Com essas duas parábolas, Jesus nos ensina mais alguma coisa do reino dos céus. Com a do credor incompassivo, ele nos demonstra que, se não usarmos do perdão incondicional, não entraremos no reino dos céus. Com a dos trabalhadores aprendemos que qualquer hora é hora de começar a trabalhar para alcançarmos o reino dos céus. Vocês, que ainda são pequenos, eu, que sou maior do que vocês, o tio Antônio, tia Leonor, dona Aninhas, que já são de certa idade, meu avô, que vocês não conhecem, mas que já está velhinho, todos podem desde agora se esforçar por conquistar o reino dos céus. E o prêmio que Deus dá a todos, não importa a hora em que comecemos, é o mesmo e um só: o reino dos céus. Compreenderam?

— Você falou em hora sexta, nona, undécima. Que maneira era essa de medir o tempo, Lina? — perguntou dona Aninhas.

— Muito simples. Os antigos dividiam o dia, desde o nascer do sol até ele se pôr, em doze horas. Assim, a hora sexta era o meio-dia; a hora terceira era por volta das nove horas da manhã; a hora nona, ou noa, pelas três da tarde; a undécima, mais ou menos pelas cinco da tarde. Como as horas do dia se contavam de sol a sol, eram mais compridas no verão e mais curtas no inverno. A noite era dividida em quatro vigílias, cada uma de três horas. Com o aparecimento das primeiras estrelas, principiava a primeira vigília da noite. Até meia-noite eram duas vigílias; e, da meia-noite aos primeiros raios do sol, mais duas vigílias.

Voltando ao dono da vinha, modernamente diremos que ele saiu à procura de trabalhadores às seis horas, às nove horas, ao meio-dia, às quinze horas, às dezessete horas, e pagou-lhes o salário pelo fim da tarde, isto é, às dezoito horas. Entendido?

— Sim, senhora!

— E que notícias me dão do sr. Manoel?

— Ele está bom, dona Lina — respondeu a Joaninha. — Hoje fui à venda dele fazer compras e foi ele quem me serviu.

— Então vamos agradecer a Deus e a Jesus por terem ouvido nossas preces, e daqui por diante encerraremos nossas histórias com uma prece pelos doentes e pelos pobrezinhos. Quando vocês souberem de algum necessitado, tragam-me o seu nome para orarmos por ele.

E, daí por diante, todas as noites orávamos, e dona Lina não nos deixava ir embora sem nossa prece pelos sofredores do mundo.

A Quem te Bater numa Face, Oferece-Lhe Também a Outra

Um dia Juquinha trouxe uma pergunta para dona Lina.

— Dona Lina, papai quer saber como a senhora explica o ensinamento de Jesus em que ele diz: "A quem te bater numa face, oferece-lhe também a outra".

— Esse é um dos mais belos ensinamentos de Jesus. Por esse mandamento, ele nos proíbe toda e qualquer ideia de vingança. Qualquer que seja a ofensa que recebermos, seja qual for o prejuízo que nos causarem, façam contra nós o que fizerem, jamais nos devemos vingar, compreenderam?

— E se eu estiver brigando e me baterem, dona Lina, como é que eu faço? — perguntou o Roberto.

— Muito simples, não brigue nunca. É muito fácil resolvermos nossas questões sem brigas e com bons modos. Um menino que conhece os ensinamentos de Jesus não briga.

— Mas e se alguém me provocar? — continuou o Roberto.

— Não dê motivos e ninguém o provocará. Seja educado para com todos. Trate todos com delicadeza e atenção. Contudo, se acontecer que você receba uma provocação, retire-se em tempo, perdoe e faça uma prece rogando a Deus por quem o provocou. Não se vingando nunca e perdoando do fundo do coração, vocês estarão praticando esse grande ensinamento de Jesus.

Dona Lina foi interrompida nesse momento por umas batidas na porta. O sr. Antônio se levantou e foi ver quem era. Ouvimos então uma voz conhecida de todos: era o sr. Manoel, o vendeiro, pelo qual tínhamos orado. Vinha pagar a visita que o sr. Antônio lhe fizera, quando de sua doença. Ao chegar à sala, perguntou admirado, apertando-nos a mão:

— O que fazem aqui os meus freguesinhos, com ares de quem está na escola? Dona Lina explicou-lhe o que fazíamos.

— Mas por hoje a história terminou; agora só amanhã, sr. Manoel.

— Virei algumas vezes ouvi-la — prometeu ele. — Ela me fará recordar minha santa mãezinha, que me contou quando eu era um pirralhinho como esses.

— Vamos então à nossa prece.

— Dona Lina — falou a Joaninha — poderemos fazer a prece pela Dorinha, a filhinha da lavadeira, que mora na margem do córrego? Ela está bem doente, parece que com sarampo complicado. A mãe dela contou-nos hoje, chorando, quando foi buscar a roupa lá em casa.

E assim fizemos a prece pela Dorinha; depois despedimo-nos e fomos para casa.

O Tesouro que a Traça Não Rói

— O que disse seu pai da explicação de ontem, Juquinha? — perguntou-lhe dona Lina, quando nos viu reunidos.

— Gostou muito — dona Lina. — E disse que é assim mesmo que deve ser; porque só com a aplicação da lei do perdão é que haverá paz e harmonia no mundo.

— A senhora sabe o que o sr. Manoel fez hoje logo de manhã cedo, dona Lina? Pois ele foi à casa de Dorinha e levou uma porção de coisas para ajudar a mãe dela no tratamento — disse a Joaninha.

— O sr. Manoel está trocando os bens do mundo, que as traças roem e os ladrões roubam, pelos bens do céu, que as traças não roem e os ladrões não roubam.

— Como assim, Lina? — perguntou dona Aninhas.

— Procedendo dessa maneira, o sr. Manoel está aplicando o seguinte ensinamento de Jesus: "Não ajuntem tesouros na Terra, onde a ferrugem e as traças os consomem, e os ladrões os roubam. Mas ajuntem tesouros no céu, onde nem a ferrugem, nem as traças os consomem, e os ladrões não os roubam".

— Já sei, Lina — disse o sr. Antônio. — Todo o bem que fizermos com as possibilidades que Deus nos dá é um depósito que fazemos a nosso favor no céu, isto é, no mundo espiritual para onde iremos mais tarde.

— Muito bem, é isso mesmo! Aconteceu que, em uma ocasião, Jesus foi a Jerusalém, a cidade dos escribas, dos doutores da Lei, dos sacerdotes orgulhosos, os quais, por todos os meios possíveis, procuravam atrapalhar Jesus em seu trabalho divino.

— E conseguiram, dona Lina? — perguntou a Cecília.

— Não. O mal jamais conseguirá ofuscar o bem. E, de cada ataque que Jesus recebia, tirava lições luminosas para todos, como vocês verão.

— E por que Jesus ia a Jerusalém? — tornou a perguntar a Cecília.

— Parece-me que já lhes expliquei que era costume do povo ir a Jerusalém pelas festas da Páscoa, para assistir a elas. E Jesus também para lá se dirigia, aproveitando a ocasião para ensinar e pregar sua doutrina. Mas dessa vez, apesar do ódio que os fariseus lhe tinham, nada lhe fizeram, e ele voltou são e salvo.

No caminho, como se aproximasse a noite, Jesus mandou adiante de si mensageiros para que lhe arranjassem pousada. Era uma cidade da Samaria e não quiseram dar-lhe pouso ali. Voltaram e comunicaram o fato a Jesus.

Tiago e João ficaram indignados e lhe perguntaram: "Queres que façamos descer fogo do céu para consumir esta cidade?"

Jesus repreendeu-os dizendo: "Parem com esses pensamentos maldosos, porque vocês não sabem o que estão dizendo. Eu não vim ao mundo para perder ninguém, mas para salvar a todos".

E foram para outra povoação.

Acerca dos que Seguem a Jesus

— Aconteceu que, indo eles pela estrada, veio um homem que disse a Jesus: "Eu te seguirei para onde quer que fores". Jesus lhe respondeu: "As raposas têm suas covas e as aves do céu os seus ninhos; mas o Filho do homem não tem onde reclinar a cabeça".

E numa curva da estrada encontraram outro homem, a quem Jesus disse: "Segue-me".

O homem pensou um pouco e respondeu: "Senhor, permita-me que eu vá primeiro enterrar meu pai".

E Jesus lhe replicou: "Deixa que os mortos enterrem os seus mortos e tu vai e anuncia o reino de Deus".

Um outro, que escutara tudo aquilo, afirmou a Jesus: "Eu te seguirei, Senhor, mas dá-me licença que eu vá primeiro dispor dos bens que tenho em minha casa". Retrucou-lhe Jesus: "Nenhum que pega no arado e olha para trás é apto para o reino de Deus".

Essas coisas disse Jesus a respeito daqueles que o queriam seguir, quando viajava da Galileia para Jerusalém, a pé, com seus discípulos.

— Lina — falou dona Leonor —, eu pouco entendi e você terá que me explicar tudo.

— Façamos o seguinte: cada um terá direito a uma pergunta e assim tudo ficará esclarecido.

Tocou-me a mim a primeira pergunta e questionei-lhe o que significava a expressão "Filho do homem".

— É uma expressão cujo significado tem sido muito discutido. Ela aparece nos Evangelhos setenta e oito vezes mais ou menos. Parece que Jesus usava dela quando desejava referir-se a si mesmo, como Espírito que descera à Terra para o esforço supremo de ensinar seus irmãos pequeninos ainda, e como prova de obediência a Deus, que o enviara entre os homens.

Ao sr. Antônio coube a segunda pergunta, e ele quis saber por que Jesus disse que se deve deixar aos mortos o cuidado de enterrar seus mortos.

— Naturalmente Jesus não proíbe que prestemos as últimas homenagens ao corpo de nossos entes queridos que partiram. Ele apenas quis dizer que o dever de ensinar aos homens o Evangelho que Deus mandou que ele trouxesse é a principal preocupação de quem aspira a ser seu discípulo. Para Jesus, os mortos são aqueles que ainda não compreenderam seus ensinamentos, porquanto a morte não existe.

— E por que Jesus declarou que não tinha onde reclinar a cabeça, dona Lina? — perguntou a Cecília, dona da terceira pergunta.

— Demonstrou-nos assim que seus discípulos não devem prender-se aos bens terrenos. Tanto os pobres como os ricos podem ser discípulos de Jesus, uma vez que tenham o coração puro e coloquem sempre em primeiro lugar o seu Evangelho, vivendo de conformidade com o que ali está escrito.

— E o último, Lina, o que pediu licença para dispor de seus bens primeiro? — perguntou dona Leonor.

— Esse demonstrou claramente sua intenção de tratar antes de tudo das coisas da Terra, para depois cuidar das do céu, quando o contrário é que deve ser: primeiro cuidaremos das coisas do céu, isto é, das que beneficiam nossa alma que é imortal; depois é que trataremos das coisas da Terra, que são passageiras, porque as deixaremos aqui, às vezes mais depressa do que pensamos.

Nada, por conseguinte, deve impedir nosso trabalho espiritual: nem a pobreza, nem a riqueza, nem a morte. É pôr o pé na estrada e caminhar para a frente de ânimo resoluto, vencendo as dificuldades, como o rio que alcança o mar por saber contornar os obstáculos.

E, com preces a Deus e a Jesus pela cura da Dorinha, terminamos a história daquela noite.

A Missão dos Setenta e Dois Discípulos

— Como havia muita gente de boa vontade que acompanhava Jesus e os discípulos a Jerusalém, ouvindo e aprendendo as lições, ele escolheu setenta e dois aprendizes de seu Evangelho e mandou-os adiante de si a todos os lugares e cidades por onde ele tinha de passar.

— Por que esse povo todo ia a Jerusalém, dona Lina? — perguntou a Joaninha.

— Para assistir às grandes festas que anualmente se celebravam no grande templo, por ocasião da Páscoa.

A esses aprendizes Jesus deu mais ou menos as mesmas instruções que dera a seus discípulos ao enviá-los pela primeira vez, lembram-se?

— Por quê, dona Lina, Jesus enviou esses aprendizes, quando tinha os apóstolos? — perguntei.

— Porque o trabalho de ensinar o Evangelho aos homens é muito grande e exige muitos trabalhadores. Sabendo disso, Jesus disse que a seara na verdade era grande, e os trabalhadores, poucos. E pediu que rogássemos ao dono da seara, que é Deus, que mandasse trabalhadores para sua seara, que é o mundo.

Os setenta e dois aprendizes voltaram alegríssimos por terem visto que os demônios, isto é, os irmãozinhos inferiores, lhes obedeciam. Jesus então lhes disse que se alegrassem ainda mais, porque os trabalhadores do Evangelho têm seus nomes escritos nos céus.

O Bom Samaritano

— Eis que apareceu um doutor da lei, que lhe disse para o experimentar: "Mestre, que hei de fazer para merecer a vida eterna?"

E Jesus lhe respondeu: "O que está escrito na lei? Como tu a compreendes?"

O doutor da lei respondeu: "Amarás ao Senhor teu Deus de todo teu coração, de toda tua alma, de todas as tuas forças, de todo teu entendimento, e ao seu próximo como a ti mesmo". "Respondeste acertadamente", disse-lhe Jesus. "Faze isso e merecerás a vida eterna."

— O que é a vida eterna, dona Lina? — perguntamos.

— A vida eterna é aquela que viveremos nos mundos espirituais, onde não mais passaremos pelo fenômeno da morte, como aqui na Terra. Nesses mundos, a felicidade é perfeita.

Mas o doutor da lei não ficou satisfeito e, querendo saber mais, perguntou: "E quem é o meu próximo?"

Em resposta, Jesus contou-lhe a seguinte história: "Um homem viajava de Jerusalém para Jericó, e caiu nas mãos dos ladrões, que lhe roubaram tudo o que levava. Não contente em roubá-lo, os ladrões ainda o feriram, deixando-o na estrada meio morto.

"Aconteceu que passou por ali um sacerdote; ouviu seus gemidos, contudo evitou-o, passando longe dele.

"Logo depois apareceu um levita, que o viu, mas também se afastou, deixando o pobre ferido abandonado e sangrando.

"Porém, um samaritano que seguia o seu caminho chegou perto e, quando o viu, ficou penalizado e imediatamente se pôs a cuidar dele. Tomou um pouco de azeite e de vinho e limpou-lhe as feridas, atando-as com tiras que rasgou de uma peça de sua própria roupa. Em seguida, carinhosa e cuidadosamente, colocou o desconhecido sobre o seu burrico e levou-o a uma estalagem que havia na beira da estrada. Acomodou-o muito bem num quarto, pagou as despesas e disse ao estalajadeiro:

'Trata com muita atenção deste homem, que foi ferido por ladrões na estrada. Voltarei dentro de alguns dias e te pagarei tudo o que gastares a mais com ele'".

"Qual destes três te parece que foi o próximo daquele que caiu nas mãos dos ladrões?"

"Aquele que usou de misericórdia com o tal, respondeu o doutor da lei."

"Pois faze tu o mesmo, ordenou-lhe Jesus."

— Dona Lina, o que é um levita? — perguntou o João André.

— Os levitas eram os encarregados dos serviços do templo, mas não eram sacerdotes.

Marta e Maria

— Continuaram o caminho e entraram numa aldeia, onde foram hospedados por uma bondosa mulher chamada Marta, que tinha uma irmã chamada Maria.

Jesus descansava e aproveitava o tempo para ensinar; Maria sentou-se a seus pés e ouvia embevecida as palavras dele. Porém, Marta estava toda entregue aos afazeres da casa, limpando, esfregando, arrumando e preparando as coisas para seus hóspedes. Percebendo que Marta não fazia nada, foi reclamar com Jesus: "Eu estou trabalhando sozinha, e Maria aí sem me ajudar; mande que ela me ajude". "Marta, Marta, respondeu-lhe Jesus, não te embaraces em cuidar de muitas coisas. Uma só coisa é necessária; Maria escolheu a melhor parte, que não lhe será tirada."

— O que significa essa resposta que Jesus deu à Marta? — perguntou dona Aninhas.

— Fiquei curioso também eu por saber — disse o sr. Antônio.

— Com essa resposta, Jesus chama nossa atenção para as coisas espirituais, que valem mais do que as materiais. Maria ouvia a palavra de Jesus, que eram ensinamentos que lhe beneficiariam a alma, e essa era a melhor parte. Marta, porém, preocupada com as coisas materiais, não soube reservar nem alguns poucos minutos para aprender as lições novas que Jesus trazia.

Vocês, por exemplo, que estão ouvindo e aprendendo a história de Jesus, escolheram a melhor parte.

E agora vamos a nossas orações, que já se faz tarde.

A Oração Dominical

Tivemos uma agradável surpresa na noite seguinte: o sr. Manoel veio ouvir a história e trouxe um pacote de balas para nós.

— Aconteceu que Jesus orava num lugar afastado e um de seus discípulos chegou-se a ele e pediu que os ensinasse a orar.

Jesus então lhes disse: "Quando vocês orarem, não há necessidade de que os outros os vejam; procurem um lugar sossegado, longe da vista dos homens; porque a oração só deve ser ouvida por Deus, nosso Pai. Vocês não precisam fazer orações muito compridas, porque não é pelo muito falar que vocês serão ouvidos. Lembrem-se de que Deus sabe do que vocês necessitam, muito antes de vocês lhe pedirem. Portanto, quando orarem, falem assim: 'Pai-Nosso que estás nos céus; santificado seja o teu nome. Venha a nós o teu reino. Seja feita a tua vontade, assim na Terra como nos céus. O pão nosso de cada dia, dá-nos hoje. Perdoa-nos as nossas ofensas, assim como nós também perdoamos nossos ofensores. Não nos deixes cair em tentações. Livra-nos do mal. Assim seja'".

— E agora — continuou dona Lina —, repitam comigo esta oração, até que a saibam de cor. E quero que vocês a façam todas as noites ao se deitarem, e todas as manhãs ao se levantarem.

Repetimos em voz alta uma porção de vezes a oração dominical e depois cada um de nós a disse por sua vez, para que dona Lina se certificasse de que a sabíamos bem.

— Era assim mesmo que minha santa mãezinha me ensinava a orar, quando eu era pequenino! — exclamou o sr. Manoel. — Ela me punha em seus joelhos, tomava minhas mãozinhas nas suas, e orávamos ambos.

E nesse momento ele puxou do lenço e enxugou uma lágrima que teimava em correr-lhe pela face.

— Só que no fim ela dizia "amém" em lugar de "assim seja" — concluiu ele.

— É a mesma coisa — explicou dona Lina. — "Amém" é uma palavra hebraica cujo significado é "assim seja". Pronunciada no fim das orações, "amém" ou "assim seja" demonstra nossa firme vontade de procedermos conforme oramos.

— E por quê, Lina, oração dominical? Eu a conhecia por Pai-Nosso — falou dona Leonor.

— Também é a mesma coisa. É chamada Oração do Pai-Nosso porque a fazemos a Deus, nosso Pai e Senhor. Ou oração dominical, ou ainda a oração do Senhor, porque dominical se deriva da palavra latina *dominus*, que quer dizer Senhor.

— Mas como a senhora sabe! — exclamou o Juquinha.

— Sei porque estudo. Se vocês forem estudiosos, ficarão sabendo tanto ou mais do que eu. E, para terminar, vou contar-lhes como Jesus ensinava a dar esmolas: "Quando vocês derem esmolas, ou fizerem o bem, ou ajudarem alguém, façam tudo isso em segredo, de modo que ninguém o saiba. E Deus, nosso Pai, que tudo vê, verá as esmolas que vocês derem, o bem que vocês fizerem e o auxílio que vocês prestarem aos necessitados. E ele não se esquecerá de recompensá-los. Não saiba a mão esquerda o que faz a direita".

Em seguida à oração habitual, fomos para casa.

Parábola do Amigo Importuno

— Jesus conversava com seus discípulos e com outras pessoas que o acompanhavam, e lhes contou a seguinte parábola: "Tarde da noite chegou à casa de um homem seu amigo. O viajante vinha cansado e com fome. O homem percebeu que não tinha pão e foi pedi-lo emprestado ao vizinho. O vizinho não quis levantar-se da cama para dar-lhe. Mas o homem bateu tanto que por fim o outro não teve remédio senão atendê-lo, para que pudesse dormir. Assim é Deus, nosso Pai: insistam com ele e ele lhes dará todos os bens de que vocês precisam. Ele é um Pai muito bondoso e nunca dará uma pedra ao filho que pedir pão, nem uma serpente ao filho que lhe pedir um peixe, nem um escorpião ao filho que lhe pedir um ovo. Por isso, peçam que lhes será dado; batam que a porta lhes será aberta e procurem que vocês acharão. Se os pais da terra sabem dar boas coisas a seus filhos, quanto mais o Pai celestial dará espírito bom aos que lhe pedirem".

— Lindos ensinamentos esses, Lina! — exclamou dona Leonor. — Penso que, por meio deles, Jesus nos ensina que nos entreguemos confiantes a Deus, nosso Pai, o qual jamais nos deixará faltar qualquer coisa para o nosso bem.

— Isso mesmo, titia, Jesus procura por todos os meios avivar a fé em nossos corações.

A Blasfêmia dos Fariseus

— Mas os fariseus não davam sossego a Jesus e começaram a persegui-lo. E, uma vez em que ele expulsava um demônio, isto é, um irmãozinho inferior, de um mudo, começou o mudo a falar, e os fariseus disseram: "Ele expulsa os demônios, porque também é um demônio; por isso os demônios lhe obedecem".

Ao que Jesus respondeu: "Se eu fosse um demônio, eu não poderia ir contra os demônios. Mas, se eu lanço fora os demônios em nome de Deus, é porque chegou a vocês o reino de Deus. E assim, quando um demônio deixa um homem e este homem não obedece às leis divinas, o demônio volta trazendo outros, e o estado do homem passa a ser pior do que o primeiro".

— Já lhes expliquei o que é demônio, não é verdade?

— Já, sim senhora — respondemos.

— Mas que gente ignorante! — exclamou a Joaninha. — Será que eles não viam que Jesus estava fazendo o bem?

— Os orgulhosos como os fariseus não queriam compreender — continuou dona Lina. — Mas os humildes compreendiam; tanto que uma mulher do povo gritou para Jesus: "Bem-aventurada a mulher que te criou!" Ao que Jesus respondeu: "Antes bem-aventurados aqueles que ouvem a palavra de Deus e a praticam".

— E Jesus nunca ralhou com eles, dona Lina? — perguntou a Cecília.

— Sim, mais de uma vez. Sempre que se lhe apresentava uma ocasião favorável, ele repreendia os escribas, os doutores da lei, os fariseus e todos os que se comprazíam no mal. Tanto assim que, em uma ocasião, um fariseu o convidou para jantar. Como Jesus não se tivesse lavado segundo os preceitos da lei, o fariseu reparou nisso. Jesus aproveitou o ensejo e deu-lhe a seguinte lição: "Vocês fariseus limpam-se muito bem por fora, mas por dentro estão cheios de pensamentos maus, de rapina e de maldades. Loucos, o que está por dentro não deve também estar limpo como o que está por fora? Façam o bem, deem esmolas do que lhes pertence, e tudo ficará limpo. Vocês pagam suas contribuições ao templo, mas desprezam a justiça e o amor de Deus, que é o que mais importa que pratiquem, sem que, entretanto, se esqueçam daquelas. Ai de vocês, fariseus, que gostam de ter sempre os primeiros lugares, e de serem saudados nas praças. Vocês são semelhantes a sepulcros bem caiados por fora e cheios de imundícies por dentro".

Mas um dos doutores da lei que ali estava disse-lhe: "Mestre, desse modo você nos ofende também!"

"Ai de vocês também, doutores da lei, que exigem que os homens cumpram a lei e os enchem de obrigações que eles não podem desempenhar, mas vocês mesmos não movem um dedo sequer para ajudá-los."

— Jesus fez muito bem em chamá-los à ordem — falou dona Leonor. — Então só os pequenos é que devem cumprir isto e mais aquilo, e eles, os grandes, nada?

— Como Jesus não perdia oportunidade de corrigi-los e de mostrar-lhes os erros que cometiam, começaram a procurar um meio de acusá-lo. Contudo, Jesus não tinha medo deles e recomendava a seus discípulos que se guardassem do fermento dos fariseus, que era a hipocrisia. "O hipócrita "dizia ele" pode esconder seus atos, porém um dia será desmascarado. Porque nenhuma coisa há oculta que se não venha a descobrir, nem escondida que se não venha a saber. O teu olho é a luz do teu corpo. Se teu olho for simples, todo o teu corpo será luminoso; mas, se for mau, também o teu corpo será tenebroso."

— Explique-nos isso, Lina — pediu dona Aninhas.

— Jesus quer que olhemos o lado bom das coisas e das pessoas, para que o mal não tome conta de nós. E, para terminarmos nossa história de hoje, ouçam mais o que Jesus recomendou a seus discípulos: "Meus amigos, não tenham medo daqueles que podem matar o corpo e nada mais podem fazer. Tenham medo do mal que pode lançar suas almas na aflição, no desespero e no sofrimento. Os pardais pouco valem, tanto que se vendem cinco deles por alguns centavos; e mesmo assim eles não estão em esquecimento diante de Deus. Não tenham medo porque vocês valem muito mais do que os pardais. Não me neguem diante dos homens, para que vocês não sejam negados perante os anjos de Deus".

Oramos com dona Lina e fomos para casa com a certeza íntima de que Deus, nosso Pai, conhece cada um de nós, seus filhos pequeninos.

A Parábola do Rico Louco

— E como vai a Dorinha? — perguntou-nos dona Lina logo que chegamos.

— Melhorou bem — respondeu a Joaninha. — Está em franca recuperação, e sua mamãe, muito alegre pela cura.

— Dona Lina, a senhora disse no outro dia que Jesus ia a caminho de Jerusalém. Ele já chegou lá? — perguntou o João André.

— Sim — respondeu dona Lina. — Depois do trecho que lhes contei de Marta e Maria, Jesus chegou a Jerusalém, onde nossa história continua. Entretanto, ele gostava de passar as noites nas aldeias e nas granjas que havia ao redor da cidade.

Uma vez um homem do povo procurou-o e pediu-lhe: "Mestre, dizei a meu irmão que reparta comigo a herança".

Ao que Jesus lhe respondeu: "Homem, quem me constituiu juiz e partidor entre vocês?"

E, voltando-se para todos, recomendou-lhes: "Guardem-se e acautelem-se de toda avareza, porque a vida de cada um não consiste na abundância dos bens que possui".

E narrou-lhes a seguinte parábola: "As terras de um rico fazendeiro tinham produzido grandes colheitas. Ele ficou muito contente e se pôs a pensar desse modo: 'Que farei se não tenho onde recolher minhas colheitas? Ah! farei isto: mandarei derrubar os meus celeiros pequenos e construir outros maiores, e neles depositarei minhas colheitas e meus bens. Quando tudo estiver pronto, direi à minha alma: Alma minha, tu tens muitos bens em depósito por largos anos; descansa, come, bebe, regala-te'. Mas Deus disse a esse homem: 'Louco, esta noite virão buscar a tua alma; e as coisas que ajuntaste, para quem serão?' Assim é o que acumula para si e não ajunta para Deus".

— A mesma coisa aconteceu com o sr. Teodoro, nosso conhecido, não é, Antônio? Aquele homem trabalhou como um mouro para fazer fortuna. E, quando quis gozar um pouco do que tinha, morreu — disse dona Leonor.

— Por esse exemplo vemos que não era somente no tempo de Jesus que havia ricos loucos. Em nosso tempo também há muitos e muitos deles, que eu bem os conheço — disse dona Aninhas.

— Devemos então cruzar os braços? — perguntou o Roberto.

— Não — respondeu dona Lina. — Devemos trabalhar com calma e alegria, porque é pelo nosso trabalho honesto que Deus provê nossas necessidades. Mas não devemos ser avarentos. Quem sabe o que é um avarento?

Ninguém respondeu.

— Um avarento — explicou dona Lina — é uma pessoa excessivamente apegada ao dinheiro. O avarento deseja e ama as riquezas sem moderação. E, para possuir mais e sempre mais, o avarento não se importa em causar prejuízos e sofrimentos aos outros, e mesmo em semear a miséria.

Lembremo-nos de que, se a fortuna vier a nossas mãos pela vontade de Deus, é porque temos de usá-la em benefício de nossos irmãos, que não têm nada. Em lugar de gozá-la egoisticamente só para nós, é nossa obrigação promover com ela o bem-estar do maior número possível de pessoas.

Há ricos que usam de sua fortuna para enriquecer mais ainda, transformando-a em instrumento de opressão para os pobrezinhos. Por exemplo: um rico compra grande quantidade de arroz e guarda, fazendo com que falte arroz. Havendo falta, vocês sabem que o preço sobe. E ele então vende o seu arroz pelo preço que quer, ganhando desse modo uma outra fortuna com a fome do povo. Isso é avareza, e vocês viram que Jesus nos recomenda que nos guardemos da avareza.

— O exemplo que você nos citou, Lina, é muito comum não só com o arroz, mas também com todos os gêneros de primeira necessidade de que o povo precisa — falou o sr. Antônio.

— Pois é, titio. São fortunas desviadas de suas verdadeiras finalidades. O contrário é que deveria acontecer: serem usadas para baratear tudo e para que houvesse abundância de tudo, facilitando assim a vida na Terra.

Solicitude pela Nossa Vida

— Precavendo-nos contra a avareza, Jesus nos ensina: "Portanto eu lhes digo: não andem solícitos pelas suas vidas, pensando com que se sustentarão; nem pelo corpo, com que se vestirão. A vida vale mais do que o sustento e o corpo, mais do que o vestido.

"Olhem para as aves do céu que não semeiam nem ceifam, nem têm celeiros nem despensas, e Deus, contudo, as sustenta. Diante de Deus, vocês valem muito mais do que elas.

"Olhem como crescem os lírios dos campos: eles não trabalham nem fiam e, contudo, eu lhes afirmo que nem o rei Salomão, em toda sua glória, se vestiu como um deles.

"Será que, se vocês quiserem, poderão acrescentar um centímetro que seja às suas estaturas? Portanto, se vocês não podem as coisas pequeninas, por que estão em cuidado sobre as outras?

"Se Deus veste assim as flores dos campos, quanto mais a vocês, homens de pouca fé?

"Não se inquietem, pois, com o que vocês terão para comer ou para beber; e não andem com o coração ansioso por estas coisas, porque Deus, que é Pai, bem sabe do que vocês precisam. Não se apeguem demasiadamente aos bens da Terra; ajudem os pobres; ajuntem no céu um tesouro que não se acaba e o tempo não gasta, e onde não chega o ladrão, e que a traça não rói. Tenham cuidado porque, onde vocês puserem seu tesouro, aí vocês prenderão também o coração."

Dona Lina parou de falar. Estávamos presos aos seus lábios. Ela falava com tanto entusiasmo e com a voz firme, mas tão meiga e suave, que por instante tivemos a impressão de estarmos longe, na longínqua Palestina, no tempo de Jesus.

— Compreenderam? — perguntou-nos dona Lina, chamando-nos à realidade.

E, como nenhum de nós respondesse, ela explicou:

— Com essa lição, Jesus nos ensina que confiemos na Providência Divina. Nós, por nós próprios, nada podemos se a mão de Deus não nos ajudar. E Deus, que é um Pai muito bom, jamais deixa de ajudar seus filhos pequeninos, que somos todos nós.

Dona Lina terminou; convidou-nos para a prece da noite e depois mandou-nos para casa. No caminho, banhado pelo luar cristalino, olhei para o céu, e uma doce serenidade se aninhou em meu coração: lá no alto, naquele céu azul, eu tinha um Pai que me amava e que jamais se cansaria de cuidar de mim.

A Mulher Culpada

— Rompia a manhã quando Jesus foi para o templo. E o povo foi ter com ele para ouvir-lhe os ensinamentos.

Então os escribas e os fariseus lhe trouxeram uma mulher culpada de mau comportamento e a puseram diante dele.

— Esses escribas e fariseus não dão descanso a Jesus! — exclamou o Roberto.

— Não dão mesmo. Mas, como vocês já devem ter notado, Jesus os aproveitava como material de ensino. E disseram-lhe: "Mestre, esta mulher foi apanhada agora mesmo comportando-se mal. Pela lei de Moisés, ela deve ser apedrejada. Logo, o que dizes tu?"

— O que quer dizer ser apedrejada? — perguntou a Cecília.

— Era um modo bárbaro de castigar os culpados; atiravam-lhe pedras até que morressem; eram mortos a pedradas.

— Que horror! Era assim que queriam matar a pobre mulher! — bradou dona Aninhas.

— Assim mesmo — confirmou dona Lina. — Os escribas e os fariseus provocavam Jesus, porque, se ele dissesse alguma coisa contrária à lei de Moisés, também poderia sofrer o castigo de ser apedrejado. Porém Jesus nada respondeu, e, abaixando-se, pôs-se a escrever na areia com o dedo. Contudo, eles insistiam. Então Jesus se ergueu e disse-lhes: "Aquele de vocês que estiver sem pecado atire a primeira pedra".

E, abaixando-se de novo, continuou a escrever na areia, sem lhes dar maior atenção.

Ao ouvirem tais palavras, pelas quais não esperavam, os acusadores foram largando as pedras que traziam nas mãos e indo-se embora um por um, primeiro os mais velhos, depois os mais moços. E ali ficou tão somente a mulher que tinha estado a tremer, a chorar e a torcer as mãos de desespero. Agora, a pobrezinha, já sossegada e confiante, um pouco ansiosa, olhava para Jesus.

Jesus se ergueu e lhe perguntou: "Mulher, onde estão os que te acusavam? Ninguém te condenou?" "Ninguém, Senhor, respondeu ela". "Nem eu tampouco te condenarei; vai e não peques mais".

— Que maravilhosa lição para todos nós! — exclamou dona Leonor. — Se ele, que era puro, não acusou nem condenou, muito menos nós não devemos acusar nem condenar ninguém.

— O que será que Jesus escreveu na areia? — perguntou a Joaninha.

— Só ele e o Pai celeste o sabem.

A Ressurreição de Lázaro

— Vocês se lembram de Marta e Maria?

— Sim, senhora — respondemos.

— Pois elas tinham um irmão chamado Lázaro que estava doente. Como não achassem remédio que o curasse, lembraram-se de Jesus e mandaram chamá-lo. Ora, Jesus estimava muito aqueles três irmãos, mas no momento não pôde ir; chegou à casa deles quatro dias depois. Ao vê-lo, Marta correu para ele e disse-lhe: "Senhor, se tu estivesses aqui, meu irmão não teria morrido. Mas sei que tudo o que pedires a Deus, ele o fará por teu intermédio". "Teu irmão não está morto, mas dorme. Onde o puseram?"

Levaram pois Jesus ao sepulcro no qual tinham colocado Lázaro. O sepulcro era uma gruta fechada por uma tampa de pedra. Jesus mandou que tirassem a pedra. Marta ficou receosa e disse: "Senhor, ele já está cheirando mal, porque está aí há quatro dias". "Crê somente e verás a glória de Deus", respondeu-lhe Jesus.

Tiraram pois a tampa.

E Jesus, levantando os olhos para o céu, disse: "Pai, eu te agradeço porque me tens ouvido. Eu bem sei que sempre me ouves; mas falei assim para atender a este povo que está em roda de mim; para que eles creiam que tu me enviaste".

Tendo dito estas palavras, bradou: "Lázaro, sai para fora".

E no mesmo instante saiu o que estava morto, ligados os pés e as mãos com ataduras e o rosto envolto num lenço. Disse Jesus aos que estavam perto dele: "Desatai-o e deixai-o ir".

E Lázaro, dando o braço a suas irmãs, foi para casa seguido de grande povo, dando graças a Deus.

Advertências de Jesus

No tempo de Jesus, quando os senhores saíam à noite, deixavam em seus palácios alguns servos encarregados das tochas. Ao voltarem, mesmo a altas horas da noite, queriam encontrar esses servos vigilantes e com as tochas acesas para iluminá-los. Caso os servos estivessem dormindo ou descuidados, eram castigados.

Jesus quer que sejamos como os servos vigilantes: sempre prontos para pôr em prática suas lições, sempre prontos para cumprir a vontade de Deus, nosso Pai e Senhor.

— E como é que podemos saber qual é a vontade de Deus, dona Lina? — perguntei.

— A vontade de Deus é que façamos o bem; que vivamos fraternalmente com todos; que não sejamos orgulhosos; que trabalhemos, estudemos e que ajudemos nossos irmãos menos favorecidos. Assim fazendo, seremos como os servos vigilantes e evitaremos o castigo dos dorminhocos e descuidados.

Outra coisa que Jesus disse é que ele não tinha vindo para trazer paz à Terra.

— Como assim, Lina? — perguntou o sr. Antônio.

— Ele tinha razão em dizer isso, titio. O senhor não sabe que as lições dele foram muito discutidas, mal compreendidas e mal aplicadas? Numa mesma casa, numa mesma família, uns aceitam seus ensinamentos e os cumprem, e outros não?

— É verdade — respondeu o sr. Antônio.

— Todavia, Jesus é o Príncipe da Paz; e sua paz, a paz do Senhor, reinará na face da Terra, no coração da humanidade, quando todos aceitarem e praticarem seus ensinamentos. Então não haverá mais guerras, nem crimes, nem roubos, nem desonestidade, nem vícios, nem ignorância, nem miséria, nem pobreza.

— Que beleza! Que paraíso será então a Terra! — exclamou dona Aninhas. — Mas vai demorar; a humanidade é muito grande.

— Que cada um cuide de melhorar a si próprio; que cada um procure viver conforme Jesus ensina e assim, de um em um, a humanidade melhorará.

— No meu modo de ver, Lina, todos se julgam perfeitos e cada um quer corrigir o outro, esquecido de si mesmo. Daí é que nasce essa confusão — falou dona Leonor.

— A senhora acertou, titia. Por isso é que Jesus disse que se nós, ao olharmos o céu, sabemos se vai chover ou não, se vai fazer calor ou não, devíamos também reconhecer que os tempos presentes é que são os tempos de vivermos de acordo com o Evangelho; porque nós já sabemos distinguir o que é justo. Jesus disse: "Ora, quando fores com teu inimigo aos tribunais, faze o possível por te livrares dele no caminho, para que não suceda que te leve ao juiz, e o juiz te entregue ao meirinho, e o meirinho te ponha na cadeia. Digo-te que não sairás dali, enquanto não pagares até o último centavo".

— Não compreendi, dona Lina — disse o Roberto.

— Explico. Quem vai aos tribunais é porque tem alguma questão com alguém. E pode suceder que por causa dessa questão seja condenado. Então Jesus recomenda que a questão seja acertada entre os dois, por bons modos, antes de irem aos tribunais, onde poderá suceder o pior. Assim devemos perdoar-nos uns aos outros todas as questões que surgirem entre nós, para que o tribunal divino não nos castigue com o sofrimento. Compreenderam?

— Sim, senhora — respondemos.

— Paremos aqui por hoje. Façamos nossa oração ao Pai, e em sua paz despeçamo-nos — concluiu dona Lina.

Cura de uma Mulher Paralítica

— Era um sábado e Jesus ensinava na sinagoga deles — continuou dona Lina na noite seguinte, depois de ver cada um em seu lugar. — E eis que veio ali uma mulher que estava possessa de um Espírito que a trazia doente havia dezoito anos; o Espírito a fazia andar encurvada, e ela não podia absolutamente olhar para cima.

Ao vê-la Jesus chamou-a a si e disse-lhe: "Mulher, estás livre de teu mal".

Colocou as mãos sobre ela, e no mesmo instante ficou direita e deu graças a Deus.

Mas o príncipe da sinagoga ficou indignado ao ver que Jesus fazia curas no sábado. Para ele uma cura equivalia a um trabalho, e a lei de Moisés proibia trabalhar no sábado, como vocês já sabem. Voltou-se pois para o povo e disse: "Seis dias estão destinados para trabalhar; venham pois nestes para serem curados e não no dia de sábado".

Jesus olhou bem para ele e respondeu-lhe assim: "Hipócritas, cada um de vocês não tira da estrebaria o seu boi ou o seu jumento para dar-lhes de beber? Por que razão logo não se devia curar esta filha de Deus, que sofria há dezoito anos?"

Ouvindo essas palavras, os inimigos de Jesus se envergonharam; mas o povo se alegrava com as ações que ele praticava com tanta glória.

A Porta Estreita

E Jesus visitava as aldeias e as cidades que havia ao redor de Jerusalém ensinando ao povo o Evangelho. De caminho, um discípulo lhe perguntou: "Senhor, é verdade que são poucos os que se salvam?" "Os que se salvam são os que entram pela porta estreita; porque larga é a porta e espaçoso o caminho que guia para a perdição, e muitos são os que entram por ela. Que estreita é a porta e que apertado é o caminho que guia para a vida, e quão poucos são os que acertam com ele!"

— Não compreendemos, dona Lina — dissemos quase todos ao mesmo tempo.

— É fácil. Os que entram pela porta estreita são as pessoas que cumprem rigorosamente os seus deveres; que procuram ser boas para com todos; que combatem seus vícios e seus defeitos. Tais pessoas se salvam, isto é, ficam livres de sofrimentos e conquistam bons lugares no mundo espiritual para onde irão ao partirem da Terra. Compreenderam?

— Sim, senhora.

Jesus é Avisado do Ódio de Herodes

— No mesmo dia chegaram alguns dos fariseus a Jesus, dizendo-lhe: "Sai e vai-te daqui, porque Herodes te quer matar".

— Eu bem desconfiava de que esse, como o pai dele, não ficaria quieto! — exclamou a Joaninha.

— Porém, Jesus não se amedrontou e replicou: "Ide e dizei a esse raposo que eu faço curas perfeitas e lanço fora os demônios hoje e amanhã, e que no terceiro dia vou a ser consumado. Entretanto bem sei que devo morrer em Jerusalém".

— Como assim, Lina? — perguntou dona Leonor.

— Jesus previa que o prenderiam, dia mais dia menos, e o condenariam à morte, porque poucos eram os que apreciavam a verdade que ele pregava. E de fato assim aconteceu, como lhes contarei mais tarde.

Jesus comparou-se ao bom pastor que dá a vida por suas ovelhas. Contudo, dessa vez ainda nada conseguiram, porque Jesus prudentemente se retirou de Jerusalém e voltou para a Galileia.

— E fez ele muito bem! — exclamou a Joaninha.

Com isso terminou a história daquela noite. Elevamos ao Senhor nossas preces de costume e retiramo-nos contentes.

A Cura de um Hidrópico

Sentados cada um de nós em seu lugar, ficamos atentos às palavras de dona Lina, que começou assim:

— E aconteceu que, entrando Jesus num sábado em casa de um dos principais fariseus a tomar sua refeição, ainda eles o estavam ali observando.

— Já sei — disse Joaninha. — Queriam ver se ele desrespeitava o sábado, curando alguém.

— Isso mesmo. Apresentou-se diante dele um pobre homem que era hidrópico. Jesus olhou bem para os fariseus e doutores da lei que estavam com ele à mesa, e lhes fez esta pergunta: "É permitido fazer curas nos dias de sábado?"

— E ninguém respondeu; acertei, dona Lina? — perguntou a Joaninha.

— De fato, ficaram todos calados. Então Jesus curou o homem e mandou-o embora. Mas aproveitou a ocasião para perguntar-lhes: "Quem há dentre vocês que, se o seu jumento ou o seu boi cair num poço num dia de sábado, não o tire logo no mesmo dia?"

Também a essa pergunta ninguém respondeu.

Parábola dos Primeiros Assentos e dos Convidados

— Eis alguns conselhos práticos que Jesus nos dá nas seguintes parábolas.

Observando Jesus que os convidados escolhiam os primeiros lugares nas mesas, disse-lhes: "Quando fores convidado a um banquete, não te assentes no primeiro lugar, porque pode ser que esteja ali outra pessoa, mais autorizada do que tu, convidada pelo dono da casa. E tu, envergonhado, terás de ceder-lhe o lugar, indo para o último. Mas, quando fores convidado, vai tomar o último lugar para que, quando vier o que te convidou, te diga: 'Amigo, senta-te mais para cima'.

"E isto te servirá de glória na presença dos que estiverem juntamente sentados na mesa. Porque todo o que se exalta será humilhado, e todo o que se humilha será exaltado".

— Lina, não compreendi bem essa parábola — disse o sr. Antônio.

— Nem eu — secundou-o dona Aninhas.

— Vou explicá-la. Nessa parábola, Jesus nos recomenda a modéstia. Nunca perderemos por ser modestos. Não queiramos ser mais do que os outros porque, muitas vezes, apesar de todo o nosso saber, de todos os nossos haveres, de toda a nossa virtude, há outros, muitos outros que estão acima de nós. E, sendo modestos, evitaremos desapontamentos e mesmo humilhações.

— Agora compreendi. Realmente, por mais alto que um homem esteja colocado, sempre há alguém acima dele. Ninguém perde por ser modesto — falou o sr. Antônio.

— A modéstia, queridos — recomendou-nos dona Lina —, é uma grande virtude que vocês devem cultivar a vida inteira. Porém ouçam o que mais disse Jesus: "Quando deres algum jantar ou alguma ceia, não chames nem teus amigos, nem teus irmãos, nem teus parentes que forem ricos, para que não suceda que te convidem por sua vez e te paguem com isso. Mas, quando deres algum banquete, convida os pobres, os aleijados, os coxos, os cegos; e serás bem-aventurado, porque esses não têm com que te retribuir; porém isso te será retribuído na ressurreição dos justos".

— Acho esquisito esse ensinamento, Lina — observou o sr. Antônio.

— Ele nada tem de esquisito, titio — respondeu dona Lina. — Por essas palavras, Jesus nos ensina que todo o bem que fizermos aos pobrezinhos, ou a quaisquer pessoas, nos será pago e muito bem pago no mundo espiritual, onde ressurgiremos depois da morte de nosso corpo. Não é um ensinamento simples e bonito?

— É verdade — respondeu o sr. Antônio.

Parábola da Grande Ceia

— Ouvindo as palavras de Jesus, um dos homens que estavam com ele à mesa exclamou: "Feliz daquele que comer o pão no reino de Deus".

E Jesus, dirigindo-se a ele, contou-lhe a Parábola da Grande Ceia, que é assim: "Um homem fez uma grande ceia, para a qual convidou a muitos. E, quando foi a hora da ceia, enviou um de seus servos a dizer aos convidados que viessem, porque tudo já estava pronto. Porém, todos começaram a dar desculpas. Um disse: 'Comprei um sítio e preciso ir vê-lo; rogo-te que me dês por desculpado'. Outro disse: 'Comprei cinco juntas de boi e vou experimentá-los; rogo-te que me dês por desculpado'. Este desculpou-se dizendo: 'Eu me casei e por isso não posso ir lá'. O servo voltou e contou tudo ao seu senhor. Então o pai da família disse ao servo: 'Sai logo às praças e às ruas da cidade e traze-me cá quantos pobres, aleijados, coxos e cegos achares'".

— Por quê, dona Lina? — perguntou a Joaninha.

Estávamos todos curiosos por saber, mas dona Lina disse:

— Logo explicarei. O servo fez como lhe foi ordenado e comunicou a seu senhor que ainda havia sobrado lugares. O senhor mandou: "Sai por esses caminhos e redondezas e arranja mais gente, para que fique cheia a minha casa. Porque aqueles que foram convidados primeiro, nenhum deles provará a minha ceia".

Dona Lina nos explicou essa parábola do seguinte modo:

— O senhor é Deus. A grande ceia é o reino dos céus. O servo enviado para fazer o convite é Jesus. Ele veio e convidou a todos para a ceia divina, isto é, para o reino dos céus, por meio da prática do Evangelho. Como são poucos os que ouvem e praticam o Evangelho, então vem o sofrimento, que abre os olhos dos homens para o reino divino e assim ele fica abarrotado. Compreenderam?

— Sim, senhora — respondemos.

Dona Lina convidou-nos para a prece e depois nos mandou para casa.

Parábola Acerca da Providência

Não sei se vocês sabem hoje o que é um lampião belga. No meu tempo de menino, eram comuns no interior. Chamavam belga a um lampião grande, de querosene, geralmente suspenso na sala de jantar. Dava muito boa luz. Era ao pé dele que se conversava, costurava-se, trabalhava-se, lia-se à noite nas cidadezinhas ainda não providas de eletricidade. E, como vocês devem ter percebido, havia um deles em casa de dona Leonor, a cuja luz ouvíamos dona Lina.

Pois bem, ao chegarmos, a sala estava às escuras. O sr. Antônio quebrara o vidro do lampião ao acendê-lo; e agora tinha ido comprar outro no armazém da praça; devíamos esperar. Não demorou muito e voltou com um vidro novo, a manga, como se chamava. Logo que o lampião brilhou no alto do teto, dona Lina contou-nos o seguinte:

— Andando pelas campinas de uma aldeia para outra a pregar o Evangelho, Jesus era seguido por muita gente. De uma feita, ele se voltou para os que o seguiam e lhes disse: "Se alguém vem a mim e não aborrece a seu pai e mãe, a sua mulher e filhos, a seus irmãos e irmãs, e ainda a sua própria vida, não pode ser meu discípulo".

— O que é isso, dona Lina! — exclamamos. E o sr. Antônio ajuntou:

— Então para eu seguir a Jesus tenho de abandonar a Leonor, e essa meninada os pais? Você acha que isso está certo?

Dona Lina riu gostosamente e explicou:

— Titio, os ensinos de Jesus foram muito mal compreendidos e continuam a sê-lo. Para seguir a Jesus, não precisamos nem devemos abandonar ou aborrecer nossos familiares, nem quem quer que seja. Pelo contrário, devemos amá-los ainda mais, para que sejamos dignos de Jesus, o qual fez do amor a sua lei suprema. O que Jesus quis dizer é que, se alguém estiver interessado em ser seu discípulo, isto é, em praticar o Evangelho para conquistar um bom lugar na pátria espiritual, não deve deixar que as ideias contrárias de seus familiares o perturbem. Se seus entes queridos não quiserem segui-lo, o discípulo de Jesus seguirá à parte o seu caminho espiritual, sem deixar de tratar carinhosamente toda sua família, pois ele é responsável por ela perante Deus.

— Ah, bom! Agora sim, e estou de acordo com Jesus. Mas é difícil a alguém dedicar-se à Espiritualidade no meio de uma família que não o pode compreender.

— Realmente, titio, tal tarefa exige muita paciência, muita renúncia e muito bom exemplo. Pelos exemplos de bem viver é que podemos conquistar para Jesus os que nos cercam, os que convivem conosco. E Jesus ainda continua dizendo que qualquer um de nós que não deixar de lado tudo o que possui não pode ser seu discípulo.

Aqui dona Aninhas se retraiu um pouco na cadeira, pois ela era mais ou menos rica. Dona Lina percebeu e delicadamente explicou:

— Esse é um outro ensinamento mal compreendido pelos homens. Jesus não quer uma humanidade de pobretões, ou que os que têm atirem fora o que possuem. Não é isso. Ele nos ensina que, em quaisquer circunstâncias em que a vida nos colocar, devemos saber sacrificar nossos interesses materiais em benefício de nossos interesses espirituais. Tratar primeiro dos interesses de nosso espírito, que é imortal; os interesses da matéria devem sempre ficar em segundo lugar. Compreenderam?

— Sim, senhora! — Respondemos, e notei que dona Aninhas respirava como que mais aliviada, e sorria como se em seu cérebro bailasse uma ideia agradável.

— Jesus compara seus discípulos ao sal. O bom sal salga e preserva da podridão. Assim o bom discípulo vive uma vida pura, dando sempre o bom exemplo para que todos se livrem do mal.

Parábola da Ovelha e da Dracma Perdidas

— Como vocês terão percebido, das coisas simples Jesus tirava grandes lições. Acontecia que publicanos e gente de má vida se aproximavam dele para ouvi-lo, e ele os acolhia a todos, de boa vontade. Mas os fariseus e os escribas murmuravam dizendo: "Este recebe os pecadores e come com eles".

Jesus então lhes contou a seguinte parábola: "Um pastor nos prados pastoreava o seu rebanho de cem ovelhas. Súbito notou que tinha perdido uma. O que fez? Deixou as noventa e nove em lugar seguro e foi procurar a que se havia perdido. E, quando a achou, carregou-a nos ombros, cheio de alegria. Vocês não teriam feito o mesmo? Portanto, eu lhes afirmo que no céu há mais alegria por um pecador que entra no bom caminho do que por noventa e nove justos que não precisam de salvação".

E dona Lina nos explicou que Jesus é esse pastor que desceu dos prados celestes, isto é, do seu mundo luminoso, para vir até a Terra procurar suas ovelhas perdidas, que somos todos nós.

— Eis uma outra parábola de Jesus: "Uma mulher tinha dez dracmas".

— O que é dracma, dona Lina? — perguntou a Cecília.

— Dracma era uma moeda grega que corria no Oriente no tempo de Jesus. "Se essa mulher perder uma de suas dracmas, não a procurará pela casa toda até encontrá-la? E, quando a encontrar, não ficará muito alegre? Assim eu lhes digo que haverá muito júbilo nos céus por um pecador que fizer penitência."

— O que é fazer penitência, dona Lina? — perguntou o João André.

— Pecador é toda pessoa que pratica o mal.

— Então o Juquinha é pecador, dona Lina! — interrompeu a Joaninha.

Juquinha olhou feio para ela, e dona Lina, afetando preocupação, perguntou-lhe:

— E por que o Juquinha é pecador, Joaninha?

— Porque outro dia eu passei em frente da casa dele, e ele estava sentado na calçada judiando de uma minhoca. Ele arranjou umas formigas e atiçou-as contra a coitada, que se contorcia de dor.

— Mas uma minhoca não vale nada! — exclamou o Juquinha, tentando defender-se.

— Como não? — disse dona Lina. — É uma criatura de Deus como outra qualquer e, além do mais, inofensiva. Fazer penitência é arrepender-se do mal que se fez e passar a praticar somente o bem. Aqui estamos na presença de dois pecadores.

Arregalamos os olhos. Quais seriam os dois pecadores?

E dona Lina, severa:

— Um deles é o Juquinha: não devia ter maltratado a minhoca. O outro é Joaninha: mostrou ser linguaruda. É um péssimo defeito esse de andar contando o que vemos os outros fazerem. Vou passar uma penitência a cada um.

Você, Juquinha, cada vez que encontrar em seu caminho uma minhoca, vai pô-la a salvo na terra fofa, para que ela cuide de sua vidinha.

E você, Joaninha, sempre que tiver vontade de contar novidades dos outros, vai morder a ponta da língua e ficar bem caladinha.

Ambos prometeram obedecer, porém o Juquinha ficou todo satisfeito com a repreensão que a Joaninha levou e mais ainda por ela ter ficado meio desapontada.

Em seguida à prece pelos doentes, retiramo-nos em boa paz.

Parábola do Filho Pródigo

No dia seguinte, ouvimos de dona Lina a Parábola do Filho Pródigo, que Jesus contou: "Um homem tinha dois filhos; e disse o mais moço deles a seu pai: 'Pai, dá-me a parte da herança que me toca'. E o pai repartiu a herança entre ambos. Passados não muitos dias, apanhando tudo o que era seu, partiu o filho mais moço para uma terra distante, onde esbanjou toda a sua herança em vícios e divertimentos.

"Depois de ter consumido tudo, aconteceu haver naquele país uma grande fome; ele começou a passar necessidades. Pediu então emprego a um cidadão da tal terra, o qual o mandou para o seu sítio a tratar dos porcos. Ali ele desejava fartar-se com a comida que os porcos comiam, mas ninguém lhe dava.

"Até que enfim caiu em si e disse: 'Quantos empregados há em casa de meu pai e eu aqui morrendo de fome. Irei procurar meu pai e lhe direi: Pai, pequei contra o céu e diante de ti; já não sou digno de ser chamado teu filho; trata-me como um de teus empregados'.

"E imediatamente partiu para a casa de seu pai. Ainda estava longe, quando seu pai o avistou. Notando o miserável estado em que vinha, compreendeu o que se passou com o filho e ficou com muito dó dele. Foi encontrá-lo, abraçou-o e beijou-o. Pai, disse-lhe o filho, pequei contra o céu e diante de ti; já não sou digno de ser chamado teu filho; trata-me como um de teus empregados'.

Então o pai disse a seus servos: 'Tirem-lhe depressa esta roupa, vistam-no, calcem-no e ponham-lhe um anel no dedo. Tragam também um vitelo bem gordo e matem-no para o comermos e para nos satisfazermos; porque este meu filho era morto e reviveu; tinha-se perdido e achou-se'.

E começaram a banquetear-se".

— Que pai bom! — exclamou a Joaninha. — O meu também é muito bonzinho. Eu gosto tanto dele!

— Esse pai a que Jesus se refere representa Deus, pai de todos nós, o qual está sempre disposto a receber os pecadores em seus braços, uma vez que se arrependam e queiram voltar a ele. Mas Jesus disse: "Mas o filho mais velho estava no campo; e, quando veio para casa, ao aproximar-se, percebeu a festa, chamou um dos servos e perguntou-lhe o que era aquilo. O servo respondeu-lhe: 'É chegado teu irmão e teu pai mandou matar um novilho cevado, porque chegou com saúde'.

"Ele então se indignou e não queria entrar. Mas, saindo o pai, começou a implorar que entrasse. Porém ele deu esta resposta a seu pai: 'Há tantos anos que te sirvo, sem nunca transgredir mandamento algum teu, e tu nunca me deste um cabrito para eu me regalar com meus amigos. Mas tanto que veio este teu filho, que gastou tudo quanto tinha com vícios e divertimentos, logo lhe mandaste matar um novilho gordo!' Então lhe disse o pai: 'Tu sempre estás comigo e tudo o que é meu é teu. Era porém necessário que houvesse banquete e festim, pois que este teu irmão estava morto e reviveu; tinha-se perdido e achou-se'."

Lembrem-se sempre desta parábola: é a Parábola do Filho Pródigo. Por ela Jesus nos ensina que Deus está sempre de braços abertos para receber seus filhos, que se perderam nas estradas escuras do mal.

Vamos agora à nossa prece e amanhã continuaremos.

Parábola do Mordomo Infiel

Eis o que dona Lina nos contou na noite seguinte:

— E dizia também Jesus a seus discípulos: "Havia um homem rico que tinha um administrador, que foi acusado de gastar os bens de seu patrão. O patrão chamou-o e disse-lhe: 'Ouvi dizer que tens gastado os meus bens. Quero que prestes contas de tua administração, pois já não podes ser meu administrador'.

O administrador disse lá entre si: 'O que farei, visto que vou perder o emprego? Cavar não posso, de mendigar tenho vergonha. Mas já sei o que hei de fazer para que ache quem me ajude quando eu estiver desempregado'.

"E, assim pensando, chamou cada um dos devedores de seu patrão e disse ao primeiro: 'Quanto deves ao meu patrão?' 'Cem medidas de azeite, respondeu-lhe o devedor'. 'Vou marcar nos livros apenas cinquenta. E você?' 'Cem sacos de trigo'. 'Perdoo-lhe vinte, marcando nos livros apenas oitenta'.

E assim fez com outros. Quando o patrão soube de tudo aquilo, louvou aquele administrador".

— Pensei que fosse mandá-lo para a cadeia — falou o sr. Antônio. — Explique-nos essa parábola, Lina, que não a compreendi bem.

— O patrão é Deus e os administradores de sua riqueza são os homens. Como raramente os homens empregam bem as riquezas que Deus lhes confia, tornam-se maus administradores. Com a morte, Deus lhes tira a administração. Alguns, mais avisados, fazem com as riquezas de Deus um pouco de benefícios e desse modo não ficam desamparados no mundo espiritual. Agora o senhor compreendeu, titio?

— Sim, sua explicação foi muito clara.

— Por isso é que Jesus nos aconselha que, com as riquezas injustas da Terra, arranjemos amigos para a eternidade. Porque não podemos servir a Deus e às riquezas ao mesmo tempo.

— Por que a riqueza é injusta, Lina? — perguntou dona Leonor.

— Porque o homem a transforma num instrumento de seus caprichos e de opressão aos pobrezinhos. Quando a Terra for um mundo bem organizado, não haverá ricos nem pobres, mas haverá de tudo para todos. É para organizar a Terra em bases verdadeiramente cristãs que devemos trabalhar.

A Autoridade da Lei

— Ora, os judeus, que eram avarentos, ouviam todas estas coisas e zombavam de Jesus. Mas Jesus disse: "Vocês pensam que são justos, porém saibam que muita coisa que é justa diante dos homens não é diante de Deus. É mais fácil passar o céu e a Terra do que perder-se um til da lei de Deus".

E contou-lhes a seguinte parábola:

A Parábola do Rico e de Lázaro

"Havia um homem rico que se vestia de panos finíssimos e que todos os dias se banqueteava esplendidamente.

"Havia também um pobre mendigo, por nome de Lázaro, todo coberto de chagas, que estava deitado à sua porta.

"Lázaro desejava matar a fome com as migalhas que caíam da mesa do rico, mas ninguém lhes dava; e os cães vinham lamber-lhe as feridas.

"Ora, sucedeu morrer esse mendigo e foi levado pelos anjos ao seio de Abrão. E morreu também o rico e foi sepultado no inferno.

"E, quando ele estava sofrendo, levantou os olhos e viu ao longe Abrão e Lázaro em seu seio. 'Pai Abrão, implorou ele, compadece-te de mim e manda aqui Lázaro, para que molhe em água a ponta de seu dedo, a fim de me refrescar a língua, pois sou atormentado de sede'.

"'Filho, respondeu-lhe Abrão, lembra-te que recebeste os teus bens em tua vida e que Lázaro não teve senão males; por isso está ele agora consolado e tu sofres. Além do que estamos separados por um abismo'.

E disse o rico: 'Pois eu te rogo que o mandes à casa de meu pai; eu tenho cinco irmãos, e Lázaro que os avise para que não venham parar neste lugar'. 'Eles não acreditarão, meu filho. Se eles não dão ouvidos a Moisés e aos profetas, tampouco se convencerão, mesmo que lhes apareça um dos mortos'."

Tendo dona Lina terminado a parábola, começaram a chover sobre ela as perguntas. Quem perguntou primeiro foi o Roberto: queria saber quem era Abrão.

— Abrão é considerado o pai do povo hebreu e seu primeiro patriarca. Viveu mais ou menos dois mil anos antes de Jesus. Mas sua história é muito comprida e não vou contá-la agora.

— Existe o inferno, dona Lina? — perguntei.

— Não. O inferno não existe. O que existe são lugares de sofrimento, para onde iremos se praticarmos o mal.

— O espírito culpado fica lá para sempre, Lina? — perguntou dona Leonor.

— Não, titia. Logo que ele resolva regenerar-se pela prática do bem e correção de seus erros, sai de lá e começa vida nova. Não há castigos eternos.

— O rico foi para lá só porque era rico? — perguntou o Juquinha.

— Não, meu bem. Ele foi para os lugares de sofrimento porque não soube usar sua fortuna para fazer o bem. Vocês viram que ele passou a vida a banquetear-se, isto é, a gozá-la egoisticamente, esquecido de proporcionar facilidades de vida aos menos favorecidos. Quem não sabe colocar suas riquezas para que o maior número de pessoas se beneficie delas forçosamente sofrerá as consequências de sua imprevidência.

— O que é seio de Abrão? — perguntou a Cecília.

— Seio de Abrão, aqui nessa parábola, significa os lugares felizes do reino de Deus. Lázaro foi para lá porque soube ser humilde e resignado na sua desventura.

— Ouvi dizer, Lina — falou o sr. Antônio —, que Jesus disse que é mais fácil um camelo passar pelo fundo de uma agulha do que um rico entrar no reino dos céus. É verdade?

— Sim, Jesus disse isso. Mas também afirmou que para Deus nada é impossível e que o Pai não quer que se perca nenhum de seus filhos. Portanto, Deus sabe quais medidas tomar para que também os ricos imprevidentes entrem em seu reino. Deus não desampara ninguém e não se esquece de nenhum de seus filhos pequeninos, que somos todos nós, ricos e pobres.

E, para finalizar a história daquela noite, dona Lina ainda nos contou que Jesus recomendou a seus discípulos que não se transformassem em instrumento de escândalo, isto é, em instrumentos do mal, porque sofreriam se assim procedessem. Ensinou-nos também que é nosso dever perdoarmos setenta vezes sete vezes todas as ofensas que nos fizerem, porque a lei de Deus é perdão e amor.

O que mais nos impressionou, porém, naquela noite, foi ela nos dizer que Jesus afirmou que, se tivéssemos fé, mesmo pequenina como um grão de mostarda, seríamos capazes de remover montanhas. Por fim, depois de termos cumprido com todo o Evangelho, não nos devíamos orgulhar disso, mas dizer humildemente: "Somos servos inúteis; mal fizemos o que devíamos fazer".

Confesso que fui para casa um tanto pensativo. De fato, pensava eu: "Não passo de um filho inútil". Deus me tinha dado tanto: o ar, a água, a alimentação, bons pais, flores e frutas, saúde e alegria, e quantas coisas mais! E eu, o que eu tinha feito até então para retribuir-lhe as atenções e os carinhos? E lembro-me que, ao entregar-me ao leito acolhedor, depois de afundar a cabeça no travesseiro, meu último pensamento foi este: "Pai, embora seja eu um teu filho e servo inútil, ajuda-me a bem cumprir o meu dever".

Cura de Dez Leprosos

De manhãzinha, ao despertar, os pensamentos da véspera voltaram-me ao cérebro e adquiriram uma forma positiva: eu não estava sendo grato a Deus.

Mamãe, chamando-me para o café, me fez pular da cama, e, como ela estava muito atarefada com a limpeza da casa, passei o dia a ajudá-la. À noitinha, com a permissão de meus pais, fui para a casa de dona Leonor. E, antes de dona Lina começar a história, expus-lhe sinceramente minhas dúvidas.

— É certo — disse-me ela —, que pouquíssimas pessoas sabem ser gratas. A humanidade se habituou tanto a receber o auxílio divino, que já não se lembra da fonte suprema de tudo, que é Deus. O que você fez durante o dia?

— Ajudei minha mãe nas tarefas da casa — respondi.

— Pela ajuda que você prestou a ela, você demonstrou-lhe gratidão. Assim, sempre que contribuímos com uma parcela, pequenina embora, de nossos esforços para que o sofrimento diminua na face da Terra, por esse simples esforço, estamos demonstrando nossa gratidão a Deus. Além disso, podemos elevar a ele nossas preces e agradecer-lhe por tudo quanto nos dá.

Ora — continuou dona Lina —, Jesus também notou que havia pouca gratidão no coração dos homens, quando curou os dez leprosos.

Sucedeu que, indo Jesus para Jerusalém, passava pelo meio da Samaria e da Galileia. Ao entrar numa aldeia, saíram-lhe ao encontro dez leprosos, que ficaram de longe e gritando: "Tende compaixão de nós, Mestre".

Jesus, logo que os viu, disse-lhes: "Vão ao templo e mostrem-se aos sacerdotes".

E resultou que, quando iam no caminho, ficaram limpos da lepra e curados. Um deles, ao perceber que estava curado, voltou e atirou-se aos pés de Jesus, agradecendo a Deus em altas vozes: "Não é assim que todos ficaram curados? Onde estão os outros nove? Só este é que soube glorificar a Deus? Levanta-te e vai que a tua fé te salvou", disse Jesus.

Como vocês veem, em dez pessoas, apenas uma soube ser grata.

Ainda hoje é bem pequena a porcentagem de gratidão que há no coração dos homens.

— Jesus vai indo para Jerusalém, dona Lina? — perguntou a Cecília.

— Sim, e pela última vez, como vocês verão.

A Vinda Súbita do Reino de Deus

— Em certa ocasião, os fariseus fizeram esta pergunta a Jesus: "Quando virá o reino de Deus?"

E Jesus lhes respondeu: "O reino de Deus não virá de parte alguma, porque o reino de Deus está dentro de cada um de vocês".

— Como assim, Lina? — perguntou dona Aninhas.

— O reino de Deus é o reino da bondade, por isso, quando todos os homens tiverem no peito um coração bom, não só terão dentro de si o reino de Deus, como também a Terra toda se terá transformado em reino de Deus pela bondade de seus habitantes, compreenderam?

— Sim, senhora — respondemos.

— Cuidem bem de seus coraçõezinhos; que eles sejam bons, generosos, fraternos e amorosos para com tudo e para com todos, e vocês serão os pilares do reino de Deus aqui na Terra. E agora vamos orar e depois cada um para sua casa.

A Parábola do Juiz Injusto

Dona Lina estava acabando de arrumar a cozinha do jantar e dona Leonor arrematando uma costura na máquina, quando começamos a chegar.

— Vocês vieram cedo hoje! — exclamou dona Leonor. — O que aconteceu?

— Não aconteceu nada, titia. Nós é que estamos atrasadas. Sentem-se e esperem.

O sr. Antônio perguntou então à dona Aninhas o que ela estava fazendo na chácara perto do ribeirão. Ele passara por lá e vira um movimento de pedreiros.

Dona Aninhas respondeu que a chácara passava por uma pequena reforma, depois de ter permanecido abandonada por muito tempo. E, quando reformada, ela queria que dona Lina fosse inaugurá-la.

Dona Lina, que ouvira a conversa da cozinha, respondeu:

— Se até lá eu estiver aqui, dona Aninhas. As férias chegam ao fim e logo voltarei para o colégio.

— Haverá tempo, haverá tempo — disse dona Aninhas. — São simples obras de adaptação e antes de partir você inaugurará a nova chácara junto com essa meninada e seus pais.

Nós, que escutáramos a resposta de dona Lina, ficamos tristes; lembramo-nos de que pelo fim das férias ela iria embora e com ela as histórias tão bonitas.

Ao tomar o seu lugar, dona Lina gritou assustada:

— Mas o que é que você tem que está chorando, Joaninha?

De fato, Joaninha chorava. Dona Lina tomou-a nos braços e enxugou-lhe as lágrimas que corriam.

— Vamos, o que houve, meu bem?

— A senhora disse que vai embora! — respondeu Joaninha soluçando.

— Bobinha! — exclamou dona Lina compreendendo. — Volto para os estudos, como vocês também voltarão para a escola. Temos de nos preparar para a vida.

Deixarei no coração de vocês, como lembrança minha, a história de Jesus que lhes estou contando. Não se entristeçam; a vida é assim mesmo; cada um de nós tem que seguir o seu caminho, mas lembrem-se de semear esse caminho de boas ações, de estudos, de trabalhos honestos, para que no fim dele encontrem a felicidade. Haveremos de ir à chácara de dona Aninhas, não é verdade?

Joaninha deixou de chorar e fez que sim com a cabeça. Dona Lina prosseguiu:

— Para mostrar que importa orar sempre e não cessar de fazê-lo, propôs-lhes Jesus também esta parábola, dizendo: "Havia em certa cidade um juiz, que não temia a Deus, nem respeitava os homens.

"Havia uma viúva que costumava vir procurá-lo, pedindo-lhe que defendesse seus direitos contra quem queria prejudicá-la.

"Por muito tempo, o juiz não quis atender à pobre viúva, mas ela não cessava de insistir. Até que por fim o juiz disse lá consigo: 'Ainda que eu não tenha medo de ninguém, todavia como esta viúva me está importunando muito, vou fazer-lhe justiça'.

"Ora" — concluiu Jesus —, "se o juiz injusto soube fazer justiça depois de muito rogado, quanto mais Deus não atenderá aos que lhe clamam por justiça de dia e de noite?"

Desse modo vocês devem orar sempre a Deus, e ele os atenderá mais cedo ou mais tarde, porém sempre na hora oportuna. Sem resposta, as preces jamais ficarão.

A Parábola do Fariseu e do Publicano

— Entretanto devemos orar com humildade, e, para ensinar a seus discípulos como se ora com humildade, Jesus contou-lhes a Parábola do Fariseu e do Publicano. "Subiram dois homens ao templo, a fazer oração: um fariseu e outro publicano. O fariseu de pé orava desta forma: 'Graças te dou, meu Deus, porque não sou como os demais homens, que são uns ladrões, uns injustos, uns pecadores, como é também este publicano. Jejuo duas vezes na semana e pago o dízimo de tudo o que tenho'.

"O publicano, pelo contrário, posto lá longe, nem sequer ousava levantar os olhos para o céu, mas batia no peito, dizendo: 'Meu Deus, ajuda-me, que sou um pecador'.

"Afirmo-lhes que o publicano voltou justificado para sua casa e não o outro, porque todo o que se exalta será humilhado, e todo o que se humilha será exaltado", concluiu Jesus.

— Vocês repararam na humildade do publicano e no orgulho do fariseu?

— Sim, senhora — respondemos.

— Pois bem; não só em suas orações, como em tudo, sejam sempre humildes, porque o orgulho afasta os homens de Deus.

— Dona Lina — perguntou o João André —, o que é pagar o dízimo?

— Dízimo quer dizer a décima parte. Para sustentar o templo, os fiéis davam aos sacerdotes a décima parte do que possuíam ou do que ganhavam. Os fariseus ricos orgulhavam-se de cumprir esse preceito e por isso julgavam-se com maiores direitos do que os pobrezinhos que não podiam pagar. E, nessa parábola, Jesus nos mostra que os favores celestes não se compram com moedas, porém se conquistam com a humildade, com os bons pensamentos e com as boas ações.

Jesus Abençoa os Meninos

— Passava Jesus por uma aldeia, e um bando de crianças correu ao seu encontro. Os discípulos se puseram a afastá-las. Mas Jesus, chamando a si os meninos, disse: "Deixem vir a mim os meninos, porque deles é o reino de Deus. Em verdade eu lhes digo, quem não receber o reino de Deus como um menino, não entrará nele".

— Então o reino de Deus é nosso! — exclamou a Joaninha, olhando para todos nós. — Nós ainda somos meninos!

— Mas você é menina — observou-lhe o Juquinha.

— É a mesma coisa — interrompeu dona Lina. — Eram meninos e meninas que estavam ao redor de Jesus. Com isso ele quis dizer que os homens e as mulheres precisam ter um coração simples e puro como o das crianças, para serem dignos do reino dos céus, compreenderam?

— Os homens não têm o coração como o das crianças, dona Lina? — perguntou o Roberto.

— Raros o têm. Facilmente os homens se esquecem de conservar o coração simples e puro que tinham no seu tempo de criança; e o enchem de maldades, de inveja, de ambição, de avareza, de ódios, de maledicência, de vícios e de outras coisas más. Com um coração assim, é difícil de entrar no reino de Deus. Para entrar nesse reino, os homens precisam esvaziar o coração dessas coisas ruins, compreenderam agora?

— Sim, senhora.

E, com a prece dirigida a toda a humanidade, dona Lina despediu-nos.

O Moço Rico

Como de costume, no dia seguinte, lá estávamos firmes na hora combinada. E dona Lina começou:

— Tendo saído Jesus para se pôr a caminho, veio correndo um homem que se ajoelhou diante dele e lhe fez esta pergunta: "Bom Mestre, o que devo fazer para alcançar a vida eterna?"

E Jesus lhe respondeu: "Por que tu me chamas bom? Ninguém é bom senão Deus".

— Não compreendo essa resposta de Jesus, Lina — falou dona Leonor.

— É uma lição de humildade que Jesus nos dá. Por melhor que sejamos, sempre Deus é melhor do que nós; porque Deus é o senhor da vida; sua bondade é que sustenta o universo, compreenderam?

Mas, como lhes ia contando, Jesus disse ao homem: "Tu sabes os mandamentos: Não mates, não furtes, não sejas maledicente, não enganes ninguém, honra teu pai e tua mãe".

"Mestre, replicou o homem, todos estes mandamentos tenho observado desde minha mocidade". Jesus ficou contente e lhe disse: "Só te falta uma coisa: vai, vende quanto tens e dá-o aos pobres, e terás um tesouro no céu; depois vem e segue-me".

O homem ficou desgostoso com as palavras que ouvira e retirou-se triste porque era muito rico.

— Também eu ficaria triste se recebesse uma resposta dessas — disse o sr. Antônio.

— Sossega, titio. Na realidade, Jesus não queria que o homem se desfizesse de suas riquezas. Ele apenas o experimentou para ver se ele era capaz de renunciar às coisas da Terra em benefício das do Céu. Porque, enquanto estivermos agarrados aos bens transitórios do mundo, não sairemos daqui.

Os discípulos também se espantaram dessas palavras, e Jesus lhes disse: "Filhinhos, quão difícil é entrarem no reino de Deus os que confiam nas riquezas!"

E, admirados, perguntaram a Jesus: "Quem pode logo salvar-se?"

"Para Deus tudo é possível", respondeu Jesus, significando que o Pai sabe como salvar todos os seus filhos.

Pedro aproveitou a oportunidade e disse: "Aqui estamos nós que largamos tudo e te seguimos". "Todo aquele" — respondeu Jesus, "que trabalha por amor de mim e do Evangelho, não ficará sem recompensa."

— E como é, Lina, que poderemos trabalhar por amor de Jesus e do Evangelho? — perguntou dona Aninhas.

— Muito facilmente: em primeiro lugar estudando o Evangelho e depois aplicando-o; nada mais.

Jesus Anuncia sua Paixão

Seguiam, pois, para Jerusalém e, em certa altura do caminho, Jesus chamou à parte seus doze discípulos e lhes disse: "Estamos seguindo para Jerusalém, onde acontecerá tudo o que os antigos profetas de Israel disseram a meu respeito. Serei preso e açoitado, escarnecido e cuspido, e por fim me matarão. Mas eu ressurgirei dos mortos no terceiro dia".

— Que horror! — exclamou Joaninha. — Então Jesus sabia o que iam fazer com ele e também os profetas?

— Sim, sabia. Os profetas, especialmente Isaías, já tinham anunciado que Deus mandaria à Terra um de seus filhos para ensinar a humanidade a andar pelos caminhos retos. Mas, como seus ensinamentos contrariavam os interesses materiais dos poderosos, estes o sacrificariam, como vocês verão.

— E por que Jesus não fugiu, dona Lina? — perguntou o Juquinha.

— Porque, se ele fugisse, deixaria de legar-nos outros ensinamentos elevados, e os que ele já tinha dado aos seus discípulos perderiam o valor.

— E os apóstolos, dona Lina, o que disseram?

— No momento não compreenderam o aviso de Jesus e calaram-se.

— Por que iam eles de novo a Jerusalém? — perguntou o Juquinha.

— Como de costume, para assistir às festas da Páscoa.

O Cego de Jericó

Ao chegarem a uma cidade chamada Jericó, encontraram um cego sentado à beira da estrada e pedindo esmolas.

Ouvindo o tropel da gente que passava, o cego perguntou o que era aquilo. Responderam-lhe que era Jesus quem passava.

No mesmo instante ele se pôs a gritar, dizendo: "Jesus tende piedade de mim. Tende piedade de mim, Jesus".

Jesus pediu a seus discípulos que o fossem buscar; e, quando ele chegou, fez-lhe esta pergunta: "O que queres que eu te faça?" "Senhor, que eu veja", respondeu-lhe o cego. E Jesus lhe disse: "Vê, a tua fé te curou".

Imediatamente o cego recobrou a vista e, louvando a Deus, o seguiu. E todo o povo que presenciou aquilo admirou-se e deu louvores a Deus.

E agora ponto-final por hoje. Vamos orar por todos os nossos entes queridos que estão em casa: pelo papai, pela mamãe, pelos irmãozinhos.

— Pela empregada também? — perguntou a Cecília.

— Sim, também; aos olhos de Deus, todos somos iguais.

Zaqueu, o Publicano

Na noite seguinte, a história prosseguiu da seguinte maneira:

— No tempo de Jesus, Jericó era uma bonita cidade com palácios, teatros e jardins maravilhosos. O movimento da cidade devia ser grande, pois era o ponto de encontro dos peregrinos judeus que vinham da Pérsia e da Galileia e se dirigiam a Jerusalém. Ficava no centro de um oásis de palmeiras e de figueiras. Era célebre pelo bálsamo que produzia.

A Jericó que Jesus conheceu foi destruída pelos generais romanos Vespasiano e Tito para sufocarem uma revolta dos judeus. Hoje é uma simples aldeia.

Jesus entrou em Jericó e atravessava a cidade, seguindo o seu caminho. Ora, vivia nela um homem chamado Zaqueu, e ele era um dos principais entre os publicanos e pessoa rica.

Zaqueu procurava ver Jesus para saber quem era e não o conseguia por causa do povo que o rodeava, porque Zaqueu era de baixa estatura.

Que fez então Zaqueu? Correu adiante e subiu numa figueira, por onde Jesus tinha de passar; dali o veria bem.

Ao chegar Jesus àquele lugar, levantou os olhos, viu o homem agarrado num galho e disse-lhe: "Desce depressa, Zaqueu, porque hoje eu me hospedarei em tua casa".

— Que sorte a dele! — exclamou o Pedro Luís. — Agora sim ele poderá ver Jesus à vontade.

— Zaqueu desceu rapidamente e levou Jesus para sua casa, cheio de alegria. Muita gente não gostou daquilo e começou a dizer que Jesus fora hospedar-se na casa de um pecador.

Entretanto Zaqueu, conversando com Jesus, disse-lhe: "Senhor, quero dar aos pobres metade da minha riqueza e, no que eu tiver defraudado alguém, hei de pagar-lhe quatro vezes mais".

Jesus ouviu com atenção e disse-lhe: "Hoje entrou a salvação em tua casa, Zaqueu. Porque eu vim buscar e salvar o que estava perdido".

Parábola dos Dez Talentos

— Já nas proximidades de Jerusalém, descansavam um pouco à sombra de frondosa árvore, e Jesus lhes narrou a Parábola dos Dez Talentos. "Tendo de fazer uma longa viagem, um homem chamou os seus servos e lhes entregou os seus bens.

"E deu a um cinco talentos, a outro dois, a outro deu um, a cada um segundo a sua capacidade, e partiu.

"O servo que recebeu os cinco talentos negociou com eles e ganhou outros cinco. Do mesmo modo, o que recebera dois ganhou outros dois. Mas o que tinha recebido um fez um buraco na terra e escondeu ali o dinheiro de seu senhor.

"Muito tempo depois, veio o senhor daqueles servos e chamou-os a contas".

— Dona Lina, o que é um talento? — perguntou o Antoninho.

— Talento era uma moeda antiga da Grécia e de Roma, de muito valor: valia seis mil dracmas. "Chegou-se a ele o servo que havia recebido cinco talentos e apresentou-lhe outros cinco talentos, dizendo-lhe: 'Senhor, tu me entregaste cinco talentos, eis aqui tens outros cinco mais que lucrei'. O senhor lhe respondeu: 'Muito bem, servo bom e fiel, já que foste fiel nas coisas pequenas, dar-te-ei também as grandes; participa dos bens de teu senhor'.

"Do mesmo modo apresentou-se também o que havia recebido dois talentos e disse: 'Senhor, tu me entregaste dois talentos; aqui tens outros dois que ganhei com eles'. O senhor lhe respondeu: 'Bem está, servo bom e fiel, já que foste fiel nas coisas pequenas, dar-te-ei também as grandes; participa dos bens de teu senhor'.

"Por fim chegou o que havia recebido um talento e disse: 'Senhor, eu escondi o teu talento na terra e agora venho devolvê-lo a ti; ei-lo, aqui tens o que é teu'. O senhor lhe respondeu: 'Servo mau e preguiçoso, já que não quiseste pôr o teu talento a render, devias logo dar o meu dinheiro aos banqueiros, para que eu recebesse com juros o que era meu. Tirem-lhe o talento e o deem ao que tem dez talentos. Quanto a este servo preguiçoso, lancem-no fora, para que ele aprenda por si próprio a fazer render o seu talento'".

Logo que dona Lina acabou de contar-nos esta parábola, pedimos-lhe que a explicasse melhor; e ela explicou:

— O senhor é Deus e os servos somos todos nós. Ao nascermos, Deus concede a cada um de nós alguns talentos: a uns mais a outros menos, porém sempre de acordo com o trabalho que ele quer que realizemos durante nossa vida. Esses talentos podem ser: a inteligência, o poder, a riqueza, e outros mais. Para sermos bons servos, é preciso que façamos render nossos talentos em benefício de nosso próximo. O servo mau e preguiçoso é o egoísta que só usa para si os talentos que Deus lhe concedeu.

— Ainda que os usassem só para si — disse dona Aninhas. — E aqueles que os usam para prejudicar os outros?

— Esses são mais infelizes ainda — respondeu dona Lina. — Quando a morte os fizer passar para o lado de lá da vida, chorarão lágrimas amargas.

— Os pobres não têm talentos, não é, dona Lina? — perguntou a Cecília.

— O talento dos pobres é a própria pobreza, minha filha. Ela lhes renderá outros talentos, que são: o gosto pelo trabalho honesto, a calma, a simplicidade, a paciência e a resignação.

A Entrada Triunfal de Jesus em Jerusalém

— E caminhavam todos para Jerusalém, indo Jesus na frente.

Ao aproximarem-se do monte das Oliveiras, onde se situavam as aldeias de Betfagé e de Betânia, mandou Jesus que dois de seus discípulos fossem à aldeia que lhes fazia fronteira, dizendo-lhes: "Lá vocês encontrarão um jumentinho atado, no qual nunca montou pessoa alguma; desamarrem-no e tragam-no. E, se alguém lhes perguntar por que vocês o soltam, respondam-lhe que eu preciso dele".

E tudo aconteceu como Jesus tinha previsto.

Os discípulos cobriram o burrico com seus mantos e Jesus montou nele. Cheios de entusiasmo pelas maravilhas que viram Jesus fazer, puseram-se a cantar em voz alta: "Bendito o rei que vem em nome do Senhor; paz na Terra e glória nas alturas".

Alguns fariseus que por ali andavam não gostaram daquilo e disseram a Jesus: "Mestre, repreende teus discípulos". Ao que Jesus respondeu: "Se eles se calarem, as próprias pedras clamarão".

— Jesus ia fazer as pedras falarem, dona Lina? — perguntou o João André.

— Não, meu bem. Ele quis dizer que só os cegos é que não enxergavam as obras que testemunhavam seu amor pela humanidade.

Avistando a cidade de Jerusalém e chegando perto dela, Jesus chorou dizendo: "Ah!, se aceitasses aquele que te pode trazer a paz! Porque virá um tempo funesto para ti, no qual teus inimigos te cercarão de trincheiras e te destruirão e matarão teus filhos; e de ti não ficará pedra sobre pedra!"

— Que horror, dona Lina! E isso aconteceu? — exclamamos e perguntamos todos ao mesmo tempo.

— Sim. Aconteceu. Como já lhes contei, a Palestina estava sob o domínio romano, de que os judeus, naturalmente, não gostavam. Lá pelo ano 70 da era cristã, eles se revoltaram contra Roma e sustentaram uma guerra contra ela. Dois generais romanos, Tito e Vespasiano, cercaram a cidade, arrasaram-na completamente e passaram pela espada todos os seus habitantes. Jerusalém ficou reduzida a ruínas calcinadas e nela cresceu o mato. Com o decorrer dos séculos, ela se reconstruiu aos poucos, sendo hoje uma cidade moderna e confortável. Mas da Jerusalém do tempo de Jesus nada restou; e dificilmente se encontra alguma coisa que lembre o passado.

— E se tivessem aceitado Jesus, teriam evitado a destruição, Lina? — perguntou dona Leonor.

— Sim, titia. Se aceitassem os ensinamentos de Jesus, aplicariam o mandamento "amai-vos uns aos outros". Com o tempo conquistariam os romanos pelo bem e conseguiriam a liberdade de seu país, pela suave força da concórdia e da fraternidade.

O Sermão Profético; o Princípio das Dores

— Porém não foi só para Jerusalém que Jesus profetizou dores e fim trágico. Para a humanidade toda ele predisse a mesma coisa, se não aceitasse e aplicasse seus mandamentos de paz, amor, perdão, assim enunciados por ele: "Amem-se uns aos outros.

"Amem a Deus sobre todas as coisas e ao próximo como a vocês mesmos.

"Não façam aos outros o que vocês não querem que os outros façam a vocês.

"Perdoem todas as ofensas que lhes fizerem."

— E como foi essa profecia, Lina? — perguntou o sr. Antônio.

— Um dia estavam todos admirando a beleza do templo, os enfeites, as pedras lavradas, as esculturas, e os discípulos chamaram a atenção de Jesus para tudo aquilo.

Ele lhes respondeu: "Não se iludam. Dia virá em que de tudo isso não ficará pedra sobre pedra que não seja demolida".

Não lhes vou repetir tudo o que Jesus disse em seu sermão profético, também chamado o Sermão das Dores. Só lhes digo que ele profetizou grandes sofrimentos para a humanidade, porque ele bem sabia que ela não poria em prática os seus ensinamentos, e com isso atrairia padecimentos sem conta para si mesma. E concluiu avisando assim aqueles que quisessem ter a boa vontade de ouvir e praticar suas palavras: "Velem pois sobre vocês mesmos para que não suceda que seus corações se endureçam nas coisas materiais. Façam sempre o bem e ficarão livres dos males que têm de suceder e desse modo se apresentarão confiantes diante de Deus. Passarão o Céu e a Terra, mas as minhas palavras não passarão".

Quando dona Lina terminou sua narrativa, estávamos todos impressionados. Ela o notou e convidou-nos a fazer a prece da noite por todos os sofredores, por todos os endurecidos no mal, no crime, nos vícios e no egoísmo. Em seguida, mandou-nos para casa, confortando-nos com estas palavras: Sejam sempre bons. Quem faz o bem merece a proteção de Deus e por isso não deve temer nada.

A Purificação do Templo

— Em uma ocasião Jesus entrou no templo e achou a muitos vendendo bois, ovelhas e pombos; e cambiadores lá sentados. Ficou indignado com aquilo e com aquela falta de respeito; tomou de uma corda, fez com ela um chicote e expulsou todos do templo, dizendo: "Tirem tudo isso daqui e não façam da casa de meu Pai uma casa de negócios".

— Ele fez muito bem — disse o sr. Antônio. — A religião é uma coisa santa e não um meio de ganhar dinheiro.

— Por quê, dona Lina, havia comércio no templo? — perguntei.

— Pela lei de Moisés, os judeus tinham de fazer determinadas ofertas de animais para os sacrifícios. E os negociantes os vendiam no átrio do templo. Os cambiadores, que eram os banqueiros daquele tempo, emprestavam e trocavam dinheiro também lá dentro. Os sacerdotes exploravam o templo como se fosse um mercado. Cegos pelos lucros que daí tiravam, pois cobravam por tudo, esqueciam-se de seus verdadeiros deveres de sacerdotes, deixando o povo na ignorância. Jesus percebeu isso e se indignou.

O povo o aplaudiu, mas os sacerdotes, os escribas e os fariseus não gostaram da lição; daquele dia em diante, puseram-se a procurar um motivo para acabarem com Jesus. Porém, não achavam meios de lhe fazerem mal, porque o povo todo o acompanhava para ouvi-lo.

O Batismo de João

— Os sacerdotes, os escribas e os fariseus não perdiam oportunidades de fazer perguntas a Jesus e de espioná-lo para apanharem-no em alguma falta.

Em uma ocasião em que Jesus ensinava o povo e anunciava-lhe o Evangelho, ajuntaram-se todos e lhe falaram nestes termos. "Dize-nos com que autoridade fazes tu estas coisas? Quem é que te deu este poder?"

E dona Lina, fazendo ligeira pausa, disse-nos:

— Vocês devem estar lembrados do que lhes falei sobre João Batista no deserto, e de como o povo o ouvia, não é verdade?

— Sim, senhora. É aquele que se alimentava de gafanhotos e mel silvestre nas margens do Jordão — respondeu a Joaninha.

— Esse mesmo. Lembrando-se de que eles não gostaram de João, Jesus lhes disse: "Também eu lhes farei uma pergunta: respondam-me se o batismo de João era do céu ou era dos homens".

Diante dessa pergunta, eles se calaram e ficaram pensando entre si: "Se dissermos que era do céu, ele nos perguntará por que então não acreditamos em João. Se dissermos que era dos homens, o povo nos apedrejará, porque o povo está certo de que João era um profeta". E responderam que não sabiam donde era. "Pois nem eu lhes direi com que autoridade faço estas coisas", respondeu-lhes Jesus.

Reparem na diferença de ambiente: Jerusalém é a cidade orgulhosa, onde os doutores da lei menosprezam os ensinamentos de Jesus e o aborrecem com perguntas astuciosas; mesmo o povo de Jerusalém o segue por curiosidade. Ao passo que na Galileia todos os seguiam cheios de amor, de fé e simplicidade. E as perguntas que lhe faziam eram ditadas pelo desejo de se esclarecerem, de melhorarem, de aprenderem.

— Por que os sacerdotes desprezavam os ensinamentos de Jesus, dona Lina? — perguntou a Cecília.

— Porque seus ensinamentos eram contrários aos interesses deles. Jesus ensinava o desapego das riquezas terrenas, principalmente para aqueles que eram guias religiosos do povo. E os sacerdotes faziam da religião um meio de enriquecerem.

Parábola dos Fazendeiros Maus

— A propósito, Jesus lhes contou a Parábola dos Fazendeiros Maus: "Um homem formou uma fazenda e alugou-a a uns fazendeiros. Em ocasião oportuna, enviou um de seus servos à fazenda, para que os fazendeiros lhe dessem sua parte nos frutos da fazenda. Mas os fazendeiros não obedeceram ao trato, bateram no servo e o mandaram de volta com as mãos vazias. A mesma coisa fizeram com mais dois ou três servos que o dono da fazenda lhes enviou. Por fim o homem disse:

"O que hei de fazer? Mandarei meu filho amado, por certo que, quando o virem, o respeitarão". Porém os fazendeiros o mataram.

"O que fará — perguntou Jesus aos que ouviam —, o que fará o dono da fazenda a estes fazendeiros maus? Sem dúvida nenhuma os castigará e lhes tirará a fazenda".

— Explique-nos essa parábola, Lina —, pediu o sr. Antônio. — E dona Lina gentilmente explicou:

— O homem, dono da fazenda, é Deus. A fazenda é o mundo. Os fazendeiros a quem ele alugou a fazenda são os sacerdotes aos quais cumpria guiarem a humanidade para Deus. Mas estes se iludiram pelas riquezas da Terra e se puseram a explorar o povo e a conservá-lo na ignorância, em lugar de esclarecê-lo quanto às coisas divinas. Os servos enviados são os homens que vieram para chamar a atenção dos sacerdotes, mas não foram ouvidos. Por fim, o filho é Jesus, que também não foi ouvido e ainda o mataram, como vocês verão. E Deus fará com que desapareçam todas as religiões materiais, que serão substituídas pelo Cristianismo puro que Jesus ensinou.

— Dona Lina — disse eu —, tenho reparado que a senhora fala muito em servos. Por quê?

— Porque naqueles tempos não havia o trabalho livre. Só depois que os ensinamentos de Jesus começaram a se espalhar é que o trabalho passou a dignificar o homem.

E, convidando-nos à oração, dona Lina pôs ponto-final em sua história daquela noite.

A Questão do Tributo

— Os escribas e os sacerdotes não gostaram da Parábola dos Fazendeiros Maus — continuou dona Lina na noite seguinte — porque compreenderam perfeitamente que era contra eles que Jesus falava.

— O caso é que ele bateu na cangalha para o burro entender — disse dona Aninhas.

— É verdade. Mas continuaram a procurar um pretexto para o prenderem e o entregarem ao poder do governador. Ora, naquele tempo, estando o país sob a dominação romana, seus habitantes eram obrigados a pagar um tributo a Roma.

— O que é tributo, dona Lina? — perguntou Cecília.

— Entre os romanos, o tributo era um imposto a que estavam sujeitos os povos dominados. Os judeus se enraivecem só de pensar em pagá-lo; daí frequentes casos de rebelião, sangrentas por vezes.

Pois bem, foi com a questão do tributo que resolveram tentar Jesus. Mandaram espiões disfarçados que lhe disseram: "Mestre, sabemos que falas e ensinas retamente; que não tens preferências por pessoas, mas que ensinas o caminho de Deus em verdade; devemos ou não pagar tributo a César?"

Jesus percebeu o laço que lhe armavam e disse-lhes: "Por que vocês me tentam? Mostrem-me uma moeda". Mostraram-lhe uma moeda de prata, e ele perguntou-lhes: "De quem é a imagem e a inscrição que ela tem?" "De César", responderam-lhe. "Pois então vocês devem dar a César o que é de César e a Deus o que é de Deus".

Os espiões ficaram admiradíssimos de sua resposta e se retiraram.

Os Saduceus e a Ressurreição

— Mas não foi só aos espiões dos escribas e dos sacerdotes que Jesus fez calar: também os saduceus. Já lhes expliquei quem eram os saduceus? Não? Pois os saduceus constituíam uma seita, ou um partido contrário ao dos fariseus, com os quais não concordavam em muitos pontos da lei. Entre esses pontos, negavam que o Espírito ressurgisse, isto é, vivesse depois da morte do corpo.

Pois bem, alguns saduceus se chegaram a Jesus e lhe propuseram a seguinte questão: "Um homem morreu e deixou uma mulher viúva. A viúva se casou com outro homem, que a deixou também viúva. Esta viúva se casou mais cinco vezes e de todas as vezes enviuvou. No mundo espiritual, de qual homem ela será a mulher?"

Jesus sorriu e respondeu: "No mundo espiritual não há maridos nem mulheres. Há somente irmãos e irmãs, pois todos reconhecerão que são filhos de um único Pai, que é Deus, o qual é Deus de vivos e não de mortos, porquanto a morte não existe".

Alguns dos escribas que assistiam ao que se passava disseram a Jesus: "Mestre, respondeste muito bem". E, daquele dia em diante, ninguém ousou fazer-lhe novas perguntas.

Jesus Censura os Escribas

— Contudo Jesus não perdia a oportunidade de mostrar ao povo os erros dos escribas e dos fariseus.

— E fazia ele muito bem! — exclamou o Juquinha.

— Em uma ocasião — continuou dona Lina —, em que o povo o ouvia, disse a seus discípulos: "Guardem-se dos escribas e dos fariseus, que andam com vestes compridas; gostam de ser saudados nas praças e nas ruas, e de ocuparem os primeiros lugares nos banquetes.

"Eles devoram as casas das viúvas, a pretexto de fazerem largas orações. Cuidado com eles, porque receberão maior condenação".

— Não compreendi bem, dona Lina — falou Roberto.

— É fácil. Os escribas e os fariseus faziam orações pelos mortos e cobravam por essas orações, consumindo, por vezes, o pouco que o morto tinha deixado. E, como sempre andavam de mãos dadas com os poderosos, orgulhosamente nas solenidades públicas ocupavam os principais lugares, distantes da humildade que deveriam exemplificar. Compreenderam agora?

— Sim, senhora — respondemos.

A Pequena Oferta da Viúva Pobre

— Havia no templo uma arca, ou seja, uma caixa muito grande, chamada Gazofilácio, onde o povo depunha suas esmolas. Um dia Jesus estava ali perto com seus discípulos e observava que os ricos davam muito. E achegou-se à arca uma mulher pobrezinha, viúva, que humildemente lançou nela duas pequeninas moedas. Jesus voltou-se para seus discípulos e lhes disse: "Olhem que esta pobre viúva deu mais do que todos os outros. Os outros tinham de sobra para dar, ao passo que ela mal tem para comer".

— Então quem tem muito e dá muito não tem mérito? — perguntou dona Aninhas.

— Tem e muito — respondeu dona Lina. — Mas a lição de Jesus nos mostra que o mérito da viúva pobre foi grande porque à sua oferta, embora pequenina, ela juntou o sacrifício. E quando o bem é praticado com sacrifício é muito mais meritório do que aquele que foi praticado com todas as facilidades, não é justo?

— É verdade — confirmou dona Aninhas.

— Paremos por aqui. Amanhã entraremos na parte dolorosa de nossa história, quando começam a tramar contra a vida de Jesus. Oremos e despeçamo-nos em nome do Senhor.

O Pacto da Traição

— Aproximava-se a Páscoa — prosseguiu dona Lina no dia seguinte, depois de nos ver cada um em seu lugar. — O povo seguia alegremente Jesus e agrupava-se ao redor dele para ouvi-lo. De dia ensinava no templo e de noite retirava-se para o sossego do monte das Oliveiras.

— Ele ensinava no templo sem ser sacerdote, dona Lina? — perguntou o Juquinha.

— Sim. Jesus não era sacerdote mas tinha o direito de ensinar porque conhecia as Escrituras, do que tinha dado provas muitas vezes. E, como o templo era enorme, cabiam nele milhares de pessoas; quem quisesse ensinar, arranjava um canto e lá, rodeado de seus discípulos e de ouvintes, dava as lições. O cantinho de Jesus estava sempre cheio; e, como ele frequentemente mostrava os erros dos sacerdotes, os quais viviam em desacordo com as leis de Deus, eles lhe tinham ódio e andavam procurando um meio de matá-lo.

— Só por isso já se vê que eles estavam mesmo muito afastados das leis divinas — comentou dona Leonor.

— Vocês se lembram de que um dos seus discípulos se chamava Judas Iscariote? Pois foi esse que os sacerdotes escolheram para instrumento de suas maquinações; chamaram-no, fizeram-lhe uma porção de promessas, deram-lhe dinheiro e acabaram por convencê-lo de que deveria ajudá-los a prender Jesus. Ele concordou e esperou uma oportunidade para entregar o Mestre, sem que o povo se alvoroçasse.

— Que judiação! — exclamou o João André.

Jesus Lava os Pés dos seus Discípulos

— Jesus gostava de dar exemplos concretos de como nos devemos tratar uns aos outros — continuou dona Lina. — Com seus exemplos, ele nos ensina claramente como podemos agir com bondade, amor e humildade para com nosso próximo. Um de seus exemplos mais belos é aquele em que lava os pés de seus discípulos.

Como vocês sabem, lavar os pés dos outros é um ato de muita humildade e, naquele tempo, era obrigação dos servos lavar os pés de seus senhores.

Pois bem, Jesus um dia cingiu-se com uma toalha e lavou os pés de seus discípulos, embora Simão Pedro protestasse. Depois sentou-se com eles de novo à mesa e disse-lhes: "Vocês compreenderam o que fiz? Vocês me chamam de Mestre e Senhor e fazem bem, porque de fato o sou. Ora, se eu, Senhor e Mestre, lhes lavei os pés, vocês também devem lavar os pés uns dos outros; porque eu lhes dei o exemplo para que, como eu lhes fiz, vocês façam também".

— Lá em casa, mamãe não deixa ninguém ir dormir sem lavar os pés — disse a Cecília. — Eu lavo os pés de meus irmãozinhos.

— Lina — disse dona Aninhas —, a reforma de minha chácara está quase terminada. De comum acordo com meu marido, nós a transformamos num abrigo para os pobrezinhos desamparados. Quero que você vá inaugurá-lo antes de ir para o colégio.

Dona Lina ficou visivelmente emocionada; em seus grandes olhos negros brilhou uma lágrima, que ela não queria deixar cair, e falou-nos:

— Vejam vocês o poder de Jesus sobre nossos corações; graças à sua história, que mal e mal lhes estou contando, os pobrezinhos daqui já vão possuir o seu abrigo. Por aí vocês podem avaliar, ainda que palidamente, as transformações pelas quais passou e está passando o mundo sob o influxo poderoso de suas palavras.

— É verdade! A ele devemos toda nossa gratidão! — exclamou o sr. Antônio.

— Por isso devemos lembrarmo-nos sempre do que ele afirmou um dia a seus discípulos: "Eu sou a luz que vim ao mundo, para que todo aquele que crê em mim não permaneça nas trevas!"

Dona Lina agradeceu pelo convite e disse que fazia questão de que todos nós estivéssemos presentes com nossas famílias. E, convidando-nos a orar, encerrou a história daquela noite.

A Última Páscoa, a Santa Ceia

Contei em casa que dona Aninhas estava fundando um abrigo para crianças desamparadas, para cuja inauguração estávamos todos convidados. Papai achou a ideia muito louvável e prometeu colaborar em tudo o que estivesse em seu alcance. E, quando nos reunimos ao pé de dona Lina, ela assim continuou:

— Era chegado o dia da Páscoa.

— O que é a Páscoa, dona Lina? — perguntou o Juquinha.

— A Páscoa é a principal festa do povo judeu, que a celebra em memória de sua saída do Egito, onde vivia escravizado. O povo hebreu guiado por Moisés estabeleceu-se na Palestina, que se tornou uma nação rica e poderosa. Para nós é o dia em que comemoramos a ressurreição de Jesus.

Jesus mandou que Pedro e João fossem preparar a Páscoa. "Onde?", perguntaram-lhe. "Quando vocês entrarem na cidade, respondeu-lhes Jesus, vocês verão um homem levando uma bilha d'água; sigam-no até a casa em que ele entrar e digam-lhe: 'O Mestre te manda dizer: Onde está o aposento que me dás para eu nele comer a Páscoa com os meus discípulos?' Ele lhes mostrará uma grande sala toda ornada e façam ali os preparativos".

Eles foram e acharam tudo como o Senhor lhes dissera, e prepararam a Páscoa.

Chegada a hora, Jesus sentou-se à mesa com seus doze discípulos e disse-lhes: "Desejei ardentemente comer esta Páscoa com vocês, antes de minha morte; porque um de vocês me há de trair, entregando-me aos sacerdotes".

E todos os discípulos começaram a perguntar quem seria.

O Maior Será como o Menor

Estando os discípulos conversando durante a ceia, surgiu a questão de qual deles seria o maior. Jesus ouvia-os, pensativo, e quando julgou oportuno disse-lhes: "Vocês veem que aqui na Terra os poderosos são chamados os maiores e têm quem os sirva. No reino dos céus não é assim; lá, quem quiser ser o maior deverá esforçar-se por ser o menor, servindo a seus irmãos".

Também vocês — continuou dona Lina, dirigindo-se a nós —, se quiserem ser grandes diante de Deus, aprendam a servir a todos os que os procurarem, a servir a todos os pobrezinhos necessitados.

Pedro é Avisado

Jesus voltou-se para Pedro e disse-lhe: "Pedro, diante do que me vai acontecer, você fraquejará na fé; mas eu fiz orações por você, para que você se fortifique e, uma vez fortificado novamente na fé, você ampare seus irmãos".

Resolutamente Pedro respondeu-lhe: "Senhor, estou pronto a ir contigo até a morte". "Pedro, disse Jesus, antes que o galo cante hoje, você me negará três vezes".

As Últimas Instruções de Jesus a seus Discípulos

Terminada a ceia, já noite, dirigindo-se para o monte das Oliveiras, onde costumava pernoitar, Jesus deu estas últimas instruções a seus discípulos: "Dentro em pouco partirei deste mundo, mas um novo mandamento lhes dou e é que vocês se amem uns aos outros, como eu os amei. E, se vocês se amarem uns aos outros, todos conhecerão que vocês são meus discípulos.

"Não se perturbem jamais; creiam em Deus e creiam também em mim. Na casa de meu Pai há muitas moradas. Eu vou na frente para lhes preparar o lugar. Para que os que me amam e seguem meus ensinamentos estejam sempre comigo.

"Eu sou o Caminho, a Verdade e a Vida; ninguém chegará ao Pai a não ser por mim. Se vocês me amarem, guardarão os meus ensinamentos.

"Não deixarei vocês órfãos; rogarei ao Pai e ele lhes mandará outro Consolador, o Espírito da Verdade, que lhes ensinará muitas outras coisas e relembrará todas as minhas palavras.

"Deixo-lhes a minha paz, a minha paz lhes dou. Não tenham medo de nada.

"Eu sou a videira verdadeira e o meu Pai é o lavrador. Vocês são as varas que dão frutos em mim."

Dona Lina ainda por algum tempo continuou repetindo as últimas instruções de Jesus; depois nos disse da belíssima prece que ele fez por seus discípulos. Estávamos todos emocionados. Ela falava com tal suavidade, que suas palavras nos tocavam no íntimo do coração. Por fim, fizemos a prece e fomos para casa levando em nossa alma a visão espiritual de Jesus.

Jesus no Getsêmani

Uma certa tristeza nos invadia à medida que os dias passavam; aproximava-se o reinício das aulas e com ele a partida de dona Lina. Notávamos que os preparativos se faziam, embora vagarosos. Pela porta do quarto, entreaberta para a sala de jantar, víamos que as malas começavam a ser feitas, para não ficar tudo para a última hora, como dizia dona Leonor. E dona Aninhas apressava o mais que podia as obras do abrigo, para que houvesse tempo de dona Lina inaugurá-lo; e todos os dias dava-lhe conta do andamento das coisas. Tratavam agora da mobília, uma mobília simples mas boa, afirmava dona Aninhas.

Nossa tristeza mais aumentou quando, uma noite, dona Lina nos disse:

— Vamos entrar na parte dos sofrimentos que Jesus suportou; ele será preso e crucificado. A ingratidão dos homens está para cair com todo o seu peso sobre aquele que veio trazer a luz ao mundo.

E, notando que os semblantes se anuviavam, apressou-se a acrescentar:

— Mas não se aflijam. Logo em seguida virá a ressurreição gloriosa, pela qual Jesus nos prova que a morte não existe. E como ele, nós também, após a morte do nosso corpo, reviveremos felizes no reino de Deus.

Havia nos subúrbios de Jerusalém agradáveis recantos, chácaras, pomares, vilarejos, onde Jesus gostava de passar a noite, longe da agitação da cidade grande. Ali descansava em paz, refazendo suas forças para o trabalho do dia seguinte.

Em uma ocasião, como costumava, foi para o monte das Oliveiras, no Getsêmani, e seus discípulos o seguiram.

— O que quer dizer Getsêmani, Lina? — perguntou o sr. Antônio.

— Getsêmani é formada de duas palavras hebraicas e quer dizer "lugar onde se faz azeite".

— Mas como a senhora sabe, dona Lina! — exclamou o Juquinha.

— Sei porque estudo. Estudem e saberão. Chegando àquele lugar, Jesus pediu a seus discípulos que orassem. Afastou-se deles, ajoelhou-se e orou desta maneira: "Pai, se queres passa de mim este cálice; todavia não se faça a minha vontade, mas a tua".

Jesus orava e se agoniava, porém orava intensamente; e a seu lado apareceu um anjo de Deus que o confortava.

Como vocês veem, ele percebeu que tinha chegado a hora de seu sacrifício; e, sentindo-se fraco, pediu forças ao Pai, para não falhar no momento supremo.

— Havia mesmo necessidade de seu sacrifício, Lina? — perguntou dona Leonor.

— Não podemos penetrar todos os desígnios de Deus a respeito de seus filhos, titia. Mas certa vez Jesus se comparou a um grão de trigo. Se o grão de trigo não suportar o sacrifício de ser plantado no seio escuro da terra, não haverá colheita. Assim Jesus, com o seu sacrifício, exemplificou sua doutrina até o fim. Além disso, não poderia dar-nos algumas lições só possíveis mediante o seu sacrifício, e sua doutrina se perderia. Com o exemplo de sua morte e de sua ressurreição é que os discípulos ganharam ânimo inquebrantável para espalharem pelo mundo os seus ensinamentos, nascendo desse movimento o Cristianismo, ou a doutrina do Cristo.

Depois que Jesus sentiu-se fortificado pela oração, achegou-se a seus discípulos e achou-os dormindo; acordou-os, dizendo: "Levantem-se e orem para não caírem em tentação".

Jesus é Preso

— Estava Jesus ainda falando, quando surgiu uma multidão, na frente da qual vinha Judas, um dos seus doze discípulos.

Judas aproximou-se de Jesus e deu-lhe um beijo na face, indicando desse modo que era aquele que deviam prender.

Jesus percebeu a traição e disse-lhe: "Judas, é com um beijo que me trais?"

Os discípulos, vendo o que ia suceder, esboçaram uma leve resistência. Mas Jesus os proibiu dizendo: "Basta".

E, dirigindo-se Jesus aos sacerdotes e guardas do templo que o tinham vindo prender, disse-lhes: "Vocês vieram prender-me armados de espadas e varapaus como se eu fosse um salteador. No entanto todos os dias eu estava com vocês no templo, ensinando, e vocês não estenderam as mãos contra mim".

— Uma judiação! — exclamou a Joaninha. — E Judas, o que aconteceu a Judas?

— Judas depois arrependeu-se muito do que tinha feito; foi ao templo e atirou o dinheiro ao rosto dos sacerdotes, declarando que Jesus era inocente. Mas os sacerdotes não quiseram ouvi-lo.

Pedro Nega Jesus

— E prenderam Jesus e o levaram para a casa do sumo sacerdote. Pedro, querendo saber o que fariam com o Mestre, seguia-o de longe.

— E os outros discípulos, dona Lina? — perguntamos.

— Todos fugiram. Acenderam uma fogueira no meio do pátio e Pedro sentou-se entre os que se aqueciam ao pé dela. Passou uma criada do sumo sacerdote, viu-o e disse, apontando-o: "Este também estava com ele". "Mulher, não o conheço", negou Pedro rudemente.

— Oh! — exclamou a Joaninha. — Bem que o Mestre avisou.

— De nada valeu o aviso — continuou dona Lina. — Pedro teve medo de ser preso também. Não demorou nada e um outro, reparando nele, disse: "Você também é um deles". "Homem, não sou!", gritou Pedro.

— Segunda vez que o nega — falou o Juquinha.

— Continuaram aquecendo-se ao fogo e, quase uma hora depois, um outro afirmou: "Também este verdadeiramente estava com ele, pois também é galileu".

Pedro ficou nervoso e respondeu: "Homem, não sei o que você diz".

Nem bem acabou de falar, cantou o galo. Jesus estava preso numa sala ao lado, que dava para o pátio, e contemplava-o compadecido de sua fraqueza. Como que tocado por aquele olhar, Pedro voltou-se, viu o Mestre e lembrou-se de suas palavras: "Hoje, antes que o galo cante, me negarás três vezes".

Pedro abaixou a cabeça envergonhado, sentindo uma funda dor no coração. Saiu do pátio e chorou amargamente, arrependido.

— Coitado de Pedro! — exclamou o João André.

— Mas também por que ele ficou ali exposto àquelas tentações? Já que ele nada podia fazer, devia ir-se embora — falou dona Leonor.

— No caminho da espiritualidade que todos nós estamos percorrendo sob a inspiração de Jesus, precisamos ter muito cuidado para que também nós não neguemos o Mestre, pelo nosso desrespeito a seus ensinamentos — concluiu dona Lina, convidando-nos a orar, finalizando assim a narrativa.

Jesus Perante o Sinédrio

O sr. Manoel – lembram-se? – vinha de vez em quando ouvir dona Lina. E trazia um pacote de balas, que repartia entre todos nós. Nessa noite ele veio, e dona Lina continuou sua história assim:

— Os homens que vigiavam Jesus puseram-se a judiar dele; vendaram-lhe os olhos e davam-lhe socos no rosto dizendo-lhe que adivinhasse quem foi.

— Mas isso não se faz a nenhuma criatura! — exclamou o sr. Manoel.

— E não se faz mesmo — confirmou dona Lina. — Logo que amanheceu, ajuntaram-se os escribas, os sacerdotes e os anciões do povo e o conduziram ao seu tribunal, chamado sinédrio. O sinédrio era o tribunal ou conselho supremo dos antigos judeus, composto de sacerdotes, de velhos e de escribas.

Lá chegados, perguntaram a Jesus: "És tu o Cristo? Vamos, dize-nos".

Ao que ele respondeu: "Se eu lhes disser, vocês não acreditarão e também não me soltarão. Mas, de agora em diante, estarei sentado à direita do poder de Deus".

Todos então lhe perguntaram: "Então logo tu és o Filho de Deus?"

"Vocês dizem que eu sou", respondeu-lhes Jesus.

"Ele está blasfemando. De que provas mais necessitaremos? Pois nós mesmos o ouvimos de sua boca".

— Mas que tolos! — exclamou o Juquinha. — Pois todos nós não somos filhos de Deus? Ele é o Pai de todos!

— Claro. Mas os sacerdotes queriam condenar Jesus de qualquer maneira, porque não gostavam das verdades que ele lhes dizia, não é, Lina?, — falou dona Leonor.

— Realmente, assim era, titia. Jesus não poderia escapar das mãos deles, a não ser que traísse a missão grandiosa que o trouxera à Terra.

Jesus Perante Pilatos e Perante Herodes

— Vocês sabem que os judeus naquela época estavam sob o domínio dos romanos. Portanto, só os romanos é que podiam aplicar a pena de morte. O governador romano da Judeia era Pôncio Pilatos, como lhes disse no começo. Por isso foi a Pilatos que levaram Jesus. Lá chegando, acusaram-no dizendo que ele pervertia o povo, proibia dar tributos a César e afirmava ser Cristo, o rei.

Pilatos perguntou-lhe: "Tu és o rei dos judeus?" "Tu o dizes", respondeu-lhe Jesus.

Pilatos dirigiu-se aos sacerdotes e ao povo, e disse-lhes: "Não acho culpa neste homem".

Mas os sacerdotes insistiram dizendo: "Ele alvoroça o povo ensinando por toda a Judeia, começando desde a Galileia até aqui".

Então Pilatos, ouvindo falar da Galileia, perguntou se aquele homem era galileu. E, como a Galileia estava sob o governo de Herodes, mandou-o para ele, pois Herodes naqueles dias também estava em Jerusalém.

— Pilatos queria ver-se livre daquele julgamento, não é, Lina? — perguntou o sr. Antônio.

— De fato, titio. Os romanos em seus julgamentos respeitavam muito as leis, e não condenavam sem provas.

Herodes, quando viu Jesus, ficou muito contente, porque há tempos que desejava vê-lo.

— Herodes ainda não tinha visto Jesus? — perguntou o João André.

— Não. Jesus convivia com os pobrezinhos, com o povo, com os servos, com os escravos. Herodes vivia em seu palácio suntuoso; quando saía à rua era num carro luxuoso e cercado de centenas de guardas. Desse modo, como ele poderia ver Jesus?

Era desejo de Herodes ver Jesus, para vê-lo fazer algum grande milagre em sua presença; dirigiu-lhe muitas perguntas, mas Jesus nada fez e nada respondeu. E Herodes desprezou-o, zombou dele, vestiu-o com um manto vermelho e mandou-o de volta para Pilatos.

Pilatos apresentou Jesus ao povo e aos sacerdotes dizendo: "Vocês me trouxeram este homem acusando-o de perverter o povo; examinei-o em frente de vocês e não pude encontrar nele nenhuma culpa de que o acusam; mandei-o a Herodes e também Herodes nada achou nele digno de morte. Vou castigá-lo e depois soltá-lo".

— Mas, se o próprio Pilatos viu que Jesus era inocente, para que castigá-lo antes de soltá-lo, Lina? —, perguntou o sr. Antônio.

— Pilatos queria ver se por esse meio abrandava aquele povo, induzindo-o a deixar que Jesus fosse posto em liberdade, titio.

Havia na cadeia um ladrão famoso e criminoso chamado Barrabás. Era costume, pela festa da Páscoa, as autoridades romanas darem liberdade a um preso escolhido pelo povo. Compreendendo que Pilatos queria libertar Jesus, os sacerdotes persuadiram o povo a reclamar a liberdade de Barrabás. E o povo, em altas vozes, exigiu o perdão de Barrabás e a condenação de Jesus ao suplício da cruz.

Vendo que nada conseguia, Pilatos soltou o ladrão e entregou Jesus aos sacerdotes para que fizessem dele o que quisessem. E Jesus foi condenado pelo sinédrio a morrer na cruz.

— Explique-nos o que era o suplício da cruz, dona Lina — pediu o Antoninho.

— A morte na cruz era reservada apenas aos escravos, ladrões, salteadores e criminosos. Consistia em pregarem o condenado em duas traves em forma de T, e ali o deixavam morrer. Uns condenados, os fortes, resistiam mais, havendo exemplos de condenados resistirem até oito dias; os fracos resistiam menos, morrendo mais depressa. Depois de mortos, se ninguém reclamasse o corpo, ficavam lá apodrecendo. Foi esse o gênero de morte que destinaram a Jesus, como se fosse um criminoso vulgar. Espalhando-se o Cristianismo pelo mundo, o suplício da cruz foi abolido.

Colocaram uma cruz às costas de Jesus e o levaram para ser crucificado numa colina, fora da cidade, chamada Gólgota. O próprio condenado era obrigado a levar sua cruz.

Grande multidão de povo foi assistir ao suplício e de caminho obrigaram um homem a ajudar Jesus. E seguiam mais dois malfeitores para também serem crucificados.

Paremos aqui por hoje. Vamos orar pedindo a Jesus que nos dê forças para carregarmos também nossa cruz, com muita paciência e sem revolta.

E, pronunciando belíssima prece, dona Lina mandou-nos para casa, ficando apenas o sr. Manoel conversando com o sr. Antônio.

A Crucificação

— Como eu lhes contava ontem — prosseguiu dona Lina —, levaram Jesus ao monte Calvário, ou Gólgota, e lá o crucificaram entre dois ladrões, um à sua direita e outro à sua esquerda.

A roupa dos condenados pertencia aos soldados romanos, os quais sortearam entre si as vestes de Jesus.

Os sacerdotes, o povo e os fariseus zombavam dele, os soldados riam-se e lhe davam vinagre para beber. No alto da cruz, Pilatos mandou colocar um cartaz com os dizeres: "Este é o Rei dos Judeus".

Jesus, apesar do sofrimento atroz, olhou compadecido para aquela multidão insensata e rogou a Deus por ela, dizendo: "Pai, perdoai-os a todos, porque não sabem o que estão fazendo".

E, pelas três horas da tarde, houve um grande temporal, acompanhado de trovões, relâmpagos e tremores de terra.

E Jesus clamou em voz alta: "Pai, em tuas mãos entrego o meu espírito". E morreu.

O comandante dos soldados, vendo o que tinha acontecido, exclamou: "Na verdade, este homem era um justo".

E toda a multidão tristemente arrependida voltou para a cidade.

Estávamos muito comovidos; Joaninha chegou mesmo a soluçar. Mas dona Lina continuou com voz mais alegre.

A Sepultura de Jesus

— Havia um homem bondoso em Jerusalém chamado José; era natural de Arimateia, uma cidade da Judeia, o qual ouvira Jesus ensinar, e como compreendeu que ele pregava a verdade, ficou gostando muito dele. Esse homem foi pedir licença a Pilatos para tirar da cruz o corpo de Jesus e dar-lhe sepultura digna. Pilatos consentiu e José de Arimateia desceu o corpo, lavou-o bem, perfumou-o, envolveu-o num lençol e o colocou num sepulcro cavado na rocha, de sua propriedade, e que nunca tinha sido usado. Os discípulos e algumas mulheres que também seguiam Jesus observavam tudo de longe. E seguindo José de Arimateia viram onde sepultaram Jesus.

— Por que os discípulos não foram reclamar o corpo, dona Lina? — perguntou o Antoninho.

— De medo de serem presos. Isso se passou na sexta-feira. Voltaram depois do sepultamento e as mulheres prepararam unguentos para perfumarem o corpo de Jesus. Como no dia seguinte era sábado, nada fizeram, observando o repouso de acordo com a lei.

A Ressurreição

— Logo no domingo, muito de madrugada, as mulheres se dirigiram ao sepulcro, levando os perfumes que tinham preparado.

Qual não foi o espanto delas ao verem a pedra que tapava o sepulcro removida, o sepulcro aberto e vazio, vocês não podem imaginar! O corpo desaparecera!

Estando elas ainda muito admiradas e espantadas e perguntando umas para as outras o que poderia ter acontecido, apareceram-lhes dois anjos vestidos de luz resplandecente. Ficaram com mais medo ainda, mas os anjos lhes disseram: "Por que vocês procuram o vivente entre os mortos? Ele ressuscitou e não está mais aqui. Vocês não se lembram de que muitas vezes ele lhes disse isso na Galileia: 'Convém que eu seja entregue nas mãos dos homens pecadores, que eu seja crucificado e que eu ressuscite no terceiro dia'?"

Então elas se lembraram e voltaram do sepulcro para onde os discípulos estavam escondidos e contaram-lhes tudo o que tinha acontecido. Essas mulheres eram Maria Madalena, Joana de Cuza, e Maria, mãe de Tiago.

Os discípulos não acreditaram; pensavam que elas estavam loucas. Pedro criou coragem, correu ao sepulcro e só viu o lençol no qual José de Arimateia tinha envolvido Jesus.

— De nada adiantou aos sacerdotes terem feito morrer Jesus, não é, dona Lina? — falou a Joaninha, já consolada.

— Jesus, com sua morte presenciada por todos, e depois aparecendo vivo a todos também, quis provar-nos que a morte não existe. Como ele, nós também ressurgiremos felizes no reino de Deus, se seguirmos seus ensinamentos.

Jesus se Apresenta aos Discípulos

Ainda durante quarenta dias Jesus permaneceu entre seus discípulos. Pedro foi um dos primeiros que o viu, e depois outros dois que iam a caminho da aldeia de Emaús. Jesus a estes dois explicou por que tudo aquilo tinha acontecido, que era para que se cumprissem as profecias a seu respeito, a fim de que a humanidade, seguindo seus ensinamentos, transformasse a Terra num verdadeiro reino dos céus e não temesse a morte.

E um dia, depois de tê-los exortado a que espalhassem seus ensinamentos pelas nações da Terra, Jesus abençoou-os e na vista deles subiu para os céus. E os discípulos, cheios de alegria e de coragem, voltaram para Jerusalém e daquele dia em diante se puseram a pregar o Evangelho a todas as criaturas.

Aqui dona Lina terminou sua história. Ela ainda ficou conosco mais alguns dias; porém, com os preparativos para a partida, não teve tempo de nos contar nenhuma outra.

Na tarde de um domingo cheio de sol, fomos com ela inaugurar o abrigo que dona Aninhas construíra. Quase todas as famílias da vila compareceram e assim havia muita gente. Abrigados, já havia alguns pobrezinhos que perambulavam pelas ruas e que agora tinham onde repousar o corpo cansado e envelhecido.

Dona Lina, antes de cortar a fita do portão, pediu que todos a acompanhassem numa prece a Jesus. Ela fez uma prece tão comovente que nossos olhos se encheram de lágrimas.

E, no dia seguinte, de manhãzinha, o trole do sr. Anselmo levou-a embora.

Parte II

O Livro dos Espíritos para Jovens e Iniciantes na Doutrina Espírita

1ª Aula

Notícia sobre o Livro e Allan Kardec

Reunida a turma, deu-se o primeiro serão. Vovô ocupou uma poltrona patriarcal, que jazia há muito tempo empoeirada no meio das velharias do barracão, a qual o Chico Carapina deixou como nova; os outros abancaram-se ao seu redor.

— O *Livro dos Espíritos* que vocês veem em minhas mãos é um dos marcos decisivos da evolução humana; é um compêndio dos ensinamentos espirituais que os Espíritos superiores ditaram a Allan Kardec; ele nos abre as portas do mundo dos Espíritos, tornando-o conhecido de todos nós.

— Então esse livro não foi escrito por um homem? — perguntou Alessandra.

— Não, minha neta, não. O homem foi um simples instrumento dos Espíritos; e quem teve a honra e a glória de ter sido esse instrumento foi o professor Léon-Denizarth-Hippolite Rivail.

— Papai me disse que foi Allan Kardec, Vovô.

— Sim, Angélica. Allan Kardec é o nome que o professor Rivail adotou por ordem dos Espíritos para escrever sobre o Espiritismo. Ele recebeu os ensinamentos, analisou-os, ordenou-os e com eles formou o livro e publicou-o. Como professor, escreveu livros escolares que editou sob seu nome verdadeiro; mas para os livros acerca do Espiritismo usou o nome de Allan Kardec.

— E como os Espíritos fizeram para ensinar Allan Kardec, Vovô? — perguntou Thiago.

— Por meio de médiuns. Médium é uma pessoa que tem mediunidade e aprende a usá-la para servir de intermediária entre os Espíritos e nós, os encarnados.

A primeira edição de O Livro dos Espíritos apareceu em Paris, capital da França, no dia 18 de abril de 1857; e a segunda, que é a definitiva, em 16 de março de 1860.

— Quero saber mais coisas sobre Allan Kardec, Vovô! — pediu dona Purezinha. (Durante os serões deviam chamá-lo de Vovô, tanto os grandes como os pequenos. Exigência dele.)

— Léon-Denizarth-Hippoiite Rivail, depois conhecido por Allan Kardec, nasceu em Lion, cidade da França, em 4 de outubro de 1804. Educou-se no Instituto de Pestalozzi, em Yverdun, na Suíça. Pestalozzi, cujo nome completo é Johann Heinrich Pestalozzi, foi pedagogo suíço que se esforçou por melhorar a educação e a instrução das crianças pobres. Cedo, Allan Kardec adquiriu o hábito de investigar, de querer saber, de descobrir o porquê das coisas. Gostava de ensinar e com apenas 14 anos já ajudava seus colegas mais atrasados no estudo. Apaixonado pela Botânica, frequentemente passava dias inteiros nas montanhas, com uma sacola nas costas, colhendo espécimes de plantas para seu herbário. Terminados seus estudos em 1824, voltou para a França, dedicando-se ao ensino. Foi professor de Química, Matemática, Astronomia, Fisiologia, Física, Retórica e Anatomia Comparada. Em 6 de janeiro de 1832, casou-se com a professora Amélie-Gabrielle Boudet. E sua esposa, compreendendo o alcance de sua missão, libertou-o dos cuidados domésticos e sociais, deixando-o livre para se dedicar inteiramente à tarefa para a qual acreditava ter sido chamado. Quando, por volta de 1850, os casos espíritas atraíram a atenção da Europa, Rivail estudou-os cuidadosamente e, de suas anotações, de perguntas feitas aos Espíritos e respondidas por eles, formou O Livro dos Espíritos. As duas médiuns que o serviram nesse trabalho foram duas irmãs, as senhoritas Baudin, que trabalharam com ele até se casarem; mas aí o livro já estava pronto. Os Espíritos autorizaram Rivail publicá-lo, dando-lhe a seguinte comunicação:

"O livro no qual enfeixastes as nossas instruções é nosso trabalho antes que vosso; e por isso dar-lhe-eis o título de O Livro dos Espíritos; e o publicareis sob o pseudônimo de Allan Kardec. Esse nome o usareis para todos os vossos trabalhos e livros espíritas; o de Rivail para vossos outros livros".

— Ele escreveu outros livros de Espiritismo, Vovô? — perguntou Bruno.

— Sim, muitos outros e vocês deverão conhecê-los todos. Depois de trabalhar durante quase doze anos na estruturação do Espiritismo, Allan Kardec desencarnou subitamente de uma doença do coração, o rompimento de um aneurisma, no dia 31 de março de 1869.

— Obrigado, Vovô. Agora sabemos quem foi Allan Kardec — agradeceu dona Purezinha.

Nesse instante, o relógio da sala de jantar bateu nove horas; o serão terminou; e Carolina Maria anunciou lá de dentro:

— Caaafééé!

Foram para a sala de jantar, em cuja mesa havia bules de café, de leite, xícaras e uma bandeja de bolinhos.

— Cumpre a promessa, Tio Vésper, e a história? — cobrou Angélica. — E o sr. Vésper contou:

O Balaio

— Minha história chama-se "O balaio":

Rosinha era uma menina muito inteligente; contava apenas 8 anos e amava muito seus pais. Uma tarde, cismava ela diante de seu balainho, presente da mãe no dia de seu aniversário. O balainho estava cheio de ovos botados por sua galinha carijó, a Mimosa. Depois de muito pensar, chamou seu irmão Roberto e disse-lhe:

"Roberto, tenho uma ideia e, para pô-la em prática, preciso de tua ajuda. Quero que me auxilies a pôr a chocar estes ovos da Mimosa. Uma vez chocados, nascerão frangos. Será uma linda ninhada como aquela que mamãe tirou da galinha ruiva, lembras-te? Mamãe disse que ganhou bom dinheiro com aquela ninhada. Venderemos os nossos franguinhos e com o dinheiro que apurarmos compraremos um jaleco para o Papai. Mimosa continuará a botar e com o que ganharmos da segunda ninhada compraremos uma bonita blusa e um avental branco para a Mamãe".

"E depois?", perguntou Roberto.

"Nunca faltará o que comprar: um par de sapatinhos para Moniquinha, um bonito livro para ti, uma fita para mim..."

Roberto ouviu tudo pacientemente, olhou para o balainho, para os ovos, para a Mimosa, que passou cacarejando atrás de uma içá, riu e disse:

"Sabes de quanto tempo necessitarás para fazer tudo o que disseste? Talvez anos, Rosinha. O melhor que tens a fazer é levar o balaio de ovos para a mamãe, e ela que faça deles uma boa fritada. Ajudar-te-ei a comê-los".

Rosinha, muito entristecida, levou o balaio à dona Laura. Dona Laura notou a tristeza de sua filhinha e perguntou-lhe o motivo. Rosinha, muito desapontada, contou-lhe seus planos e a resposta de Roberto. Dona Laura chamou Roberto e disse-lhe:

"Meu filho, como ousaste proceder desta maneira para com tua irmã? Assim procedendo, erraste três vezes: a primeira, porque lançaste em seu coraçãozinho o desânimo; a segunda, menosprezaste o valor de tão bela iniciativa; e a terceira, demonstraste ser um menino preguiçoso. Depois do jantar vou contar-te a história de um menino preguiçoso e o que lhe sucedeu".

E dona Laura contou-lhes a história do menino preguiçoso. Rosinha e Roberto gostavam muito de ouvir histórias. E os dois ali estavam a ouvir atentamente.

Dona Laura nem mesmo chegara ao meio da história, quando Roberto se levantou e disse-lhe:

"Basta, Mamãe! Não é preciso que a senhora termine; já compreendi tudo. Amanhã, logo cedo, colaborarei com Rosinha, ajudando-a em seu projeto com o meu trabalho".

No dia seguinte, Roberto levantou-se cedo e chamou Rosinha em seu quarto.

"Assim tão cedo, Roberto?"

"Sim, Rosinha, o tempo passa depressa, o inverno vem aí; e se não te apressares, não comprarás o jaleco para Papai usá-lo ainda este ano. Prometido é devido. Aqui estou para te ajudar."

E os dois irmãos saíram para o quintal fresquinho e cheiroso pelo ar da manhã e foram procurar um bom lugar onde Mimosa chocasse os ovos.

Roberto fez o ninho e forrou-o com paina macia; com que cuidado a pequenina colocava um por um os ovos, até que o balainho ficou vazio! Era preciso cuidado para não quebrarem; eles representavam o jaleco para o Papai vestir durante o tempo de frio e uma porção de coisas mais para todos os de casa.

Todos aplaudiram a história. E Carolina Maria prometeu:

— Nas próximas férias, vocês verão a "frangaiada" que estará ciscando aí no quintal.

2ª Aula

Introdução ao Estudo da Doutrina Espírita

Espiritismo e Espiritualismo

— Começarei hoje por explicar-lhes o significado de duas palavras que, embora muito parecidas, são diferentes: Espiritismo e Espiritualismo:

Espiritualismo é a crença de que nós não somos apenas matéria; de que, além de nosso corpo de carne, há alguma coisa mais; há a alma, há um mundo espiritual, posto que invisível para nós encarnados. Todas as religiões são espiritualistas e, por conseguinte, seus seguidores são espiritualistas.

— E materialista, Vovô, o que é? — perguntou Luís Felipe.

— Materialistas são os que pensam que não há nada depois da morte. Morreu, acabou, dizem eles. O Materialismo é o contrário do Espiritualismo.

— Pobres coitados que vivem sem esperança! — exclamou dona Angelina.

— O Espiritismo também é Espiritualismo, com a diferença, porém, de ter por princípio as relações de nós, Espíritos encarnados, com os Espíritos desencarnados, ou seja, do mundo material, em que vivemos, com o mundo espiritual em que vivem os Espíritos, compreenderam?

— Eu não compreendi isso de encarnado e desencarnado. Até me parece coisa de descarnar um porco! — disse comadre Zita.

— É quase isso, comadre — respondeu rindo o sr. Vésper. — Você descarna um porco, separando-lhe a carne dos ossos. E a morte nos desencarna, separando nosso Espírito da carne do nosso corpo.

— Perfeito — disse Vovô. E continuou: — Os adeptos do Espiritismo são os espíritas.

— Eu sou espírita, Vovô! — exclamou Alessandra estufando o peitinho e olhando com superioridade para os outros.

— Grande coisa! Só você? Todos aqui somos! — revidou Thiago.

— Vão começar, vão? — atalhou Vovó Cirene.

Alma, Princípio Vital e Fluido Vital

— E a alma, Vovô, o que é a alma? Há alguma diferença entre a alma e Espírito? — perguntou Vovó Cirene.

— O *Livro dos Espíritos* dá-lhe três significados, dependendo do sentido que lhe queiramos atribuir. Mas nós ficaremos com o que nos parece mais explícito: alma é o ser imaterial e individual que existe em nós e que sobrevive ao corpo.

— Então é a alma, ou seja, o Espírito que vitaliza o nosso corpo, Vovô? — perguntou o sr. Vésper.

— Não; o que vitaliza os seres orgânicos, do vegetal ao homem, é uma força íntima que produz o fenômeno da vida. Cessada essa força, que se desgasta paulatinamente com o passar do tempo, o ser orgânico morre. Essa força chama-se princípio vital ou fluido vital.

— As borboletas têm fluido vital, Vovô? — perguntou Angélica.

— Têm, pois são seres orgânicos.

— E quando a gente, com uma palmada, esmaga um pernilongo, o que ocorre com o fluido vital dele, Vovô? — perguntou Bruno.

— O fluido vital dele, como o de todos os seres viventes, volta para o reservatório universal da Natureza.

Comadre Zita pediu licença e foi para a cozinha; e logo um delicioso cheiro de bolo de fubá invadiu a varanda. Lá fora fazia um belíssimo luar. A Lua Cheia, muito redonda, banhava de uma luz de prata o sítio e os campos a perder de vista. Os insetos noturnos ciciavam; um urutau soltou seu canto triste no pomar; no relógio, soaram nove horas e Carolina Maria anunciou:

— Caaafééé!

Foram para a sala de jantar.

— E a história, e a história! — bradaram a uma.

— Deixem-me ao menos deliciar-me com esta bela fatia de bolo! Mas hoje não tem história; tenho uma poesia para declamar-lhes; e recitou:

Mentiras

A um banquete suntuoso
Fui com meu pai convidada;

Não imaginas que gozo,
Não faltava mesmo nada.

As luzes que faiscavam
Em globos grandes, vermelhos,
Os raios multiplicavam
Nos cristais e nos espelhos

A sala estava adornada
De cortinados de cores;
Eram de prata lavrada
As ricas jarras de flores.

E na mesa, que fartura!
Aspargos, ostras, mariscos;
Nem sei a nomenclatura
De tão gostosos petiscos.

Grandes peixes, aves, caça,
Leitoas, perus e patos,
E tortas feitas de massa
Com diferentes formatos.

Nem falo da garrafeira:
— Era torre de Babel.
Lacrima-Christi, Madeira,
Porto, Xerez, Moscatel.

Era mesmo surpreendente
De doces a quantidade;
Só de vê-los quase a gente
Perdia logo a vontade.

E por fim trouxeram um prato
Numa salva colossal:
— Era um bolo com formato
Moderno e original.

Partiram o enorme bolo,
... e quem podia esperar?

... sabes como era o miolo?
... qual, não podes atinar.

Pois o miolo era um bando
De vinte e cinco pombinhas.
Que dispersaram, voando
Enfeitadas com lacinhos.

A priminha
Que lhe ouvira
A mentira colossal,
Respondeu-lhe:
— De espantar-te
Vou contar-te outra igual.

Eu também fui convidada
Para um famoso jantar,
E fiquei embasbacada,
Era mesmo de espantar!

Mas de tudo o mais notável
Foi o tal bolo final.
Um trabalho admirável
De um cozinheiro genial.

Partiram o grande bolo
Com toda a solenidade.
— Sabes qual era o miolo?...
Verdadeira novidade!

Em vez de sair um bando
De pombos... Foi mais galante:
— Saiu correndo e saltando
Uma tesoura gigante.

Disseram da tesourinha
Mil coisas maravilhosas;
Que até cortava a linguinha
Das meninas mentirosas!

3ª Aula

A Doutrina Espírita e seus Contraditores

Q uem abriu o terceiro serão foi Paulo Guilherme:
— Estou curioso por saber como apareceu o Espiritismo, Vovô! O senhor pode explicar?
— Isso, mesmo, Vovô; nós também estamos curiosos — repetiram os netos.
— Eu sei! Papai disse que foi uma mesa que andava e que davam socos nas paredes...
Uma risada geral cortou a explicação de Angélica, e Bruno não deixou de cutucá-la:
— Boba! Olhem só uma mesa andar...
— Boba, por quê? — retrucou-lhe Vovô. — Realmente, o Espiritismo começou pelo movimento de objetos, de mesinhas, às quais deram o nome de mesas girantes ou dançantes, e por pancadas que davam nas paredes, nos móveis, mãos invisíveis. Tal fato foi observado nos Estados Unidos, ou melhor, repetiu-se nesse país, uma vez que há relatos provando que desde a Antiguidade ocorrem esses fenômenos, particularmente em casas tidas como assombradas.
— Casa assombrada!!! Cruz-credo! — exclamou comadre Zita persignando-se.
— E para provar-lhes que é desde a Antiguidade, peço a palavra, Vovô, para contar-lhes uma história no original. É narrada por Gaius Plinius Secundus, apelidado Plínio, o jovem, que viveu entre os anos 62 a 114, autor de *Cartas*, interessantes para o conhecimento dos costumes daquela época. Mas vamos ao caso:
"*Fuit olim Athenis spatiosa domus, sed infamis. Per silentium noc-tís sonus ferri et strepitus vinculorum audiebantur; mox aparebat senex macie et squalore confectus, gerens promissam barbam, horrentem capi-Ilum. Man/bus catenas, cruribus compedes gerebat quantiabatque. Inde inhabitantibus tristes diraeque noctes. Interbiu etiam imaginis*

memória inerrabat oculis eorum nunquam timor aberat. Postremo deserta fuit to-taque illi monstro relicta".

— Caramba, Tio Vésper! Por favor, troque-nos por língua moderna! — pediu Luís Felipe.

— Ah! Esqueci-me de que hoje já não se estuda o latim, essa língua maravilhosa, mãe de línguas modernas. No meu tempo, com a idade de vocês, eu lia Cícero e Virgílio.

— Sim, Tio Vésper. Dela se originaram os idiomas neolatinos; e nos outros, posto que não derivados do latim, encontram-se traços deles...

— Isso mesmo, meu caro Paulo Guilherme!

— ... mas eu sei de um que não tem o mínimo sinal dele...

— Qual? Se tiveres razão, ganharás um doce!

— A língua tupi-guarani, e quero cocada; sou louco por cocadinhas — pediu Paulo Guilherme triunfante.

— Ganhou. Eis a tradução:

"Houve outrora em Atenas uma casa-grande, porém mal-afamada. Pelo silêncio da noite, ouviam-se barulho de ferros e o chocalhar de correntes; e aparecia um velho magro e maltrapilho, de barba comprida e cabelos eriçados, as mãos e as pernas acorrentadas. As noites transcorriam horríveis para os moradores. Durante o dia, aquela visão não lhes saía dos olhos e o medo não os deixava. E por isso aquela casa ficou abandonada e inteiramente largada ao monstro".

— Pois é! Ainda que sempre repetidos, só mereceram atenção desde o que aconteceu nos Estados Unidos com as irmãs Fox. E dali tais fenômenos se espalharam pelo mundo, particularmente pela Europa. Os movimentos das mesas não eram sempre os mesmos: às vezes bruscos, sacudidos, desordenados; objetos eram derrubados ou suspensos no ar. E se alguém quisesse pegá-los, fugiam da pessoa.

— Eh! Eh! Assombração assim nunca vi — resmungou comadre Zita. E a turminha, de olhos arregalados, amontoou-se junto à Vovó.

— Calma, gente! Espíritos não fazem mal a ninguém! — ralhou Vovó.

— Isso mesmo. Eram Espíritos que se manifestavam assim. A uma mesinha de três pernas que se movia, perguntaram: "Se for um Espírito que esteja arrastando a mesa, dê uma pancada com a perna dela". E a mesinha, inclinando-se, levantou a perninha e... pam... deu a pancada. E assim começou a correspondência entre os dois mundos: estabeleceu-se que uma pancada seria a letra *a*; duas, a letra *b*; três, a letra *c*; e assim por diante. Anotavam-se as letras num papel e formavam a mensagem, ou a resposta dos Espíritos.

— Não compreendo como os Espíritos podiam segurar a mesinha, empurrá-la, mover os objetos — disse Thiago.

— Claro que com as mãos, mano! — respondeu Bruno.

— Os Espíritos não se utilizam das mãos; para se manifestarem, usam de uma força. Essa força está em nós mesmos, encarnados: é a força mediúnica, que é um dom que possuímos em maior ou menor grau e chama-se mediunidade. Usando nossa mediunidade, os Espíritos atuam sobre a matéria. Mas isso vocês aprenderão mais tarde, em outro livro que se chama O *Livro dos Médiuns*,* também de Allan Kardec.

Aqui terminou o serão. Duas magníficas terrinas de arroz-doce esperavam por eles. E Tio Vésper contou-lhes a história:

As Irmãs Fox

O Espiritismo moderno revelou-se aos homens no dia 31 de março de 1848, em Haydesville, pequena cidade dos Estados Unidos, por meio das irmãs Fox.

A família Fox se compunha do pai, John Fox; mãe, sra. Fox; e de duas filhas menores. Margarida, de 15 anos, e Kate, com 12 anos apenas.

Os Fox frequentavam a Igreja Episcopal Metodista e, segundo declarou a sra. Harding, eram membros exemplares e incapazes de serem acusados de alguma suspeita de fraude ou mistificação.

Quando a família se reunia num dos quartos de sua modesta casinha, ouviam, muito frequentemente, pancadas nas paredes, no chão ou nos quartos vizinhos, principalmente naquele em que dormiam as duas meninas. Corriam a ver o que era e, apesar de tudo estar bem fechado, encontravam todas as coisas em desordem e os objetos espalhados pelo meio do quarto; ninguém tinha ali penetrado e, mesmo na presença deles, os móveis continuavam a ser agitados por um movimento oscilante. Outras vezes as duas meninas sentiam mãos invisíveis que as apalpavam carinhosamente, causando-lhes uma sensação fria na pele.

Aquela família não tinha mais sossego e, atribuindo essa perturbação da ordem natural das coisas a vizinhos maliciosos, de noite sondavam os arredores da casa para descobrir os importunos. Mas tudo em vão.

Finalmente, sempre aumentando de intensidade os fenômenos referidos, na noite de 31 de março de 1848, uma orquestra diabólica formada de instrumentos invisíveis, e até então jamais ouvidos, perturbou o sono da família Fox: parecia o

---

* Publicado pela Editora Pensamento, São Paulo, 1955. (fora de catálogo)

barulho que produziam os batentes das portas e das janelas violentamente sacudidos. Era de perder a cabeça.

Kate Fox, a mais nova das meninas, notando que todos esses fenômenos não lhes causavam nenhum mal, acabou habituando-se e divertindo-se com eles. Até que uma noite, por brincadeira, estalou algumas vezes os dedos da mão direita e gritou para o perturbador invisível:

— Faça como eu!

Subitamente os estalos foram repetidos o mesmo número de vezes. O fato, como é natural, impressionou vivamente os presentes, os quais começaram a fazer várias perguntas, a que o interlocutor invisível respondia por meio de pancadas nas paredes ou no meio da mesa. À pergunta: "Sois um homem?", nenhuma resposta. Quando perguntaram: "Sois um Espírito?", várias pancadas foram ouvidas repetidamente. Os Fox, impressionadíssimos, chamaram alguns vizinhos e passaram a noite inteira conversando com os Espíritos, na primeira sessão espírita de que temos notícias.

Com rapidez fulminante, essa prática se espalhou por toda a América e pouco depois invadiu a Europa.

Cessado o primeiro movimento de curiosidade, principiaram a dar aos fenômenos outra importância: falaram na possibilidade de rever os mortos, de se terem notícias do outro mundo. As discussões foram tão grandes e acaloradas que preocuparam as autoridades religiosas e o pastor local proibiu os Fox de continuarem a tratar de semelhante assunto. Mas a família não obedeceu, acreditando-se escolhida do céu para apóstolos de uma nova religião. Houve sessões nas quais obtiveram materializações de Espíritos, os quais revelaram que ainda viviam, se bem que de outra maneira. Disseram que continuavam a amar seus entes queridos que ainda estavam encarnados, que os protegiam e se interessavam muito por eles.

A família Fox foi expulsa da comunidade e constrangida a fugir para Rochester, onde os fenômenos não pararam, mas continuaram com muito mais intensidade. Os habitantes de Rochester, carolas e divididos e subdivididos em inúmeras e mesquinhas seitas, puseram-se a perseguir com tanta violência os recém-chegados, até que os obrigaram a oferecer uma sessão pública. A sessão se iniciou com uma conferência explicativa, durante a qual o povo se entregou a todos os excessos. Mas, para chegarem a um resultado prático, nomearam uma comissão com o encargo de assistir à sessão e de supervisioná-la.

Contra toda a expectativa, depois de minucioso exame, a comissão concluiu aceitando plenamente os fenômenos.

Para não se declararem vencidos, nomearam uma segunda comissão, a qual submeteu as duas meninas ao mais meticuloso exame possível. O resultado foi o mesmo.

Então, por último, escolheram, entre os mais incrédulos, uma terceira e última comissão. E para grande maravilha de todo o povo, o resultado foi novamente favorável à existência dos fenômenos.

O povo, grandemente excitado, resolveu linchar toda a família, seus amigos e até os membros da comissão. E com certeza teria corrido muito sangue se um *quacre*, George Wullets, condoído das duas meninas de tão pouca idade, não fizesse frente à multidão gritando:

— Para tocarem nestas duas crianças, é preciso primeiro passarem sobre o meu cadáver.

— Muito bem! Mas o que é um quacre, Tio Vésper? — perguntou Luís Felipe.

— É um membro de uma seita religiosa fundada no século XVII e difundida principalmente na Escócia e nos Estados Unidos; dizem receber inspiração diretamente do Espírito Santo.

A ira popular, a auréola de martírio que circundou a fronte das duas irmãs Fox, as acérrimas polêmicas suscitadas, a mescla de trágico e de extraordinário que acompanharam o nascer da nova doutrina, tudo concorreu infinitamente para difundir as experiências, e em breve toda a nação se interessou por elas. Uns para combater a nova doutrina, outros para defendê-la e muitos para ridicularizá-la.

E chegou o dia em que pessoas revestidas de autoridade oficial se apresentaram na liça.

— Muito bem! — repetiu Luís Felipe com os olhos faiscantes de entusiasmo.

— O primeiro de todos foi o juiz Edmonds, que publicou um livro de pesquisas espíritas. A finalidade do livro, *The American Spiritualism*, era demonstrar a inexistência dos fenômenos. Mas, contra a intenção do autor, o livro foi uma verdadeira afirmação. Em seguida, o célebre químico Mapes concluiu que os fenômenos espíritas não têm nada em comum com a fraude e o ilusionismo. Um outro erudito, o professor Robert Hare, recolheu no livro *Experimental Investigation of the Spirit Manifestation* uma série de experiências que inspiraram depois a Willian Crooks, o qual confirmou os fenômenos com o controle exato de instrumentos de precisão.

Todavia, as discussões continuaram cada vez mais ferventes e mais agudas até os anos de 1859 e 1860. O movimento com que se encarava a questão oferecia amplo campo aos mais ferozes ataques.

Dos Estados Unidos, era natural que o barulho provocado pelo caso Fox passasse para a Inglaterra, que foi a primeira nação moderna onde se começou a discutir, a aceitar ou a negar o Espiritismo.

Da Inglaterra, a discussão passou para a Alemanha. Mas ninguém saía a campo para dar às experiências que se processavam a autoridade de seu nome.

Até que, por fim, o Espiritismo encontrou em Paris, na França, Allan Kardec, que o estudou e lhe estabeleceu as bases sólidas e definitivas. E hoje, mais de cem anos decorridos desde que as irmãs Fox o revelaram ao mundo, o Espiritismo, tendo numa das mãos o Evangelho e na outra os livros de Allan Kardec, indica à Humanidade o Caminho, a Verdade e a Vida.

— Muito bem! Obrigado, Tio Vésper! Obrigado, irmãs Fox! Obrigado, Allan Kardec! — foi a exclamação geral.

4ª Aula

Resumo da Doutrina dos Espíritos

— O serão de hoje — começou Vovô — vai ser um serão apenas de leitura. Como será uma leitura um pouco comprida, convido Vésper para ajudar-me. Leremos parte do resumo que Allan Kardec faz da Doutrina dos Espíritos e de como recebeu a missão de codificá-la. Recomendo-lhes a leitura de toda a "Introdução ao Estudo da Doutrina dos Espíritos" com a qual Allan Kardec inicia o seu maravilhoso trabalho missionário. Vocês a lerão mais tarde e terão oportunidade de conhecer o bom-senso e a lógica que ele possuía. Ouçam com atenção:

"Os seres que se manifestam designam-se a si mesmos, como dissemos, pelo nome de Espíritos ou Gênios e dizem, alguns pelo menos, que viveram como homens na Terra. Constituem o mundo espiritual, como nós constituímos, durante a nossa vida, o mundo corporal.

Resumimos em poucas palavras os pontos principais da doutrina que nos transmitiram, a fim de mais facilmente responder a certas objeções:

Deus é eterno, imutável, imaterial, único, todo-poderoso, soberanamente justo e bom.

Criou o Universo, que compreende todos os seres animados e inanimados, materiais e imateriais.

Os seres materiais constituem o mundo visível, e os seres imateriais o mundo invisível ou espírita, ou seja, dos Espíritos.

O mundo espírita é o mundo normal, primitivo, eterno, preexistente e sobrevivente a tudo.

O mundo corporal é secundário; poderia deixar de existir ou nunca ter existido, sem alterar a essência do mundo espírita.

Os Espíritos se revestem temporariamente de um invólucro material perecível e sua destruição pela morte os devolve à liberdade. Entre as diferentes espécies de seres corporais, Deus escolheu a espécie humana para a encarnação dos Espíritos que chegaram a um certo grau de desenvolvimento, o que lhe dá superioridade moral e intelectual ante as demais.

A alma é um Espírito encarnado e o corpo apenas o seu invólucro.

Há no homem três coisas: 1º) O corpo ou ser material, semelhante ao dos animais e animado pelo mesmo princípio vital; 2º) A alma ou ser imaterial. Espírito encarnado no corpo; 3º) O laço que une a alma ao corpo, princípio intermediário entre a matéria e o Espírito.

O homem tem assim duas naturezas: pelo corpo participa da natureza dos animais, dos quais possui os instintos; pela alma participa da natureza dos Espíritos.

O laço ou *perispírito* que une corpo e Espírito é uma espécie de invólucro semimaterial. A morte é a destruição do invólucro mais grosseiro. O Espírito conserva o segundo, que constitui para ele um corpo etéreo, invisível para nós no seu estado normal, mas que ele pode acidentalmente tornar visível e mesmo tangível, como se verifica nos fenômenos de aparição.

O Espírito não é, portanto, um ser abstrato, indefinido, que o pensamento pode conceber. É um ser real, definido, que em certos casos pode ser apreendido pelos nossos sentidos da vista, da audição e do tato."

— Agora é a vez de Vésper. Ele nos lerá os "Prolegômenos", ou seja, a exposição preliminar dos princípios gerais do Espiritismo.

E o sr. Vésper, recebendo O *Livro dos Espíritos* das mãos de Vovô, com voz pausada e calma, leu-nos:

Prolegômenos

"Fenômenos que escapam às leis da Ciência ordinária manifestam-se por toda parte. E revelam como causa a ação de uma vontade livre e inteligente.

"A razão nos diz que um efeito inteligente deve ter como causa uma força inteligente. E os fatos provaram que essa força pode entrar em comunicação com os homens, através de sinais materiais.

"Essa força, interrogada sobre a sua natureza, declarou pertencer ao mundo dos seres espirituais que se despojaram do invólucro material do homem. Desta maneira é que foi revelada a Doutrina dos Espíritos.

"As comunicações entre o mundo espírita e o mundo corpóreo pertencem à Natureza e não constituem nenhum fato sobrenatural. É por isso que encontramos os seus traços entre todos os povos e em todas as épocas. Hoje, eles são gerais e evidentes por todo o mundo.

"Os Espíritos anunciam que os tempos marcados pela Providência para uma manifestação universal estão chegados e que, sendo os ministros de Deus e os agentes de sua vontade, cabe-lhes a missão de instruir e esclarecer os homens, abrindo uma nova era para a regeneração da Humanidade.

"Este livro é o compêndio de seus ensinamentos. Foi escrito por ordem e sob ditado dos Espíritos superiores para estabelecer os fundamentos de uma filosofia racional, livre dos prejuízos do espírito de sistemas. Nada contém que não seja a expressão do seu pensamento e não tenha sofrido o seu controle. A ordem e a distribuição metódica das matérias, assim como as notas e a forma de algumas partes da redação, constituem a única obra daquele que recebeu a missão de o publicar.

"No número dos Espíritos que concorreram para a realização desta obra, há muitos que viveram em diferentes épocas na Terra, onde pregaram e praticaram a virtude e a sabedoria. Outros não pertencem, por seus nomes, a nenhum personagem de que a História tenha guardado a memória, mas a sua elevação é atestada pela pureza de sua doutrina e pela união com os que trazem nomes venerados.

"Eis o termo em que nos deram, por escrito e por meio de muitos médiuns a missão de escrever este livro:

> Ocupa-te com zelo e perseverança no trabalho que empreendeste com o nosso concurso, porque esse trabalho é nosso. Nele pusemos as bases do novo edifício que se eleva e que um dia deverá reunir todos os homens num mesmo sentimento de amor e caridade; mas, antes de o divulgares revê-lo-emos juntos, a fim de controlar todos os detalhes.
>
> Estaremos contigo sempre que o pedires, para te ajudar nos demais trabalhos, porque esta não é mais do que uma parte da missão que te foi confiada e que um de nós já te revelou.

Entre os ensinamentos que te são dados, há alguns que deves guardar somente para ti, até nova ordem; avisar-te-emos quando chegar o momento de os publicar. Enquanto isso, medita neles, a fim de estares pronto quando te avisarmos.

Porás no cabeçalho do livro o ramo de parreira que te desenhamos, porque ele é o emblema do trabalho do criador.* Todos os princípios materiais que podem representar o corpo e o Espírito nele se encontram reunidos: o corpo é o ramo; o Espírito é a seiva; a alma, ou o Espírito ligado à matéria, é o bago. O homem é a quintessência do Espírito pelo trabalho e tu sabes que não é senão pelo trabalho do corpo que o Espírito adquire conhecimentos.

Não te deixes desencorajar pela crítica. Encontrarás contraditores encarniçados, sobretudo entre as pessoas interessadas em trapaças. Encontrá-los-ás mesmo entre os Espíritos, pois aqueles que não estão completamente desmaterializados procuram muitas vezes semear a dúvida, por malícia ou ignorância. Mas prossegue sempre; crê em Deus e marcha confiante; aqui estaremos para te sustentar e aproxima-se o tempo em que a verdade brilhará por toda parte.

A vaidade de certos homens, que creem saber tudo e tudo querem explicar à sua maneira, dará origem a opiniões dissidentes; mas todos os que tiverem em vista o grande princípio de Jesus se confundirão no mesmo sentimento de amor ao bem e se unirão por um laço fraterno que envolverá o mundo inteiro; deixarão de lado as mesquinhas disputas de palavras para somente se ocuparem das coisas essenciais. E a doutrina será sempre a mesma quanto ao fundo, para todos os que receberem as comunicações dos Espíritos superiores.

É com perseverança que chegarás a colher o fruto de teus trabalhos. A satisfação que terás, vendo a doutrina propagar-se e bem compreendida, será para ti uma recompensa, cujo valor total conhecerás, talvez, mais no futuro do que no presente. Não te inquietes, pois com os espinhos e as pedras que os incrédulos ou os maus espalharão no teu caminho; conserva a confiança; com ela chegarás ao alvo e merecerás sempre a nossa ajuda.

Lembra-te que os Bons Espíritos assistem aos que servem a Deus com humildade e desinteresse e repudiam a qualquer que procure no caminho

---

* O ramo de parreira da página anterior é o fac-símile do que foi desenhado pelos Espíritos.

do céu um degrau para as coisas da Terra; eles se afastam dos orgulhosos e dos ambiciosos. O orgulho e a ambição serão sempre uma barreira entre o homem e Deus; são um véu lançado sobre as claridades celestes e Deus não pode servir-se do cego para fazer-nos compreender a luz.

São João Evangelista, Santo Agostinho, São Vicente de Paulo, São Luís, O Espírito da Verdade, Sócrates, Platão, Fenelon, Swedenborg etc."

— Que nomes são estes, Vovô? — perguntou Thiago.
— São os nomes dos altos Espíritos que trabalharam com Allan Kardec na confecção de O *Livro dos Espíritos*.

— O relógio vai bater, mas posso fazer uma pergunta a uma pessoa presente, Vovô? — pediu o sr. Vésper.
— Enquanto o relógio não se manifestar, pode.
— Comadre Zita, não sinto o cheiro de nada. O que teremos hoje?
— Surpresa...
E, acompanhando o relógio, Carolina Maria convidou:
— Veeenhaaam...
— E a historinha, Tio Vésper, e a historinha? — foi a reclamação geral.
— Chiii! Hoje estou com a cabeça vazia! Tive de resolver um problemão na fazenda do sr. Itagiba, o que não me deixou pensar em outra coisa. Alguém poderá substituir-me?
— Eu, Tio Vésper, eu. Lerei umas quadrinhas que achei num velho livro escolar do Vovô; são bonitinhas. Quer que as recite? — ofereceu-se Paulo Guilherme.
— Vamos lá! — aceitou o sr. Vésper.

Trovas

Quem canta seu mal espanta,
Quem chora seu mal aumenta;
Eu canto pra disfarçar
Uma dor que me atormenta.

Quem me vê estar cantando
Pensará com bem razão
Que eu ando alegre da vida...
Sabe Deus, meu coração!

O tatu é um bicho pobre,
Que não tem nada de seu:
Tem uma casaca velha,
Que o defunto pai lhe deu.

A açucena quando nasce
Arrebenta pelo pé.
Assim arrebente a língua
De quem fala o que não é.

Esta casa está benfeita
Por dentro, por fora não.
Por dentro cravos e rosas.
Por fora manjericão.

Minha mãe chama-se Rosa,
Eu sou nascida em Roseira.
Não posso deixar de amar
Uma flor que tanto cheira.

O rir da infância
Tem o frescor
Tem a fragrância
De linda flor.

5ª Aula

Livro Primeiro

As Causas Primárias

Deus

Deus e o Infinito

— Dedicaremos o serão de hoje a Deus, o Criador do Universo, cuja presença o envolve. Se tomarmos uma nave interplanetária e viajarmos pelo infinito durante cem mil anos ou mais, em todos os mundos que encontrarmos — materiais, espirituais, planetas e estrelas — veremos que seus habitantes adoram o mesmo Deus que nós.

— O senhor falou em infinito; como poderemos concebê-lo, Vovô? — perguntou dona Angelina.

— Podemos concebê-lo em ideia, porém não materialmente. Facilmente compreendemos as coisas finitas, isto é, as que os nossos sentidos alcançam, porque, como materiais que são, têm seu começo e seu fim; mas o infinito apenas o idealizamos e dizemos: o que é infinito não teve começo e não terá fim. Por exemplo; Deus não é o infinito, mas um de seus atributos é ser eterno, não teve começo e não terá fim. Assim, ser infinito é uma das qualidades de Deus, isto é, infinito em suas perfeições.

Provas da Existência de Deus

— Onde podemos encontrar a prova da existência de Deus, Vovô? — perguntou dona Purezinha.

— Na lógica, nas leis do raciocínio, que nos dizem que não há efeito sem causa; basta que se procure no Universo tudo o que não é obra do homem, e a razão responderá. "Para crer em Deus basta lançar os olhos às obras da Criação. O Universo existe; ele tem, portanto, uma causa. Duvidar da existência de Deus seria negar que todo efeito tem uma causa e julgar que o nada pode fazer alguma coisa."

— Vovô, esse sentimento íntimo da existência de Deus que trazemos conosco, não seria o produto da nossa educação durante a nossa infância e causado por ideias adquiridas? — perguntou o sr. Vasco.

— Se o sentimento de um Ser Supremo não fosse mais do que o produto de um ensinamento, não seria universal nem existiria, como as noções científicas, senão entre os que tivessem podido receber esse ensinamento. Além do mais, esse sentimento da divindade existe mesmo entre os nossos selvagens e entre os povos mais primitivos.

— Já ouvimos a opinião de que a formação do Universo foi acidental, por acaso; ou seja, por uma combinação da matéria — disse dona Purezinha.

— Ouviu um absurdo; e, depois, pergunto-lhe: quem formou essa matéria, de onde ela veio para acidentalmente formar essa maravilha que é o Universo? — perguntou-lhe Vovô. — Ouça o que nos diz *O Livro dos Espíritos*, a lógica de Allan Kardec:

"A harmonia que regula as forças do Universo revela combinações e fins determinados e, por isso mesmo, um poder inteligente. Atribuir a formação primária ao acaso seria uma falta de senso, porque o acaso é cego e não pode produzir efeitos inteligentes. Um acaso inteligente já não seria acaso".

E, por fim, é pela obra que se conhece o autor, não é verdade? Procuremos o autor e nossa razão responderá.

Atributos da Divindade

— Haverá um meio de os homens descobrirem qual a natureza íntima de Deus, isto é, do que Ele é feito, de como Ele é? — perguntou o sr. Vasco.

— No momento não. Entretanto, à medida que crescermos espiritualmente O iremos compreendendo melhor. Por ora, contentemo-nos com a mais bela definição que Dele nos dá Jesus: "DEUS É O NOSSO PAI". E a razão nos diz, o nosso raciocínio nos demonstra que Deus é eterno, e o que é eterno não terá começo e não terá fim; é imutável, não muda nunca, não está sujeito a mudanças, porque, se estivesse, o Universo viveria em desordem; é imaterial, não é feito de matéria, porque a matéria se transforma e Ele não; há um só Deus, a ordem que reina no Universo o prova; é todo-poderoso porque é único; e é justo e bom, pois trata de tudo com amor e carinho.

— Tem de ser assim mesmo, Vovô. E, por mais que a gente quebre a cabeça, não consegue mais do que isso — disse o sr. Vasco.

— Será que um dia compreenderemos o mistério da Divindade? — perguntou dona Purezinha.

— A essa pergunta os Espíritos responderam: "Quando vocês não mais estiverem obscurecidos pela matéria e, pela sua perfeição, se tiverem aproximado d'Ele, então vocês O compreenderão e O verão". E Allan Kardec, comentando esta resposta, nos diz: "A inferioridade das faculdades do homem não lhe permite compreender a natureza íntima de Deus. Na infância da Humanidade, o homem O confunde muitas vezes com a criatura, cujas imperfeições lhe atribui; mas, à medida que seu senso moral se desenvolve, seu pensamento penetra melhor o fundo das coisas; e ele faz então a respeito d'Ele uma ideia mais justa e mais conforme com a boa razão, posto que sempre incompleta".

Aqui, o sr. Vésper tomou a palavra:

— Contam que Santo Agostinho, certa vez, passeava pela praia, meditando sobre qual seria a natureza de Deus, quando viu uma criança encher um baldinho com a água do mar e ir despejá-la no mato próximo. E esse ir e vir do menininho intrigou-o e perguntou-lhe:

"O que você está fazendo, meu bem?"

"Estou esvaziando o mar" respondeu-lhe.

"Mas isso é impossível, meu pequeno!"

A criança encarou-o firmemente e disse-lhe:

"Aurélio Agostinho, para mim é tão impossível esgotar o mar quanto para você conhecer a natureza íntima de Deus". — E desapareceu.

— Quem seria esse menino, Tio Vésper? — perguntou Bruno.

— Talvez um Espírito adiantadíssimo, que teria vindo dar uma lição de humildade a Santo Agostinho. Somos ainda pequeninos e, por enquanto, contentemo-nos em saber que Deus é nosso Pai.

E Tio Vésper prosseguiu:

— O grande físico e inventor, Thomaz Alva Edison....

— O inventor da lâmpada elétrica! — exclamou Thiago.

— Esse mesmo... Quando completou 70 anos, homenagearam-no com um banquete. E um repórter, entrevistando-o, perguntou-lhe o que mais ele admirava no mundo. Fez-se silêncio absoluto; todos queriam ouvir a resposta. E Edison respondeu-lhe: "Um pé de grama. Só Deus sabe fazer um pé de grama".

Panteísmo

— E o panteísmo, já ouvi falar nisso; o que significa, Vovô? — perguntou dona Purezinha.

Quem respondeu foi o sr. Vésper:

— É uma palavra composta de duas palavras gregas e de um sufixo lambem grego: *Pan*, tudo; *Theos*, Deus; tudo é Deus. É a opinião de alguns sem base nenhuma: que Deus é a consequência de todas as forças, de todas as inteligências reunidas; de tudo, enfim, que há no Universo e para Ele volta; mesmo nossa individualidade, com a morte, n'Ele se desfaz. É um materialismo disfarçado.

Nove horas. Carolina Maria correu à cozinha e gritou:

— Chááá!

E, enquanto se serviam de chá com bolachinhas de leite, o sr. Vésper contou a seguinte história:

O Sonho de Mariana

Mariana é uma encantadora menina que ama muito a seus pais. Seu pai, homem trabalhador e honestíssimo, procura os meios de dar conforto e alegria à família. E assim a vida de Mariana transcorre tranquila e feliz.

Um dia, a mãezinha de Mariana adoeceu gravemente; chamaram vários médicos inutilmente; ela não melhorava. Ainda iam tentar mais um remédio; se esse remédio não produzisse efeito, não mais seria possível a cura.

Mariana andava pela casa muito triste e chorava pelos cantos; seus brinquedos jaziam esquecidos; e sua boneca, a Nairzinha, como ela a chamava, parecia compartilhar a tristeza de sua dona, lá na sua caminha abandonada.

Uma tarde, Mariana se dirigiu ao quarto de sua mãe; empurrou devagarzinho a porta; a enfermeira, que tomava conta da doente enquanto o pai estava no serviço, fez-lhe sinal que não fizesse barulho; muito pálida e muito magra, Mamãe parecia dormir. Mariana voltou sobre seus passos, foi à sala de jantar e, desanimadíssima, deitou-se na cadeira de balanço; dormiu e sonhou: sonhou que estava num bonito jardim atapetado de flores maravilhosas. Eram as flores do seu jardinzinho de casa, porém maiores, mais coloridas, irradiando mais perfume e como que luminosas. Um bando de meninas brincava de roda. Logo que viram Mariana, convidaram-na a tomar parte no folguedo. Mas Mariana, entregue à sua tristeza, não quis acompanhá-las. Uma das meninas perguntou-lhe o motivo de sua tristeza e Mariana contou-lhe o que estava sucedendo à sua mãe.

— Como foi bom você ter vindo aqui! — exclamou a menina. — Daqui a pouco chegará o Anjo Loiro e permitirá que cada uma de nós lhe faça uma pergunta, um pedido. Você fará o seu pedido. E, como sempre atende a todos nós, atenderá a você também. Vamos brincar até que o Anjo Loiro chegue.

Mariana foi brincar com elas, mas intimamente sentia-se aflita: como falaria com o Anjo Loiro? E devolveria ele a saúde à sua mãe?

Subitamente o jardim inundou-se de luz e onde a luz era mais intensa materializou-se um menino de vestes brancas e de longos cabelos loiros e cacheados. Grande meiguice refletia-se em seus gestos e muita bondade transparecia de seu olhar sereno. A correr, todas as crianças acercaram-se dele; cumprimentou-as e inquiriu de seus desejos. Adiantou-se uma e pediu-lhe uma boneca que falasse Mamãe-Papai; outra pediu-lhe um par de sapatinhos azuis; uma terceira desejou um vestido branco, tão bonito quanto o de sua amiguinha Nair; aquela, um bolo para festejar o aniversário de vovó; enfim, todas pediram algo; faltava Mariana. O Anjo Loiro esperava por seu pedido; muito acanhada e com grande esforço, explicou-lhe a situação de sua mãe.

O Anjo Loiro pousou suavemente a mãozinha na cabeça de Mariana e disse-lhe:

— É muito justo o pedido que fizeste; vou procurar ajudar-te e para isso preciso do teu concurso.

— Farei tudo o que estiver ao meu alcance e mais ainda — respondeu-lhe Mariana.

O Anjo Loiro tomou-a pela mão e levou-a a um salão de um majestoso edifício que havia ao lado do jardim, cujas paredes pareciam cravejadas de pedras preciosas, tanto que resplandeciam. Numa das paredes do salão havia um grande relógio, diante do qual pararam.

— Observa este relógio, Mariana. Sempre que o ponteiro dos minutos estiver no doze e o ponteiro menor, o das horas, estiver no número seis, faze uma oração perto do leito de tua mãe, tendo antes colocado um copo d'água em seu criado-mudo. Logo que tiveres terminado tua oração, tua mãezinha que beba o copo d'água; e logo ela há de estar curada.

Ia retirar-se o Anjo Loiro quando percebeu, muito quietinha num canto, uma garotinha pobremente trajada.

— O que fazes aí e como te chamas? — perguntou-lhe.

— Chamo-me Susana e estou aqui porque este lugar é muito bom — respondeu-lhe a menina.

— Não vais pedir-me nada?

— Para mim, não. Somos pobres, mas temos saúde e nada nos falta. Agora, se o Anjo quisesse ajudar um casal de velhinhos, então eu ficaria muito contente.

— Ajudarei, sim. Onde estão os velhinhos que queres proteger, Susana? — perguntou-lhe o Anjo Loiro.

— Eles são muito pobres e moram na beira do rio, não têm agasalhos e não podem trabalhar. Estão doentes. Vamos juntos, indicarei o caminho.

E lá se foram os dois de mãos dadas. A luz apagou-se lentamente. Mariana acordou assustada; olha para o relógio. O ponteiro grande, dentro de instantes, chegaria no número doze e o pequeno no seis.

Mariana correu à cozinha, encheu um copo d'água, foi para o quarto, colocou-o na cabeceira da doente e orou com toda a sua fé; esperou que a mãe acordasse e alegremente deu-lhe a água de beber.

Corriam os dias e a saúde da mãe de Mariana melhorava sensivelmente. Notando a presteza com que Mariana lhe servia a água todos os dias à mesma hora, indagou da filha o motivo.

Mariana contou-lhe o sonho que tivera.

— Foi um sonho, Mariana, mas um lindo sonho que se tornou realidade, e por isso precisamos agradecer a Deus tamanha graça que recebemos.

— Mamãe, tenho tanta vontade de rever Susana. Quero dar-lhe um de meus sapatinhos e também um de meus agasalhos, o mais bonito. Coitadinha! Seus sapatos estavam rotos e seu casaquinho, muito rasgado, quase em fiapos.

— Minha filha, logo que eu puder andar iremos procurar os necessitados e socorrê-los.

— A senhora sabe onde mora Susana, Mamãe?

— Não, filha; mas de crianças necessitadas como a Susana as cidades estão cheias. E nós iremos ao encontro delas e lhes levaremos agasalhos, brinquedos e mais coisas boas; assim faremos com que elas compartilhem de um pouco da felicidade de que estamos fruindo.

Mariana ficou muito satisfeita e pensou que com certeza o Anjo Loiro haveria de gostar muito da ideia de Mamãe.

6ª Aula

Elementos Gerais do Universo

Conhecimento do Princípio das Coisas

— Então, não poderemos conhecer o princípio das coisas, Vovô? — perguntou o sr. Vasco, abrindo o serão.

— A Terra é uma classe elementar da infinita universidade universal. E a alunos de classes primárias não se pode ensinar o que só aprenderão em cursos superiores, não é verdade? Portanto, nem tudo o homem aprenderá aqui na Terra. À medida que crescermos em inteligência e moralidade ingressaremos em classes superiores, e em cada uma delas adquiriremos novos conhecimentos.

— E como é que cresceremos em conhecimentos, Vovô? — perguntou Thiago.

— Pelo estudo e pelo trabalho, meu neto, desenvolveremos nossa inteligência. E, pela aplicação dos ensinamentos de Jesus em nossa relação com nossos semelhantes, nos moralizaremos. Essas são as chaves que nos dão direito à matrícula em cursos de aprendizado em mundos superiores.

— Vovô, pelas investigações científicas, o homem não poderá penetrar em alguns dos segredos da Natureza? — perguntou Paulo Guilherme.

— Certamente. A Ciência lhe foi dada para seu adiantamento em todos os sentidos, mas ele não pode ultrapassar os limites fixados por Deus; é o que nos respondem os Espíritos. E Allan Kardec nos esclarece:

"Quanto mais é permitido ao homem penetrar nesses mistérios, maior deve ser sua admiração pelo poder e a sabedoria do Criador. Mas, seja por orgulho, seja por fraqueza, sua própria inteligência o torna frequentemente joguete da ilusão. Ele acumula sistemas sobre sistemas e, a cada dia que passa, mostra quantos erros tomou por verdades e quantas verdades repeliu como erros. São outras tantas decepções para o seu orgulho".

Espírito e Matéria

— Vovô, agora somos Espírito e matéria. Deixaremos a matéria quando desencarnarmos, não é verdade? O senhor poderá dizer-nos algo sobre Espírito e matéria: a matéria foi criada em dado momento, ou é eterna como Deus? — pediu dona Purezinha.

— Filha, isso só Deus o sabe. Mas, como Ele é um Espírito eterno, naturalmente terá criado desde toda a eternidade. Não podemos concebê-lo ocioso, inativo um instante sequer. Sua inatividade ou ociosidade equivaleriam ao nada. Definiremos a matéria como uma criação divina; a mais do que isso não temos elementos para aventurar-nos.

— E o que é o Espírito, Vovô? — perguntou Bruno.

— O Espírito é o princípio inteligente do Universo. Embora anime a matéria, não se confunde com ela. O Espírito, notem bem, não é uma propriedade da matéria; é independente dela, conquanto possa viver temporariamente ligado a ela. Nesse caso, nosso corpo material é o nosso instrumento de trabalho. O Espírito vive perfeitamente fora da matéria, o que, aliás, é seu estado normal. Todavia, enquanto cursar as classes primárias, necessita dela para o seu desenvolvimento, para o seu aperfeiçoamento.

— Se bem compreendi, Vovô, o Universo se compõe de dois elementos gerais: a matéria e o Espírito. Estou certo? — perguntou o sr. Vasco.

— Perfeitamente. E acima de ambos temos Deus, o Criador, o pai de todas as coisas, a trindade universal, que é o princípio de tudo o que existe. Eis o que nos ensina O *Livro dos Espíritos* em resposta à sua pergunta:

"Mas ao elemento material é necessário juntar o fluido universal, que exerce o papel de intermediário entre o Espírito e a matéria propriamente dita, demasiado grosseira para que o Espírito possa exercer alguma ação sobre ela. Embora, de certo ponto de vista, se pudesse considerá-lo como elemento material, ele se distingue por propriedades especiais. Se fosse simplesmente matéria, não haveria razão para que o Espírito não o fosse também. Ele está colocado entre o Espírito e a matéria; é fluido, como a matéria é matéria; suscetível, em suas inúmeras combinações com esta, e sob a ação do Espírito, de produzir infinita variedade de coisas, das quais não conheceis mais do que uma ínfima parte. Esse fluido universal ou primitivo, ou elementar, sendo o agente de que o Espírito se serve, é o princípio sem o qual a matéria permaneceria em perpétuo estado de dispersão e não adquiriria jamais as propriedades que a gravidade lhe dá."

Propriedades da Matéria

— Vésper, você também é um estudioso. Ensine-nos alguma coisa, peço-lhe.

— Quem sou eu para ensinar, Vovô! Mas obedeço. — E, recebendo das mãos de Vovô O *Livro dos Espíritos*, convidou: — Vamos, podem perguntar.

— Estamos falando da matéria; ela se nos apresenta de tão variadas formas que nos dá o que pensar e pergunto: ela é formada de um só ou de muitos elementos? — perguntou o sr. Vasco.

— Há um só elemento primitivo; tudo o mais não é senão a transformação dele. E as diferentes propriedades e variedades da matéria que conhecemos provêm das modificações que as moléculas elementares sofrem ao se unirem em determinadas circunstâncias. E assim, o sabor, o odor, as cores, as qualidades venenosas ou saudáveis dos corpos originam-se de uma única e mesma substância primitiva. O oxigênio, o hidrogênio, o azoto, o carbono e todos os corpos que consideramos simples, não são mais do que modificações de uma substância primitiva. Na impossibilidade em que nos encontramos, ainda, de remontar de outra maneira a essa matéria, a não ser pelo pensamento, esses corpos são para nós verdadeiros elementos, e sem maiores consequências, assim podemos considerá-los até nova ordem.

Espaço Universal

— Tio Vésper, olhando-se as estrelas, o Sol, a Lua, vemos que tudo está suspenso no espaço, não é verdade? Há um limite para esse espaço? — perguntou Paulo Guilherme.

— O espaço é sem limites, meu jovem; é infinito. Mesmo que puséssemos um limite a ele, o que sobrasse ainda seria espaço, não é verdade? Mas no Universo não existe o vazio: ocupa-o uma matéria que escapa aos nossos sentidos e aos nossos instrumentos atuais.

— Eu pensava que, chegado a um ponto, não haveria nada depois dele...

— E, chegado a esse ponto, a gente cairia no abismo, não é, mano Bruno? — concluiu Thiago.

Todos riram da ideia.

Tio Mateus

Enquanto tomávamos o chá com torradinhas quentinhas, Tio Vésper contou-nos a história de Tio Mateus.

Era um velhinho pequenino, de olhos muito vivos, cabelos brancos, branquinhos como flocos de algodão; rosto raspado e grandes bigodes, como se usava antigamente. Vestia usualmente uma calça de brim grosso, listrada, e uma camisa de riscadinho; ninguém se lembrava de um dia tê-lo visto de paletó.

Tio Mateus tinha 70 anos. De seu lar, outrora tão feliz, restavam-lhe a casinha modesta, seu quintal bem plantado e uma grande saudade de seus entes queridos, que o anteciparam no regresso à verdadeira pátria.

Há muitos anos, seu filho desencarnara num desastre e sua esposa, não suportando aquele golpe, pouco tempo depois desencarnou também, seguindo o filho bem-amado.

Tio Mateus resignou-se à vontade de Deus e, para encontrar algum consolo na vida, pôs-se a fazer o bem que podia. Ele sabia preparar muitos remédios com ervas. E, diariamente, era procurado por mães aflitas que vinham em busca de remédios para seus filhinhos doentes. A vila oferecia muito pouco recurso para o tratamento de doentes e, por isso, a casinha de Tio Mateus era constantemente procurada, mal se manifestasse alguma doença num daqueles lares humildes.

E Tio Mateus passava os dias dividindo-lhe as horas entre o cuidar de seu quintal e o trato de seus doentes, aos quais devotava solicitude e atenção.

As ervas de Tio Mateus eram conhecidas de todo o povoado e redondezas. Rara era a pessoa daquelas paragens que não lhe devesse finezas.

Um dia, começaram a aparecer muitos casos de doenças e todos iguais. Tio Mateus percebeu que suas ervas nenhum efeito produziam em seus doentes, cujo número aumentava espantosamente: era uma epidemia.

Da cidade grande vieram muitos médicos, enfermeiros, ambulâncias e material farmacêutico e hospitalar. Era a luta contra a epidemia.

Tio Mateus, sentado à porta da cozinha de sua casa, olhando o quintal que parecia refletir desolação que se apossara da vila, levantou os olhos para o céu azul e orou. Pediu a Deus que lhe mostrasse um modo de ser útil aos moradores do povoado, que sofriam tanto.

E, no dia seguinte, Tio Mateus se apresentou ao chefe do serviço médico e ofereceu os seus préstimos. Foi aceito, e sua colaboração logo se tornou preciosa, pois conhecia todos os habitantes do arraial, dos quais se tornou enfermeiro incansável. No afã de ser útil, de ajudar, de concorrer com suas fracas forças para o bem de todos, passava longas horas em pleno trabalho, esquecido de se alimentar, sem reclamar recompensa, ditoso de fazer o bem pelo bem. E quando voltava para casa, em busca de um pouco de repouso necessário, recordava-se das tardes alegres em que a criançada brincava de roda em frente de sua porta e, depois, cansada, se agrupava em torno dele, reclamando uma história de fadas, de anões, de bichos que falavam.

E Tio Mateus, em prece silenciosa, pedia a Deus que abreviasse o sofrimento do povo.

Depois de três longos meses de luta estafante, a situação começou a melhorar e a normalizar-se. E Tio Mateus recomeçou a tratar de seu quintal pela manhã; e, à tarde, ia ao posto médico levar sua colaboração.

Uma tarde de forte calor, quando na enfermaria restavam poucos doentes, pois a epidemia tinha sido vencida, tio Mateus não apareceu; e depois outra e mais outra, e Tio Mateus não veio mais. Pessoas caridosas correram à casinha; arrombaram a porta e encontraram o corpo de Tio Mateus, frio, em atitude de prece. E trataram de dar-lhe sepultura digna. Sua grande alma tinha voado para Deus, em cujo regaço paternal Tio Mateus recebeu os frutos de tantos anos de luta dedicados ao próximo em nome do Senhor.

Tio Mateus não sabia. Mas lá na pátria celeste lhe contaram que estava recebendo tanta coisa boa porque tinha amado muito a Deus na pessoa de seu semelhante.

7ª Aula

Criação

Formação dos Mundos

— O Universo é muito grande, não é, Vovô? — foi a primeira pergunta do serão, feita por Angélica.

— O Universo é infinito, minha neta. O infinito não tem tamanho: forma-se dos mundos que vemos e dos que não vemos; dos seres animados e dos inanimados; de tudo, enfim. Deus é o Supremo Criador; criou-o por sua vontade e sabedoria e o mantém por meio de suas leis sábias e justas.

— Como será que Deus fez o mundo! — exclamou Bruno.

— Criando o fluido cósmico universal e concentrando-o. A concentração desse fluido dá a matéria, que conhecemos em suas mais variadas formas.

— Um mundo pode acabar, Vovô? — perguntou dona Angelina.

— Sim. Deus renova os mundos, como renova os seres vivos, assim como nós renovamos nossas casas e nossas coisas.

— Ele levou muito tempo para fazer a Terra, Vovô? — quis saber Carolina Maria.

— Só Ele é quem sabe. Porém, a Geologia nos demonstra que se gastou tempo, muito tempo.

— Geo... o quê? Essa coisa nunca vi nem conheço.

— Não é coisa, madame. Geologia é a ciência que descreve os materiais que constituem o globo terrestre, o estudo das transformações pelas quais passou e continua a passar a Terra, desde sua formação. O nome é composto de duas palavras gregas: *geo*, terra; *logos*, estudo. Geologia, o estudo da Terra. Compreendeu, madame? — explicou o sr. Vésper.

— Sim, sim, sim, de... — respondeu Carolina Maria, hesitante. — Mas não me chame de madame! Madame foi a dona dessa fazenda: era uma tal de madame daqui, madame dali, que não acabava mais...

— Eu pensava que Ele fez *tchuc* e a Terra apareceu — disse comadre Zita.

Riram, e o sr. Vésper perguntou-lhe:

— Você faz *tchuc* e seus doces aparecem prontinhos, comadre?

— Não senhor, tenho que trabalhar.

— Pois Deus também. É por isso que Jesus nos diz em seu Evangelho: "Meu Pai trabalha incessantemente". E, assim, seguindo-lhe o exemplo, temos a obrigação de trabalhar.

E Vovô prosseguiu:

— A vontade de Deus concentrou o fluido cósmico no lugar em que está a Terra. Esse fluido foi a matéria-prima do globo e de tudo o que ele contém.

— Ele trabalhou sozinho, Vovô? — perguntou Alessandra.

— Não. Essa matéria-prima Ele a entregou a seus auxiliares diretos, os Espíritos que alcançaram a perfeição, chefiados por Jesus, os quais já lhe compreendem a vontade. Esses Espíritos dirigiram milhares de outros Espíritos sábios e cada um deles, trabalhando em sua especialidade, ajudou na construção.

— Quer dizer que então...

— Sim, meu caro Thiago, quer dizer que, dentro da eternidade, um dia seremos um desses auxiliares.

— E os cometas, Vovô, o que o senhor nos diz deles? — perguntou dona Purezinha.

— Tudo leva a crer que os cometas possivelmente sejam mundos em formação, a matéria que se vai condensando. São raros os cometas visíveis a olho nu. Os mais famosos são os de Emete, de Halley e o de Brooks. O que há de errado sobre eles é a crença popular de que anunciam desgraças, catástrofes, epidemias, etc. Quando passarem ao alcance de nossa vista, admiremo-los, mas não pensemos mal deles.

Formação dos Seres Vivos

— E quando a Terra começou a ser povoada, Vovô? — perguntou dona Angelina.

— A Bíblia em sua poética simbologia, nos mostra a soberana vontade de Deus criando a Terra com estas palavras: "No princípio, criou Deus o céu e a Terra. E disse Deus: Faça-se a luz e a luz foi feita". E um Espírito, respondendo a essa pergunta, nos esclarece: "No começo, tudo era caos; os elementos estavam fundidos. Pouco a pouco, cada coisa tomou o seu lugar; então apareceram os seres vivos apropriados ao estado do globo".

— O que é caos, Vovô? — perguntou Angélica.

— É a confusão geral dos elementos da matéria, antes da formação do globo.

— Estava tudo misturado desordenadamente, não é, Vovô? — perguntou Paulo Guilherme.

— Isso mesmo.

— E nessa desordem, Vovô, já havia seres vivos? — perguntou o sr. Vasco.

— A Terra continha os germes que esperavam o momento favorável para desenvolver-se. Os princípios orgânicos reuniram-se desde o instante em que cessou a força de dispersão, e formaram os germes de todos os seres vivos. Os germes permaneceram em estado latente e inerte, como as crisálidas e as sementes das plantas, até o momento propício à eclosão de cada espécie; então, os seres de cada espécie se uniram e se multiplicaram.

— E esses elementos orgânicos, Vovô, onde estavam antes da formação da Terra? — perguntou ainda o sr. Vasco.

— Os princípios orgânicos de todos os seres vivos estavam, por assim dizer, espalhados no espaço, entre os Espíritos, ou em outros planetas, esperando a criação da Terra, para começarem uma nova existência em um novo globo. E O *Livro dos Espíritos* explica:

"A Química nos mostra as moléculas dos corpos inorgânicos unindo-se para formar cristais de uma pluralidade constante, segundo cada espécie, desde que estejam nas condições necessárias. A menor perturbação dessas condições é suficiente para impedir a reunião dos elementos, ou pelo menos a disposição regular que constitui o cristal. Por que não ocorreria com os elementos orgânicos? Conservamos durante anos germes de plantas e de animais, que não se desenvolvem a não ser numa dada temperatura e num meio apropriado; viram-se grãos de trigo germinar depois de muitos séculos. Há, portanto, nesses germes, um princípio latente de vitalidade, que só espera uma circunstância favorável para se desenvolver. O que se passa diariamente sob nossos olhos não pode ter existido desde a origem do globo? Essa formação dos seres vivos, saindo do caos pela própria força da Natureza, tira alguma coisa à grandeza de Deus? Longe disso, corresponde melhor à ideia que fazemos de seu poder, exercendo-se sobre os mundos infinitos através de leis eternas. Essa teoria não resolve, é verdade, a questão da origem dos elementos vitais; mas Deus tem os seus mistérios e estabeleceu limites às nossas investigações".

— Ainda há seres que nascem espontaneamente, Vovô? — perguntou dona Purezinha.

— Sim, diz-nos O Livro dos Espíritos, mas o germe primitivo já existe em estado latente. Todos os dias somos testemunhas desse fenômeno. Os corpos de carne dos animais e dos homens, o nosso próprio corpo não têm os germes de uma multidão de vermes que esperam, para eclodir, a fermentação pútrida necessária à sua existência? Com a morte do corpo despertam e começam a viver.

— E acabam com ele, não é, Vovô? — exclamou Bruno, com os olhos arregalados.

— Virgem Santa! Então é por isso que dizem que os vermes comem a gente! Agora compreendi! — exclamou Carolina Maria, também com os olhos arregalados.

— Alto lá, madame, alto lá! A gente, não! A gente, não! A gente é o Espírito e esse eles não comem — corrigiu o sr. Vésper.

— Terminando essas explicações que os Espíritos deram em O Livro dos Espíritos, digo-lhes que hoje não há mais geração espontânea dos seres, porque tudo já está organizado; cada elemento orgânico do globo está em seu devido lugar. Quanto ao mais, o princípio das coisas permanece nos segredos de Deus. Mas esses segredos não são impenetráveis; à medida que crescemos espiritualmente, iremos solucionando, compreendendo esses segredos; e, para isso, o homem possui uma auxiliar preciosíssima: a Ciência, que cada dia mais se aperfeiçoa e progride.

Povoamento da Terra. Adão

— E de Adão, Vovô, o que o senhor nos diz? Foi ele realmente o primeiro homem a povoar a Terra? — perguntou dona Angelina.

— Não. O povoamento da Terra não começou com o casal Adão e Eva. Eis como O Livro dos Espíritos comenta este assunto:

"O homem cuja tradição se conservou sob o nome de Adão foi um dos que sobreviveram, em alguma região, a um dos grandes cataclismos que em diversas épocas modificaram a superfície do globo, e tornou-se o tronco de uma das raças que hoje o povoam. As leis da Natureza contradizem a opinião de que os progressos da Humanidade, constatados muito tempo antes de Cristo, se tivessem realizado em alguns séculos, como teria de ser se o homem não tivesse aparecido depois da época assinalada para a existência de Adão. Alguns, e com muita razão, consideram Adão com um mito ou uma alegoria, personificando as primeiras idades do mundo".

Diversidade das Raças Humanas

— E por que há raças diferentes na face da Terra? — perguntou Vovó Cirene.

— É uma questão de climas e de hábitos de vida. Mas o Espírito, provindo do Pai, é igual para todas as raças, não importa qual seja a raça a que o corpo pertença atualmente. E o alvo supremo de todos é a Perfeição, à qual todos chegarão. Vejamos O Livro dos Espíritos:

"O homem apareceu em muitos pontos do globo?"

"Sim e em diversas épocas, e é essa uma das causas da diversidade de raças; depois, o homem se dispersou pelos diferentes climas e, aliando-se os de uma raça aos de outras, formaram-se novos tipos."

"Se a espécie humana não procede de um só tronco, não devem os homens deixar de considerar-se irmãos?"

"Todos os homens são irmãos em Deus, porque são animados pelo Espírito e tendem para o mesmo alvo. Quereis sempre tomar as palavras ao pé da letra."

Pluralidade dos Mundos

— Vovô, o senhor acredita que todos os mundos sejam habitados? — perguntou o sr. Vasco.

— Tenho certeza absoluta que sim. A lógica nos diz que o Criador não criaria nada inútil; apenas suas humanidades terão peculiaridades próprias do mundo que cada qual delas habita, posto que o Espírito seja sempre igual em todos os mundos, como é igual em todas as raças terrenas.

— Todos os mundos são iguais, Vovô? — perguntou Bruno.

— Meu neto, não sou eu quem lhe responde, mas os Espíritos mais elevados do que nós: "Não; eles absolutamente não se assemelham".

— Então, Vovô, se os mundos não são iguais em sua constituição física, os habitantes de cada qual, certamente terão organização física diferente, estou certa? — perguntou dona Purezinha.

— Sem dúvida nenhuma, caríssima; como entre nós os peixes são feitos para viver na água e os pássaros no ar. Mas Paulo Guilherme, por favor, lê para nós em O Livro dos Espíritos os comentários que Allan Kardec faz a respeito dessas perguntas e respostas dos Espíritos.

— Favor nenhum, Vovô, é um prazer para mim obedecer-lhe:

"Deus povoou os mundos de seres vivos e todos concorrem para o objetivo final da Providência. Acreditar que os seres vivos estejam limitados apenas ao ponto que habitamos no Universo seria pôr em dúvida a sabedoria de Deus, que nada fez de inútil e deve ter destinado esses mundos a fim mais sério do que o de alegrar os nossos olhos. Nada, aliás, nem posição, no volume ou na constituição física da Terra, pode razoavelmente levar-nos à suposição de que ela tenha o privilégio de ser habitada, com exclusão de tantos milhares de mundos semelhantes.

"As condições de existência dos seres nos diferentes mundos devem ser apropriadas ao meio em que têm de viver. Se nunca tivéssemos visto peixes, não compreenderíamos como alguns seres pudessem viver na água. O mesmo acontece com outros mundos, que sem dúvida contêm elementos para nós desconhecidos. Não vemos na Terra as longas noites polares iluminadas pela eletricidade das auroras boreais? Que impossibilidade haveria para a eletricidade ser mais abundante que na Terra, desempenhando um papel geral cujos efeitos não podemos compreender? Esses mundos podem conter em si mesmos as fontes de luz e calor necessários aos seus habitantes."

— Auroras boreais, Vovô, o que são? — perguntou Alessandra.

— São um fenômeno luminoso que às vezes se produz no céu das regiões polares. Tais auroras se dão tanto no polo norte como no polo sul; apresentam-se sob a forma de um arco luminoso, do qual saem jatos de luz que ardem no espaço; são devidas à luminescência de partículas elétricas cuja trajetória são desviadas para os polos pelo campo magnético, ensina-nos o pai dos burros.

— Pai dos burros, Vovô, o que é isso?! — perguntaram os netos, admirados.

— É o dicionário; vocês não veem que o estou consultando?

Considerações e Concordâncias Bíblicas Relativas à Criação

— E a Bíblia, Vovô, o que o senhor acha dos ensinamentos da Bíblia? — perguntou dona Purezinha.

— A Bíblia é um repositório de ensinamentos morais do mais alto interesse para a Humanidade; porém, é muito poética quando trata das coisas materiais. Por exemplo: a Bíblia nos diz que o mundo foi criado em seis dias e que Deus formou o homem fazendo um bonequinho de barro e, assoprando-o, deu-lhe vida. É uma imagem simbólica que nos demonstra que o Espírito vem de Deus e a carne provém da matéria terrena, para a qual volta pela decomposição do corpo. Diz-nos também que Ele formou Eva de uma costela de Adão: é outro símbolo que nos ensina a íntima ligação que há entre o homem e a mulher, de cuja união depende a vida e a conservação da Humanidade. Contudo, apareceu a Ciência. E a Ciência avança inexoravelmente e põe cada coisa em seu devido lugar. Assim, a Geologia nos demonstra que a formação do globo está gravada em caracteres que se não apagaram no mundo fóssil e está provado que os seis dias da Criação, como nos diz a Bíblia, representam outros tantos períodos, cada um deles, talvez, de muitas centenas de milhares de anos.

— Fóssil, o que vem a ser, Vovô? — perguntou dona Angelina.

— Fóssil são os restos, ou mesmo vestígios, conservados numa rocha, de um ser que viveu antes da época atual, isto é, há milhares de anos. E a Geologia é a Ciência que tem por objeto a descrição, o estudo dos materiais que constituem o globo terrestre, o estudo das transformações atuais e passadas que se processaram na Terra, inclusive o estudo dos fósseis, ou seja, restos de animais e plantas que as rochas conservaram e até vestígios deles que se gravaram nelas. Nos museus, vocês terão oportunidade de ver vários fósseis reconstituídos e estudados pela Ciência.

— Já vimos, Vovô, no museu em São Paulo tem; um dia nosso professor de História Natural nos levou lá — disse Paulo Guilherme.

— Agora — continuou Vovô — há um fóssil que desempenhou, desempenha e ainda por muito tempo desempenhará um papel importantíssimo em nossa civilização e facilitou muitíssimo a vida em nosso planeta...

— Um doce para quem souber! — bradou o sr. Vésper, interrompendo Vovô.

Os ouvintes se entreolharam boquiabertos: não sabiam.

— Vésper, por favor, responda à pergunta.

— É o combustível fóssil que se apresenta em dois estados: a hulha e o petróleo. A hulha, também chamada carvão de pedra, é um combustível mineral fóssil sólido, proveniente de vegetais que sofreram no decorrer dos milênios uma transformação que lhe confere grande poder calorífero. O petróleo é formado pela decomposição de substâncias orgânicas sob a ação de micróbios anaeróbios...

— Tio Vésper... — clamaram diversas vozes.

— Já sei e vou explicar: micróbios anaeróbios são certos organismos que podem viver fora do contato do ar ou do oxigênio livre. Era isso o que queriam perguntar?

— Sim, Tio Vésper — respondeu Thiago por todos. — Mais uma pergunta: gasta-se tanta gasolina, que um dia talvez o petróleo acabe e também a hulha; nesse caso, como se vai fazer? Esses combustíveis fósseis ainda se reproduzem?

— Não. Não se produzem mais; produziram-se em épocas geológicas muito longínquas da atual. Mas haverá outras fontes de energia; Deus não se esquece de seus filhos, muito embora seus filhos, por vezes, se esqueçam d'Ele.

— A Antropologia...

— Lá vem de novo coisa que não entendo! Antro... antro... o quê? Vai ver que é grego. Esses gregos estão metidos em toda parte!

— De fato, é grego, Carolina Maria. Antropologia, palavra formada de duas palavras gregas e um sufixo: *anthropos*, homem; *logos*, tratado, Estudo. Antropologia é a ciência que estuda o homem — explicou-lhe o sr. Vésper.

— Ahahah! Agora já sei! — concluiu Carolina Maria.

— A antropologia — continuou Vovô — nos ensina que o homem é o produto de uma evolução animal de muitíssimos milhões de anos, e que o Espírito, esse sopro divino, passou por milhões de milhões de experiências para chegar ao que é hoje.

— Como isso tudo é grandioso, Vovô! — exclamaram os ouvintes pequenos e grandes, extasiados.

— É verdade, grandioso. A Ciência, hora por hora, nos demonstra a grandiosidade de Deus. Eis o que nos diz *O Livro dos Espíritos*:

"A Ciência escavando os arquivos da Terra, descobriu a ordem em que os diferentes seres vivos apareceram na sua superfície, e essa ordem concorda com a indicada no Gênesis, com a diferença de que essa obra, em vez de ter saído miraculosamente das mãos de Deus, em apenas algumas horas, realizou-se, sempre pela sua vontade, mas segundo as leis das forças naturais, em alguns milhões de anos. Deus seria, por isso, menor e menos poderoso? Sua obra se tornaria menos sublime, por não ter o prestígio da instantaneidade? Evidentemente, não. É preciso fazer da Divindade uma ideia bem mesquinha, para não reconhecer a sua onipotência nas leis eternas que ela estabeleceu para reger os mundos. A Ciência, longe de diminuir a obra divina, nos mostra sob um aspecto mais grandioso e mais conforme com as noções que temos do poder e da majestade de Deus, pelo fato mesmo de ter ela se realizado sem derrogar as leis da Natureza".

— E sobre o dilúvio, Vovô; o que o senhor nos diz? — perguntou dona Purezinha.

— Houve mesmo o tal dilúvio, Vovô? — perguntou em seguida o sr. Vasco.

— Houve; temos dele dois relatos: um de Moisés na Bíblia, que é o mais conhecido; e outro, o de Gilgamesh; e também uma prova dele.

— Até uma prova do dilúvio, Vovô! — admirou-se Thiago.

— A Geologia nos prova que realmente houve o dilúvio, não na extensão universal, mas numa parte do mundo, na Mesopotâmia, uma região da Ásia entre os rios Tigre e Eufrates. Quem descobriu isso foi o arqueólogo Leonard Wooley, o qual, fazendo escavações na cidade de Ur, pátria de Abraão, no Eufrates, encontrou cerca de doze metros abaixo da superfície uma camada de argila. Essa camada era completamente desprovida de fragmentos e de entulhos e não tinha menos de dois metros e meio de espessura. Citando:

"Para a existência daquela camada aluvial, evidentemente natural, só podia haver uma explicação, que os geólogos poderiam dar com mais segurança do que os arqueólogos. Uma tremenda e catastrófica enchente devia ter inundado, em alguma época, a terra de Sumer (a Suméria, antiga região da baixa Mesopotâmia, próxima do Golfo Pérsico) uma enchente que, para deixar uma camada de vasa de dois metros e meio, só podia ter vindo do mar ou de todas as comportas do céu. Devia, segundo a Bíblia, no capítulo 6,1 do Gênesis, ter coberto vales e montes num dia!... e pelas escavações da Mesopotâmia não se pode mais duvidar de que a grande inundação, cujos vestígios insofismáveis se tinham encontrado ali, fora causada pelo dilúvio. Claro que a inundação histórica que deu origem ao mito do dilúvio não destruiu a raça humana..."

Os ouvintes, como que suspensos dos lábios de Vovô, mal respiravam; quem quebrou o silêncio foi Bruno, exclamando:

— Papagaio! Agora só nos resta saber quem foi Gilgamesh, Vovô.

— Gilgamesh foi um poeta épico sumeriano, cuja narração do dilúvio em nada desdiz da narrativa de Moisés.

O relógio badalou e Carolina Maria berrou:

— Caaafééé...

Dirigindo-se à sala de jantar, Vovô perguntou a Paulo Guilherme:

— O que você faz escrevendo à tarde toda lá na biblioteca?

— Vovô, descobri um tesouro; é um caderninho de capa verde com um rótulo: "Retalhos Luminosos", escritos pelo senhor; são pensamentos que o senhor retirou dos livros que leu; são lindíssimos; estou copiando-os num caderno para mim; já copiei centenas deles, mas ainda falta muito para terminar; quero tê-los todos.

— Pois então hoje não vai ter história. Você lerá alguns durante o café.

— Com prazer! — e Paulo Guilherme leu:

Retalhos Luminosos

"Todos os seres entre os quais te achas são partículas de Deus."

* * *

"Não condenes o homem que cede às sugestões inferiores; estende-lhe a mão como a um irmão peregrino, cujos pés se enlamearam na lama do caminho."

* * *

"O microscópio descobriu o mundo das formas infinitamente pequenas; mas dentro dessas formas infinitamente pequenas, que o microscópio nos revela, existe um mistério que nenhum instrumento nos pode revelar: a VIDA."

* * *

"Pensa nos meninos que vão à escola em todos os países. O número é incalculável. Imagina que eles vão pelas ruazinhas dos vilarejos sossegados; pelas alamedas das cidades rumorosas; ao longo das praias; aqui sob um sol ardente, lá entre a neblina; de barca nos países entrecortados de canais, a cavalo nos sertões, nas fazendas, nos sítios; de trenó sobre a neve; por vales e pelas colinas, através das florestas e dos rios e pelos caminhos estreitos das montanhas. A sós, aos grupos, em bandos. Todos com os livros debaixo dos braços, vestidos de mil modos, falando mil línguas. Desde a última escola, quase perdida nas geleiras, até a escola encravada nas areias ardentes dos desertos, sombreadas pelas palmeiras. São milhões e milhões, e todos vão aprender as mesmas coisas. Faça uma ideia desse imenso formigar de crianças de cem países, desse formidável movimento do qual fazes parte e pensa: — Se esse movimento cessasse, a Humanidade voltaria à barbárie. Esse movimento é o progresso, é a esperança, é a glória do mundo. — Coragem, portanto, pequeno soldado desse estupendo exército. Os teus livros são as tuas armas, tua escola é a esquadra, o campo de batalha é a Terra inteira e a tua vitória é a civilização humana." (Edmundo de Amicis.)

* * *

"Certo negociante, rico e avarento, foi visitar um sábio rabino e este levou-o à janela, dizendo:
— Olha através da vidraça e dize-me o que vês.
— Vejo gente... muita gente... — respondeu o ricaço. O rabino conduziu-o, então, a um espelho e indagou:
— O que vês agora?
— Vejo minha própria imagem.
E o sábio prosseguiu:
— Repara bem e não te esqueças: tanto a janela como o espelho têm vidros. Mas, no espelho, o vidro é coberto por um pouco de prata e, quando há prata, deixas de enxergar os outros para enxergar a ti mesmo."

* * *

— Uma ideia! — exclamou o sr. Vésper. — Tenhamos após o serão, antes de merendarmos, uma tertúlia literária. São três serões semanais; portanto, três tertúlias. Uma fica a meu cargo, contarei histórias; as outras duas serão de vocês, com assuntos que colherão na biblioteca de Vovô. Aprovam?
— Aprovado, muito bem!

8ª Aula

Princípio Vital

Seres Orgânicos e Inorgânicos

— Vocês deverão ter notado que há seres que nascem, crescem, reproduzem-se e morrem: são os seres orgânicos, ou seja, possuidores de órgãos para as necessidades da vida. Os seres orgânicos são: o homem, os animais, as plantas. Os seres inorgânicos não possuem vitalidade, nem movimentos próprios, nem órgãos, e são formados apenas pela união da matéria: são os minerais.

— Há diferença de matéria entre os corpos orgânicos e inorgânicos, Vovô? — perguntou Paulo Guilherme.

— Nenhuma; a matéria é sempre a mesma; só que, nos corpos orgânicos, além da força de atração que une os elementos materiais, a matéria é o Sopro Divino solidificado pelo princípio vital; e os inorgânicos se formam pela força da atração. O princípio vital põe os órgãos em movimento e conserva-lhes a força e a vida, que no decorrer da existência se vai consumindo pouco a pouco; quando está gasto, sobrevém a morte do corpo, e o Espírito se retira. Posto que o princípio vital seja o mesmo para todos os seres vivos, modifica-se segundo as espécies; é ele que lhes dá atividade e os distingue da matéria inerte, porque o movimento da matéria não é a vida; ela, a matéria, recebe esse movimento, não o produz, ensina-nos O *Livro dos Espíritos*. E Allan Kardec comenta: "O conjunto dos órgãos constitui uma espécie de mecanismo, impulsionado pela atividade íntima ou princípio vital, que neles existe. O princípio vital é a força motriz dos corpos orgânicos. Ao mesmo tempo que o agente vital impulsiona os órgãos, a ação destes entretém e desenvolve o agente vital, mais ou menos como o atrito produz o calor".

A Vida e a Morte

— Por que é que a gente morre, Vovô? — perguntou Bruno.

— Quando a gente nasce, nosso corpo vem com uma determinada carga de princípio vital; durante a vida, vamos gastando essa carga de força; e, quando ela termina, largamos o corpo, isto é, desencarnamos: nosso corpo se decompõe e nosso Espírito vai para as regiões espirituais.

— A gente pode economizar o fluido vital para viver mais tempo, Vovô? — perguntou Luís Felipe.

— Pode e deve. Basta que tenhamos uma vida regrada, higiênica, sem vícios, sem abusos de qualquer espécie.

— Eu vou economizar o meu fluido vital — disse Angélica.

— Eu também. Eu também. Eu também! — afirmaram todos.

— Mas... como sempre... recorramos a O Livro dos Espíritos — continuou Vovô, pedindo a Paulo Guilherme que lesse o comentário. E Paulo Guilherme, demonstrando satisfação, leu:

"Após a morte do ser orgânico, os elementos que o formaram passam por novas combinações, constituindo novos seres, que haurem na fonte universal o princípio da vida e da atividade, absorvendo-o e assimilando-o, para novamente o devolverem a essa fonte, logo que deixarem de existir.

"Os órgãos estão, por assim dizer, impregnados de fluido vital. Esse fluido dá a todas as partes do organismo uma atividade que lhes permite comunicarem-se entre si, no caso de certas lesões, e restabelecerem funções momentaneamente suspensas. Mas quando os elementos essenciais do funcionamento dos órgãos foram destruídos, ou profundamente alterados, o fluido vital não pode transmitir-lhes o movimento da vida, e o ser morre.

"Os órgãos reagem mais ou menos necessariamente uns sobre os outros; é da harmonia do seu conjunto que resulta essa reciprocidade de ação. Quando uma causa qualquer destrói essa harmonia, suas funções cessam, como o movimento de um mecanismo cujas engrenagens essenciais se desarranjaram; como um relógio gasto pelo uso ou desmontado por um acidente, que a força motriz não pode pôr em movimento.

"Temos uma imagem mais exata da vida e da morte num aparelho elétrico. Esse aparelho recebe a eletricidade e a conserva em estado potencial, como todos os corpos da Natureza. Os fenômenos elétricos, porém, não se manifestam enquanto o fluido não for posto em movimento por uma causa especial, e só então se poderá dizer que o aparelho está vivo. Cessando a causa da atividade, o fenômeno cessa: o aparelho volta ao estado de inércia. Os corpos orgânicos seriam, assim, como pilhas ou aparelhos elétricos nos quais a atividade do fluido produz o fenômeno da vida: a cessação dessa atividade ocasiona a morte.

"A quantidade de fluido vital não é a mesma em todos os seres orgânicos: varia segundo a espécie e não é constante no mesmo indivíduo, nem nos vários indivíduos de uma mesma espécie. Há os que estão, por assim dizer, saturados de fluido vital, enquanto outros o possuem apenas em quantidade suficiente. É por isso que uns são mais ativos, mais enérgicos e, de certa maneira, de vida superabundante.

"A quantidade de fluido vital se esgota. Pode tornar-se incapaz de entreter a vida, se não for renovada pela absorção e assimilação de substâncias que o contêm.

"O fluido vital se transmite de um indivíduo a outro. Aquele que o tem em maior quantidade pode dá-lo ao que tem menos e, em certos casos, fazer voltar uma vida prestes a extinguir-se."

— Fazer voltar uma vida, Vovô, como?! — perguntaram admiradas Vovó Cirene e dona Purezinha.

— Sim; eis o que Allan Kardec nos diz, posto que sucintamente, em seu *O Livro dos Médiuns*, que é uma continuação de *O Livro dos Espíritos*:

"O Espírito encarnado pode agir sobre a matéria elementar e, portanto, modificar as propriedades das coisas dentro de certos limites. Assim, se explica a faculdade de curar pelo contato e pela imposição das mãos, que algumas pessoas possuem em elevado grau".

Inteligência e Instinto

— Vovô, o senhor pode explicar-nos o que é inteligência e instinto? — pediu dona Angelina.

— A inteligência é uma faculdade própria do nosso Espírito que, impulsionada pelo nosso pensamento, faz-nos agir segundo a nossa vontade, quer na parte moral, quer na parte intelectual, quer na parte espiritual. Por exemplo: não devo roubar, não devo viciar-me, porque são ações imorais; quero ler este livro, quero instruir-me, são ações intelectuais; vou orar, é uma ação espiritual. Isso tudo é comandado pela inteligência, porque a inteligência delibera. A inteligência é o livre-arbítrio, que é um poder, a faculdade de decidir, de determinar, dependente apenas da vontade.

O instinto é o movimento que domina os homens e os animais em seu procedimento. Pelo instinto, o homem pertence ao reino animal e, pela inteligência, pertence à Humanidade.

— Então temos dois Espíritos: o animal e o humano, Vovô? — perguntou Thiago.

— Não. O Espírito é um só; mas para que ele possa manter o seu corpo animal necessita do instinto; reparem que todas as necessidades de nosso corpo carnal são providas pelo instinto, desde as mais rudimentares às mais altas: são exigências do nosso corpo, que devem ser atendidas, pois são a parte animal da nossa vida. Vou dar-lhes dois exemplos marcantes do instinto animal que ainda perdura no homem terreno: reparem num nascituro; tão logo é envolto em suas roupinhas, começa a agitar os labiozinhos pedindo alimento; e com que sofreguidão suga com sua boquinha o bico do seio de sua mãezinha; ninguém lhe ensinou isso, pois ele mal acaba de nascer; no entanto, o instinto já agiu para conservar-lhe a vida. É sua inteligência que age? Não; sua inteligência ainda dorme. é o seu instinto que acordou e providencia as exigências de seu corpo orgânico, do seu corpo animal. Outro exemplo do instinto animal no homem: a puberdade. Atingida a idade púbere, o homem e a mulher despertam para a vida sexual incoercivelmente, e procuram no casamento a satisfação desse instinto, como os animais pelo acasalamento. É a inteligência que age? Não. É apenas o instinto sexual comum a todos os animais. E esse instinto é tão vivo no homem e na mulher como nos animais. Por quê? Para a preservação da espécie, para a continuação da Humanidade, para a vida animal que povoa a Terra.

— Mas, Vovô, no homem e na mulher não há só instinto: há alguma coisa mais! — disse dona Purezinha, como a reprová-lo.

— Sim e aqui, no casal, entra a parte moral, ou seja, do sentimento, do coração, o amor, o sublime amor, que transforma aquele instinto animal em rosas e flores!

— Então o instinto acompanhará sempre o Espírito, Vovô? — perguntou o sr. Vasco.

— Sempre, não. Enquanto o Espírito deva encarnar-se em mundos inferiores, em corpos materiais, sim. Quando o Espírito habitar em mundos onde não há invólucros grosseiros como na Terra, não. Nos mundos superiores, o Espírito não precisa do instinto, porque sua inteligência já o superou. Paulo Guilherme, lê para nós em O Livro dos Espíritos o comentário de Allan Kardec sobre a inteligência.

"A inteligência é uma faculdade especial, própria de certas classes de seres orgânicos, aos quais dá, com o pensamento, a vontade de agir, a consciência de sua existência e de sua individualidade, assim como os meios de estabelecer relações com o mundo exterior e de prover as suas necessidades.

"Podemos fazer a seguinte distinção: 1º) os seres inanimados, formados somente de matéria, sem vitalidade nem inteligência: são os corpos brutos; 2º) os seres animados não pensantes, formados de matéria e dotados de vitalidade, mas desprovidos de inteligência; 3º) os seres animados pensantes, formados de matéria e dotados de vitalidade e tendo ainda um princípio inteligente que lhes dá a faculdade de pensar."

— E agora você, Bruno, leia o comentário sobre o instinto.

E Bruno, recebendo o livro das mãos de Paulo Guilherme, leu:

"O instinto é uma inteligência rudimentar, que difere da inteligência propriamente dita, por serem quase sempre espontâneas as suas manifestações, enquanto as daquela são o resultado de apreciações e de uma deliberação.

"O instinto varia em suas manifestações, segundo as espécies e suas necessidades. Nos seres dotados de consciência e de percepção das coisas exteriores, ele se alia à inteligência, o que quer dizer, à vontade e à liberdade."

E como o relógio já dera o sinal, Carolina Maria foi pôr a mesa. E Tio Vésper contou-lhes a seguinte história:

O Presente

Alice era uma menina muito vaidosa; só apreciava os belos vestidos e as joias com que seus pais a presenteavam; não sabia dar valor a mais nada. Seus pais tudo faziam para corrigi-la desse péssimo defeito; mas Alice não dava ouvidos aos conselhos deles.

Alice resumia sua vida e seus pensamentos no que lhe agradasse os olhos e lhe lisonjeasse a vaidade. Desprezava os pobres, desdenhava as criadas que a serviam, criticava os avós por serem velhinhos e só se sentia feliz quando estava em companhia de outras meninas tão fúteis quanto ela. E, quando chegava o dia de seu aniversário, exigia que sua festa fosse mais pomposa do que a de suas coleguinhas.

Quando Alice completou 15 anos, houve uma grande festa em sua casa. Alice só dava atenção aos presentes; examinava-os atentamente e fazia um gesto de pouco caso quando recebia um presente mais humilde. Ela não ficou contente com o presente que seu tio e padrinho lhe dera: era um pequeno estojo envelhecido pelo tempo, e que ela não conseguiu abrir.

Depois que todos se retiraram, Alice apanhou o estojinho, mostrou-o à mamãe e fez-lhe ver a insignificância do presente que o titio lhe trouxera.

— Além do mais — disse ela — está tão velho que a ferrugem não deixa abri-lo.

Mamãe ficou muito contrariada por Alice não saber ser agradecida e, tentou demonstrar-lhe que a vaidade nunca deu bom resultado a ninguém. Alice, mal-humorada, retirou-se para seu quarto, onde atirou o estojo sobre a cômoda.

A lavadeira no dia seguinte veio buscar a roupa para lavar e trouxe consigo sua filhinha de 10 anos. Enquanto a mulher juntava a roupa, casualmente os olhos de Alice deram com o estojo, e uma ideia pouco sensata veio-lhe à cabeça.

— Para que guardar essa caixa enferrujada? — pensou.

E, apanhando o estojo, deu-o à menina da lavadeira. Mamãe não percebeu o gesto indelicado de Alice.

Passou-se algum tempo. E um dia o tio de Alice veio visitá-los. Durante o almoço, a conversa, em dado instante, girou sobre joias, e titio, voltando-se para Alice, perguntou-lhe:

— A propósito, Alice, gostaste do broche de brilhantes que te dei no dia do teu aniversário?

— Broche?! Titio! — gaguejou Alice tornando-se escarlate.

— Sim. Aquele estojinho envelhecido continha um belíssimo broche de ouro e brilhantes. Há muitos anos que essa joia pertence à nossa família. A última a usá-la foi tua tia, minha esposa, já desencarnada. E como não tenho filhas para usá-lo lembrei-me de que és a mais indicada para possuí-lo.

— Mas, Titio, a caixinha não se podia abrir de ferrugem! — exclamou Alice já em ponto de chorar.

— Bobinha! Não era ferrugem não. Só quem sabe o segredo é que pode abri-la. Depois te ensinarei o segredo.

Alice desandou a chorar. E, como não tinha remédio, teve de confessar que o tinha dado à filha da lavadeira, pois julgava o estojo sem valor nenhum.

Mamãe mandou chamar a lavadeira, explicou-lhe o que houve e pediu-lhe que devolvesse o cofrinho, ela foi buscá-lo e voltou com ele, entregando-o à Alice.

Titio, ensinando o segredo à Alice, abriu-o e um magnífico broche de brilhantes se apresentou aos olhos de todos.

Alice estava envergonhadíssima, mas no fundo não tinha mau coração. Imediatamente percebeu que fora vítima de sua excessiva vaidade; dirigiu-se ao titio, beijou-lhe as mãos e pediu que a perdoasse. E prometeu a todos que, daquela hora em diante, deixaria de ser vaidosa e fútil.

— Quando a vaidade, a futilidade, o orgulho, quiserem abrigar-se em meu coração colocarei em meu peito este broche como uma sentinela que me avisará de que minha alma está em perigo.

E assim foi. O caráter de Alice melhorou. Tornou-se simples e amiga de todos e de tudo. Nunca mais ela demonstrou vaidade; pelo contrário, cultivava cada vez mais um dos mais belos ornamentos da alma: a simplicidade.

9ª Aula

Livro Segundo

Mundo Espírita ou dos Espíritos

Dos Espíritos

Origem e Natureza dos Espíritos

O serão foi aberto por Alessandra, que perguntou:

— Vovô, qual a definição que podemos dar aos Espíritos?

— Os Espíritos são os seres inteligentes da Criação. Eles povoam o Universo além do mundo material.

— Por que são chamados filhos de Deus, Vovô?

— Porque são criados por Deus, minha netinha; são uma obra divina.

— Por que não vemos os Espíritos, Vovô? — perguntou Thiago.

— Porque nossos olhos de carne limitam nossa visão espiritual. Mas estou vendo uma porção deles aqui...

— Cruz-credo! — persignou-se comadre Zita. — Não quero ver nenhum não! Nem pensar...

— Nós somos Espíritos; eu, vocês; somente que agora somos Espíritos encarnados; o que nos separa dos Espíritos desencarnados é o nosso corpo de carne, nada mais.

— Como foram criados os Espíritos, Vovô? — perguntou dona Purezinha, pensativamente.

— Minha caríssima — respondeu o sr. Vésper —, os corpos de carne procedem uns dos outros; os Espíritos, não. É muitíssimo cedo para que saibamos como Deus os criou. Lembremo-nos de que somos alunos do primeiro ano primário...

Paulo Guilherme interrompeu o sr. Vésper e explicou:

— Muito fácil. Nosso corpo de carne não nasceu do corpo de carne de nossa mãe? Do mesmo modo, nosso Espírito nasceu do infinito Espírito de Deus. Tão fácil!

— Isso mesmo, primo! — bradou Angélica. — Nosso Espírito é um tiquinho pequenininho do corpo de Deus; por isso é que Ele é o nosso Pai, não é, Tio Vésper?

O sr. Vésper fez um sinal afirmativo com a cabeça, e voltando-se para Vovô, murmurou:

— Esses jovens!...

Dona Purezinha conservava-se como que alheia ao que falavam. Vovô interpelou-a:

— Por que está tão quieta, dona Purezinha?

— Uma coisa me está roendo os miolos: é difícil compreender que uma coisa que teve começo não tenha fim...

— O Livro dos Espíritos responde ao seu pensamento: "Há muitas coisas que não compreendeis, porque a vossa inteligência é limitada; mas não é isso razão para as repelirdes. O filho não compreende tudo o que o pai compreende, nem o ignorante tudo o que o sábio compreende. Nós vos dizemos que a existência dos Espíritos não tem fim; é tudo quanto podemos dizer, por enquanto".

Mundo Normal Primitivo

— O mundo dos Espíritos fica à parte do nosso, Vovô? — perguntou dona Angelina.

— O mundo dos Espíritos é o mundo espiritual, e o nosso é o mundo material. Os dois mundos são independentes, posto que em constante relação. Os Espíritos encarnados estão presos ao mundo material, e os desencarnados, livres, povoam o espaço infinito, ainda que para eles também haja um limite, que se alarga à medida que progridem em sabedoria e sentimento.

— Desses dois mundos, na ordem geral das coisas, qual o mais importante, qual o principal, Vovô? — perguntou o sr. Vasco.

— Sem dúvida nenhuma é o mundo espiritual, que preexiste e sobrevive a tudo. Os mundos materiais, como a Terra, por exemplo, com o decorrer dos milênios se desfarão; porém, o mundo espiritual ou dos Espíritos, jamais.

E o sr. Vésper, que folheava O Livro dos Espíritos, disse:

— Achei interessante, Vovô, essa pergunta, a nº 87, que Allan Kardec faz aos Espíritos, e a resposta deles. Posso lê-la?
— Mas que dúvida, meu caro Vésper! Somos todo ouvidos.

"*Pergunta 87* — Os Espíritos ocupam uma região circunscrita e determinada no espaço?"
"*Resposta*: Os Espíritos estão por toda parte; povoam o infinito, o espaço infinito. Há os que estão sem cessar ao vosso lado, observando-vos e atuando sobre vós, sem o saberdes; porque os Espíritos são uma força da Natureza e os instrumentos de que Deus se serve para o cumprimento de seus desígnios providenciais; mas nem todos vão a toda parte, porque há regiões interditas aos menos avançados."

Forma e Ubiquidade dos Espíritos

— Noto que nossa querida Carolina Maria está pensativa; em que você pensa, podemos saber? — perguntou-lhe Vovô carinhosamente.
— Em bobagens, Vovô: eu sempre pensei que o Espírito fosse uma fumacinha que sai de um traque. O traque estoura e sai a fumacinha; o corpo morria e saía a alma, como uma fumacinha. Agora aprendi que o Espírito, a alma é a gente mesmo!
— E por falar nisso, Vovô, que aspecto teremos, qual será a nossa fisionomia do lado de lá? Nós nos reconheceremos uns aos outros? — perguntou dona Angelina.
Vovô não respondeu; tomou-a pela mão e a conduziu diante do espelho grande da sala de jantar e perguntou:
— Como a senhora se vê no espelho, dona Angelina?
— Vejo-me a mim mesma; vejo-me como sou.
— Pois do lado de lá será a mesma coisa: a senhora se verá tal qual esse espelho a reflete: do lado de cá do espelho, seu corpo de carne; do lado de lá do espelho, isto é, refletido nele, seu corpo espiritual, ou seja, seu Espírito. E assim verá seus entes queridos como os via quando encarnados.
— É um consolo, um grande consolo! — murmurou dona Angelina.
— Ai de mim, ai de mim! — choramingou comadre Zita mirando-se no espelho. — Eu vou continuar nadeguda, barriguda, nariguda, também do lado de lá, como me estou vendo no espelho, Vovô?
— Que fumaçona você não seria se o Espírito fosse como Carolina Maria pensava, hein, comadre? — exclamou o sr. Vésper. Todos riram.

— Entretanto, o Espírito, ao atingir a perfeição, que é quando se liberta inteiramente da matéria, se assemelha a uma estrela brilhante a desferir raios de luz por todos os lados; porém, afora isso, sua forma é humana.

— Como é que eles andam, Vovô? — perguntou Angélica.

— Pelo pensamento: basta-lhes pensar em ir a determinado lugar e lá chegam com a rapidez do pensamento; para eles não há distância nem obstáculos; tudo o que é matéria eles atravessam facilmente.

— Então não precisam abrir a porta para sair ou entrar, Vovô? — perguntou Carolina Maria, meio assustada.

— Não, Carolina Maria, eles entram e saem sem abrir ou fechar portas — respondeu-lhe o sr. Vésper.

— Não, comigo não! Não vou arriscar-me; tenho experiência. Esperarei até que abram a porta! Isso de furar a parede, ou a porta com a minha cabeça, não! Tenho experiência. Esperarei até que abram a porta... Um dia, de noite, apagou-se a lamparina do meu quarto, fui à cozinha buscar fósforos, errei a porta e bati com o nariz na parede... Nada! só passarei por portas abertas, tenho experiência...

— E que experiência, hein, Carolina Maria? — exclamou a rir o sr. Vasco.

— Nem me fale...

— Eles podem estar em diversos lugares ao mesmo tempo, Vovô? — perguntou o sr. Vasco.

— Não, não podem; mas podem irradiar seus pensamentos para diferentes lugares ao mesmo tempo. O poder dessa irradiação é proporcional ao grau de pureza de cada um.

Perispírito

— O Espírito, enquanto não alcança a perfeição, tem alguma coisa que o resguarda, um corpo, por exemplo, Vovô? — perguntou Vovó Cirene.

— Sim, tem. Mas voltemos ao que vimos no espelho. Pela desencarnação, o Espírito perde o seu corpo carnal, o que estava do lado de cá do espelho; e fica o que estava do lado de lá do espelho, ou seja, o Espírito e seu corpo espiritual. Esse corpo espiritual é o perispírito, o qual reproduz exatamente o corpo material pelo qual nos podemos reconhecer uns aos outros. O perispírito se torna cada vez mais translúcido à medida que o Espírito progride. é por meio do perispírito que o Espírito desencarnado pode aparecer para nós tal qual era como quando encarnado. E enquanto estamos encarnados, o perispírito liga nosso Espírito ao nosso corpo de carne.

— Então, agora somos compostos de três coisas: o Espírito, o perispírito e o corpo de carne. Acertei, Vovô?
— Muito bem, Paulo Guilherme, acertou em cheio. E quando estivermos desencarnados?
— Seremos Espírito e perispírito. Certo?
— Certíssimo.
— Lá está Carolina Maria a nos chamar. Passemos agora à nossa tertúlia. De quem é o dia? — perguntou o sr. Vésper.
— Da Angélica — responderam todos.
— Vou ler-lhes uma poesia muito bonita; é de Francisca Júlia e se intitula

A Caridade

Ao lado de um portal, em abandono,
Um pobre cão vadio
Chora talvez a ausência de seu dono,
Tremendo de frio.

Prostrado está de fome e de cansaço;
Apagada e sumida,
Só lhe resta no olhar choroso e baço
Uma pouca de vida.

Esse olhar meigo e bom reflete e pensa...
E a pensar continua
Na dolorosa e amarga indiferença
Dos passeantes da rua.

Dos seus turvados olhos clara e mansa
Uma lágrima rola;
Desce a rua, sorrindo, uma criança
A caminho da escola.

Tem no rostinho uma expressão de glória
E de intensa alegria.
É que traz, bem sabidas, na memória.
As lições desse dia.

Para ao ver o animal, que se ergue e acorda;
E com muito carinho
Põe-se a alisar a mão rosada e gorda
Os pelos do focinho.

Nota com mágoa que o cãozinho chora
De fome, com certeza;
A alegria que tinha muda agora
Em desgosto e tristeza.

E tão triste se sente e de tal modo,
Que, delicada e meiga,
Lhe chega aos dentes o seu lanche todo
De pão, queijo e manteiga.

Agora o cãozinho se anima e se repasta
E todo o lanche come;
Já não tem fome, que esse lanche basta
Para matar-lhe a fome.

Ri-se a criança por ter tido ensejo
De fazer essa esmola,
Embora hoje, sem pão, manteiga e queijo
Tenha de ir para a escola.

— Linda! — exclamou Vovô. — Mas vamos à merenda de...
— Chá com biscoitos de polvilho — anunciou Carolina Maria.

10ª Aula

Diferentes Ordens de Espíritos

— Quem faz a primeira pergunta? — começou Vovô, correndo os olhos pela turminha e abrindo o serão.
— Eu, Vovô, eu! Os Espíritos do lado de lá são todos iguais? — perguntou Thiago.
— Respondo-lhe com outra pergunta: aqui do nosso lado, somos todos iguais?
— Não. Há diferenças. Uns são bons, outros maus; uns são piores, outros melhores; uns são inteligentes e outros não. Há os trabalhadores e os vagabundos, preguiçosos, e assim por diante.
— Você respondeu bem; do lado de lá é a mesma coisa. *O Livro dos Espíritos* nos ensina que há diferentes ordens de Espíritos, segundo o grau de adiantamento que cada um tenha alcançado. O número dessas ordens ou graus é ilimitado. Entretanto, ele os reduz a três, tomando por base os caracteres gerais dos Espíritos.
Na primeira ordem, ou seja, no mais alto degrau da escada estão os Espíritos puros, que já chegaram à perfeição.
Nos degraus do meio da escada estão os que se preocupam em fazer o bem e não perdem nenhuma oportunidade de fazê-lo; são trabalhadores, bondosos, e evitam o mal por pequeno que seja.
E nos primeiros degraus da escada estão os Espíritos que só se ocupam das coisas materiais e não se importam de praticar o mal, de prejudicar os outros para conseguir seus intentos.

Escala Espírita

— Para classificar os Espíritos, Allan Kardec elaborou a ESCALA ESPÍRITA. Essa escala serve tanto para os Espíritos desencarnados como para os encarnados, pois todos os Espíritos nela classificados vocês encontrarão entre os homens e as mulheres, menos os da primeira ordem, que não mais necessitam da encarnação terrena por terem alcançado a perfeição que a Terra lhes podia proporcionar.

— E para onde foram, Vovô? — perguntou Bruno.

— Livres da matéria, habitam mundos espirituais ainda inacessíveis ao nosso entendimento.

Terceira Ordem: Espíritos Imperfeitos

Caracteres gerais: dão atenção apenas às coisas materiais; propendem para o mal, para os vícios; são orgulhosos e egoístas. Essa ordem consta de cinco classes principais, que são:

Décima classe: Espíritos impuros — são inclinados ao mal, do qual fazem objeto de suas preocupações. Como Espíritos, dão conselhos pérfidos, incitam a discórdia, a desconfiança e usam todos os disfarces para melhor enganar. Apegam-se às pessoas de caráter bastante fraco para cederem às suas sugestões, a fim de as levar à perda, satisfeitos de poder adiar o seu adiantamento ao fazê-las sucumbir ante as provas que sofrem. Quando encarnados, inclinam-se a todos os vícios que as paixões vis e degradantes engendram: a sensualidade, a crueldade, a felonia, a hipocrisia, a cupidez e a avareza sórdida. Fazem o mal pelo prazer de fazê-lo, no mais das vezes sem motivo e, por aversão ao bem, quase sempre escolhem suas vítimas entre as pessoas honestas. Constituem verdadeiro flagelo para a Humanidade, seja qual for a posição social que ocupem, e o verniz da civilização não os livra do opróbio e da ignomínia.

Nona classe: Espíritos levianos — são ignorantes, maldosos, irresponsáveis; metem-se em tudo, e a tudo respondem sem se importarem com as consequências; são intrigantes: gostam de semear intrigas, desavenças, mexericos.

Oitava classe: Espíritos pseudossábios — têm bons conhecimentos, mas julgam saber mais do que realmente sabem; sua linguagem tem um aspecto sério, que pode iludir quem os ouve quanto à sua capacidade e saber. Geralmente são presunçosos, orgulhosos, invejosos e teimosos.

Sétima classe: Espíritos neutros — não são bons nem maus; tendem tanto para um lado como para outro, conforme as ocasiões. Muito apegados às alegrias grosseiras deste mundo.

Sexta classe: Espíritos batedores e perturbadores — esses Espíritos não formam, propriamente falando, uma classe quanto às suas qualidades pessoais e podem pertencer a todas as classes da terceira ordem; gostam de perturbar. E, como Espíritos, se manifestam por barulhos, pancadas, etc. São muito apegados à matéria.

Segunda Ordem: Espíritos Bons

Caracteres gerais: predominância do Espírito sobre a matéria; compreendem Deus e o Infinito e já gozam da felicidade dos bons. Sentem-se felizes quando fazem o bem e impedem o mal. O amor para eles é uma fonte de felicidade. Quando encarnados, são bons e benevolentes para com todos; não são orgulhosos, nem egoístas, nem ambiciosos; não têm ódio nem rancor, nem inveja, nem ciúmes e fazem o bem pelo bem. Podemos dividi-los em quatro grupos principais:

Quinta classe: Espíritos benévolos — neles predomina a bondade e gostam de prestar serviços aos homens. Progrediram mais no sentido moral do que no intelectual.

Quarta Classe: Espíritos sábios — seus conhecimentos são vastos; preocupam-se com a Ciência, mas no sentido de fazê-la útil aos homens.

Terceira classe: Espíritos prudentes — possuem qualidades morais muito elevadas; têm grande capacidade intelectual para julgar os homens e as coisas.

Segunda classe: Espíritos superiores — reúnem a Ciência, a sabedoria e a bondade; já estão livres das encarnações terrenas; e quando, por exceção, se encarnam na Terra, é para cumprir uma missão de progresso, e então nos oferecem o tipo de perfeição a que podemos aspirar neste mundo.

Primeira Ordem: Espíritos Puros

Caracteres gerais: nenhuma influência da matéria; superioridade absoluta em relação aos Espíritos das outras ordens.

Primeira classe: Classe única — Espíritos que subiram todos os degraus da escada e se libertaram de todas as impurezas da matéria; gozam da felicidade pura junto a Deus, porém não estão inativos: ajudam o Pai a tratar do Universo e de tudo o que ele contém; e, porque compreendem sua vontade, tornam-se seus ministros.

— E agora, meus caros companheiros de serão, a que classe de Espíritos cada um de vocês julga pertencer? — perguntou Vovô.

Entreolharam-se mudamente. Foi dona Purezinha quem respondeu:

— Vou estudar muito bem essa escala, Vovô, e depois lhe direi a que classe de Espíritos penso pertencer. E Carolina Maria anunciou:

— Hora das historinhas e depois café com bolo de fubá.

Vovô lembrou-se de perguntar:

— E você, Carolina Maria, não sabe nenhuma historinha?

— Sei algumas, Vovô. Mas são historinhas velhas, do tempo da escravidão, que minha avó, já velhinha, nos contava.

— Pois então conte-nos uma, vamos!

E Carolinha Maria, um pouco acanhada, contou-nos a história d'

O Aguadeiro

Quando, no dia 22 de setembro de 1820, o veleiro *Fortuna* deixou as costas da África, trazia em seu bojo duzentos e vinte escravos. Eram fortes e escolhidos e, segundo o costume observado nos navios negreiros, distribuíam-se os homens no porão, as mulheres nas cabinas e os meninos e meninas na coberta. Na véspera do embarque, tiveram a sua festa; isto é, no barracão em que foram encerrados, foi-lhes dado muito alimento, o que lhes anunciou as últimas horas que passariam em seu país natal. Em seguida, em grupos de dez, foram conduzidos de bote para o brigue. O *Fortuna*, com vento favorável, desfraldou as velas e rumou para o Brasil.

Nesse lote de cativos, havia uma família completa, pai, mãe e três filhos: duas meninas e um rapazinho já de seus 15 anos. O infortúnio fizera com que caíssem nas mãos de traficantes de escravos; foram arrancados de sua cubata no Congo, e, depois da viagem a pé pelos trilhos da selva, atados dois a dois com mais companheiros de desdita, embarcados naquele navio.

Embora no mesmo barco, a família estava separada: as duas meninas na coberta, a mãe na cabina, o pai e o filho no porão.

Quais os nomes deles? Quem o saberá? Os registros não guardaram seus nomes africanos. Chamemos, contudo, o rapaz de Toninho.

Toninho, desde que foi apanhado, sentia uma dor funda no peito; dor que parecia aumentar à medida que se distanciava de sua terra. Era a saudade que se aninhava em seu coração, saudade de sua cubata, da qual, à noite, ouvia o rugir dos leões e as serpentes ciciarem no meio da floresta escura.

Desembarcaram no Rio de Janeiro, onde foram levados para o mercado de escravos, o Valongo, e aí se reuniram pela última vez, antes de serem todos vendidos. Os compradores os separaram: uma família que morava numa casa grande nas Laranjeiras comprou as duas meninas, a serem educadas como criadas de servir; o pai foi comprado por um português que tinha uma casa de pasto ao pé do cais; a mãe, uma senhora de Niterói a levou. Restou Toninho, que viu sua família desmembrar-se e sua dor cresceu a ponto de ser bem visível em seus olhos negros. Por fim, também foi adquirido pelo proprietário de uma chácara nos arredores da cidade. E cada um deles começou a trabalhar para seus senhores.

Um só pensamento desde então acompanhou Toninho; pensamento que lhe minorava a dor funda que sentia no peito: o de libertar sua família, alforriar seus pais, suas irmãs, a si mesmo, e tornarem a ser a família que eram na pátria distante.

Parece que a Providência favoreceu Toninho. Na chácara de seu dono havia uma fonte de água cristalina, e veio-lhe a ideia de vender água na cidade; arranjou um carrinho com cinco barriletes e mandou Toninho vender água; para estimulá-lo, deu-lhe o produto da venda do quinto barril. Assim, de cada cinco barriletes que o escravo vendia, quatro eram de seu amo e um para si.

Toninho tornou-se um aguadeiro e pouco depois era conhecido como o negro da água. Quando apontava na rua e lançava o seu pregão:

Água fresquinha!
Olha a água, sinhá!
Fresquinha, sinhô
Olha a água, sinhá!
Todos gritavam:

"Lá vem o 'Nego d'água!'" E baldes e bilhas e potes apareciam nas portas, carregados pelas criadas que acorriam a comprar a deliciosa água da fonte.

Trabalhava como um mouro, isto é, como um verdadeiro escravo! Nem bem rompia a manhã, já estava na cidade com seu primeiro carregamento de água; e não parava mais até cair exausto à noite, no fundo da senzala, depois de ter prestado contas ao patrão. Não que seu dono lhe exigisse um trabalho forçado, isso não. Mas com o olho no barrilete que lhe tocava em cada viagem, o rapaz não descansava. E não descansava porque queria comprar a liberdade de seus familiares.

A esperança renascera em seu coração e, renascendo, afugentara a dor que sentia no peito. A escravidão, iluminada pela esperança, já não lhe pesava tanto. Seu único encargo era vender a água, o que dava bom lucro ao proprietário e, por isso, afora a vigilância que exerciam na fonte, gozava de total liberdade. A porcentagem que lhe tocava, e que era respeitada religiosamente, ele a guardava avaramente. Dia a dia, suas patacas aumentavam. Tinha o prazer de ver, quase todos os dias, seu pai trabalhando na casa de pasto, porque até por ali tinha seus fregueses; e três vezes por semana vendia água para a casa de suas irmãs, as quais corriam a encontrá-lo, logo que ouviam:

Água fresquinha!
Olha a água, sinhá!
Fresquinha, sinhô!
Olha a água, sinhá!

O difícil era ver sua mãe, que morava em Niterói, do outro lado da baía. Mas quando havia oportunidade de acompanhar a senhora ao Rio, ela dava sempre um jeito de passar pela casa de pasto para ver o marido. E assim Toninho sempre sabia dela, e ela dos seus.

Depois de árduo e persistente trabalho, ajuntou o dinheiro para alforriar o pai, o qual se pôs imediatamente a trabalhar vendendo doces. Em seguida libertaram a mãe. Já eram três a trabalhar, ganhando e economizando o mais que podiam. Não demorou muito, e compraram a liberdade das duas filhas, já mocinhas. Só lhes faltava agora Toninho que fizera questão de ficar por último.

Certa vez, o pai de Toninho foi à chácara e receberam-no na sala de visitas da casa-grande; quando se retirou, Toninho estava livre. Ele não era mais o rapaz que viera da África no bojo de um navio negreiro; tornara-se homem-feito, alto e forte, de músculos desenvolvidos no duro trabalho de aguadeiro, ofício que ele exerceu ainda por muitos anos, porém agora com uma carroça puxada por um burro e como sócio de seu ex-dono. Todavia, seus olhos refletiram sempre a saudade da cubata de sua infância; e seus ouvidos, por vezes, como que ouviam os urros dos leões e o ciciar das serpentes na floresta escura tão distante.

Aqui Carolina Maria terminou. Estavam todos comovidos. E Tio Vésper levantou-se, abraçou e beijou Carolina Maria.

11ª Aula

A Progressão dos Espíritos

— Como os alunos de uma escola, assim é o progresso dos Espíritos. O aluno entra numa escola sem saber nada; e nós, Espíritos, começamos nossa aprendizagem através de nossas encarnações sucessivas, também sem saber nada.

— E por que começamos sem saber nada, Vovô? — perguntou Alessandra.

— Porque Deus nos criou simples e ignorantes; e pelos nossos esforços e pela orientação de Espíritos mais adiantados rumamos para a perfeição. Vocês também não nasceram simples e ignorantes e, encaminhados por seus pais e professores, não estão aprendendo tudo? Vocês vão para a escola, os Espíritos vão para as encarnações, que são a escola dos Espíritos.

— Há alunos que repetem o ano; há Espíritos que repetem as encarnações, Vovô? — perguntou Thiago.

— Por que há alunos que repetem o ano? Porque não estudam as lições, não são aplicados, são bagunceiros, e no fim do ano é bomba na certa. É a mesma coisa com os Espíritos: encarnam-se com um determinado programa a cumprir; um programa de progresso, de trabalho, de bom comportamento, de estudo; porém, não o cumprem, comportam-se mal durante a vida, fazem o que não devem; e, quando passam para o lado de lá... bum! A bomba os espera. E toca a começar tudo de novo, por vezes em situações mais difíceis.

— Por que Deus já não cria os Espíritos perfeitos, sem necessidade de tanta luta, Vovô? — perguntou o sr. Vasco.

— Pela mesma razão que nossos filhos não nascem sabendo; os pais lhes dão a vida terrena e os meios de viverem, de se instruírem. Do mesmo modo os Espíritos: Deus os cria, o resto depende deles próprios, para o que não lhes faltarão meios.

— O caso é — disse o sr. Vésper — que Deus faz os Espíritos todos iguais e os coloca em frente da escada; daí por diante que se arranjem para subir.

— E a gente não pode cair da escada, Tio Vésper? — perguntou Angélica.

Todos riram e Vovô respondeu:

— Cair da escada ou voltar aos primeiros degraus não é possível. Ocorre que os Espíritos podem estacionar por mais ou menos tempo num mesmo degrau, mas voltar, não. O que cada um conquistou é para sempre.

— E as pessoas que cometem o mal, muito mal mesmo, Vovô? Que degrau ocupam na escada? — perguntou Carolina Maria.

— Ocupam o degrau que já alcançaram, porém só terão o direito de subir ao degrau seguinte depois de terem corrigido o mal que praticaram.

— São repetentes — disse Paulo Guilherme. — O aluno repetente fica no mesmo ano até fazer um bom exame.

— Isso mesmo, meu neto. Para isso, temos o livre-arbítrio.

— O que o senhor disse? Livre-arbítrio, Vovô? — perguntou Bruno.

— Livre-arbítrio é o direito que Deus nos dá de fazer o que quisermos e como quisermos. Temos plena liberdade de ação. Contudo, é importante que não nos esqueçamos de que somos plenamente responsáveis pelas consequências de nossos atos: se forem maus, de nada adiantarão choros ou desculpas; se forem bons, seremos recompensados. Portanto, a escolha é nossa; tal é o livre-arbítrio.

— Vovô — perguntou dona Purezinha —, todos os Espíritos são maldosos antes de chegarem a ser bondosos?

— Maldosos não, mas ignorantes. Através de um sem-número de experiências é que se lhes desperta a compreensão. Deus não os criou maus e, sim, simples e ignorantes; aptos tanto para o bem como para o mal; a escolha cabe ao Espírito. À medida que o Espírito desenvolve o seu livre-arbítrio, mais e mais toma consciência de si mesmo. Todavia, é preciso compreender que a causa do mal não está nele e, sim, no exterior, nas influências a que cede por sua livre vontade. O Espírito tem a liberdade de seguir o caminho que quiser. Essas influências lhe vêm de Espíritos imperfeitos, encarnados ou desencarnados, que se comprazem no mal, muito embora haja Espíritos bons, também encarnados ou desencarnados, que lhes sugerem o bem. Contudo, a escolha é sempre do Espírito, o que lhe dá o mérito de suas próprias obras.

— E aqueles Espíritos, Vovô, que desde o começo de sua evolução sempre seguiram o caminho do bem e, assim, alcançaram o grau supremo: têm eles aos olhos de Deus mais mérito do que aqueles que se extraviaram pelo caminho do mal, ou seja, que cometeram muitos males antes de se conscientizarem do bem? Têm eles menos merecimento aos olhos de Deus? — perguntou dona Angelina.

— Deus contempla os extraviados com o mesmo olhar amoroso e ama a todos do mesmo modo; são chamados de maus porque sucumbiram às tentações, deram ouvidos às más influências. Mas, no princípio, eram simples e ignorantes, como os que já se purificaram. Jesus nos dá uma imagem perfeita disso na sua historieta preciosa do filho pródigo. Vocês a conhecem? Não? Pois vão conhecê-la. Paulo Guilherme, vá à biblioteca e traga-me o Novo Testamento, isto é, o Evangelho de Jesus.

— Deixe-me lê-la, Vovô, eu adoro essa parábola — pediu dona Purezinha.

E, com sua voz suave, leu:

O Filho Pródigo

"Disse ainda Jesus: 'Um homem tinha dois filhos. E disse o mais moço ao pai: — Pai, dai-me o quinhão da herança que me toca. — Fez o pai as partilhas e, poucos dias depois, o filho mais moço, tomando o que era seu, se ausentou para terras distantes, onde estragou toda sua fortuna em devassidões. Tendo tudo gasto, ficou na penúria, com que foi alugar-se a um dos moradores, o qual o mandou para um sítio tratar de porcos. Ali desejava fartar-se com o resto das bolotas que os porcos comiam, mas ninguém lhe dava. Afinal, caindo em si, disse: — Quantos empregados na casa de meu pai têm pão a fartar e eu aqui a morrer de fome! Levantar-me-ei e irei a meu pai e lhe direi: — Pai, pequei contra o céu e para convosco. Já não sou digno de ser chamado vosso filho; tratai-me como um de vossos empregados. — E levantando-se foi a seu pai. E estando ainda longe, o pai avistou-o e, movido de compaixão, correu, lançou-se-lhe ao pescoço e o beijou. Mas o filho lhe disse: — Pai, pequei contra o céu e ante vós; não sou já digno de ser chamado vosso filho! — O pai não o deixou acabar e foi dizendo aos criados: — Depressa, trazei-me aqui a mais bela túnica e vesti-o, ponde-lhe um anel no dedo e calçado nos pés; e trazei-me um vitelo gordo e matai-o; vamos fazer um alegre festim. Porque este meu filho estava morto e revive; estava perdido e eu o achei. — Entretanto, o filho mais velho estava no campo e, ao voltar a casa, vendo os preparativos do banquete e as músicas e as cantorias em honra do irmão, ficou enfadado e queixou-se ao pai, dizendo-lhe: — Há tantos anos que eu vos sirvo, sempre obediente aos vossos mandados e nunca me deste sequer um cabrito para eu me regalar com meus amigos. Mas, assim que voltou esse vosso filho, que estragou toda a sua fortuna com pessoas de má vida, mandais matar em honra sua o vitelo gordo. — Então lhe disse o pai: — Meu filho, tu estás sempre comigo e tudo o que é meu é teu. Mas era preciso dar um festim e alegrar-nos, porque este teu irmão estava morto e reviveu, estava perdido e eu o achei'".

— Linda, não? — exclamou Vovô, e prosseguiu: — Contudo, os Espíritos que seguem desde o princípio o caminho do bem, nem por isso são Espíritos perfeitos; se não têm más tendências, não estão menos obrigados a adquirir a experiência e os conhecimentos necessários à perfeição. Podemos compará-los a crianças que, qualquer que seja a bondade de seus instintos naturais, têm necessidade de desenvolver-se, de esclarecer e não chegam sem transição da infância à maturidade. Assim como temos homens que são bons e outros que são maus desde a infância, há Espíritos que são bons ou maus desde o princípio, com a diferença capital de que a criança traz os seus instintos formados, enquanto o Espírito, na sua formação, não possui mais maldade que bondade. Ele tem todas as tendências e toma uma direção ou outra em virtude de seu livre-arbítrio.

Anjos e Demônios

— E os anjos e os demônios, como são, Vovô? — perguntou comadre Zita.

— Os anjos e os demônios das religiões clássicas não existem. Anjos e demônios somos nós mesmos: sempre que fazemos o mal somos demônios e sempre que fazemos o bem somos anjos. Entretanto, podemos designar por anjos os Espíritos puros que já alcançaram a perfeição; por demônios, os Espíritos atrasados, imperfeitos, que ainda cedem às tentações do mal...

Aqui Angélica interrompeu Vovô, falando rapidamente e olhando para Bruno:

— Vovô, o Bruno hoje foi demônio: esmagou uma joaninha azul tão bonitinha que pousava na roseira...

— Só eu, anjinha? E você, que foi fuçar no ninho do passarinho do pé da fruta-do-conde e quebrou um dos ovinhos? Isso você não fala, não é?

Vovó Cirene atalhou:

— Vão discutir de novo? Anjos é que vocês ainda não são!

Calaram-se. E Vovô, folheando *O Livro dos Espíritos*, disse:

— Para encerrar esse capítulo, vamos ler o comentário de Allan Kardec a respeito deste assunto. Como é um pouco extenso, cada um de vocês lerá um trecho.

E Paulo Guilherme, designado por Vovô, leu:

"A palavra demônio não implica a ideia de Espírito mau, a não ser na sua acepção moderna, porque o termo grego *daimon*, de que ela deriva, significa gênio, inteligência e se aplicou aos seres incorpóreos, bons ou maus, sem distinção.

"Os demônios, segundo a significação vulgar do termo", continuou Luís Felipe, seriam entidades essencialmente malfazejas: e seriam, como todas as coisas, criação de Deus. Mas Deus, que é eternamente justo e bom, não pode ter criado seres predispostos ao mal por sua própria natureza e condenados pela Eternidade.

Se não fossem obra de Deus, seriam eternos como Ele e, nesse caso, haveria muitas potências soberanas.

"A primeira condição de toda doutrina é ser lógica", prosseguiu Angélica; "ora, a dos demônios, no seu sentido absoluto, falha neste ponto essencial. Que na crença dos povos atrasados, que não conheciam os atributos de Deus, admitindo divindades malfazejas, também se admitissem os demônios, é concebível; mas, para quem quer que faça da bondade de Deus um atributo por excelência é ilógico e contraditório supor que Ele tenha criado seres voltados ao mal e destinados a praticá-lo perpetuamente, porque isso seria negar a sua bondade."

— É a vez de Thiago — disse Vovô.

"Os homens fizeram com os demônios o mesmo que com os anjos. Da mesma forma que acreditaram na existência de seres perfeitos, desde toda a eternidade, tomaram também os Espíritos inferiores por seres perpetuamente maus. A palavra demônio deve, portanto, ser entendida como referente aos Espíritos impuros, que frequentemente não são melhores que os designados por esse nome, mas com a diferença de ser o seu estado apenas transitório. São esses Espíritos imperfeitos que murmuram contra as suas provações e por isso as sofrem por mais tempo, mas chegarão, por sua vez, quando se dispuserem a tanto. Poderíamos aceitar a palavra demônio com essa restrição. Mas, como ela é agora, num sentido exclusivo, poderia induzir a erro, dando margem à crença na existência de seres criados especialmente para o mal.

"A propósito de Satanás", leu Bruno, "é evidente que se trata da personificação do mui sob uma forma alegórica, porque não se poderia admitir um ser maligno lutando de igual para igual com a Divindade e cuja única preocupação seria de contrariar seus desígnios. Como o homem necessita de imagens e figuras para impressionar sua imaginação, pintou os seres incorpóreos com formas materiais dotadas de atributos que lembram as suas qualidades ou os seus defeitos. Foi assim que os antigos, querendo personificar o Tempo, deram-lhe a figura de um velho com foice e uma ampulheta."

— É tua vez, Alessandra! — exclamou Vovô.

"Uma figura jovem, nesse caso, seria um contrassenso. O mesmo se deu com as alegorias da Fortuna, da Verdade, etc. Os modernos representaram os anjos, os Espíritos puros, como uma figura radiosa, com asas brancas, símbolos da pureza, e Satanás com chifres, garras e os atributos da bestialidade, símbolos das baixas paixões. O vulgo, que toma as coisas ao pé da letra, viu nesses símbolos entidades reais, como outrora vira Saturno na alegoria do Tempo."

Badalaram as nove horas.

— Vamos para a meeesaaaa e para a historinhaaaa!... — convidou Carolina Maria.

— Hoje a historinha é minha. Tenho-a prontinha — disse dona Purezinha. E contou:

A Primeira Aula de Catecismo Espírita

A multidão que afluíra desde que se fizera dia dispersara-se tão logo os raios causticantes do Sol pusera revérberos de intenso calor na areia fulva e nas coisas.

A calma do meio-dia se tinha apossado do lugarejo; os homens entregavam-se à sesta e a própria Natureza parecia adormecida. De quando em quando, uma brisa leve refrescava e aromatizava o ar com os perfumes que colhera ao passar pelas hortas e jardins.

Betânia experimentara uma manhã de desusado movimento: Jesus ali estava e a fama de seu nome tinha atraído gente de toda a redondeza. O Mestre a uns curara, a outros dera alento, a muitos aliviara, de alguns fortificara a fé vacilante, e a todos dera algum lenitivo para suas dores e uma resposta fraterna a seus queixumes. Ninguém voltou como viera: a bondade de Jesus provera a cada qual com um pouquinho do que necessitava para a caminhada terrena.

Agora Jesus descansava à sombra generosa de um limoeiro; um zéfiro brando brincava-lhe com os cabelos, como se quisesse colher por entre eles os pensamentos que daquela mente se irradiavam e ir esparramá-los além pelo largo mundo.

Os discípulos cediam ao cansaço que o atender ao povo lhes trouxera, e ao forte calor; e aqui e ali, espalhados junto ao Mestre e Companheiro, abandonavam-se também ao repouso, sem descuidar de vigiar-lhe o sono.

Súbito, por entre as sebes e as moitas, irrompeu um bando de meninos levados que fugiam do fundo da chácara vizinha, onde apanharam as frutas que puderam. Vermelhos pelo sol, suarentos, vinham com as camisas cheias de saborosos figos e no rosto a alegria da farta colheita, embora perigosa.

Os peraltas iam esgueirar-se por baixo da cerca, quando um deles reparou no grupo ao pé do limoeiro e, reconhecendo o homem do qual a vila inteira falava, exclamou:

— Olhem o Rabi, olhem o Rabi!

— Vamos vê-lo de perto — propôs outro.

E foram chegando. Os discípulos, despertados do sono, trataram logo de enxotá-los. O bando parou aturdido:

— Como! — pensavam. Estavam eles sendo repelidos pelos mesmos que conquistavam os homens e as mulheres com palavras de amor e ternura e com atos de esplendorosa benevolência! Devia ser engano! Não era possível que o meigo Rabi, de olhar tão profundo e manso, não gostasse dos meninos!

Jesus acordou. Compreendeu o que se passava e, com o coração transbordante de puros afetos, pronunciou o famoso convite, que ecoará para sempre, muito embora passem Céu e Terra:

— Deixem vir a mim os pequeninos, porque deles é o reino dos céus.

Cerrou-se o grupo em torno do Sublime Enviado e, no sossego estival de uma tarde luminosa, Jesus contou aos meninos extasiados as maravilhas sem-par de seu reino de luz, de paz, de harmonia, de perdão e de fraternidade. Falou-lhes da imortalidade da alma, dos trabalhos aos quais a alma se entrega para realizar dentro de si mesma o reino de Deus e refletir perenemente os esplendores do Pai celestial. Mostrou-lhes a infinita misericórdia do Senhor que não quer que nenhum de seus filhos se perca e amorosamente trata de toda a Criação.

As horas decorreram céleres. Descambava o Sol e a tarde vinha com suave frescor. Jesus levantou-se, tomou um menino em cada mão e dirigiram-se ao povoado; seus discípulos fizeram o mesmo e comiam dos figos que se partilhavam entre todos. Ao vê-los passar, as mães levavam os filhos para o Rabi os abençoar e, ao abençoá-los e ao ouvir a meninada discutir os seus ensinamentos, uma íntima e celeste satisfação invadia a alma de Jesus: estava fundado o primeiro catecismo. A partir de então, seus discípulos de boa vontade fariam o resto.

12ª Aula

Encarnação dos Espíritos

Finalidade da Encarnação

— Vovô, por que é que o Espírito encarna? — perguntou Luís Felipe.

— Vou responder-lhe com outra pergunta: por que é que você vai à escola?

— Para aprender.

— Então! Do mesmo modo, o Espírito se encarna, isto é, toma um corpo de carne para aprender. Encarnado, não só aprende como ajuda no progresso do mundo. O corpo de carne é o instrumento do Espírito; é com ele que o Espírito se aperfeiçoa e auxilia o Pai na obra da Criação.

— Todos os Espíritos se encarnam, Vovô? — perguntou dona Angelina.

— Sim, todos; não há exceção. Deus é justo. Criados por Deus, instruem-se através das lutas e tribulações da vida corporal. Aqueles quê seguem o caminho do bem chegam mais depressa à perfeição e sofrem menos do quê aqueles que tomam o caminho do mal.

— E por quê, Vovô? — perguntou Carolina Maria.

— Quem pratica o mal tem de voltar para corrigi-lo e, assim, se atrasa na caminhada e a correção acarreta sofrimentos.

Da Alma

— O que é a alma, Vovô? — perguntou comadre Zita.

— A alma é um Espírito encarnado.

— O que era a alma antes de encarnar-se no corpo, Vovô? — perguntou Alessandra.

— Espírito. Alma e Espírito são a mesma coisa. Costuma-se dar o nome de alma ao Espírito encarnado. Assim, dizemos: a minha alma. E chamamos de

Espírito a alma desencarnada. Mas, além do corpo e da alma eu já lhes disse que temos...

— O perispírito! — bradou Bruno.

— Muito bem! O perispírito que...

— Liga a alma ao corpo! — tornou a bradar Bruno.

— O perispírito é também...

— O vestido do Espírito! — gritou Angélica depressa, olhando com superioridade para Bruno que, compreendendo o olhar, fez-lhe um muxoxo e disse, dando de ombros:

— Grande coisa!

— Por exemplo — continuou Vovô — tomemos um amendoim: a casca grossa é o corpo de carne; aquela pelezinha vermelha que cobre o bago é o perispírito; e o grão sem a pelezinha vermelha é o Espírito.

— Que amendoinzão que eu sou! Olhem só para mim! — exclamou o sr. Vésper, empinando o peito e provocando risadas de todos.

— O Espírito pode viver sem o perispírito, Vovô? — perguntou o sr. Vasco.

— Não. À medida, porém, que o Espírito se purifica, o perispírito se torna cada vez mais diáfano, tanto que nos Espíritos Superiores é como se não existisse.

— E nos inferiores, Vovô? — perguntou Paulo Guilherme.

— É quase tão grosseiro como o corpo de carne...

— Como um amendoim de duas cascas grossas — disse o sr. Vésper, rindo.

— Vovô, uma pergunta: um corpo pode viver sem a alma, ou seja, sem um Espírito que o ocupe? — perguntou dona Purezinha.

— Voltemos aos seres orgânicos e inorgânicos, que vocês já conhecem: *O Livro dos Espíritos*, tratando do princípio vital, nos ensina: "Os seres orgânicos são os que trazem em si mesmos uma fonte de atividade íntima, que lhes dá a vida; nascem, crescem, reproduzem-se e morrem; são providos de órgãos especiais para a realização dos diferentes atos da vida e apropriados às necessidades de sua conservação; compreendem os homens, os animais e as plantas. Os seres inorgânicos são os que não possuem vitalidade nem movimentos próprios, sendo formados apenas pela agregação da matéria: os minerais, a água, o ar, etc. Agora, nos animais, do homem ao mais ínfimo ser da criação, há dois princípios que dão vida ao corpo material: o princípio vital e o Espírito; retirando-se o Espírito do corpo material, por exaustão do princípio vital ou por um acidente, o corpo morre, decompõe-se; por conseguinte, um corpo animal não pode viver sem a alma, ou seja, sem o Espírito, qualquer que seja o grau que ocupe na escala animal.

"O reino vegetal, desde a humilde graminha de nossos campos até o portentoso jequitibá de nossas florestas, vivifica-se pelo princípio vital. Tomemos uma árvore: ela nasce, cresce, reproduz-se e morre; é provida de órgãos especiais para a realização dos diferentes atos de sua vida e apropriados às necessidades de sua conservação; mas não tem alma, isto é, não tem Espírito. O animal vive enquanto o Espírito lhe ocupa o corpo; o vegetal vive enquanto sua reserva de princípio vital não se exaurir."

Materialismo

— Há pessoas que não acreditam na alma, e dizem que tudo acaba com a morte — disse Vovó Cirene.

— São os materialistas. Para eles tudo é matéria que se acaba com a morte; mas, quando desencarnam, ficam desapontadíssimos.

— E não é para menos! — concluiu Vovó.

Retorno da Vida Corpórea à Vida Espiritual

A Alma Após a Morte

— Vovô, o que acontece à alma quando o corpo morre? — perguntou Thiago.

— Volta a ser Espírito, retornando ao mundo espiritual, do qual se afastara enquanto encarnada. Lá ela adquire sua plena liberdade, encontra-se com parentes e amigos que desencarnaram antes dela; lembra-se de suas encarnações passadas, trabalha, estuda, ajuda seus familiares e amigos que aqui ficaram e traça planos para o seu futuro.

— Então, quem vai não se separa de quem fica, Vovô? — perguntou dona Angelina.

— De modo nenhum e muito pelo contrário, pois tem mais facilidade de estar com seus entes queridos e de trabalhar em favor deles.

— E não levamos nada deste mundo, Vovô? — perguntou Paulo Guilherme.

— Levamos. Levamos nossas boas e nossas más ações. E no mundo espiritual, onde passamos a viver, as nossas boas ações nos alegram e as más nos entristecem e envergonham. E prometemos corrigi-las. Compreendemos então que tudo aquilo que tínhamos na Terra era nosso material de aprendizado e de trabalho, como as ferramentas do operário e os livros do estudante.

— E a vida eterna de que tanto se fala, Vovô? — perguntou comadre Zita.

— A vida eterna é a vida do Espírito, o qual jamais morrerá; o que morre, o que se acaba é o corpo pela retirada do Espírito; assim, somos eternos.

O relógio deu as nove horas. E Angélica gritou:

— Hoje sou eu; tenho uma linda poesia para declamar. É de José Lopes de Almeida e se intitula:

Na Fazenda

Pela manhã, tomado o café quente,
Tomado o banho frio,
De roupas e alma leve, alegremente,
Eu desci pela encosta da vertente
A caminho do rio.

O passo vagaroso, o olhar incerto,
Ora aqui, ora ali,
Longe dos homens, mas de mim mais perto,
Rijo como um pinheiro e alegre e esperto
Como eu nunca me vi!

Segui pelo pomar. Velhas mangueiras
Carregadas de mangas,
Abius, uvas, jabuticabeiras,
E, como brincos na árvore, as faceiras,
As gostosas pitangas.

Cheguei depois à cerca. Junto a ela,
Perto do grande ipê
Que abria a copa em flor, toda amarela,
Eu a vista alonguei sobre a cancela
De onde o rio se vê.

Pelo capim molhado dos caminhos.
Borrifados de orvalho,
Segui ouvindo os passarinhos,
Quentes ainda do calor dos ninhos,
Voando de galho em galho.

Além, como um mar verde, as folhas finas
Em riste para o ar
E prateadas de gotas cristalinas,

Estendiam-se em várzeas e campinas,
Os campos de criar.

Poldros, de pelo fino e forma airosa;
E, chifres no ar, em riste,
Bois mansos, de ossatura monstruosa,
E figura simpática e bondosa,
O olhar sereno e triste.

Depois, de um verde-negro a ambos os lados,
Os densos cafezais
Lembravam hostes bárbaras, soldados
Marchando em filas, a passos compassados,
Rijos, hirtos, marciais.

E ainda mais além, já mais distante,
Em tons claros e suaves,
O milharal ondeava ao Sol radiante,
Como que o milho novo e loirejante
Oferecendo às aves.

E ante o aspecto risonho da fazenda,
Eu meditei, então,
Na grandeza da luta estranha e horrenda,
No esforço imenso, na afeição tremenda
Do homem lavrando o chão.

Do homem que, braço a braço, a pedra dura
Desfez e a terra brava
Arou, semeou, plantou — e que a fartura
Fez brotar, pelo esforço da cultura
De um chão que nada dava!

Ah! bendito trabalho corajoso,
O esforço pertinaz,
Que este chão, antes feio e pedregoso,
Assim faz cultivado, assim formoso
E produtivo faz!

13ª Aula

Separação da Alma e do Corpo

— A morte, isto é, a separação da alma e do corpo é dolorosa, o Espírito sofre muito, Vovô? — perguntou dona Purezinha.
— Não. O corpo sofre mais durante a vida do que no momento da desencarnação. Na morte natural, o homem deixa a vida sem perceber: é como uma lâmpada que se apaga por falta de energia.
— Como é que o Espírito se separa do corpo, Vovô? — perguntou Thiago.
— O perispírito, que vocês já conhecem, se desliga pouco a pouco do corpo. Em alguns, esse desligamento demora mais, em outros menos. Depende da vida que o homem levou: numa vida muito dedicada às coisas materiais, a separação é demorada, porque a matéria prende o Espírito; numa vida mais espiritualizada, o desprendimento é mais rápido.
— O que sentiremos ao entrar no mundo dos Espíritos, Vovô? — perguntou Luís Felipe.
— Depende de nossas ações: se tivermos praticado ações maldosas, sentiremos vergonha; e um alívio imenso, se tivermos vivido honradamente.
— E logo veremos nosso pessoal desencarnado, Vovô? Estou com tanta saudade do meu Tonho!
— Mas é claro! Eles nos virão receber, abraçar, cumprimentar, e nos ajudarão a ambientar-nos no novo mundo em que passaremos a viver.
E Carolina Maria, furtivamente, enxugou duas lágrimas que lhe escorreram pelas faces.

Perturbação Espírita

— O Espírito sofre alguma perturbação ao desencarnar, Vovô? — perguntou o sr. Vasco.

— Leiamos em O *Livro dos Espíritos* o que Allan Kardec nos ensina a esse respeito:

"No momento da morte, tudo a princípio é confuso; a alma precisa de algum tempo para se reconhecer; sente-se como atordoada, no mesmo estado de uma pessoa que saísse de um sono profundo e procurasse compreender a situação. A lucidez das ideias e a memória do passado voltam, à medida que se extingue a influência da matéria e que se dissipa essa espécie de nevoeiro que lhe turva os pensamentos.

"A duração da perturbação de após-morte é muito variável: pode ser de algumas horas, ou de muitos meses e mesmo de muitos anos. Aqueles em que é menos longa, são os que se identificaram durante a vida com o seu estado futuro, porque então compreendem imediatamente a sua posição."

— E quem é espírita tem alguma vantagem, Vovô? — perguntou Luís Felipe.

— Sim; o conhecimento do Espiritismo exerce uma grande influência sobre a duração maior ou menor da perturbação, pois o Espírito compreende imediatamente a sua situação; mas a prática do bem e a pureza de consciência são o que exerce maior influência.

Pluralidade das Existências

Da Reencarnação

— É possível, Vovô, numa só encarnação, o Espírito tornar-se puro, perfeito? — perguntou dona Angelina.

— Não é possível, assim como não é possível a um estudante alcançar, num só ano, todos os graus de seu curso. Já tivemos e ainda teremos muitas e muitas reencarnações, posto que podemos reduzir o número delas pelo trabalho, pelo estudo e pela nossa dedicação ao bem. Três são as finalidades das encarnações: aperfeiçoar-nos, corrigir nossos erros do passado e contribuir para o progresso do mundo.

— Podemos nos reencarnar em outros mundos, Vovô? — perguntou Paulo Guilherme.

— Sim; reencarnaremos em mundos superiores quando atingirmos um grau de adiantamento que nos permita frequentá-los; e em mundos inferiores, por dois motivos: quando tivermos algo de bom para ensinar a essas humanidades mais atrasadas do que a nossa; nesse caso, iremos a eles em tarefa educativa; e quando um Espírito de mau comportamento, em sucessivas reencarnações aqui na Terra, não demonstrar interesse em melhorar-se, então é banido para um deles como punição e aprendizado doloroso.

— E quando não precisarmos mais de reencarnações, o que acontece, Vovô? — perguntou Alessandra.

— Seremos Espíritos puros, ministros de Deus, minha querida.

Acompanhando as batidas do relógio, Carolina Maria anunciou: — Caafééé...

— Hoje não perdoo, não perdoo — bradou Paulo Guilherme. — É dia de meus "Retalhos Luminosos".

— Então ande com eles que temos coisa boa na mesa — recomendou o sr. Vésper.

Retalhos Luminosos

"Guarda, meu filho, estes poucos preceitos em tua memória: 'Vigia o teu caráter'."

* * *

"A teus pensamentos não dês língua, nem traduzas em atos teus pensamentos desordenados."

* * *

"Sê familiar para com todos, mas evita misturar-te com qualquer um."

* * *

"Os amigos que tiveres e cuja lealdade já foi provada, liga-os a ti com correntes de aço. E nunca te apresses a honrar com tua amizade a um recém-conhecido."

* * *

"Livra-te de entrar em querelas; contudo se, malgrado teu, entrares em alguma, comporta-te de modo tal que teu opositor te respeite."

* * *

"Dá a todos os homens os teus ouvidos e a bem poucos as tuas palavras. Acata a opinião de todos, mas reserva o teu julgamento."

* * *

"Que sempre o custo de tuas roupas esteja de acordo com o que possas pagar. Não te percas no luxo; mantém-te sem ostentação."

* * *

"Nunca pertenças ao grupo dos que emprestam, nem dos que pedem emprestado. Muitas vezes se perde o empréstimo e o amigo. E o hábito de pedir emprestado desorganiza a vida."

* * *

"Acima de tudo sê fiel a ti mesmo, e nunca serás falso a ninguém."

* * *

— Belíssimos! E são de Shakespeare, em sua célebre tragédia *Hamlet* — explicou o sr. Vésper, que era muito entendido em assuntos literários.
— Que bolinhos gostosos são estes, comadre Zita? Quero a receita.
— É uma receita muito simples, dona Purezinha. Muito fácil de fazer!
E dona Purezinha, tirando uma caderneta da bolsa, anotou a receita que comadre Zita ditou. Ei-la:

Sonhos de Nerusca

3 ovos
1 pitada de sal
2 colheres das de sopa de açúcar
3 xícaras de farinha de trigo
1 colher das de sobremesa de fermento em pó leite suficiente para formar uma massa mole.
Bata as claras em neve; junte as gemas, o açúcar e o sal. Acrescente aos poucos: a farinha de trigo, o leite e, por fim, o fermento em pó. Deite a massa às colheradas em gordura quente, agitando a caçarola para que os sonhos dourem por igual.

14ª Aula

Justiça da Reencarnação

— É através das reencarnações que Deus exerce a sua justiça. Por mais culpado que seja um Espírito, por mais crimes que tenha cometido, por mais viciado que tenha sido, não está perdido; é um filho de Deus e o Pai quer que nenhum de seus filhos se perca; e assim lhe concede as reencarnações, tantas quantas lhe forem necessárias para a sua recuperação. Não há castigos eternos; ninguém se perderá. Não acham que esta é uma grande consolação?

— De fato, qual o pai, qual a mãe que quer ver seu filho perdido para sempre? Quanto mais Deus, que é a Suprema Bondade! — disse dona Purezinha.

Encarnação nos Diferentes Mundos

— Vovô, nossa evolução sempre se faz, necessariamente, num mesmo mundo, do começo ao fim? — perguntou Thiago.

— Não, não é possível. Repetindo sua palavra, necessariamente temos de frequentar outros mundos. O Universo, como o próprio nome indica, é uma Universidade e cada mundo é uma sala de aula dessa Universidade. Os mundos são solidários entre si, compõem um todo. Quando, espiritualmente falando, somos diplomados na Terra, matriculamo-nos no mundo seguinte mais adiantado e, assim por diante, iremos cursando a Universidade dirigida por Deus. Para trás ficarão os mundos que já cursamos, e em nossa frente há os mundos que cursaremos. Mas vejamos o comentário de Allan Kardec na resposta à pergunta, no parágrafo 182. Comece a leitura, Bruno!

"À medida que o Espírito se purifica, o corpo que o reveste aproxima-se igualmente da natureza espírita. A matéria se torna menos densa, ele já não se arrasta penosamente pelo solo, suas necessidades físicas são menos grosseiras, os seres vivos não têm mais necessidade de se destruírem para se alimentar. O Espírito é mais livre e tem, para as coisas distanciadas, percepções que desconhecemos; vê pelos olhos do corpo aquilo que só vemos pelo pensamento."

— Agora você, Angélica.

"A purificação dos Espíritos reflete-se na perfeição moral dos seres em que estão encarnados. As paixões animais se enfraquecem, o egoísmo dá lugar ao sentimento fraternal. É assim que, nos mundos superiores ao nosso, as guerras são desconhecidas, os ódios e as discórdias não têm motivo, porque ninguém pensa em prejudicar o seu semelhante. A intuição do futuro, a segurança que lhes dá uma consciência isenta de remorsos fazem que a morte não lhes cause nenhuma apreensão; eles a recebem sem medo e como uma simples transformação."

— É a sua vez, Thiago.

"A duração da vida, nos diferentes mundos, parece proporcional ao seu grau de superioridade física e moral, e isso é perfeitamente racional. Quanto menos material é o corpo, menos sujeito está às vicissitudes que o desorganizam; quanto mais puro é o Espírito, menos sujeito às paixões que o enfraquecem. Este é um auxílio da Providência, que deseja assim abreviar os sofrimentos."

Transmigração Progressiva

— Como é o Espírito, ou como fomos em nossas primeiras encarnações, Vovô? — perguntou Bruno.

— É como se fôssemos criancinhas. Nossa inteligência se desenvolveu pouco a pouco; e, como ainda não chegamos à perfeição, ela continua em seu desenvolvimento. Em seu conjunto, nossa vida de Espírito segue as mesmas fases da nossa vida corpórea: fase animal, fase de compreensão material, fase de compreensão intelectual, fase de esclarecimento e de compreensão espiritual e, por fim, a fase da perfeição espiritual, ou seja, de adultos espirituais.

— E podemos voltar a estados anteriores, Vovô? — perguntou o sr. Vasco.

— Não. A marcha do Espírito rumo à perfeição é sempre para a frente, e não há volta. Subimos aos pouquinhos, é verdade, mas atingindo um degrau acima, jamais o desceremos; podemos estacionar nele, nunca descer dele.

— E como encarnados, Vovô? — perguntou o sr. Vésper.

— Como encarnados, sim; podemos subir ou descer; numa encarnação, poderemos ser príncipes, reis, e noutra, vassalos; ricos numa e pobres na outra; porém, o grau de adiantamento que já conquistamos jamais o perderemos. Por exemplo, Herodes foi rei, Pôncio Pilatos, governador romano; e Jesus, carpinteiro.

— Vigii!

— Vigii o quê, Carolina Maria?

— Estava pensando, Tio Vésper, que então eu poderei vir a ser uma dama elegantíssima, toda cheia de remelexos, de não me toques...

E aqui Carolina Maria levantou-se, empinou altivamente a cabeça, fez um bico com os lábios, revirou os olhos e saracoteou pela varanda imitando uma grã-fina orgulhosa, o que os divertiu muito.

— Está querendo voltar a ser madame de novo, minha querida. Pois voltará, e vamos ver como se comportará dessa vez, minha cara! — disse o sr. Vésper, fingindo-se carrancudo.

E saracoteando dirigiu-se à cozinha, acompanhada de comadre Zita, que, com suas largas risadas, quebrava o silêncio da noite e exclamava:

— Essa Carolina Maria tem cada uma!!!

Ao chá, Tio Vésper contou-nos a seguinte história:

Caminhos Diferentes

Havia em outros tempos um rei muito poderoso. Tinha uma grande corte e era muito estimado por seus súditos. Seriam seus herdeiros seus dois netos: Elói, com 9 anos, e Gervásio, com 11. Era pensamento do rei fazê-los participar, mais tarde, do governo de seus vastos domínios; por isso preocupava-se muito com a educação desses dois meninos, não poupando esforços para desenvolver-lhes um bom caráter.

À noite, antes de se recolherem, costumava o rei contar-lhes bonitas histórias, repletas de moral e de boas ações. E falava-lhes muito num templo, um maravilhoso templo divino, ao qual se chegava após longa jornada e penosa viagem. E quem se aventurasse a ir ao templo divino, só lá chegaria depois de ter cultivado a bondade em seu coração.

Os rapazinhos adormeciam cheios de sonhos inocentes. E cresceram e tornaram-se moços alegres, saudáveis e formosos. E o rei, avô deles, persistia em contar-lhes a história do templo divino.

E, quando completaram 21 anos, pediram licença ao rei para irem em busca do tão falado templo divino.

A autorização lhes foi concedida; a única condição que lhes foi imposta era de seguirem por caminhos diferentes.

— Nenhum dos dois será prejudicado — explicou-lhes o avô —, porque, qualquer que seja a estrada, a distância que nos separa do templo divino é sempre a mesma. Por isso não importa que viajem separados, cada um por sua estrada.

Recebidas que foram as recomendações de seu bondoso avô, partiram.

Enquanto buscavam o templo divino, tiveram oportunidade de conhecer todos os recantos do reino, todas as cidades, todos os lugarejos. Conviveram com gente rica e com gente pobre; com os sábios e com os tolos; com os sãos e com os doentes; com os sinceros e com os aduladores; com os sóbrios e com os viciosos. E com os ricos não se tornaram arrogantes; e com os pobres mostraram-se humildes. Ouviram o que diziam os sábios e não deram atenção às palavras dos tolos. Alegraram-se com os sãos e ajudaram os doentes; abriram seus corações aos sinceros e desprezaram os aduladores.

E continuaram a peregrinação. De quando em quando mandavam uma longa carta ao velho rei, contando-lhe tudo quanto viam, ouviam, faziam e diziam. Vinha-lhes sempre a mesma resposta: "Continuem, meus netos, continuem. Vocês estão no caminho certo; dentro em breve estarão no templo divino, no templo da bondade".

E um dia sentiram muita saudade de casa, de sua cidade, de seu avô. E voltaram.

— Graças dou a Deus de vê-los de volta — disse o rei. — Contem-me a viagem.

E até tarde da noite os dois netos narraram-lhe o que viram, ouviram, fizeram e disseram.

— E vocês, felizmente, encontraram o templo divino, o templo da bondade.

Os dois moços entreolharam-se, admirados.

— Não é possível, Vovô, não o achamos! — exclamaram os dois ao mesmo tempo.

— Explico-lhes — respondeu o rei. — O Templo divino, o templo da bondade está dentro de cada um de nós. Para encontrá-lo, basta que cultivemos a bondade, essa virtude que traz aos homens paz, alegria, tranquilidade, fartura e tudo de que a humanidade necessita para ser feliz. Vocês conviveram com pessoas educadas e inteligentes e repartiram com elas sua educação e inteligência; conviveram com os pobrezinhos e fizeram deles seus amigos; os que os ofenderam, vocês perdoaram; daqueles que os adularam, aceitaram a adulação sem retribuí-la e sem magoar os aduladores; ajudaram os necessitados, encorajaram os velhinhos e os respeitaram; estimularam os jovens, ampararam os fracos; consolaram os enfermos; e das crianças foram amigos. Poderei agora morrer tranquilo — continuou o velho rei — porque vocês poderão governar bem o povo. Dentro do coração de vocês dois está construído o templo divino, e esse templo está cheio de riquezas que nem os ladrões roubam, nem a traça e os vermes corroem; as almas de vocês tornaram-se dignas de Deus.

15ª Aula

Sorte das Crianças Após a Morte

— Uma criança que morre cedo, seu Espírito será tão adiantado como o de um adulto, Vovô? — perguntou comadre Zita.
— Às vezes mais, porque progrediu em existências passadas; pode mesmo ser mais adiantada do que seus pais.
— E por que o Espírito desencarna cedo, Vovô? — perguntou Carolina Maria.
— Geralmente é uma prova pela qual a criança e seus pais devem passar, visando à correção de erros antigos.
— Mas a criança não sente nada! — exclamou dona Angelina.
— O corpo não; mas o Espírito sim. E a pena é para o Espírito, não para o corpo. Lembrem-se de que o corpo é infantil, porém não o Espírito; e, se nesse corpinho não cometeu faltas, tê-las-á cometido em existências anteriores; e uma encarnação frustrada é sempre a consequência de maus atos praticados no passado.

Sexo nos Espíritos

— Não se espante com a pergunta, Vovô: os Espíritos têm sexo? — perguntou dona Purezinha.
— O Espírito, só o Espírito em si não tem sexo. Entretanto, como o perispírito é a forma sob a qual se modela o corpo humano no útero materno, é natural que os Espíritos apresentem sexo. Em estados muitíssimo adiantados é que o Espírito não necessitará mais do sexo. Todavia, se um desses Espíritos vier encarnar-se na Terra, em missão, apresentará o sexo pelo qual efetuou sua evolução.

— E um Espírito, Vovô, pode reencarnar-se como homem numa reencarnação e como mulher na outra, ou vice-versa? — continuou a perguntar dona Purezinha.

— Pode, e isso é comum; sob determinadas circunstâncias, pode. Aliás, O Livro dos Espíritos aqui nos diz.

— E quais seriam essas circunstâncias, Vovô? — perguntou ainda dona Purezinha, interessadíssima.

— Geralmente correção de erros praticados no passado e mais a experiência que cada sexo nos pode proporcionar.

— Oh, Purezinha! Por que esse seu interesse por tal assunto? — bradou o sr. Vésper, arregalando os olhos, o que fez com que suas incríveis sobrancelhas se eriçassem, provocando gostosas gargalhadas de todos.

— É só pra saber, meu maridinho! — respondeu ela comicamente. (Ver O Evangelho das Recordações, p. 148 e seguintes.)*

Parentesco, Filiação

— Por que é que eu nasci de papai e mamãe, Vovô? Eles é que me deram também o meu Espírito? — perguntou Angélica.

— Não, minha flor. Seus pais só lhe deram o corpo de carne; o Espírito é independente.

— E como é que meu Espírito veio parar com eles?

— Explico: os Espíritos formam grupos familiares; esses grupos se constituíram num passado remoto e vieram caminhando através dos tempos rumo à perfeição. Os membros de um grupo que estão desencarnados ajudam os membros do mesmo grupo que estão encarnados. Há um revezamento: sempre uma parte do grupo está encarnada e outra desencarnada; os mais adiantados auxiliando os mais atrasados e assim o grupo se vai elevando, se aperfeiçoando. Se você, minha neta, veio ao nosso meio, é porque pertence ao nosso grupo...

— Então é uma troca de lugares, Vovô? — perguntou Thiago.

— Mais ou menos; a comparação é válida.

— É — disse o sr. Vésper —, um aparece aqui porque desapareceu de lá; outro aparece lá porque desapareceu daqui.

Risadas saudaram-lhe a comparação, e ele perguntou:

— E os amigos, Vovô? Em que lugar ficam?

---

* Publicado pela Editora Pensamento, São Paulo, 1983. (fora de catálogo)

— Ora, entre os grupos há muita amizade, que continua aqui. E depois não há necessidade de os membros do grupo se reencarnarem sempre como parentes; podem vir como amigos também.

— E os inimigos, Vovô?

— Onde é que ficam, não é, sr. Vésper? Pois ficam no mesmo grupo lá e aqui. E, à medida que crescem em compreensão, em espiritualidade, vão transformando as antipatias em simpatias, as inimizades em amizades, o ódio em amor, até que o grupo brilhe harmoniosamente.

— Então nossa família, espiritualmente falando, é muito grande, não é, Vovô?! — perguntou admirada dona Angelina.

— Muito mais do que pensamos — exclamaram em coro.

Semelhanças Físicas e Morais

— Os pais transmitem aos filhos, quase sempre, semelhanças físicas; podem também transmitir-lhes semelhanças morais? — perguntou dona Angelina.

— Semelhanças físicas sim, porque o corpo vem do corpo, ou seja, a carne vem da carne; as morais não, porque o Espírito não vem do Espírito; a Moral é uma conquista sua, do próprio Espírito; jamais é hereditária ou transmissível.

— Mas, Vovô — continuou dona Angelina —, por vezes notam-se semelhanças morais entre pais e filhos, isto é, entre a família toda.

— Sim. São Espíritos que ocupam um mesmo degrau na escada evolutiva, e, por isso, atraem-se mutuamente; por afinidade de suas inclinações, solicitam de seus mentores reencarnarem-se juntos, constituindo na Terra uma mesma família. Tal solicitação frequentemente é atendida, pois concorre para o progresso recíproco.

— Mas não podemos negar, Vovô, que os pais exercem profunda influência moral sobre os filhos, principalmente até o final da adolescência deles, não é verdade? — perguntou dona Purezinha.

— Realmente. E devem aproveitar essa influência, ou seja, essa oportunidade para corrigir as deficiências morais que os filhos apresentarem. Lembremo-nos que os filhos tendem a seguir o exemplo dos pais nesse primeiro período de suas vidas, que vai da infância à adolescência; nesse período, os pais são um ídolo para eles. Cuidado, não estilhassem esse ídolo! É tarefa dos pais desenvolver o progresso dos filhos pela educação. Se falharem, serão culpados. Eis o que nos diz um alto instrutor espiritual a respeito dos filhos:

"Os pais da Terra não são criadores e sim zeladores das almas, que Deus lhes confia no sagrado instituto da família. Os seus deveres são austeríssimos, enquanto é do alvedrio superior a sua permanência na face do globo; mas, aquém das fronteiras da carne, é preciso que considerem os filhos como irmãos bem-amados". (Ver *Cartas de uma Morta*, de F. C. Xavier.)

— Encontram-se, Vovô, pais virtuosos com filhos de mau-caráter. Por que não tiveram bons filhos? — perguntou Vovó.

— Esses pais, virtuosos hoje, poderão no passado não o terem sido e, assim, desencaminharam pelos seus maus exemplos os filhos que tiveram naquela época; e hoje recebem em seus braços Espíritos degenerados para corrigi-los, educá-los.

— Os pais poderão, pelas suas preces, atrair apenas bons Espíritos para serem seus filhos, Vovô? — perguntou comadre Zita.

— Não. Mas podem melhorar o Espírito da criança a que deram nascimento, pois esse é o seu dever. Aliás, os filhos maus são uma prova para os pais.

— De onde vem a semelhança de caráter que frequentemente existe entre os irmãos, sobretudo entre os gêmeos, Vovô? — perguntou dona Angelina.

— É pela lei da atração: os iguais se atraem, os contrários se repelem. Os Espíritos de sentimentos iguais sentem-se felizes em conviver juntos.

— E nessas crianças que nascem emendadas, por que isso, Vovô? Aqui mesmo houve um nascimento desses — disse Carolina Maria.

— São dois Espíritos ligados a um só corpo que, caso sobrevivam, passam por uma prova difícil, dificílima mesmo.

— Às vezes os gêmeos não se estimam. Por quê, Vovô? — perguntou dona Purezinha.

— São inimigos do passado, que juntos vieram para desfazer essa inimizade.

— Vovô, nós temos a mesma semelhança, isto é, nosso corpo de hoje se parece com os corpos que tivemos em nossas reencarnações anteriores? — perguntou Paulo Guilherme.

— *O Livro dos Espíritos* responde à sua pergunta. Ouça: "O corpo que reveste a alma numa encarnação, não tendo nenhuma relação necessária com o anterior, pois que pode vir de uma origem muito diversa, seria absurdo supor-se uma sucessão de existências ligadas por uma semelhança apenas fortuita. Não obstante, as qualidades do Espírito modificam quase sempre os órgãos que servem para as suas manifestações, imprimindo no rosto e mesmo no conjunto das maneiras um cunho distintivo. É assim que sob o envoltório mais humilde se pode encontrar a expressão da grandeza e da dignidade, enquanto sob o hábito de grande senhor veem-se algumas vezes a da baixeza e da ignomínia".

Aqui, acompanhando o relógio, Carolina Maria anunciou:

— Caaaféééé com pão de ló...

Foi um rebuliço, mas Tio Vésper bradou:

— E a tertúlia, quem se apresenta? O pão de ló pode esperar.
Angélica e Bruno ergueram os braços. E Angélica anunciou:
— Vou recitar uma poesia de Francisca Júlia e Júlio Silva:

Deus

Mamãe, li uma vez
No catecismo que estudo
Que as coisas, a Terra, tudo,
Que tudo foi Deus quem fez.

Dizem que é pura verdade
O que o catecismo ensina;
Que tudo é obra divina,
Obra de sua vontade.

Acho difícil, porém,
Que Deus, embora perfeito,
Tenha o Céu e a Terra feito
Sem o auxílio de ninguém.

Um anjinho de trombeta,
Batendo as asas num voo
Com seu trabalho ajudou-o
Na construção do planeta.

Deus fez a noite, a manhã,
O anjo fez o mar imenso...
Pelo menos assim penso,
Não tenho razão, Mamãe?

— Tu não passas de um tolinho,
Tudo só por Deus foi feito;
Só Deus, meu filho, é perfeito.
Só Deus é grande, filhinho!

— Ninguém bata palmas! Ouçamos Bruno — pediu o sr. Vésper
E Bruno disse que recitaria um soneto de Djalma Faria:

Meu Filho

O meu filho que é doce, que é inocente,
Quando comigo sai, luz que fascina,
Põe seus claros pezinhos, brandamente,
Na marca dos meus pés, na areia fina.

Ele segue-me os passos inconsciente,
Mas uma angústia estranha me domina,
E calcando os meus pés mais firmemente,
Meu coração aos poucos se ilumina.

Sem saber, tu me obrigas, filho amado,
A procurar a rota mais segura
A ter firmeza em cada passo dado.

Nunca dirás — que horror na alma me vai! —
Que te perdeste numa estrada escura
Por seguires os passos de teu pai!

Uma prolongada salva de palmas saudou os recitantes e Tio Vésper comandou:
— Ao pão de ló! Ao pão de ló! Ao pão de ló!

16ª Aula

Ideias Inatas

— O Espírito encarnado lembra-se de alguma coisa de suas encarnações anteriores, Vovô? — perguntou Thiago.
— Sim; é o que chamam de ideias inatas, isto é, ideias que vêm à mente da pessoa, sem ela saber como. São vagas lembranças do passado, porque o Espírito nunca perde o que aprendeu. Por exemplo: há pessoas que aprendem com facilidade qualquer matéria; é que já as estudaram em encarnações anteriores. Tive um professor de línguas, um inglês que ensinara línguas em várias universidades europeias; ele se espantava da facilidade que nós, brasileiros, temos de aprender qualquer idioma. Pudera! — exclamava eu lá com meus botões — quase a maioria dos Espíritos encarnados no Brasil veio dos países europeus e asiáticos! E um filósofo disse: "Aprender é recordar".

Considerações Sobre a Pluralidade das Existências

— Falemos sobre a pluralidade das existências, isto é, sobre as reencarnações. Perguntem sobre esse tema. Contudo, quem vai responder-lhes é o nosso Vésper. Quero ouvir e perguntar também.

O sr. Vésper agradeceu a Vovô sua atenção e começou:

— O Espiritismo tal qual o conhecemos é moderno. Porém, as ideias espíritas vêm de longe, desde a Antiguidade; dele encontramos sinais nos ensinamentos de Sócrates, de Platão, de Pitágoras e de outros filósofos.

— Não foi Allan Kardec quem o descobriu, Tio Vésper? — perguntou Thiago.

— Não foi; Allan Kardec codificou-o; reuniu todos os ensinamentos que encontrou e mais explicações e instruções dos Espíritos, que recebeu por meio de médiuns, e com eles formou a Doutrina Espírita, que consta de cinco livros:

O Livro dos Espíritos, O Evangelho Segundo o Espiritismo, O Livro dos Médiuns, Céu e Inferno ou a Justiça Divina Segundo o Espiritismo, A Gênese.

— O que são médiuns, Tio Vésper? — perguntou Angélica.

— Médiuns são os intermediários entre os Espíritos e os homens; por meio deles, os Espíritos desencarnados se comunicam com os Espíritos encarnados que somos nós. Mas isso estudaremos mais tarde em *O Livro dos Médiuns.*

— E por que há tanta desigualdade entre os Espíritos, tanto encarnados como desencarnados, Tio Vésper? — perguntou Vovó Cirene.

— No princípio, Vovó, não havia desigualdades: eram todos simples e ignorantes; e como todos tinham plena liberdade de agir, assim uns se adiantaram com mais rapidez, outros com menos; muitos estacionaram; alguns erraram mais, outros menos; e então estabeleceu-se a desigualdade; no entanto, diante do Pai, Deus, não há exceções: todos são iguais perante Ele.

— E por que há pessoas que sofrem, Tio Vésper? — perguntou comadre Zita.

— Porque é através das reencarnações dolorosas que Deus exerce sua justiça. As encarnações de miséria, de doenças incuráveis, enfim, de sofrimentos sob todos os aspectos, são consequências de erros, de malvadezas do passado. Quem numa encarnação fez a infelicidade de alguém, não pode ser feliz na encarnação seguinte. Quem se entregou a vícios, quaisquer que sejam, arruinando a saúde e o corpo, não pode ter um corpo saudável na próxima encarnação, e assim por diante.

— É possível a gente ter sempre encarnações felizes, Tio Vésper? — perguntou dona Angelina.

— Sim; há meios para isso: fazer sempre o bem; perdoar sempre; fazer aos outros o que queremos que os outros nos façam; viver uma vida moralizada. Essa é a receita da verdadeira felicidade.

— Há pessoas que se queixam muito da vida; dizem que para elas nada dá certo e não sabem por quê...

— Estudem o Espiritismo e saberão; em lugar de se queixarem, procurem beneficiar os pobrezinhos, nem que seja com uma pequenina caridade. Aceitem a vida com fé e confiança em Deus e verão que a alegria perfumará seus dias, não é mesmo, comadre Zita?

— Nossa! Ouvindo o senhor, Tio Vésper, esqueci-me do pudim que está no forno! — E saiu às pressas para a cozinha.

— Oba! Pudim — exclamou Luís Felipe.

— A reencarnação também nos demonstra que não há castigos eternos; ninguém é condenado por toda a eternidade: sofremos, sim, as consequências de nossos erros, de nossos crimes e vícios, até que os purguemos todos, que nos purifiquemos de todos eles e que nosso perispírito se torne brilhante, sem nenhuma mancha. Deus, o Pai, que é todo bondade, jamais poderia condenar seus filhos a penas eternas, vocês não acham?

— Achamos! — exclamaram.

— A desigualdade que notamos entre a Humanidade é apenas aparente; ela mostra o grau que cada um conseguiu na escala evolutiva... Mas nossos direitos e deveres perante Deus são absolutamente iguais; não há privilegiados; cada um de nós ocupa o lugar que merece e que conquistou por seus esforços e por seus atos. A cada um segundo suas obras, nos ensina Jesus. E assim a pluralidade das existências, as vidas sucessivas, as consequências boas ou más de nossos atos, é que determinam o teor de cada uma de nossas encarnações e explicam racionalmente as desigualdades sociais, além de essa pluralidade ser eminentemente consoladora. E agora, vocês me darão licença para passar a palavra ao Vovô — finalizou o sr. Vésper.

— Vovô, encontramos a crença em Deus não só nas raças adiantadas, como também nas mais atrasadas que habitaram e que ainda habitam a Terra. De onde trouxeram, Vovô, essa crença? E não só isso, quanto à vida futura? Será uma crença de encarnações anteriores? — perguntou dona Purezinha.

— A crença em Deus acompanha o homem desde o seu estado mais primitivo; e essa crença se foi apurando: de deuses iguais aos homens, até a definição que d'Ele nos deu Jesus: Deus é o nosso Pai. E assim, de encarnação em encarnação, a crença em Deus, essa ideia inata, se foi apurando e chegamos, então, ao Deus bom e misericordioso que adoramos hoje. Da mesma forma, a vida futura é uma crença, é uma ideia inata, que acompanha o homem desde sua origem; provam-no os rituais que desde a Antiguidade se usam para com os mortos, mesmo em tribos selvagens. Esse sentimento é a lembrança que o homem conserva do que o Espírito sabia antes de se encarnar; frequentemente o orgulho abafa esse sentimento.

— E o Espiritismo, Vovô, o que o senhor nos diz dele quanto à sua idade? — perguntou ainda dona Purezinha.

— Respondo-lhe com um rodapé do professor Herculano Pires, em *O Livro dos Espíritos*. Ei-lo:

"Os Espíritos aludem à eternidade espiritual da doutrina e à sua permanente projeção na Terra. Mas devemos distinguir entre suas manifestações falseadas no passado e a manifestação pura que se encontra neste livro. Os traços da Doutrina Espírita marcam o roteiro da evolução humana na Terra, mas só com este livro ela se apresenta definida e completa. Porque o Espiritismo é, na Terra, uma doutrina moderna, embora não seja uma 'invenção moderna', como acentua Allan Kardec, mesmo porque ninguém a 'inventou'. Leiam, por exemplo, *Fedon*, o diálogo de Platão, diálogo sobre a alma e sobre a morte de Sócrates, e se convencerão".

— Tem na sua biblioteca? — perguntou Paulo Guilherme.
— Mas é claro, meu neto!
— E a metempsicose, Vovô, o que é? — perguntou Thiago.
— A metempsicose é uma doutrina dos antigos, também reencarnacionista, mas que admite a encarnação dos Espíritos de animais em corpos humanos e de Espíritos humanos em corpos de animais. Entre a metempsicose dos antigos e a moderna doutrina da reencarnação, a grande diferença é que os Espíritos rejeitam, de maneira absoluta, a transmigração dos homens nos animais e vice-versa.

"Os Espíritos, ensinando a lei da pluralidade das existências corpóreas, renovam uma doutrina que nasceu nos primeiros tempos do mundo e que se conservou até nossos dias do pensamento íntimo de muitas pessoas. Apresentam-na, porém, de um ponto de vista mais racional, mais conforme com as leis progressivas da Natureza e mais em harmonia com a sabedoria do Criador, ao despojá-la de todos os acréscimos da superstição."

— Está na hora, gente! Podemos ir comer o pudim? — perguntou dona Purezinha.
— Ainda não — respondeu Vovô. — Temos a tertúlia, e hoje ela é minha. Vou ler-lhes.

A Lenda da Cruz

"Lendas que instruem, lindas novelas,
Correm o mundo, fartas de luz...
São maravilhas, só porque nelas
Sempre fulgura o meigo Jesus...
Argos moderna, pandas as velas,
Surge mais esta: a lenda da cruz."

Cristo por esse tempo andava pela Terra,
Espalhando sua doutrina por toda a Galileia;
A doutrina do Amor, desse Amor que encerra
A sacrossanta luz, que resplandece a ideia!

E certa vez, subindo a montanha deserta.
Ante uma casa enorme, em ponto bem distante
Parou a descansar. A porta, que está aberta,
Deixa ver o que dentro existe de importante.

Lia-se uma inscrição:
— Depósito de cruzes. —
Por cima dessa porta, escrita em letras de ouro.
E no vasto salão, reverberavam luzes:
Mas ninguém a guardar o místico tesouro!

Nas paredes, de pé, as cruzes de madeira
Viam-se em profusão; porém, eram escuras
Dir-se-ia um cemitério em festa, onde a Ceifeira
Aos convivas havia aberto a sepultura.

Contemplava Jesus a estrada percorrida,
Quando por ela vê galgando um caminhante,
Mui vagarosamente, a íngreme subida,
Ao peso de uma cruz, curvado e vacilante.

E o exausto caminheiro ao ver Jesus, detém-se.
Atira ao chão a cruz e fita-o, exclamando:
"Eu já não posso mais, Senhor, a dor me vence.
 "A força me abandona e os pés estão sangrando!

"Por que tive uma cruz pesada em demasia
"Para subir a montanha até chegar ao cume?
"Se ao menos fosse leve, ao alto subiria,
"Sem ter no coração lamentos e azedumes!"

E Jesus, que o escutara atentamente,
Entristeceu-se, mas lhe disse com carinho:
"Queres trocar de cruz? O Pai tudo consente
"E jamais desampara um filho em seu caminho.

"Portanto, seja feita agora a tua vontade."
E mostrando-lhe a casa, ao mesmo tempo exclama:
"Entra e escolhe; mas busca a que mais te agrade,
"Para que possas chegar aos pés de quem te ama."

Afoito corre o pobre à casa iluminada,
Em cata de outra cruz mais leve; e nela entrando,

Começa a procurar; e a sua escolha é demorada.
Pois todas, uma por uma, as vai experimentando.

Jesus pacientemente espera a sua volta;
E lá fora, de pé, murmura com pesar:
"Pai, eis um vosso filho em completa revolta
"À santa Lei que vós me mandastes pregar!

"Não sabe compreender o bem do sofrimento,
"Não vê que essa cruz que o mundo repudia,
"Representa um auxílio ao nosso adiantamento
"E que amanhã será uma fonte de alegria..."

Deixava nesse instante a resplandecente casa,
O tardo viajor, sem nada ter na mão;
Nos olhos traz o pranto, o coração em brasa,
Tudo a demonstrar que fora a escolha em vão.

E ao ver Jesus profere: "As cruzes são pesadas,
"Muito mais do que a minha; e por isso consente
"Que eu finalize aqui as minhas caminhadas".
Replica-lhe Jesus, falando docemente:

"Se queres ver o Pai e conquistar o céu,
"Tens que levar a cruz às metas sugeridas:
"Em cada um nosso irmão vejamos sempre um réu,
"E um réu tem de pagar as falhas cometidas.

"Talvez queiras dizer que não pecaste tanto,
"Para teres como pena a cruz que não te apraz;
"Só não volta ao planeta aquele que já é santo,
"Por ter aqui vivido com fé, amor e paz!

"Quem deixar no caminho a cruz que nos redime,
"Que não souber levá-la ao fim com paciência,
"Verá que o coração de dores mais se oprime,
"E não deve esperar de Deus a sua clemência.

"A seus filhos, o Pai fornece-lhes a cruz,
"Com peso nunca além das forças que lhes dá...
"Quem sabe a lei de Deus e nela se conduz,
"Jamais pesada a cruz, um dia achará..."

Resolve-se o infeliz: "Farei a caminhada,
"Mas onde hei de encontrar a cruz que me convém?"
Apontando Jesus a que fora atirada
Ao chão, convida-o: "Vê se pesa esta também...".

E na perturbação de que ainda se ressente,
Não pôde perceber naquela a sua cruz,
E, erguendo-a, colocou-a ao ombro incontinenti,
Sorriu surpreendido e assim fala a Jesus:

"Como esta é leve, Mestre, eu vou partir agora!"
"Bem sei que a ninguém o sofrimento apraz;
"À mais pequena dor, a Humanidade chora,
"Sem ao menos uma vez olhar para trás.

"Parti, meu filho, e vai por montes e por vales
"Sem te deteres nunca e impávido caminha...
"No alto da montanha é que se esgota o cálix,
"Mas ninguém terá uma cruz que pese mais que a minha."

Abraçaram e beijaram Vovô, e foram comer o pudim.

Progressos no Sítio

O sítio "Mensageiros da Paz" já não era o mesmo de quando Vovô o comprou. Ele fora feliz com o seu arrendatário, uma família de lavradores de pai, mãe e quatro filhos, dedicada à lavoura. Os vinte e sete alqueires dos quais tratavam pareciam um jardim: plantações viçosas os ocupavam promissoras. Com a parte que lhe tocava, Vovô faria face às despesas e ainda sobraria. No fundo da propriedade, onde corria o córrego, construíra um pequeno açude, que era a delícia dos netos.

Os seus três alqueires também rendiam: Vovó, comadre Zita e Carolina Maria fizeram uma sociedade de criar galinhas e tinham ovos e frangos para o gasto e para vender. No pasto já estava o Gaúcho, um belo cavalo baio que o pai de Paulo Guilherme lhe comprou, e mais dois de tração.

A horta foi outra sociedade das três mulheres e dava boa produção, que um verdureiro comprava para vender e não tinha o que chegasse. No pomar havia três magníficas jabuticabeiras e duas altas e copadas mangueiras — e outras muitas fruteiras, mas algumas muito velhas e tiveram de ser substituídas por mudas novas.

No jardim, na frente e nos lados da casa-grande, não faltavam flores, alegrando os olhos e perfumando o ar.

Para ajudá-lo em tudo isso, Vovô admitiu um empregado que lhe arranjou comadre Zita, e o arrendatário lhe dava dois dias por mês.

A cisterna fornecia água abundante e puríssima.

Quem o auxiliou muito foi o sr. Vésper com os seus conselhos de agrônomo. E recomendou-lhe:

— Toma cuidado, Vovô, ao limpar o barracão: está cheio de velharias e há anos ninguém mexe nele; ali deve haver ninhos de cobras e aranhas perigosas.

Vovô tomou suas precauções: numa de suas idas a São Paulo esteve no Instituto Butantã e recebeu lições de como caçar cobras, aranhas e outros insetos cujos venenos são úteis à medicina. Daí em diante, não consentiu que se matasse cobras, nem nada no sítio; tudo devia ser apanhado vivo e remetido para o Instituto, para o que lhe foram fornecidos laços e embalagens; e ensinou a seu pessoal como proceder.

Aproveitando os dois dias do arrendatário e mais comadre Zita, Carolina Maria, Vovó e Jurandir, o empregado, Vovô tratou de arrumar o barracão. Daquele amontoado pouca coisa se aproveitou: um pilão com sua mão, uma escrivaninha bem antiga, uma cômoda e uma arca pesadíssimas, uma moenda de cana, um trole, alguns tachos de cobre, várias ferramentas; o resto era lixo, coisas que apodreceram e se tornaram imprestáveis.

O pilão, a escrivaninha, a arca, a moenda de cana, o trole, a cômoda, foram restaurados pelo Chico Carapina; os tachos de cobre entusiasmaram comadre Zita, que os poliu deixando-os como novos. "São para os meus doces", dizia orgulhosa. O lixo foi enterrado no fundo da propriedade. Caçaram três cobras e meia dúzia de aranhas caranguejeiras, cujo destino foi o Butantã. Uma reforma no telhado e nas paredes por um pedreiro e um pintor, por dentro e por fora, deixou o barracão novo.

O sr. Vasco, o sitiante da frente, deu boa mão ao Vovô. O sr. Vasco era granjeiro; fizera de seu sítio uma granja produtora de queijo, leite e manteiga; tinha uma boa freguesia.

Os dois animais de tração, Vovô os adquiriu por causa do trole, com o qual ele e os netos se locomoviam por toda parte, seguidos de Paulo Guilherme montado em seu baio.

Os filhos, genro e noras estavam radiantes de entusiasmo pelo sítio; Vovó Cirene quase esqueceu seu apartamento em São Paulo. E Vovô, então! Rejuvenesceu, transpirava saúde por todos os poros.

17ª Aula

Vida Espírita

Espíritos Errantes

— A gente reencarna logo depois que morre, Vovô? — perguntou Thiago.

— Não; entre uma e outra reencarnação decorre um espaço de tempo mais ou menos longo; depende das necessidades do Espírito; uns reencarnam mais cedo, outros mais tarde. Nos mundos superiores a reencarnação é quase em seguida.

— E por quê, Vovô? — perguntou Alessandra.

— Porquê lá nesses mundos o corpo é menos grosseiro. E, sendo a matéria que o forma mais refinada, permite quase total liberdade ao Espírito, o qual goza de quase todas as suas qualidades espirituais.

— E enquanto ele não se reencarna, o que o Espírito é, Vovô? — perguntou Bruno.

— É um Espírito errante, preparando-se para o novo destino que o espera. Esse estado dura um tempo indeterminado, que pode ser breve ou longo.

— Todos os Espíritos são errantes, Vovô? — perguntou Angélica.

— Nem todos. Os Espíritos que estão sujeitos ainda a reencarnações, sim; os Espíritos puros, não; porque já alcançaram seu estado definitivo. Eis o que O *Livro dos Espíritos* nos ensina:

"No tocante a suas qualidades íntimas, os Espíritos pertencem a diferentes ordens ou graus, pelos quais passam sucessivamente, à medida que se purificam. No tocante ao estado, podem ser encarnados, que quer dizer ligados a um corpo; errantes ou desligados do corpo material e esperando uma nova encarnação para se melhorarem; Espíritos puros ou perfeitos e não tendo mais necessidade da encarnação".

— Os Espíritos errantes estudam como nós, Vovô? — perguntou Luís Felipe.

— Sim. Estudam o seu passado para corrigir o que nele encontrarem de errado e também estudam os meios de progredirem. Observam o que se passa nos lugares que percorrem; escutam as preleções dos homens esclarecidos e os conselhos dos Espíritos mais adiantados do que eles, adquirindo assim ideias que não possuíam. E frequentam também magníficas escolas de todos os graus ao seu alcance. Na minha biblioteca há um livrinho chamado *Cartas de uma Morta*, de F. C. Xavier, que retrata e explica muito bem a situação e as ocupações dos Espíritos errantes. Recomendo-lhes que o leiam.

— E as paixões, Vovô, as paixões humanas, o Espírito as conserva? — perguntou Vovó Cirene.

— Há na Terra pessoas excessivamente orgulhosas, outras dedicadas ao mal; você acredita que elas perderão esses defeitos ao passarem para o lado de lá? Pois as más paixões que o Espírito teima em conservar não o deixam progredir enquanto não se libertar delas.

— E no estado errante, Vovô, o Espírito progride? — perguntou dona Angelina.

— Pode melhorar bastante, sempre de acordo com a sua vontade e o seu desejo; mas é encarnado que põe em prática as novas ideias adquiridas.

— E na erraticidade, os Espíritos são felizes ou infelizes? — perguntou Bruno.

— Tudo se passa segundo seus méritos: sofrem pelas paixões e vícios que ainda conservam; e são felizes de acordo com sua maior ou menor desmaterialização, ou seja, à medida que se desprendem da matéria. No estado errante, entrevemos o que nos falta para ser felizes e buscamos todos os meios para isso.

— E podemos, Vovô, no estado de errantes ir a todos os mundos? — perguntou Thiago.

— Conforme. Quando deixamos o corpo, ainda não estamos completamente desligados da matéria e ainda pertencemos ao mundo em que vivemos ou a um mundo do mesmo grau, a menos que durante nossa encarnação tenhamos progredido. Esse é o objetivo a que nos devemos dedicar, sem o que jamais nos aperfeiçoaremos. Podemos, entretanto, caso sejamos autorizados, ir a alguns mundos superiores, porém, como visitantes ou como estagiários.

— E aos mundos inferiores, os Espíritos já purificados vão a eles, Vovô? — perguntou dona Purezinha.

— Frequentemente, para ajudá-los a progredir; sem isso esses mundos estariam entregues a si mesmos, sem ninguém que os orientasse.

Mundos Transitórios

— Existem mundos intermediários, Vovô, isto é, mundos entre a Terra e um mundo mais adiantado do que a Terra? — perguntou Paulo Guilherme.

— Sim, há: são os mundos intermediários que os Espíritos podem habitar temporariamente, espécies de acampamentos onde repousam de erraticidades muito longas, que sempre são um tanto penosas; são posições intermediárias entre mundos, graduadas de acordo com a natureza dos Espíritos que podem atingi-las e que nelas gozam de maior ou menor bem-estar.

— E eles podem sair de lá quando quiserem, Vovô? — perguntou Angélica.

— Os Espíritos que se encontram nesses mundos deixam-nos para seguir seus destinos; afiguram-se-nos como aves de arribação descendo numa ilha até recuperarem suas forças e seguir avante.

— E, enquanto estacionam nesses mundos, progridem, Vovô? — perguntou Alessandra.

— Certamente. Os que assim se reúnem têm o fito de se instruírem para mais facilmente alcançar postos melhores.

— Esses mundos são por natureza perpetuamente destinados a Espíritos errantes, Vovô? — perguntou o sr. Vasco.

— Não. São mundos em formação. Não são habitados por seres corpóreos, e os Espíritos que os habitam não precisam de nada. E são estéreis transitoriamente; refletem as belezas da imensidade, não menos belas do que as belezas naturais. A nossa Terra, durante sua formação, foi um deles. Por aí vocês veem que nada existe de inútil na Natureza: cada coisa tem a sua finalidade, a sua destinação; nada é vazio, tudo é habitado; a vida se expande por toda parte.

Percepções, Sensações e Sofrimentos dos Espíritos

— Quando estivermos desencarnados, Vovô, veremos as coisas como as estamos vendo agora, isto é, teremos as mesmas percepções? — perguntou dona Angelina.

— Sim, e outras mais. Nosso corpo de carne funciona como um véu que obscurece nosso Espírito, ou seja, como um redutor de nossas percepções, deixando-nos ver, como encarnados, o estritamente necessário ao desempenho de nossas funções na Terra. No mundo dos Espíritos já não há esse redutor e, assim, nossa inteligência se manifesta livremente.

— Os Espíritos sabem como se formou o Universo, isto é, o princípio das coisas, Vovô? — perguntou Paulo Guilherme.

— Os Espíritos inferiores não sabem mais do que nós; porém, segundo seu grau de pureza e elevação, o seu conhecimento se alarga.

— Os Espíritos sentem o tempo, a duração dele, como nós, Vovô? — perguntou sr. Vasco.

— O *Livro dos Espíritos* nos diz: "Os Espíritos vivem fora do tempo, tal como o compreendemos; a duração, para eles praticamente não existe; e os séculos, tão longos para nós, não são para eles mais do que instantes que desaparecem na eternidade, do mesmo modo que as desigualdades do solo se apagam e desaparecem para aquele que se eleva no espaço".

— Os Espíritos veem o que nós não vemos e, por isso, têm uma ideia mais clara e mais justa das coisas e, assim, julgam os fatos diferentemente do que nós; todavia, isso depende da elevação de cada um deles.

— E o passado, Vovô, os Espíritos têm conhecimento dele? — perguntou Carolina Maria.

— A lembrança do passado está em relação com o adiantamento de cada um deles. Quanto mais adiantado for um Espírito, tanto mais se recordará de seu passado, de suas encarnações anteriores. Há Espíritos que mal se lembram de sua última encarnação. Entretanto, nem tudo os Espíritos conhecem, a começar pela sua própria criação.

— E o futuro, Vovô, o futuro? — perguntou Angélica.

— O conhecimento do futuro depende também do adiantamento do Espírito; todavia, nenhum deles tem a permissão de revelá-lo; à medida que o Espírito se aproxima de Deus, vê melhor o futuro. Depois da morte, isto é, da desencarnação, a alma vê e abarca de relance as suas encarnações passadas, mas não pode ver o que Deus lhe prepara; para isso é necessário que esteja integrado nele depois de muitíssimas existências.

— Então, chegando à perfeição, teremos completo conhecimento do futuro, não é verdade, Vovô? — perguntou Thiago.

— Completo não é o termo, porque Deus é o único e soberano Senhor e ninguém o pode igualar.

— E quando é que veremos a Deus, Vovô? — perguntou Alessandra.

— Somente o veremos quando formos Espíritos Superiores; então o empreenderemos. Os Espíritos inferiores, como nós, apenas o sentem e o adivinham.

— Mamãe muitas vezes me diz: Bruno, não faça isso que Deus não quer. Como é que ela sabe disso, Vovô?

— Nós, Espíritos inferiores, percebemos a soberania de Deus. E, quando uma coisa não deve ser feita, sentimos como que uma intuição, algo que fala dentro de nós mesmos, uma advertência invisível que nos inibe de fazê-lo; é a nossa consciência que se manifesta advertindo-nos, avisando-nos para que não o façamos. É a voz da consciência, a voz de Deus manifestando-se em nosso íntimo. E, quando teimamos em não ouvi-la, sempre há uma pessoa que tenta abrir-nos os olhos: nesse caso, a Mamãe de Bruno.

— Os Espíritos precisam de luz para ver, Vovô? — perguntou comadre Zita.

— Para os Espíritos não há trevas, a não ser para aqueles que estão purgando seus pecados, isto é, os erros cometidos durante suas encarnações passadas. Quanto menos puro for um Espírito, tanto mais é limitada a sua visão espiritual. As percepções visuais e auditivas são tanto mais apuradas quanto mais adiantado for o Espírito; eles são sensíveis à música e a todas as belezas naturais do Universo.

Não sentem o cansaço como nós o entendemos e, então, não necessitam do repouso corporal, porque não possuem órgãos em que as forças tenham de ser restauradas. Mas o Espírito repousa no sentido de não permanecer numa atividade constante. Quanto mais elevado for um Espírito, tanto menos de repouso necessita, repouso como o entendemos aqui na Terra.

Ensaio Teórico sobre a Sensação nos Espíritos

— Para finalizar nosso serão, que já se prolonga um pouco mais do horário, vou ler-lhes alguns trechos do ensaio teórico que Allan Kardec faz da sensação nos Espíritos. Quando quiserem poderão lê-lo completo em O Livro dos Espíritos:

"O corpo é o instrumento da dor, senão é a sua causa primária é, contudo, imediata. A alma tem a percepção dessa dor: essa percepção é o efeito. A lembrança que dela conserva pode ser muito penosa, mas não pode implicar ação física. De fato, o frio e o calor não podem desorganizar os tecidos da alma; a alma não pode enregelar-se nem queimar-se.

"O perispírito é o liame que une o Espírito à matéria; é tomado do meio ambiente, do fluido universal; contém, ao mesmo tempo, eletricidade, fluido magnético e até, em certo ponto, a própria matéria inerte; poderíamos dizer que o perispírito é matéria quintessenciada; é o princípio da vida orgânica, mas não da vida intelectual, porque esta pertence ao Espírito; é também o agente das sensações externas. No corpo, essas sensações estão localizadas nos órgãos que lhes servem de canais.

"A experiência nos ensina que, no momento da morte, o perispírito se desprende mais ou menos lentamente do corpo. Nos primeiros instantes, o Espírito não compreende a sua situação; não acredita que morreu; sente-se vivo; vê o seu corpo ao seu lado, sabe que é seu, mas não entende."

— Com licença, Vovô; nesse caso, ou seja, na desencarnação o conhecimento do Espiritismo ajuda muito, não é verdade? — observou o sr. Vésper.

— Se ajuda!... e muitíssimo! — respondeu Vovô, e continuou:

"Os sofrimentos deste mundo decorrem de nossa própria vontade. Que se remonte à origem e ver-se-á que a maioria deles é consequência de causas que poderíamos ter evitado.

"Quantos males, quantas enfermidades o homem deve aos seus excessos, à sua ambição, às suas paixões, enfim? O homem que tivesse vivido sempre sobriamente, que não tivesse abusado de nada, que tivesse sido sempre de gostos simples e desejos modestos, se pouparia de muitas tribulações. O mesmo se dá com os Espíritos: os sofrimentos que eles enfrentam são sempre as consequências de como viveram na Terra; não terão, sem dúvida, a gota e o reumatismo, mas terão outros sofrimentos que não são menores.

"Vimos sempre que os sofrimentos estão em relação com a conduta, da qual sofrem as consequências, e que essa nova existência, a espiritual, é uma fonte de felicidade para aqueles que tomaram o bom caminho. De onde se segue que os que sofrem é porque assim quiseram e só devem queixar-se de si mesmos, tanto no outro mundo como neste."

Vovô calou-se. E Tio Vésper anunciou:

— Antes que Carolina Maria nos chame, aproveitarei para contar-lhes uma historinha.

— Epa!, Tio Vésper. Tenho hoje meus "Retalhos Luminosos...".

— Você os lerá, mas vamos à história:

O Olho

"Havia um homem muito ambicioso. E como queria ser rico, muito rico, enganava os outros tirando proveito das dificuldades alheias, fabricava documentos falsos para se beneficiar; entrou na política, conseguiu cargos importantes no governo, mas foi um político corrupto; usou de seus cargos, de sua posição, para embolsar dinheiro e mais dinheiro da nação e assim por diante.

Um dia em que ele fazia as contas de seus haveres, ao erguer os olhos de sua escrivaninha, a dois metros de sua frente, viu um olho que o fitava fixamente.

Dali em diante, aquele olho não o deixou mais: de dia, de noite, em sua casa, na rua, onde quer que ele estivesse, lá estava o olho a fitá-lo.

Como era rico, mandou fazer um quarto confortável, subterrâneo, em seu palacete; e nele se instalou na esperança de ficar livre daquele olho. Mas que desespero! Lá estava o olho a fitá-lo, como sempre.

— Maldito, maldito! Quem és tu? O que queres de mim?! — gritou alucinado.

E uma voz, que parecia sair do olho, respondeu-lhe:

— Eu sou a tua consciência; vi tudo o que fizeste; enganaste o mundo, mas não enganaste a mim.

Num átimo, desfiou-lhe pela mente todos os seus atos desonestos, alicerces de sua fortuna, de sua riqueza; sentiu uma dor funda no coração e um nó opримiu-lhe a garganta; dobrou os joelhos e chorou; e, chorando, perguntou-lhe:

— O que devo fazer agora?

E o olho respondeu-lhe:

— Com o dinheiro da iniquidade, faze o bem; distribui benefícios; não percas tempo!

Dias depois, pôs-se a andar pensativamente pelas ruas seguido pelo olho, meditando em como cumprir o que ele lhe tinha dito. Como que guiado pelo olho, entrou numa favela sem perceber. E os favelados, admirados, olhavam para aquele homem tão bem-vestido, de sapatos tão bem engraxados, tão pensativo, que andava por ali sem rumo, parecendo não os ver.

Quando notou onde estava, estremeceu; contudo se dignou a conversar com aquela gente pobrezinha.

E dentro em pouco tempo na favela surgiu um hospital, uma maternidade, uma creche, uma escola, os barracos foram remendados, oferecendo algum conforto.

Certa vez, passando diante de um deles, ouviu que oravam por ele em voz alta, agradecendo a Deus por tê-lo enviado ali. E o homem, procurando o olho que sempre o acompanhava, não o viu mais; e compreendeu que estava em paz com a sua consciência".

— E agora vamos aos "Retalhos Luminosos" do nosso Paulo Guilherme.

— Lá vão! — bradou Paulo Guilherme.

Retalhos Luminosos

"Jesus não esperou que os homens fossem até ele; veio até os homens para amá-los, ensiná-los, servi-los. Não exigiu que os homens imediatamente se tornassem iguais a ele, mas igualou-se aos homens para ajudá-los na áspera subida."

* * *

"Façamos o bem sem ansiedade, semeemo-lo sempre e em toda parte, mas não estacionemos na exigência de resultados. O lavrador pode espalhar as sementes, mas precisa reconhecer que a germinação delas pertence a Deus."

* * *

"É uma péssima maneira de raciocinar o rejeitar o que não se compreende."

* * *

"O Evangelho foi pregado aos pobres de espírito, e os pobres de espírito o aceitaram e o entenderam. É o livro mais claro que existe; sua doutrina não se dirige ao cérebro, mas ao coração. Não ensina a discutir, mas a viver bem."

* * *

"A prosperidade, com frequência, conduz ao vício; ao passo que a adversidade melhor nos leva à Virtude."

* * *

"Não mateis. Sede compassivos. Não detenhais em seu caminho ascendente o mais ínfimo ser."

* * *

"O trabalho é a única ferramenta que pode construir o palácio do repouso legítimo."

* * *

"Basta que cada um comece a fazer o que deve e pare de fazer o que não deve; basta que ponhamos em nossos atos toda a luz que temos em nós para que se estabeleça o prometido reino de Deus, para o qual tende a alma de todos os homens."

* * *

"A Harmonia aumenta o pouco, a Discórdia acaba o muito."

* * *

— Acabou, Paulo Guilherme?
— Acabei, Carolina Maria.
— Pois a mesa está posta a esperá-los; venham que quero ir dormir logo. Estou com sono.
— Só você, madame? — perguntou o sr. Vésper.

18ª Aula

Escolha das Provas

— E como é que os Espíritos fazem para se reencarnar, Vovô? — perguntou dona Angelina.
— É isso mesmo que eu quero saber. A senhora tirou-me a pergunta da boca — disse dona Purezinha.
— Pela desencarnação, voltaremos ao nosso grupo espiritual. Passada a alegria do reencontro e familiarizados com a nossa nova vida, não ficaremos inativos: trabalharemos e estudaremos; passaremos em revista os atos que praticamos em nossas encarnações anteriores; veremos quais os que devemos e o que nos falta aprender; e, auxiliados por nossos mentores espirituais, elaboraremos o mapa de nossa futura reencarnação; nesse plano, a parte principal são as provas e as expiações para a correção de nossos desvios.
— E ficaremos muito tempo desencarnados, Vovô? — perguntou Thiago.
— Depende: vai de alguns anos a dezenas deles.
— E se a gente quiser ficar mais tempo, pode, Vovô? — perguntou Luís Felipe.
— Pode. Muitos pedem permissão para terminar estudos que iniciaram e que só podem ser feitos na esfera espiritual; e lhes é concedido o tempo necessário para isso.
— E quem faz o mal, como é que fica? — perguntou comadre Zita.
— Do lado de lá, a posição de cada um é de acordo com suas obras; quem se dedicou ao mal, irá para colônias espirituais inferiores até se reabilitar.
— Mas eles não tinham instruções sobre como se comportar, Vovô? — perguntou Thiago.
— Tinham. Não há planos criminosos. Os planos são traçados visando ao progresso e à purificação do Espírito. Mas o Espírito tem o seu livre-arbítrio; a escolha é dele: se não seguir o caminho reto, terá de arcar com as consequências.

— E se um Espírito na erraticidade estuda as diversas condições em que poderá progredir, como o fará se nascer entre canibais, Vovô? — perguntou Thiago.

— Não são os Espíritos adiantados que nascem entre canibais, mas Espíritos do mesmo grau dos canibais, ou que lhes são inferiores. Talvez vocês não acreditem, mas há mundos tão atrasados, onde o embrutecimento e a ferocidade ultrapassam tudo o que existe na Terra.

— Espíritos de um mundo inferior podem encarnar na Terra, Vovô? — perguntou Angélica.

— Às vezes lhes é permitido para o seu progresso; mas sentem-se deslocados entre nós, porque têm hábitos e instintos que se chocam com os nossos. E não raro dão-nos o exemplo da ferocidade em meio da civilização.

— Um homem civilizado pode reencarnar-se numa raça selvagem, Vovô? — perguntou Bruno.

— Sim, quando é por expiação, por abusos cometidos. E também um bom Espírito pode nascer numa raça inferior para fazê-la progredir; nesse caso, o Espírito desempenha uma missão.

Relações de Além-Túmulo

— Os Espíritos se relacionam entre si, como nós aqui na Terra, Vovô? — perguntou o sr. Vasco.

— Relacionam-se; mantêm a mais pura amizade. Os grupos de Espíritos auxiliam-se mutuamente; as famílias entrelaçam-se pelo amor. E, dentro do possível, auxiliam os membros encarnados.

— Há os que mandam, os que têm autoridade, Vovô? — perguntou Alessandra.

— Lá, como aqui, há os que mandam e os que obedecem. A autoridade de um Espírito lhe é conferida pelo seu adiantamento moral. Quanto mais moralizado for um Espírito, tanto mais autoridade terá.

— O senhor disse moralizado, Vovô? — perguntou Bruno.

— O adiantamento de um Espírito se mede por sua moral e não por seu saber intelectual. Vocês sabem que há inteligências brilhantes, porém baixa moral, não é verdade? Estes, do lado de lá, não têm autoridade nenhuma.

— É... tem de ser assim mesmo... tomara que um dia seja assim aqui na terra, entre nós encarnados... — concluiu pensativamente o sr. Vésper.

— Para que vocês bem possam compreender as relações que ligam os Espíritos desencarnados, vou dar-lhes uma ligeira síntese do que nos ensina O Livro dos Espíritos:

"Assim como na Terra há uma hierarquia de poderes e, por conseguinte, de subordinação, no mundo dos Espíritos também há. O poder de um Espírito sobre os outros mede-se por sua superioridade moral, poder esse que o Espírito superior exerce sobre o inferior de maneira irresistível. Assim, no mundo espiritual nós não nos podemos subtrair à ascendência de um Espírito superior a nós; do mesmo modo, um Espírito de moral inferior à nossa não pode subtrair-se à ascendência moral que exercemos sobre ele".

— Dá licença, Vovô. E esses homens cheios de galardões, de títulos, de poderes que possuem na Terra e que fazem com que todos se curvem diante deles: do lado de lá, isto é, no mundo dos Espíritos terão alguma supremacia? — perguntou dona Purezinha.

— Galardões, títulos, poderes terrenos, fortunas, na Terra ficarão; do lado de lá, cada um de nós merecerá o respeito que nos conferir nossa moralidade, ou seja, nossa ascendência moral e nada mais. Nesse caso, os orgulhosos, os vaidosos, os invejosos, sentem-se grandemente humilhados; por exemplo: o Espírito de um soldado raso poderá, no mundo espiritual, ter uma ascendência moral muito grande sobre aquele que foi o seu general, quando ambos estavam encarnados. O título, no mundo dos Espíritos, nada é; a superioridade moral é tudo. Lembremo-nos sempre da advertência de Jesus: "Os pequenos serão elevados e os grandes rebaixados". Porque Deus é o juiz: a este humilha e àquele exalta, como diz o salmo.

— Os Espíritos vivem misturados como aqui, Vovô? — perguntou Thiago.

— Os Espíritos bons vivem em cidades espirituais, onde se encontram, se visitam, estudam, trabalham. Os maus também vivem em cidades espirituais, porém em regiões inferiores, de conformidade com as tendências que manifestam. As cidades espirituais dos bons são interditadas aos Espíritos maus.

— Há Espíritos inferiores que inspiram o mal aos encarnados; por quê, Vovô? — perguntou Paulo Guilherme.

— Por despeito, por inveja, por vingança; querem que os outros sofram o que estão sofrendo.

— Eles conversam entre si, Vovô? — perguntou Angélica.

— Comunicam-se pelo pensamento; todavia, os Espíritos ainda inferiores fazem uso das palavras como nós aqui.

— Eles se escondem uns dos outros e podem encobrir seus pensamentos, como nós encarnados, Vovô? — perguntou Luís Felipe.

— Nada fica encoberto aos Espíritos perfeitos. Mas um Espírito pode tornar-se invisível a outro, se julgar útil fazê-lo.

— Não tendo o corpo de carne, como constatam a própria individualidade e a dos outros? — perguntou o sr. Vasco.

— Pelo perispírito, que os distingue uns dos outros, como nosso corpo aqui entre nós. E, assim, amigos e parentes se reconhecem de geração a geração.

— Assim que desencarnarmos, Vovô, veremos nossos parentes e amigos que se foram? — perguntou Thiago.

— Nem sempre imediatamente. Mas os que podem fazê-lo vêm ao encontro da alma que estimam, felicitam-na como do regresso de uma viagem de cujos perigos escapou e ajudam-na a desprender-se dos liames corporais.

— Os parentes e amigos reúnem-se após a morte, Vovô? — perguntou dona Angelina.

— O Livro dos Espíritos nos diz que isso depende de sua elevação e do caminho que seguem para seu adiantamento. Se um deles está mais adiantado e marcha mais rápido do que o outro, não poderão ficar juntos; poderão ver-se algumas vezes, mas não estarão sempre reunidos, a não ser quando possam marchar ombro a ombro, ou seja, quando ambos tiverem atingido a igualdade na perfeição.

Relações Simpáticas e Antipáticas dos Espíritos. Metades Eternas

— Os Espíritos antipatizam-se uns com os outros, Vovô? — perguntou Luís Felipe.

— A antipatia é sinal de inferioridade. E, assim, os Espíritos compreensivos, cuja antipatia lhes foi suscitada por outrem, tratam logo de expulsá-la de seus corações; de modo que os que não se simpatizam hoje, simpatizar-se-ão amanhã. Diz-nos O Livro dos Espíritos que as antipatias acabam à medida que os Espíritos se elevam, da mesma maneira que dois escolares, chegando à idade da razão, reconhecem a puerilidade de suas brigas infantis e deixam de se malquerer.

— E as metades eternas; existem Espíritos que foram criados um para o outro, para se completarem, Vovô? — perguntou dona Purezinha.

— Pode haver entre dois Espíritos uma grande simpatia, um amor grande, viverem juntos em várias encarnações, mas nunca para se completarem. Cada Espírito é completo por si mesmo. A ideia de metades eternas pode ser poética, mas não é a realidade.

Lembrança da Existência Corpórea

— Os Espíritos se lembram de suas vidas passadas, Vovô? — perguntou Bruno.

— Lembram-se como nós nos recordamos do dia de ontem. E muitas vezes riem-se dessas lembranças ou choram por elas.

— Vovô, Mamãe tem algumas coisas, especialmente uma estatueta, que ela guarda carinhosamente, como lembrança de parentes falecidos. Como os Espíritos veem esse carinho? — perguntou Paulo Guilherme.

— O Espírito sente-se feliz por ser lembrado; o que dele conservamos aviva em nós a sua lembrança, mas é o pensamento que os atrai para nós e não os objetos.

— O Espírito que acaba de desencarnar, assiste às reuniões de seus herdeiros, Vovô? — perguntou o sr. Vasco.

— Quase sempre, como diz O Livro dos Espíritos: "Deus o quer, para sua própria instrução e para castigo dos culpados. É nessa ocasião que ele vê quanto valiam os protestos que lhe faziam. Todos os sentimentos se tornam patentes e a decepção que experimenta, vendo a rapacidade dos que dividem o seu espólio, o esclarece quanto aos seus propósitos. Mas a vez deles chegará".

— E se um Espírito, Vovô, como encarnado iniciou um trabalho útil e desencarna deixando-o incompleto, ele se lamentará por deixá-lo inacabado? — perguntou o sr. Vésper.

— Ele logo percebe que outros Espíritos encarnados o concluirão e os influencia para isso.

— Quando desencarnados, modificaremos nossas ideias, Vovô? — perguntou dona Purezinha.

— E muito; à medida que nós nos desmaterializamos, nossas ideias se modificam, porque a influência da matéria diminui até desaparecer, o que nos permite ver as coisas mais claramente. Espantar-nos-emos ao retornar ao mundo espiritual deslembrados de nossas vidas passadas; porém, tudo se normaliza tão logo se desfizer a impressão da vida terrestre que acabamos de deixar.

Comemoração dos Mortos. Funerais

— Os Espíritos gostam que a gente se lembre deles, Vovô? — perguntou Angélica.

— Sim, e sentem-se felizes por isso. É um dever de fraternidade que demonstramos por nossos queridos.

— Eles assistem aos seus enterros? — perguntou comadre Zita.

— Obrigatoriamente, não. Assistem se quiserem. Quase todos eles, tão logo se libertam do corpo, retiram-se com seus amigos e parentes que os foram receber; o corpo de carne e seu destino já não os interessam.

— E sobre a comemoração dos mortos, Vovô, o que o senhor nos diz? — perguntou o sr. Vasco.

— Vou fazer um pequeno resumo de O *Livro dos Espíritos* sobre isso: os Espíritos desencarnados são sensíveis à lembrança, às saudades que sentimos por eles. E no dia da comemoração dos mortos atendem, mais do que em outros, ao nosso pensamento e sentem-se felizes por isso. Nesse dia, reúnem-se junto às sepulturas em maior número, porque é maior o número de pessoas que os chamam. Os Espíritos prendem-se à Terra pelo coração, pelo amor daqueles que deles se lembram; o mais não lhes importa. Eis o que, em nota de rodapé, nos ensina Herculano Pires: "O respeito pelos mortos não é apenas um costume, como se vê: é um dever de fraternidade, que a consciência conserva e para o qual nos alerta. Por pior que tenha sido o morto, não temos o direito de aumentar-lhe o suplício com nossas vibrações agressivas. A caridade nos manda esquecer o mal e lembrar o bem, pois só assim ajudaremos o Espírito desencarnado a superar as suas falhas e esforçar-se para evoluir. Pensando e falando mal dele, só podemos prejudicá-lo, irritá-lo e até mesmo voltá-lo contra nós".

O relógio marcou as nove horas. O serão terminou. E a tertúlia coube a Alessandra, que recitou uma poesia de Gonçalves de Magalhães:

Preces da Infância

Vós me vedes, Deus Eterno,
Como eu sou tão pequenina;
Minha alma é ainda inocente,
Tão pura como a bonina.

Débeis como minhas vozes
São ainda meus pensamentos;
Do mundo nada conheço,
Nem prazeres nem tormentos.

Qual tenro botão de rosa
Que à sombra da rosa cresce,
Sem temer o vento e a chuva,
De um frouxo raio se aquece;

Mas pouco a pouco crescendo,
Desabrocha e cheiro exala,
Orna o prado que o sustenta
E da roseira é a gala;

Assim eu, filhinha tenra,
A meus pais devo a vida;
A seu lado eles me educam,
Por eles serei querida.

Hoje inocente me chamam!
Oh! como é bela a inocência!
É a virtude dos anjos,
É das virgens a ciência.

Vós, ó Deus que podeis tudo,
Concedei-me por piedade
Que este aroma de inocência
Me acompanhe em toda idade.

Ó meu Deus, dai à minha alma
Puro e santo pensamento,
Como o perfume do templo
Que sobe ao vosso aposento.

Dai a meus pais longa vida
E àqueles que em minha infância
Prestam socorros contínuos
Com tanto amor e constância.

Que felizes, que ditosos,
Por vós, ó Deus, protegidos,
Passam seus dias, seus anos,
Como astros sem ser sentidos.

Vigiai minha fraqueza
Com a vossa sabedoria.
Ó Deus, ouvi minhas preces,
Escutai-me neste dia!

19ª Aula

Dona Corina

O sr. Vésper proporcionou-nos uma agradável surpresa: trouxe-nos dona Corina e, apresentando-a, disse:
— É uma espírita convicta, não só na prática como na exemplificação. Ela vive o Espiritismo; é diretora do Centro Espírita Mensageiros da Paz; falei-lhe de nossos serões e, manifestando o desejo de assistir a eles, convidei-a...
— Chega, Vésper! Sou uma simples estudiosa e trabalhadora da Doutrina Espírita, como qualquer outra; nem mais nem menos do que o comum dos seus adeptos.
— Que coincidência! — exclamou Vovó. — Nosso sítio também se chama Mensageiros da Paz.

Dona Corina encantou-os: alegre, sorridente, agradável, com os cabelos brancos muito bem penteados, simplesmente vestida, era uma mulher bonita. Conhecia os livros de Allan Kardec de cor e salteado.
— São os meus livros de cabeceira — disse-lhes —; desde mocinha que os leio e estudo. E não compreendo um espírita que não faça o mesmo.

Daí por diante, tiveram um serão a mais: o das quintas-feiras; nesse dia, todos iam de trole ao Centro. As sessões eram públicas, dedicadas à propaganda da Doutrina e do Evangelho. Vovô e o sr. Vésper foram convidados muitas vezes a fazer preleções sobre esses temas; e ambos se tornaram seus dedicados auxiliares no Centro.

Retorno à Vida Corporal

Prelúdios do Retorno

— Vovô — perguntou Angélica abrindo o serão. — Os Espíritos sabem o dia em que reencarnarão?

— Assim como nós sabemos que temos de desencarnar, mas não sabemos quando, tal acontece com eles: esperam sua volta à Terra, mas desconhecem o dia.

— Poderíamos progredir sem precisar de nos encarnar, Vovô? — perguntou Bruno.

— O corpo é o instrumento do Espírito; é a sua ferramenta; é o seu material escolar; sem ele, o Espírito em crescimento, como nós, não aprenderia nada.

— O senhor disse Espírito em crescimento, Vovô? — perguntou dona Angelina.

— Somos Espíritos infantis ainda; temos de crescer em sabedoria, em sentimento, em moralidade. Quando atingirmos a idade adulta, então não mais necessitaremos da encarnação, a não ser que a tomemos para desempenhar tarefas na Terra em benefício da Humanidade.

— Pode dar-nos alguns exemplos, Vovô? — pediu Thiago.

— Pasteur, Thomas Alva Edison, Allan Kardec, Edward Jenner, Madame Curie, Oswaldo Cruz são os que me vêm à memória no momento, os quais voltarão à Terra se forem designados para trazer-nos novos conhecimentos.

— E se eu, Vovô, estou satisfeito com o meu estado atual na vida espiritual; não desejo progredir além do que já progredi, quero ficar como estou, sinto-me feliz assim, posso? — perguntou Paulo Guilherme.

— Pode. Você tem o seu livre-arbítrio. Porém, chegará o dia em que você se sentirá tão cansado daquela vagabundagem, daquela vida inútil, terá saudades de seus entes queridos que já alcançaram posições melhores, que você implorará de joelhos e em lágrimas a esmola de uma reencarnação.

— Perder tempo não é bom negócio, meu caro Paulo Guilherme — advertiu-o o sr. Vésper.

— Vovô, para um Espírito se reencarnar, ao chegar a sua hora de voltar à Terra, como se processa esse fato? — perguntou o sr. Vasco.

— Há Espíritos Superiores que tratam disso. Chegado o tempo de um Espírito se reencarnar, este é encaminhado a eles, que elaboram o plano de sua futura vida na Terra. Esse plano é elaborado visando à correção de atos maus praticados em vidas passadas e novos aprendizados para o progresso do Espírito. É-lhe então entregue o plano para que o estude e o aprove; e são-lhe permitidas algumas modificações, que podem ser aceitas ou não pelos superiores; encaminham-no então ao seu futuro lar, a seus pais. É acompanhado por seus amigos espirituais, que o animam, que lhe prometem assisti-lo, que o encorajam. Porém, isso não se dá com todos os Espíritos; há Espíritos que reencarnam compulsoriamente, sem direito à escolha, nem mesmo ao estudo do plano; são os Espíritos rebeldes e excessivamente devedores, que vão encarar uma vida de sofrimentos e de humilhações.

União da Alma com o Corpo. Abortos

— Em que momento, Vovô, a alma se une ao corpo? — perguntou o sr. Vasco.

— No instante da concepção, isto é, no momento em que a mulher se torna grávida; desde então ela já é uma mãezinha; aos poucos, o perispírito vai envolvendo aquele corpo em formação no útero materno e a reencarnação se completa ao grito que a criancinha lança ao nascer, anunciando pertencer ao ambiente terreno.

— E as crianças que nascem mortas, Vovô? — perguntou comadre Zita.

— Nascem mortas porque o reencarne não se completou, o que constitui uma provação para os pais e para o Espírito que usaria aquele corpo.

— Provação por quê, Vovô? — perguntou Carolina Maria.

— Consequência de erros ou faltas cometidas em encarnações anteriores e que agora se refletem na presente encarnação dos pais e do Espírito que se ia reencarnar.

— Em que estado fica o Espírito durante o tempo em que se forma o corpo ao qual já está ligado, Vovô? — perguntou dona Angelina.

— Em estado dormente, entorpecido, do qual despertará à medida que se torna adulto.

— E o aborto, Vovô, o que o senhor nos diz? — perguntou o sr. Vasco.

— Sobre ele vou ler-lhes a resposta em O *Livro dos Espíritos*, ouçam:
"Quais são para o Espírito as consequências do aborto?"
"Uma existência nula a recomeçar."
"O aborto provocado é um crime, qualquer que seja a época da concepção?"
"Há sempre crime quando se transgride a lei de Deus. A mãe, ou qualquer pessoa, cometerá sempre um crime ao tirar a vida a uma criança antes de seu nascimento, porque isso é impedir a alma de passar pelas provas de que o corpo devia ser o instrumento."

O tempo é implacável, não para e, assim, anunciou o término do serão; todos se ergueram para ir à sala de jantar, para a tertúlia e para a petisqueira que Carolina Maria e comadre Zita tinham preparado, mas Vovó Cirene brecou-os:

— Esperem um pouco; tenho uma comunicação a fazer. Estamos na segunda-feira; no próximo domingo é o aniversário do Vovô e vamos comemorá-lo. Nosso pessoal virá de São Paulo. Vocês estão convidados a passar o dia conosco. Carolina Maria e comadre Zita nos prometem um almoço de verdade; não faltem.

O sr. Vésper pediu licença e levou os netos para a biblioteca. E lá combinou com eles o programa em homenagem ao Vovô, recomendando-lhes segredo. E foram para a sala de jantar, onde os esperava café com leite e biscoitos de polvilho ainda quentinhos.

20ª Aula

Faculdades Morais e Intelectuais

— De onde nos vêm nossas faculdades morais e intelectuais, boas ou más, Vovô? — perguntou o sr. Vésper.
— Tais faculdades não são do corpo, mas do Espírito. Um Espírito que possui boas qualidades morais, mas é intelectualmente atrasado, progrediu mais moralmente do que intelectualmente. E um Espírito de boas qualidades intelectuais, posto que moralmente atrasado, desenvolveu primeiro a parte intelectual e não a moral.

— E por que isso, Vovô? — perguntou Bruno.

— Porque o Espírito não desenvolve numa só encarnação todas as suas faculdades: numa encarnação propende a desenvolver seus dotes intelectuais e, noutra, seus dotes morais, até que ambas as partes se equilibrem.

Influência do Organismo

— Ao reencarnar-se, Vovô, o Espírito identifica-se com o corpo, ou por outra, o corpo material exerce influência sobre o Espírito? — perguntou dona Purezinha.

— Ao reencarnar-se, o Espírito não perde o grau de adiantamento a que chegou; entretanto, como já lhes disse, o corpo funciona como um redutor das qualidades do Espírito, ou seja, do saber do Espírito. Tomemos para exemplo um escafandrista: para ele desempenhar sua tarefa no fundo do mar, reveste-se de um rígido aparelho, o escafandro, o qual lhe tolhe quase toda a liberdade do corpo, deixando-o apenas com os movimentos livres para o desempenho de seu trabalho. Notem que o escafandro não lhe tirou as qualidades do corpo, simplesmente reduziu-as ao absolutamente necessário para sua ação no fundo do mar. Assim o nosso corpo de carne: ao mergulharmos no ambiente terreno, funciona como um escafandro; nosso Espírito conserva a sua liberdade; contudo, vestido com o escafandro de carne, essa liberdade fica tolhida, ou seja, reduzida somente ao que é lhe preciso para o desempenho de suas funções terrenas durante o tempo de sua encarnação.

Idiotismo e Loucura

— E os loucos, os idiotas, Vovô? Pergunto-lhe quem é o louco ou o idiota: o Espírito por influência ou por defeito do corpo de carne, ou o corpo carnal por influência ou defeito do Espírito? — perguntou o sr. Vésper.

— Comecemos por partes. Hoje, já não se usam as designações loucos ou idiotas, mas sim deficientes, que são indivíduos que revelam, pelo comportamento ou através de testes, um quociente de inteligência ou reações psicossociais fora dos limites normais. Geralmente, são indivíduos que em encarnações passadas abusaram da inteligência, de seu saber, para o mal, para enganar os outros, explorando-lhes a ignorância ou a boa-fé, inventores de engenhos de morte; ou então indivíduos que chafurdaram no lodo, estragando seus corpos carnais, cultivando vícios. Ora, vocês bem sabem que o perispírito é um arquivo minucioso e implacável de nossos menores atos bons ou maus. Falando dos excepcionais, quando reencarnam, trazem gravados em seus cérebros espirituais o mal que maquinaram contra seu próximo e, pela lei da causa e do efeito, contra si mesmos. Pois bem, para tirarem essa crosta maléfica que os perispíritos deles guardam, só há um meio: reencarnarem. E o corpo de carne funciona então como um filtro através do qual se escoará aquele lodo moral que ali se formou; esse lodo só deixará a inteligência do excepcional funcionar normalmente depois de se ter escoado por completo, ou seja, limpado o perispírito porque, enquanto houver um resquício desse lodo moral ali depositado, a inteligência não funcionará direito embaraçada por ele.

— Vovô, compreendo os que praticaram o mal pela inteligência contra seus semelhantes. Mas não estou entendendo o caso dos viciados — disse o sr. Vésper.

— Ora, meu caro Vésper, os que arruinam seus corpos pelo vício, como é que estão empregando a inteligência: bem ou mal? Reflita um pouco.

— É verdade; não é de admirar, então, que renasçam idiotas, boçais, loucos, isto é, deficientes — concluiu o sr. Vésper.

— Mas eles não sofrem, Vovô...

— Engano seu, minha filha — respondeu Vovô, cortando a palavra de dona Purezinha. — Sofrem e muito, porque neles são frequentíssimos os instantes de lucidez, que são como que um despertar da consciência aprisionada; que o digam os psiquiatras que tratam de seus acessos de raiva, de loucura, que comumente apresentam.

Da Infância

— E a infância é o tempo mais lindo que o Espírito passa como encarnado. é um período de repouso, durante o qual está esquecido de suas tribulações do passado. Em seu bercinho, em suas traquinagens, em suas perguntas quando começa a falar, em tudo a criança é o símbolo da inocência. E sob o carinho e a direção dos pais, prepara-se para enfrentar as lutas que a aguardam.

— E qual é a utilidade de se passar pela infância, Vovô? — perguntou o sr. Vasco.

— Eis o que lemos em O *Livro dos Espíritos*:

"Encarnando-se com o fim de se aperfeiçoar, o Espírito é mais acessível, durante esse tempo, às impressões que recebe e que podem ajudar o seu adiantamento, para o qual deve contribuir os que estão encarregados da sua educação".

— Vovô, qual é o motivo da mudança que se nota em seu caráter, principalmente ao sair da adolescência? Será que é o Espírito que se modifica? — perguntou dona Angelina.

— Continuemos com as explicações que O *Livro dos Espíritos* nos dá, uma vez que o assunto que discutimos é de suma importância:

"É o Espírito que retoma sua natureza e se mostra tal qual era. Não conheceis o mistério que as crianças ocultam em sua inocência; não sabeis o que elas são, nem o que foram, nem o que serão; e, no entanto, as amais e acariciais, como se fossem uma parte de vós mesmos, de tal maneira que o amor de uma mãe por seus filhos é reputado como o maior amor que um ser possa ter por outros seres. De onde vem essa doce afeição, essa terna complacência, que até mesmo os estranhos experimentam por uma criança? Vós sabeis? Não; e é isso que vou explicar.

"As crianças são os seres que Deus envia a novas existências e, para que não possam acusá-lo de demasiada severidade, dá-lhes todas as aparências de inocência. Mesmo numa criança de natureza má, suas faltas são cobertas pela não consciência dos atos. Essa inocência não é uma superioridade real, em relação ao que elas eram antes; não, é apenas a imagem do que elas deveriam ser, e se não o são, é sobre elas somente que recai a culpa.

"Mas não é somente por elas que Deus lhes dá esse aspecto; é também e sobretudo por seus pais, cujo amor é necessário à fragilidade infantil. E esse amor seria extraordinariamente enfraquecido pela presença de um caráter impertinente e acerbo, enquanto que, supondo os filhos bons e ternos, dão-lhes toda a afeição e os envolvem nos mais delicados cuidados. Mas quando as crianças não mais necessitam dessa proteção, dessa assistência que lhes foi dispensada durante quinze a vinte anos, seu caráter real e individual reaparece em toda a sua nudez: permanecem boas, se eram fundamentalmente boas, mas se irisam sempre de matizes que estavam ocultos na primeira infância.

"Vedes que os caminhos de Deus são sempre os melhores e que, quando se tem o coração puro, é fácil conceber-se a explicação a respeito.

"Com efeito, ponderai que o Espírito da criança que nasce entre vós pode vir de um mundo em que tenha adquirido hábitos inteiramente diferentes; como quereríeis que permanecesse em vosso meio esse novo ser, que traz paixões tão diversas das que possuís, inclinações e gostos inteiramente opostos aos vossos; como quereríeis que se incorporasse ao vosso ambiente, senão como Deus quis, ou seja, depois de haver passado pela preparação da infância? Nesta vêm confundir-se todos os pensamentos, todos os caracteres, todas as variedades de seres engendrados por essa multidão de mundos em que se desenvolvem as criaturas. E vós mesmos, ao morrer, estareis numa espécie de infância, no meio de novos irmãos, e na vossa nova existência não terrena ignorareis os hábitos, os costumes, as formas de relação desse mundo, novo para vós, manejareis com dificuldade uma língua que não estais habituados a falar, língua mais vivaz do que o é atualmente o vosso pensamento.

"A infância tem ainda outra utilidade: os Espíritos não ingressam na vida corpórea senão para se aperfeiçoarem, para se melhorarem; a debilidade dos primeiros anos os torna flexíveis, acessíveis aos conselhos da experiência e daqueles que devem fazê-los progredir. É então que se pode reformar o seu caráter e reprimir as suas más tendências. Esse é o dever que Deus confiou aos pais, missão sagrada pela qual terão de responder.

"É assim que a infância não é somente útil, necessária, indispensável, mas ainda a consequência natural das leis que Deus estabeleceu e que regem o Universo."

Simpatias e Antipatias Terrenas

— Por quê, às vezes, sentimos simpatia por certas pessoas e antipatias por outras, Vovô? — perguntou comadre Zita.

— A simpatia e a antipatia são dois sentimentos contrários: sentimos simpatia por pessoas que se afinam conosco; e antipatia pelas que não se harmonizam conosco, não é verdade? Por umas, sentimos uma espécie de atração e por outras, repulsão.

— Originam-se de encarnações passadas, Vovô? — perguntou Angélica.

— Nem sempre. E, como a lei que nos deve unir é o Amor, transformemos nossa antipatia por alguém em simpatia, lembrando-nos de que também nós podemos ser antipáticos a outros, uma vez que ainda não somos perfeitos.

Esquecimento do Passado

— Porque é que não nos lembramos do passado, Vovô? — perguntou Luís Felipe.

— Isso nos traria uma tremenda perturbação, meu neto. Você já pensou como se sentiria recordando-se de que foi rico e agora é pobre, que morou num palacete e hoje habita um barraco da favela?

— É... eu não tinha pensado nisso.

— Então? O esquecimento do passado, enquanto encarnados, é uma bênção de Deus. A lembrança dele poderia humilhar-nos muito e trazer-nos uma série de desgostos e inconvenientes. Creio que não há muitos motivos para que nos orgulhemos dele. é uma felicidade nosso passado estar coberto pelo véu do esquecimento. Sobre isso, vamos ler o que nos ensina O *Livro dos Espíritos*. Como o trecho é um tanto longo, cada um de nós lerá um pouquinho dele. Começarei:

"*Pergunta 393* — Como pode o homem ser responsável por atos e resgatar faltas dos quais não se recorda? Como pode aproveitar-se da experiência adquirida em existências que caíram no esquecimento? Seria concebível que as tribulações da vida fossem para ele uma lição, se pudesse lembrar-se daquilo que as atraiu, mas desde que não se recorda, cada existência é para ele como se fosse a primeira e é assim que ele está sempre a recomeçar. Como conciliar isso com a justiça de Deus?"

— Agora, Paulo Guilherme, é a sua vez — disse Vovô, passando-lhe o livro.

"A cada nova existência, o homem tem mais inteligência e pode melhor distinguir o bem e o mal. Onde estaria o seu mérito, se ele se recordasse de todo o passado? Quando o Espírito entra na sua vida de origem (a vida espírita), toda a sua vida passada se desenrola diante dele; vê as faltas cometidas e que são causa de seu sofrimento, bem como aquilo que poderia ter impedido de cometê-las; compreende a justiça da posição que lhe é dada e procura então a existência necessária para reparar a que acaba de escoar-se. Procura provas semelhantes àquelas por que passou, ou as lutas que acredita apropriadas ao seu adiantamento, e pede a Espíritos que lhe são superiores para o ajudarem na nova tarefa a empreender, porque sabe que o Espírito que lhe será dado por guia, nessa nova existência, procurará fazê-lo reparar suas faltas, dando-lhe uma espécie de intuição das que ele cometeu. Essa mesma intuição é o pensamento, o desejo criminoso que frequentemente vos assalta e ao qual resistis instintivamente, atribuindo a vossa resistência, na maioria das vezes, aos princípios que recebestes de vossos pais, enquanto é a voz da consciência que vos fala e essa voz é a recordação do passado, voz que vos adverte para não cairdes nas faltas anteriormente cometidas. Nessa nova existência, se o Espírito sofrer as suas provas com coragem e souber resistir, eleva-se a si próprio e ascenderá na hierarquia dos Espíritos, quando voltar para o meio deles."

— Agora você, Thiago.

"Se não temos durante a vida corpórea uma lembrança precisa daquilo que fomos e do que fizemos de bem ou de mal em nossas existências anteriores, temos, entretanto, a sua intuição. E as nossas tendências instintivas são uma reminiscência do nosso passado, às quais a nossa consciência — que representa o desejo por nós concebido de não mais cometer as mesmas faltas — adverte que devemos resistir."

"*Pergunta 394* — Nos mundos mais adiantados que o nosso, onde não existem todas as nossas necessidades físicas e as nossas enfermidades, os homens compreendem que são mais felizes do que nós? A felicidade, em geral, é relativa; sentimo-la por comparação com um estado menos feliz. Como, em suma, alguns desses mundos, embora melhores que o nosso, não chegaram ao estado de perfeição, os homens que os habitam devem ter motivos de aborrecimentos a seu modo. Entre nós, o rico, ainda que não sofra a angústia das necessidades materiais como o pobre, não está menos sujeito a tribulações que lhe amarguram a vida. Ora, pergunto se, na sua posição, os habitantes desses mundos não se sentem tão infelizes quanto nós e não lastimam a própria sorte, já que não têm a lembrança de uma existência inferior para comparação?"

— Você agora, Bruno.

"A isso é preciso dar duas respostas diferentes. Há mundos, entre aqueles de que falais, em que os habitantes, situados, como dizeis, em melhores condições que vós, nem por isso estão menos sujeitos a grandes desgostos e mesmo a infelicidade. Estes não apreciam a sua felicidade pelo fato mesmo de não se lembrarem de um estado ainda mais infeliz. Se, entretanto, não a apreciam como homens, o fazem como Espíritos.

"Não há, no esquecimento dessas existências passadas, sobretudo quando foram penosas, alguma coisa de providencial, onde se revela a sabedoria divina? É nos mundos superiores, quando a lembrança das existências infelizes não passa de um sonho mau, que elas se apresentam à memória. Nos mundos inferiores, as infelicidades presentes não seriam agravadas pela recordação de tudo aquilo que se tivesse suportado? Concluamos, portanto, que tudo o que Deus faz é benfeito e que não nos cabe criticar as suas obras e dizer como Ele deveria ter regulado o Universo.

"A lembrança de nossas individualidades anteriores teria gravíssimos inconvenientes. Poderia, em certos casos, humilhar-nos extraordinariamente; em outros, exaltar o nosso orgulho e, por isso mesmo, entravar o nosso livre-arbítrio. Deus nos deu, para nos melhorarmos, justamente o que nos é necessário e suficiente: a voz da consciência e nossas tendências instintivas, tirando-nos aquilo que nos poderia prejudicar. Acrescentemos ainda que, se tivéssemos a lembrança de nossos atos pessoais anteriores, teríamos a dos atos alheios, e esse conhecimento poderia ter os mais desagradáveis efeitos sobre as relações sociais. Não havendo sempre motivo para nos orgulharmos do nosso passado, é quase sempre uma felicidade que um véu seja lançado sobre ele. Isso concorda perfeitamente com a doutrina dos Espíritos sobre os mundos superiores ao nosso. Nesses mundos, onde não reina senão o bem, a lembrança do passado nada tem de penosa; é por isso que nele se recorda com frequência a existência precedente, como nos lembramos do que fizemos na véspera. Quanto à passagem que se possa ter tido por mundos inferiores, a sua lembrança nada mais é, como dissemos, do que um sonho mau."

— Continua você, Angélica.

"*Pergunta 395* — Podemos ter algumas revelações sobre as nossas existências anteriores?"

"Nem sempre. Muitos sabem, entretanto, o que foram e o que fizeram; se lhes fosse permitido dizê-lo abertamente, fariam singulares revelações sobre o passado."

"*Pergunta 396* — Algumas pessoas creem ter a vaga lembrança de um passado desconhecido, vislumbrado como a imagem fugitiva de um sonho que em vão se procura deter. Essa ideia não seria uma ilusão?"

"Algumas vezes é real; mas quase sempre é uma ilusão, contra a qual se deve precaver, pois pode ser o efeito de uma imaginação superexcitada."

"*Pergunta 397* — Nas existências corpóreas de natureza mais elevada que a nossa, a lembrança das existências anteriores é mais precisa?"

"Sim, à medida que o corpo é menos material, recorda-se melhor. A lembrança do passado é mais clara para aqueles que habitam os mundos de uma ordem superior."

"*Pergunta 398* — As tendências instintivas do homem, sendo uma reminiscência do seu passado, pelo estudo dessas tendências ele poderia reconhecer as faltas que cometeu?"

"Sem dúvida, até certo ponto; mas é necessário ter em conta a melhora que se possa ter operado no Espírito e as resoluções que ele tomou no seu estado de errante. A existência atual pode ser muito melhor que a precedente."

"*Pergunta 398a* — Pode ela ser pior? Por outras palavras, pode o homem numa existência cometer faltas não cometidas na precedente?"

"Isso depende do seu adiantamento. Se ele não souber resistir às provas, pode ser arrastado a novas faltas, que serão a consequência da posição por ele mesmo escolhida. Mas em geral essas faltas denunciam antes um estado estacionário do que retrógrado, porque o Espírito pode avançar ou se deter, mas não recuar."

"*Pergunta 399* — Sendo as vicissitudes da vida corpórea ao mesmo tempo uma expiação das faltas passadas e provas para o futuro, segue-se que, da natureza dessas vicissitudes, possa induzir-se o gênero da existência anterior?"

"Muito frequentemente, pois cada um é punido naquilo em que pecou. Entretanto, não se deve tirar daí uma regra absoluta; as tendências instintivas são um índice mais seguro, porque as provas que um Espírito sofre tanto se referem ao futuro quanto ao passado."

— Alessandra, é a sua vez.

"Chegado ao termo que a Providência marcou para sua vida errante, o Espírito escolhe por si mesmo as provas às quais deseja submeter-se, para apressar o seu adiantamento, ou seja, o gênero de existência que acredita mais apropriado a lhe fornecer os meios, e essas provas estão sempre em relação com as faltas que deve expiar. Se nelas triunfa, ele se eleva; se sucumbe, tem de recomeçar.

"O Espírito goza sempre de seu livre-arbítrio. É em virtude dessa liberdade que, no estado de Espírito, escolhe as provas da vida corpórea e no estado de encarnado delibera o que fará ou não fará, escolhendo entre o bem e o mal. Negar ao homem o livre-arbítrio seria reduzi-lo à condição de máquina.

"Integrado na vida corpórea, o Espírito perde momentaneamente a lembrança de suas existências anteriores, como se um véu as ocultasse. Não obstante, tem às vezes uma vaga consciência e elas podem mesmo lhe ser reveladas em certas circunstâncias. Mas isso não acontece senão pela vontade dos Espíritos superiores, que o fazem espontaneamente com um fim útil e jamais para satisfazer uma curiosidade vã.

"As existências futuras não podem ser reveladas em caso algum, por dependerem da maneira por que se cumpre a existência presente e da escolha ulterior do Espírito."

— Agora é você, Luís Felipe.

"O esquecimento das faltas cometidas não é obstáculo à melhoria do Espírito, porque, se ele não tem uma lembrança precisa, o conhecimento que delas teve no estado errante e o desejo que concebeu de as reparar guiam-no pela intuição e lhe dão o pensamento de resistir ao mal. Esse pensamento é a voz da consciência, secundada pelos Espíritos que o assistem, se ele atende às boas sugestões que estes lhe sugerem.

"Se o homem não conhece os próprios atos que cometeu em suas existências anteriores, pode sempre saber qual o gênero de faltas de que se tornou culpado e qual era o seu caráter dominante. Basta que se estude a si mesmo e poderá julgar o que foi, não pelo que é, mas pelas suas tendências. As vicissitudes da vida corpórea são, ao mesmo tempo, uma expiação das faltas passadas e provas para o futuro. Elas nos depuram e nos elevam, se as sofremos com resignação e sem murmúrios.

"A natureza das vicissitudes e das provas que sofremos pode também esclarecer-nos sobre o que fomos e o que fizemos, como neste mundo julgamos os atos de um criminoso pelo castigo que a lei lhe inflige. Assim, este será castigado no seu orgulho pela humilhação de uma existência subalterna; o mau rico e avarento, pela miséria; aquele que foi duro para os outros, pelo tratamento duro que sofrerá; o tirano, pela escravidão; o mau filho, pela ingratidão dos seus filhos; o preguiçoso, por um trabalho forçado, etc." (Ver *O Evangelho das Recordações*; segunda parte, vidas sucessivas.)

Soaram as nove horas. Carolina Maria saiu correndo para a cozinha e gritou:

— Caaafééé com bolo de fubááá!!!

— Mas depois da tertúlia, que hoje é miiinhaaaaa! — respondeu-lhe o sr. Vésper, que nos contou a história.

A Minhoca que Achou um Tesouro

Havia nos campos do cerradão, para lá do córrego Tucura, uma minhoca muito trabalhadeira. Logo que o Sol descambava no horizonte, dando lugar a que viesse a noite, começava a minhoca a cavar suas galerias; e nesse trabalho tão útil ia até alta madrugada.

Talvez vocês não saibam que as minhocas cavam seus intermináveis túneis principalmente de noite; e que esse trabalho é de grande importância para a lavoura, porque contribui para aumentar a camada de terra vegetal e de húmus. Possuindo as minhocas glândulas que segregam o carbonato de cálcio, aumentam a solubilidade do ácido fosfórico e nutrificam as substâncias azotadas, indispensáveis às plantas. Não sei se vocês compreenderam essa química, mas de qualquer modo as minhocas são grandes auxiliares dos agricultores e por isso os homens não deviam desprezá-las tanto.

A minhoca, cuja história lhes conto, trabalhava conscienciosamente; o trato da terra que a Natureza lhe confiara merecia-lhe o máximo de cuidados; incansavelmente o traçava de galeriazinhas em todas as direções e as plantas se beneficiavam dessa cooperação.

Terminada sua faina, voltava a minhoca para sua covazinha, onde se estirava a dormir o dia inteiro. Porém, antes de ferrar no sono, tirava dois dedos de prosa com o companheiro grilo, que morava no oco de uma velha raiz, bem seu vizinho.

O compadre Grilo era músico; empregava-se em tocar em várias orquestras da floresta e por vezes se aventurava a ir até à cidade, de onde trazia notícias para comadre Minhoca.

Uma ocasião, a comadre Minhoca nem bem cumprimentou o compadre Grilo e foi logo dizendo:

— Compadre Grilo, tenho uma grande novidade para lhe contar!

— Diga, comadre Minhoca — respondeu-lhe displicentemente, certo de que ouviria um caso de sementes ou de plantações.

— Cavando hoje um pouco mais do que costumo — continuou comadre Minhoca —, descobri, ao pé daquele tronco seco de jequitibá, uma caixa de madeira chapeada de ferro.

— Chapeada de ferro, comadre, o que será? — exclamou o compadre Grilo arregalando os olhos.

— Como a madeira já está podre, consegui entrar na caixa e vi que está cheia de moedas de ouro!

— De moedas de ouro, comadre? Eu quero ver!

— São moedas de ouro de verdade, compadre! Amarelinhas, amarelinhas! Descobri um tesouro, compadre! Agora eu tenho um tesouro!

Sem tardança, dirigiram-se ao pé do tronco seco do jequitibá; e por um túnel que a minhoca cavou, o grilo facilmente entrou na caixa.

Eram de fato moedas de ouro, e quantas delas havia! Mexeram e remexeram pela caixa toda, gozando o prazer de se sentirem donos de uma fortuna. Por fim, o grilo, dando um fundo suspiro, disse:

— Ah! Se fôssemos humanos, comadre Minhoca, seríamos agora muito ricos!

— Nem fale, compadre Grilo! Poderíamos até nos casar — suspirou também a minhoca, caindo na realidade.

— Mas somos bichinhos, e isso não tem valor para nós — lamentou-se o grilo.

— Não tem valor! — repetiu a minhoca com os olhinhos cheios de lágrimas.

Não podendo aproveitar aquelas moedas, esqueceram-se delas e continuaram a vidinha de sempre.

Um dia o grilo voltou para o seu oco muito pesaroso e contou à minhoca que as últimas chuvas tinham provocado uma grande enchente na cidade.

— Uma pobre família, moradora na beira do rio, sofreu muito. Seu chefe, na ânsia de salvar os trastes, foi arrastado pela correnteza e deixou a mulher viúva e mais quatro filhos órfãos de pai. E, pobre, agora que as águas baixaram, voltou para seu barraco com as crianças e vive da caridade pública. Mas os tempos estão difíceis e as pessoas mostram-se pouco generosas. Ah! Se pudéssemos ajudá-la! — terminou o grilo, pensativo.

— Bem que o faríamos! — exclamou a minhoca. Súbito, uma ideia brilhou em suas cabecinhas quase ao mesmo tempo:

— E o nosso tesouro?! Ainda deve estar lá! Movimentemo-lo a favor da pobre família!

Podem crer que não lhes foi tarefa fácil. Tiveram de cavar um longo túnel desde os campos do cerradão, atrás do córrego Tucura, até a porta do casebre da viúva. Felizmente não tiveram que atravessar o rio, o que lhes teria sido impossível. E por esse caminho subterrâneo cada um deles carregava uma moeda nas costas, deixando-as na soleira da porta da casa daqueles pobrezinhos. Logo pela manhã, a viúva as achava e, por mais que fizesse e vigiasse, nunca conseguiu descobrir quem eram os seus benfeitores.

Pudera! Como poderia descobri-los se se ocultavam debaixo da terra? Contudo, antes de deitar-se, reunia os filhos ao pé de si e oravam a Deus, agradecidos.

Os anos passaram, as crianças cresceram, estudaram, tornaram-se homens e mudaram para uma bonita casa, para onde levaram a mãe velhinha, que jamais se esqueceu das moedas misteriosamente largadas à porta de sua choça.

Compadre Grilo e comadre Minhoca também envelheceram. Do tesouro, só sobraram algumas raras moedas no fundo da caixa chapeada e podre; as demais tinham se transformado em alegria, saúde, conforto, estudos, progresso para uma família inteira.

O grilo morreu primeiro. A minhoca, como última homenagem ao amigo, selou cuidadosamente o oco da raiz, para evitar que as formigas lhe roubassem o corpo. E ficou triste, muito triste.

Uma madrugada, vinha ela do seu trabalho, arrastando-se, cansada; ao chegar à sua teca sentiu um tremor gelado sacudir-lhe o corpo e uma dor aguda do lado do coração. Desfaleceu. Ao voltar a si, viu o seu buraco inundado de luz e um anjinho luminoso, sorridente, tomou-a nos braços e transportou-a para o alto, sempre para o alto.

O anjo depositou-a docemente no chão. A minhoca abriu os olhos. Que deslumbramento! Ela estava num lugar juncado de pétalas de rosas, de terra leve, perfumada, fofinha.

Encolhia-se medrosa, quando ouviu uma voz muito sua conhecida bradar-lhe jovialmente:

— Não tenha medo, comadre Minhoca. Nós agora viveremos felizes num dos canteiros floridos dos jardins de Deus.

E o compadre Grilo pousou ao seu lado.

21ª Aula

Emancipação da Alma

O Sono e os Sonhos

— Bem, comecemos. Quem faz a primeira pergunta?

— Tive um sonho esta noite, Vovô. O que são os sonhos? — perguntou Thiago.

— Vocês notaram que o Espírito, desde sua encarnação, é um prisioneiro de seu corpo material. E, como um prisioneiro, quer libertar-se. Durante o sono, os laços que o prendem afrouxam-se, concedendo-lhe pequena liberdade. Essa liberdade lhe permite encontrar-se com outros Espíritos, visitar amigos e parentes, assistir a aulas espirituais. E, ao despertar, ao voltar para o corpo, traz algumas lembranças do que fez ou viu em sua semilibertação noturna.

— Então a gente sai do corpo, Vovô? E se a gente não voltar mais? — perguntou Angélica meio assustada.

— Não há esse perigo; o perispírito não deixa.

— Mas se o Espírito for muito longe, esticando demais o laço, ele pode arrebentar, Vovô! — exclamou Paulo Guilherme de olhos arregalados.

— Não arrebenta porque não é feito de matéria, mas de substância espiritual, compreendeu?

— Então a gente pode ir até a China que não tem perigo de a gente ficar por lá, Vovô? — perguntou Luís Felipe.

— Não há perigo, caríssimo neto.

— Qualquer noite dessas irei à China — disse satisfeito Luís Felipe.

— Ah! Ah! Você não sabe o caminho! — exclamou Alessandra. Luís Felipe embatucou; porém, Vovô veio em seu auxílio:

— O Espírito não viaja por caminhos terrenos; viaja pelo pensamento; quem o transporta é o pensamento; basta pensar firmemente no lugar para onde quer ir e lá chegará mais rápido do que o raio. E para voltar é a mesma coisa.

— E esses sonhos estapafúrdios, enrolados, que às vezes temos, Vovô? — perguntou Carolina Maria.

— Nosso cérebro material é um maravilhoso instrumento, mas reduzido; não tem capacidade para registrar nossas impressões quando, pelo sono, estamos fora dele; as poucas que ele registra, só as lembramos muito confusa e embaralhadamente, embora, por vezes, tenhamos recordações bem definidas de alguns fatos. E por isso não nos lembramos da vida espiritual que vivemos enquanto dormimos.*

Visitas em Espírito Entre Vivos

— Uma vez que pelo sono temos liberdade, embora restrita, podemos visitar nossos amigos e parentes, mesmo os que moram em outros países, Vovô? — perguntou o sr. Vasco.

— Perfeitamente. E muitas outras pessoas que vocês não conhecem, mas que podem tê-las conhecido em antigas encarnações. Isso é tão comum que vocês fazem isso frequentemente. É por isso que vocês têm ideias que não sabem de onde lhes vieram, resolvem com facilidade problemas que lhes quebraram a cabeça por vários dias; é o resultado de seus encontros com Espíritos que os orientaram.

Transmissão Oculta do Pensamento

— Porque é que certas ideias surgem ao mesmo tempo em diversos lugares, em vários países. Será pelo pensamento? — perguntou o sr. Vésper.

— Não só pelo pensamento como também pelas reuniões noturnas, que fazem os grupos afins, ou seja, cujos participantes pensam do mesmo modo. Ainda que separados pelas distâncias, sem se conhecerem, no sono, guiados pelo pensamento comum, encontram-se e discutem os trabalhos a que se dedicam. Assim brotam ideias similares em diversos recantos do globo, e uma invenção é reivindicada por mais de um indivíduo e por nações; trabalhavam juntos no mesmo objetivo, enquanto seus corpos separados repousavam.

Letargia, Catalepsia, Morte Aparente

— Vovô, O *Livro dos Espíritos* nos fala de letargia, catalepsia, morte aparente. Peço que nos dê uma explicação elementar desses fenômenos para que os possamos entender. É possível? — disse dona Purezinha.

---

* Ver O *Espiritismo Aplicado*, publicado pela Editora Pensamento, São Paulo, 1981. (fora de catálogo)

— Vamos dar a palavra a dona Corina, que eu também tenho o direito de aprender, não acham?

Dona Corina fez uma mesura e principiou:

— A letargia é como se fosse uma morte, porém, apenas na aparência; é como se fosse uma suspensão das forças vitais do organismo; o corpo se enrijece, incapaz do menor movimento, muito embora o Espírito esteja presente, impedido de se manifestar. Na catalepsia, o fenômeno é o mesmo, com a diferença, contudo, de que pode atingir apenas uma parte do organismo, deixando o Espírito livre para se expressar, o que não permite confundi-lo com a letargia. A letargia é sempre natural; a catalepsia às vezes é espontânea, mas pode ser provocada e desfeita, artificialmente, pela ação magnética. Os dois fenômenos interessam ao Espiritismo porque o Espírito está presente em ambos. O estado letárgico pode durar dias.

— E não há perigo de o paciente ser enterrado vivo, dona Corina? — perguntou dona Angelina.

— Houve esse perigo; hoje já não há. A medicina o diagnostica fácil e imediatamente.

Acompanhando o badalar do relógio, Bruno bradou:

— Hoje sou eu! Tenho uma poesia de Fagundes Varela para recitar. Ouçam:

Ascensão de Jesus

Entre esplêndidas nuvens purpurinas.
Mergulhava-se o Sol e os frescos vales,
Abriam seus tesouros de perfumes
Aos bafejos das auras suspirosas
Que desciam dos montes do Ocidente.

Sobre um risonho outeiro reunidos,
Escutavam, os homens do Evangelho,
As predições supremas, as sentenças,
E as derradeiras instruções do Mestre.

A sossegada aldeia de Betânia
Se estendia a seus pés, pobre, singela,
Como um plácido ninho de andorinhas
No meio de um vergel. — Pobres amigos!

O Redentor falou, em vossas almas
Eu plantei as sementes da Verdade.
Não as deixeis morrer, tenham embora,

Em vez de orvalho, lágrimas de sangue!
Deus nos dará valor. Eu parto e deixo
Em vossas mãos a sorte do Universo!

Buscai os tristes, procurai os pobres,
E o bálsamo divino da Esperança
Nas feridas vertei dos desgraçados.

Voai à zona tórrida e às planícies,
Onde perpétuos gelos se aglomeram;
Ensinai aos mortais as leis do Eterno,
A pureza celeste dos costumes,
O perdão das mais ásperas ofensas!

E em nome do Senhor pregai ao mundo
As mais belas das lúcidas virtudes:
A Esperança, a Fé e a Caridade!

Falava o Salvador, seu santo rosto
Fulgurante se tornava, seus olhos
De inefáveis clarões se iluminavam,
E a túnica mesquinha e desbotada.

Da brancura da neve se cobria!
Os amigos prostraram-se embebidos
Em êxtase divino; o grande Mestre
Sobre eles estendeu as mãos brilhantes,
Volveu aos céus o rosto glorioso,
E deixando de manso a terra e os homens,
Ergueu-se, ergueu-se pelos vastos ares,
Até librar-se no sidéreo espaço,
Como longínqua estreia rutilante!...

Comovidos, aplaudiram Bruno. E Carolina Maria serviu-lhes um gostoso pudim. Dona Purezinha não se conteve e exclamou:

— Que pudim é esse? Quero a receita.

— É pudim de casca de laranja, dona Purezinha! — respondeu comadre Zita.

— De casca de laranja! — exclamou dona Purezinha, tirando sua caderneta da bolsa, e anotou:

Pudim de Casca de Laranja

250 g de açúcar batido com 9 ovos, sendo 3 sem as claras; 250 g de casca de laranja, em massa, passada em peneira fina. Depois de bem misturado, ajuntam-se 2 colheres de farinha de trigo, 1/2 colher de manteiga, 1 cálice de vinho branco, cravo e canela em pó. Vai ao forno juntando-se passas, cidrão e açúcar com canela por cima.

22ª Aula

O Sonambulismo

—E o sonambulismo, o que é, dona Corina? — perguntou o sr. Vésper.
— O sonambulismo é um estado hipnótico que pode ser natural ou provocado. O Espírito, posto que no corpo, fica como que liberado dele e torna-se clarividente, porque não usa os olhos do corpo para ver, mas os do Espírito, alcançando distâncias consideráveis, vendo através dos maiores obstáculos. Nesse estado, o sonâmbulo conversa com Espíritos desencarnados e transmite o que eles querem dizer aos presentes.

Êxtase

— Há diferença entre êxtase e sonambulismo, dona Corina? — perguntou Vovô.
Os netos se entreolharam espantados, como a dizer: "Então, Vovô não sabe?" Vovô compreendeu o pensamento deles e retrucou:
— Sim, eu também não sei tudo. Não há no mundo ninguém que saiba tudo.
— Vovó diz que o Bruno é um sabe-tudo...
— E sei mesmo — confirmou Bruno respondendo a Angélica. — Eu até sei quem é que sabe tudo!
— Pois se sabe diga, primo!
— É Deus.
Uma salva de palmas acolheu a resposta de Bruno, e dona Corina continuou:
— O êxtase é um sonambulismo muito apurado. A alma do extático se libera quase noventa por cento do corpo e chega mesmo a ter visões de mundos superiores.
— E se ele quiser ficar por lá, dona Corina? — perguntou Paulo Guilherme.
— Não lhe é possível; o perispírito só se desata com o desencarne.

Dupla Vista

— E a dupla vista, dona Corina? — perguntou ainda Vovô.

— O fenômeno a que chamamos dupla vista tem relação com o sonho e com o sonambulismo. A dupla vista é a vista da alma. Embora o corpo esteja acordado, é o Espírito que vê, que sente, que pressente, que parece adivinhar o que vai acontecer.

Resumo Teórico do Sonambulismo, do Êxtase e da Dupla Vista

— O *Livro dos Espíritos* nos dá um excelente estudo teórico desses fenômenos cuja leitura recomendo a vocês. E o professor Herculano Pires, em nota de rodapé, nos ensina:

"Todos esses fenômenos estão hoje cientificamente provados pelas pesquisas parapsicológicas, embora certos pesquisadores pretendam fazê-los acomodar-se ao materialismo".

As explicações de dona Corina satisfizeram a todos que a ouviam encantados. E Vovô, retomando a palavra, anunciou-nos que passaríamos para a

Intervenção dos Espíritos no Mundo Corpóreo

Penetração do Nosso Pensamento pelos Espíritos

— Os Espíritos veem tudo o que fazemos, Vovô? — perguntou Luís Felipe.

— Tudo; estamos rodeados por eles; por mais escondido que quisermos praticar um ato, sempre há testemunhas. Nada lhes é oculto, nem mesmo nossos pensamentos.

— Podemos então ocultar algo de uma pessoa encarnada. Mas, quando ela estiver desencarnada, poderá descobrir o que lhe encobrimos, Vovô? — perguntou dona Angelina.

— Facilmente.

Influência Oculta dos Espíritos sobre os Nossos Pensamentos e as Nossas Ações

— E os Espíritos influem sobre nossos pensamentos. Vovó? — perguntou Thiago.

— Muito mais do que supomos; muitas vezes são eles quem nos dirigem. Os Espíritos maus nos sugerem pensamentos de vaidade, de orgulho, discórdias, de vícios, enfim, as más paixões. Eis por que, em nossa oração do Pai-Nosso, pedimos ao Pai: "Senhor, não nos deixeis cair em tentações, mas livrai-nos do mal".

— Há muitos Espíritos maus, Vovô? — perguntou Alessandra.

— Sim, há. Até aqui dentro há muitos: somos nós mesmos. Sempre que agimos bem, somos bons Espíritos; e sempre que agimos mal, somos Espíritos maus. Do lado de lá é a mesma coisa.

— Como é que podemos evitar a influência dos Espíritos maus, Vovô? — perguntou o sr. Vasco.

— Fazendo o bem, somente o bem, e confiando em Deus anulamos as sugestões do mal.

— Mas às vezes ficamos na dúvida entre um pensamento e outro, Vovô. Como fazer? — perguntou dona Angelina.

— Temos dentro de nós um guia seguro: a nossa consciência; ela sempre nos apontará o caminho certo, o reto caminho. O que ela reprova não deve ser feito, por mais tentados que sejamos.

— Há Espíritos que nos induzem ao mal, Vovô? — perguntou Luís Felipe.

— Sim, há. Há os malévolos, que se comprazem em ver os homens fracassarem em suas provas. E a essas sugestões para o mal jamais devemos obedecer. E se há Espíritos que nos inspiram o mal, há outros que nos sugerem o bem. É assim que Deus deixa à nossa consciência a escolha da rota que preferimos seguir e a liberdade de ceder a uma ou a outra das influências que se exercem sobre nós.

Possessos

— Um Espírito desencarnado pode entrar no corpo de uma pessoa, Vovô? — perguntou Paulo Guilherme.

— Não. Um Espírito pode influenciar alguém até o ponto de deixá-lo perturbado, subjugado ou obsedado; mas entrar dentro de seu corpo, não. Sobre isso, dona Corina nos esclarecerá melhor.

— Frequentemente, lá no Centro, lidamos com esses casos. Geralmente são Espíritos vingativos, desejosos de se vingarem do mal que lhes causaram em encarnações passadas. E agora, abusando de sua liberdade e de sua invisibilidade, vingam-se.

— E como a senhora faz, dona Corina? — perguntou Bruno demonstrando grande interesse.

— Por meio de médiuns, conversamos com o Espírito obsessor, mostrando-lhe a inutilidade da vingança, que será um atraso para ele; que o mal que lhe foi causado não ficará impune pela justiça divina... E, quando ele se convence, perdoa e tudo se normaliza.

— E o exorcismo, o que vem a ser, Vovô? — perguntou dona Angelina.

— É uma cerimônia religiosa pela qual tentam expulsar um Espírito obsessor ao qual chamam de demônio.

— E conseguem? — perguntou Angélica.

— Nem sempre. Os Espíritos maus não levam a sério tais cerimônias e riem-se delas. Tais Espíritos obedecem a uma pessoa de bem que se dirija a eles com amor e confiança; a prece que se faz por eles também é muito eficaz, pois são Espíritos sofredores necessitados de compreensão e carinho. Um Espírito obsessor, ou demônio, como eram denominados antigamente, não cede à força, mas ao carinho, ao amor.

Convulsionários

— *O Livro dos Espíritos* nos fala de convulsionários. O que viriam a ser propriamente, dona Corina? Será uma forma de possessão? — perguntou dona Purezinha.

— Realmente. É a atuação de vários Espíritos ao mesmo tempo sobre uma ou mais pessoas, que entram em convulsões, em estados catalépticos, extáticos, hipnóticos; insensíveis à dor, gritam, discursam até que voltem a si. É comum isso acontecer entre os fanáticos de qualquer credo religioso.

Carolina Maria e nhá Zita ergueram-se para ir à cozinha; porém, o sr. Vésper disse-lhes:

— Não, não! Sentem-se. Hoje a tertúlia é de madame Carolina Maria. Creio que ela terá mais uma daquelas histórias que sua avó lhe contava. Lembra-se, madame?

— Lembro-me, capitão, mas, se as brevidades lá no forninho se queimarem, a culpa não é minha.

E sentando-se, com a sua voz suave e meiga, contou-nos a seguinte história:

Dedicação

"Minha avó contava que isso aconteceu há muitos anos passados, no tempo da escravidão. A raça negra, que naquele tempo era escravizada, ensinou aos brancos, seus senhores, o trabalho, a obediência, a humildade, o sacrifício, pelo bem comum e, sobretudo, deu-nos as sagradas lições da dedicação. É um caso desses que vocês vão ouvir.

Havia, no interior do Brasil, uma fazenda muito grande, de propriedade do sr. Joaquim dos Santos, o nhô Quim, apelido pelo qual geralmente era conhecido. Como todas as fazendas daquela época, nhô Quim tocava a sua com o braço escravo, do qual ele tinha muitas cabeças.

Logo de manhãzinha, bastava o céu começar a clarear, já o feitor reunia os cativos no vasto terreiro em frente da casa-grande e distribuía-os pelas múltiplas lidas do dia: um grupo ia para o cafezal, outro para o canavial, outro para a roça, outro a tratar dos animais, e assim por diante: a cada serviço a ser executado correspondia determinado número de braços. E, quando os primeiros raios do Sol beijavam a Terra, já a fazenda estava em movimento, como uma grande fábrica acionada pelo trabalho.

Nhô Quim, embora não fosse o que se chama propriamente um carrasco, tratava de seus escravos procurando tirar deles o máximo rendimento de suas forças e, se lhes dava uma alimentação melhor, ou um pequeno conforto a mais, exigia em troca mais trabalho, mais esforço. Também os instrumentos de castigo eram abundantes e aplicavam-se por qualquer falta, mesmo as mais insignificantes; por isso, tinham por ele o respeito que o medo gera, não o amor.

Havia, contudo, dentro daquela escravaria, um escravo com o qual nhô Quim privava mais: o Onofre, um negro já idoso, a julgar pela carapinha que lhe começava a branquear. Onofre era o joão-faz-tudo do senhor, do "sinhô", como ele dizia. E a todos os momentos era:

— Onofre, vai buscar uma toalha; Onofre vem picar o fumo; Onofre vai selar o meu cavalo; Onofre, engraxa as rodas do trole...

E assim, o dia inteiro, Onofre daqui, Onofre dali. Quando o pobre do Onofre tardava um pouco a aparecer, lá vinha o impropério do nhô Quim:

— Onde se meteu esse negro vagabundo? Eu ainda acabo lhe mandando passar o rabo de tatu, diabo!

E por isso Onofre não arredava pé de perto de nhô Quim, e nhá Escolástica, a cozinheira, resmungava sempre:

— Se Onofre morrer, vai ser como cortar os braços do nhô Quim!

Um dia, nhô Quim foi inspecionar o canavial junto com dois feitores e, como de costume, Onofre o acompanhava respeitosamente alguns passos atrás. Era uma manhã bonita, de um céu luminoso; branda aragem fazia estremecer as folhas das árvores e ciciar o canavial; gotas de orvalho se viam no capim cheiroso a brilharem trémulas. Nhô Quim, com os olhos de dono, examinava, criticava, determinava providências, que os feitores ouviam em silêncio e anotavam. E, quando nhô Quim quebrava uma cana bichada para mostrá-la aos feitores, ouviram um trrrr... trrr..., o ruído anunciador de uma cobra cascavel. Os homens gelaram-se de horror; ela estava de bote já armado tão rente a nhô Quim que se abaixara para colher a cana que seria impossível um gesto sequer para salvá-lo. Foi quando alguém, como que arremessado por uma mola, abateu-se sobre a serpente que lhe picou um braço e se enrodilhou no seu tronco: era Onofre, que assim salvava o seu "sinhô".

Os feitores mataram a víbora e, passando por sobre os ombros os braços de Onofre que já sentia tonturas e a vista turva, carregaram-no para a fazenda. Nhô Quim seguia-os sem poder articular palavra, com uma dor funda no peito que o fazia arfar e um como nó na garganta.

Dois dias durou a agonia do pobre escravo. Naquele tempo não havia os recursos de hoje e na fazenda só tinham remédios caseiros, inúteis para o caso. O médico que mandaram buscar chegou alta noite, pois a distância a vencer era grande e fez o que pôde, porém sem resultado.

Onofre jazia num estado de torpor; meio inteiriçado no catre, de olhos abertos, de quando em quando lhe escapava um gemido fraco. Nhô Quim não deixava passar hora sem ir vê-lo e estremecia de horror ao pensar que, se não fosse a dedicação do infeliz escravo, seria ele que estaria mergulhado naquele sofrimento. Numa de suas visitas, Onofre agarrou-lhe fracamente uma das mãos, beijou-a e, num sussurro que só o fazendeiro compreendeu, pediu-lhe:

— Sinhô, não castigue os negros mais velhos...

Nhô Quim teve um choque no coração e lembrou-se que dias antes do acidente mandara castigar, já nem sabia por quê, o Ditão, um negro velhinho já de cabeça toda branca, e Onofre sofrera muito com isso.

Nessa tarde, Onofre morreu; foi sepultado no cemitério da fazenda, junto à cerca coberta de trepadeiras.

Nhô Quim, então, mandou que Ditão e mais três companheiros recolhessem e amontoassem no meio do terreiro os instrumentos de suplício, sem faltar um só; e ordenou que tudo fosse destruído e queimado.

E naquela fazenda nunca mais se castigou ninguém e os escravos passaram a ser tratados como seres humanos. E quando os cabelos de cada um deles branqueavam, já não faziam serviços pesados: eram transferidos para os servicinhos leves da horta, do pomar, do galinheiro e outros. E nhô Quim tornou-se amado pelos seus escravos, os quais, em sua intenção, louvavam sempre Nosso Senhor Jesus Cristo."

— Linda história! — exclamou dona Corina.

— Isto foi no tempo de minha bisavó — concluiu Carolina Maria, convidando a todos para o chá com brevidades.

O Aniversário do Vovô

O domingo, dia do aniversário do Vovô, amanhecera brilhante. O céu azul, muito azul, de um azul safirino, não apresentava a mais leve nuvem a manchar-lhe a pureza. O verde das árvores, dos campos, das plantações, do mato, da floresta ao longe, era um encanto para os olhos. Uma brisa suave, perfumada, tenuíssima, murmurava imperceptível, perpassando pelo jardim, bulindo com as flores. O Sol, erguendo-se, dourava tudo.

O pessoal levantou-se cedo, bem cedo. Os netos, logo depois do café, encerraram-se na biblioteca, preparando o programa que o sr. Vésper lhes encomendara. Nhá Zita, Carolina Maria, dona Emerenciana, a mulher do arrendatário, Jurandir, todos, sob a direção da Vovó Cirene, trabalhavam nos preparativos.

Na véspera, tinham chegado de São Paulo os filhos e as noras do Vovô e mais Tia Francisca com seu marido e filhos, e mais Tia Maria, a Tia Maria, como a chamavam os sobrinhos, ambas irmãs de Vovô. E agora, guiados pelo Vovô e pelo sr. Anselmo, percorriam a propriedade.

Pouco tempo depois, chegaram o sr. Vasco e dona Angelina, e o sr. Vésper e dona Purezinha, que trouxeram dona Corina. O sr. Vasco uniu-se ao grupo que passeava pelo sítio; o sr. Vésper foi para a biblioteca e as mulheres se puseram a ajudar Vovó. Uma alegre azáfama enchia a casa.

O almoço seria ao ar livre, debaixo da mangueira grande, onde caprichosamente Carolina Maria pôs a mesa.

O relógio assinalou meio-dia e Carolina Maria com sua voz mansa, mas bem alta, convidou:

— O almoço está na mesaaa! Almoçaaaar!

A fome apertava e o apetitoso aroma que se evolava da cozinha mais a atiçava. E assim foi um corre-corre, cada um para o seu lugar.

Que almoço! Um almoção! Bem à brasileira como Vovô gostava. Não lhes descreverei os petiscos para não lhes encher a boca de água, mas estavam de arromba!

À sobremesa o sr. Vésper anunciou:

— Ouçamos Paulo Guilherme, que falará por nós todos cumprimentando o Vovô.

E Paulo Guilherme, dirigindo-se ao Vovô, falou:

— Vovô, aqui estamos reunidos para cumprimentá-lo pelo seu aniversário e desejar-lhe que permaneça conosco ainda por muitos e muitos anos e para agradecermos a Deus por nos ter dado um avô bom como o senhor.

Convidou a todos a acompanhá-lo na prece de agradecimentos ao Altíssimo, finda a qual abraçou e beijou Vovô e lhe entregou um presentinho, no que foi imitado primeiro pelos netos e sobrinhos e depois por todos os outros.

Finda a sobremesa, deliciosas compotas de doces caseiros, Vovó serviu o café, encerrando o almoço.

E o sr. Vésper tomou a palavra:

— Temos agora a parte artística em homenagem ao Vovô; façamos um intervalo de meia hora para esticar as pernas e depois desenvolveremos o programa.

Arrumaram as cadeiras em forma de pequeno anfiteatro; a mangueira grande era o toldo projetando uma fresca sombra; passarinhos curiosos saltitavam pelos galhos altos; um bem-te-vi desferiu seu canto agudo como a anunciar o início do espetáculo. O primeiro a se apresentar foi Bruno com a poesia de Maria A. Veloso:

Marcha Soldado

— Psiu! não faça barulho! Vovô dorme!...
— Não corra assim!... — Não grite, Manuel!...
.... É o que ouço naquela casa enorme,
se brinco de soldado de papel!

O Vovô na cadeira, bem calado,
fica quieto... mas ri quando me vê.
Ri, porque assim não fica abandonado
dormindo com o jornal que ele nem lê.

Eu bato no tambor todo contente,
eu marcho e canto e sempre cantarei!
Porque, mais do que sabe aquela gente,
do que gosta o Vovô eu é que sei!

O Vovô me contou o seu segredo:
ele foi pequenino como eu!
Brincou de soldadinho e então, sem medo,
batia num tambor igual ao meu!...

Ninguém sabe essa história e, mais ainda,
ninguém ouviu o que ele disse a mim,
um dia em que eu tocava a marcha linda
que eu sei tocar tão bem! Olhe: esta assim!

Ele me disse: "Eu gosto que a meu lado
você faça barulho, Manuel!
Pois penso que voltou todo o passado...
que marcho de cabeça de papel!"

E é por isso que eu mimo o bom velhinho
com meus cantos de guerra, meu tambor...
Ele gosta, coitado!... e diz baixinho:
"Marcha soldado!... Marcha meu amor!"

Seguiu-se Angélica, que recitou os versos de Pedro Canto e Melo:

Onardo, o Velhinho

Lá vem Onardo, o velhinho
De alma sã, sincera e franca,
tem a cabeça tão branca
como a lã de um carneirinho.

E o seu olhar meio embaçado,
cheio de sombra e de encanto,
mais parece o olhar de um santo,
que de um guardador de gado.

É tão velho, o coitadinho,
e a bênção dele é tão boa,
que é Deus que nos abençoa
na bênção desse velhinho.

Alessandra apresentou-se com o soneto de J. Didier Filho:

As Ruguinhas do Papai

Papai tem duas ruguinhas
bem no alto do nariz:

— pequeninas, franzidinhas,
que se cortam como um xis...

Quando arranjo uma das minhas
travessuras de petiz
e... vejo aquelas ruguinhas,
desisto de fazer... bis!

Desisto de puro medo
porque num xis, em segredo,
as ruguinhas dizem tudo:

Dizem que eu apresse o passo,
Pois vem aí pelo espaço
um formidável cascudo!

Luís Felipe ofereceu ao Vovô o soneto de Djalma Andrade:

Ato de Caridade

Que eu faça o bem, e de tal modo o faça
Que ninguém saiba o quanto me custou.
Mãe, espero de ti mais essa graça:
— Que eu seja bom sem parecer que o sou.

Que o pouco que me dês me satisfaça,
e se do pouco mesmo algum sobrou,
que eu leve essa migalha onde a desgraça
inesperadamente penetrou.

Que à minha mesa, a mais tenha um talher
Que será, minha Mãe, Senhora Nossa,
para o pobre faminto que vier.

Que eu transponha tropeços e embaraços:
— que eu não coma, sozinho, o pão que possa
ser partido, por mim, em dois pedaços!

Tocou a vez de Thiago, que declamou de Cassiano Ricardo:

Ladainha

Por se tratar de uma
ilha deram-lhe o nome de
ilha de Vera Cruz.

Ilha cheia de graça,
ilha cheia de pássaros,
ilha cheia de luz.

Depois mudaram-lhe o nome para
Terra de Santa Cruz.
Terra cheia de graça,
terra cheia de pássaros,
terra cheia de luz.

A grande terra girassol onde havia
guerreiros de tanga
 e onças ruivas deitadas
à sombra das árvores
mosqueadas de sol.

Mas como houvesse em
abundância certa madeira
cor de sangue,
cor de brasa,
e como o fogo da manhã
selvagem fosse um brasido
no carvão noturno da paisagem
e como a terra fosse de
árvores vermelhas
e se houvesse mostrado
assaz gentil
deram-lhe o nome de Brasil,
Brasil cheio de graça.
Brasil cheio de pássaros.
Brasil cheio de luz.

— Chegou a minha vez! — exclamou o sr. Vésper. E contou a história de

Minervinus, o Delator

"Quem visita hoje a catacumba de São Calixto na Via Appia, a vinte e cinco minutos da porta de São Sebastião em Roma, não pode fazer ideia dos dramas que se desenrolaram naquele subsolo, nos primeiros séculos do Cristianismo. De fato, hoje, ali tudo respira paz; sua entrada está situada no meio de um vinhedo numa capelinha de tijolos de três absides, na campanha romana. O visitante paga para entrar uma pequena espórtula a três frades trapistas, desobrigados de seu voto de silêncio e muito amáveis, os quais guiam o visitante carregando luzes através de seus inextricáveis labirintos. Os nichos onde guardavam os cadáveres estão quase todos vazios, pilhados que foram pelos caçadores de relíquias dos mártires; mas ainda podem se ver alguns restos decompostos e mumificados.

E vendo aqueles subterrâneos cavados centímetro a centímetro, aquelas salas onde se reuniam os primeiros cristãos, às ocultas, sob o terror das perseguições, lendo o Evangelho à luz velada das candeias, nossa imaginação se transporta muito longe no tempo.

Era pela segunda vigília da noite. Vultos cautelosos surgiam aqui e ali pelas trilhas que marginavam a Via Appia, aproveitando saliências do solo, árvores, arbustos, construções que os podiam esconder, dirigiam-se à catacumba para o culto evangélico da noite. Ao chegarem à porta, dissimulada no barranco, davam-se a conhecer pela senha que trocavam com o porteiro e eram admitidos.

Sentados em semicírculo ante o expositor das verdades evangélicas, ouviam em silêncio a leitura do trecho escolhido e as explicações; oravam ao Altíssimo pelos sacrificados nos jogos do circo; porém, tudo em voz baixa, quase num sussurro. No silêncio da campanha romana, àquela hora, qualquer palavra mais alta podia ser ouvida de longe e atrair a atenção dos soldados ocupados em prender os cristãos.

Naquela noite, comentava o Evangelho, Cneus Fabricius, um liberto da casa de Junus Pompilius e convertido ao Cristianismo há algum tempo, quando sua noiva, Márcia, ao falecer de insidiosa moléstia, lhe dissera num murmúrio, colando seus lábios ao seu ouvido, que o esperaria no céu.

Cneus Fabricius, com o coração dilacerado de dor, depois das exéquias, dirigiu-se ao templo de Júpiter Augustus e perguntou ao sacerdote qual era o caminho do céu.

— Só Júpiter Stator habita o céu — respondeu-lhe o hierofante. — As sombras dos mortais vão para o Inferus, depois de atravessarem o Letes para se esquecerem de tudo.

Sem esperança, vagueou pela ruas de Roma e achou-se na praça do mercado, onde se amontoavam mercadorias vindas dos quatro cantos do Império. E com as mercadorias no bojo das galeras vinha gente de todas as raças e profissões atraída pela fama de Roma. Naquele bulício, pareceu-lhe sossegar um pouco e chamou-lhe a atenção, enrolado numa espécie de lençol que há muito fora branco, um esquelético indivíduo; apregoava ler a sorte por apenas um ás, a mais ínfima moeda romana. Atirou-lhe uma moeda, que o homem apanhou no ar e perguntou-lhe:

— Sabes onde está o céu? Tu que adivinhas tudo, dize-me onde fica o céu!

O mendigo encolheu-se, parou de gesticular e de gritar e, fitando Cneus Fabricius bem nos olhos, respondeu-lhe numa voz tão imperceptível que mal lhe moveu os lábios secos:

— Só os cristãos o sabem; só eles possuem a chave do céu...

Cneus Fabricius não conteve uma risada de desprezo e bradou:

— Esses vis perseguidos, se o soubessem, de certo se esconderiam nele, em vez de serem devorados no circo, pastos de feras e vítimas dos gladiadores.

Voltando para casa, as palavras do maltrapilho como que lhe martelavam o cérebro sem cessar: "Só os cristãos o sabem, só eles possuem a chave dos céus!"

Deitou-se e seu sono foi agitado, entrecortado de sonhos em que lhe parecia ver Márcia repetindo-lhe as mesmas palavras do magro adivinho da praça do mercado.

Com o passar dos dias, as saudades que sentia da noiva aumentavam; e assim, mais e mais, pensava nas palavras que ouvira. Até que uma noite, não conseguindo dormir, sentou-se sob o caramanchão do jardim e ali se pôs a cismar. E viu que dois vultos cautelosos, esgueirando-se rente aos arbustos e ao muro, saíram pela porta dos fundos, ganharam a rua e foram em direção à Via Appia. Percebeu que eram seus escravos, mas não conseguiu distinguir-lhes o rosto. Veio-lhe logo à mente que seriam cristãos que iam ao culto secreto. E resolveu esperar-lhes a volta.

O dia clareava quando retornaram, cautelosos como tinham ido. Ao passarem pelo caramanchão, deram com o amo que os observava. Estremeceram de terror: aquilo significava a tortura, a prisão, o circo. O liberto chamou-os; achegaram-se trêmulos.

— Vocês são cristãos? — perguntou-lhes com uma voz de inflexão suave e triste.

— Sim, somos — responderam-lhe, balbuciantes.

— Acaso vocês sabem o caminho do céu?
— Estamos aprendendo a descobri-lo...
— Quando irão lá de novo?
— Depois de amanhã...
— Irei com vocês.

E foi assim que o liberto da casa de Junus Pompilius se tornou cristão. Com tal ardor se dedicou ao Evangelho, que o vemos agora na catacumba ensinando e pregando.

Ia a pregação em meio, quando um dos assistentes, fazendo um brusco movimento, talvez por ter cochilado, deixou cair o capuz que lhe escondia o rosto. Um ohhh! de espanto escapou da boca daqueles que o reconheceram: era Minervinus, o delator.

Minervinus era um espião; especializara-se na caça aos cristãos. Era já bem conhecido, porque tinha sido preso em muitas catacumbas e, enquanto iam para a prisão, ele era posto em liberdade. Sua presença numa reunião significava a guarda romana esperando apenas um sinal para prendê-los.

Quatro homens robustos se atiraram sobre ele e o colocaram diante de Cneus Fabricius, que parara sua preleção evangélica. Ante o clamor que se levantou exigindo a punição do delator, Cneus Fabricius pediu silêncio e, depois de meditar um pouco, disse:

— Todos sabemos que grandes são os crimes que Minervinus cometeu contra os Seguidores do Cordeiro de Deus. é um lobo que, ao penetrar no aprisco, deixa após si um rasto de sangue e de martírios. Contudo, não o posso julgar. Tenho em minhas mãos os pergaminhos evangélicos, que significam para mim o caminho do céu, onde um dia espero encontrar minha inesquecível Márcia. Deixemos que Aquele que é a luz do mundo o julgue; abramos ao acaso o livro da vida, para ver o que ele nos recomendará neste caso.

E, como todos concordassem, Cneus Fabricius folheou os apontamentos e leu: "Eu, porém, vos digo: amai a vossos inimigos, fazei bem ao que vos tem ódio; e orai pelos que vos perseguem e caluniam."

— O Divino Amigo pede que o perdoemos — concluiu Cneus Fabricius, dirigindo-se a todos e enrolando os pergaminhos.

Minervinus foi perdoado e deixaram-no partir. Meses depois, reapareceu; trazia um saco nas costas, dentro do qual tinha todos os seus haveres; entregou-o à comunidade em benefício dos pobres; para si, queria apenas uma cópia das anotações evangélicas. E pediu aos irmãos que o deixassem viver ali naquela catacumba, servindo a todos para apagar assim a mancha de delator que trazia impressa na consciência e que o queimava como chaga viva. Tal era a humildade que deixou entrever, que o receberam como um irmão bem-amado. E Minervinus, nas longas horas de solidão, melhorou a catacumba; tornou mais difícil o acesso às salas secretas das reuniões dos fiéis, cavou esconderijos que foram úteis mais de uma vez nas batidas que os soldados ali deram. E, tornando-se um servo de todos, acalmava sua consciência e era querido.

Uma noite, um dos cristãos da casa de César avisou-os de que seria prudente suspenderem temporariamente as reuniões das catacumbas, pois soubera de fonte segura que se organizavam meticulosas expedições contra todas elas, com o fito principal de conseguirem muitas vítimas para figurarem nos grandes jogos do circo que haveria proximamente.

— E acho prudente — concluiu o informante — que mesmo nosso irmão Minervinus se retire para a casa de um de nós, até que venham dias melhores.

O culto evangélico foi suspenso, mas Minervinus se recusou a deixar a catacumba.

— Dificilmente me apanharão aqui — disse ele —; tenho um esconderijo que jamais será descoberto; só lhes peço que uma vez por semana coloquem o meu mantimento no lugar de costume, onde irei buscá-lo.

De fato, as perseguições recrudesceram. A catacumba hoje chamada de São Calixto foi também visitada pela guarda romana. E dentro dela, numa das salas, brandindo os gládios, os soldados encontraram Minervinus adormecido sobre um pergaminho já muito gasto pelo uso."

Todos se comoveram, mas Paulo Guilherme realegrou-os contando anedotas. Eis algumas:

Anedotas

— Papai deixou de fumar.
— Que força de vontade!
— Ah! Com Mamãe é assim!

* * *

— Para o menino — diz o médico — três mamadeiras de leite, se possível sempre da mesma vaca. E para a Mamãe um sólido bife...
— Sempre do mesmo boi? — perguntou o marido.

* * *

Nini e Titina elogiavam, cada uma delas, o cabelo de suas respectivas mamães:

— Ora! — exclamou Nini. — A minha mãe tem muito mais cabelo do que a tua. Tem tanto, tanto, que a incomoda na cama; por isso tira-os sempre antes de deitar.

* * *

— O calor era tamanho — diz um granjeiro para o seu amigo — que tive de dar gelo picado para as galinhas.
— Não me diga! E por quê?
— Para evitar que botassem os ovos já cozidos.

* * *

Durante uma aula de física, o professor explicava que o movimento produz calor, ao que um aluno replicou:
— Nem sempre, nem sempre, professor. O que o senhor me diz dos ventiladores?

* * *

— Diga-me, sr. Capitão, não há nenhuma maneira de salvar o navio? — perguntou um passageiro aflito.
— Nenhuma; o navio vai para o fundo, irremediavelmente. Mas o que me espanta é o cuidado que o senhor tem pelo navio! Sossegue, que ele está no seguro e pense, antes, em procurar um bom salva-vidas.

* * *

Desnecessário será dizer-lhes que os atores receberam abraços e beijos. O sr. Vésper, que conversava com Vovô, virou-se para Tia Maria e perguntou-lhe:
— Então a senhorita teve a honra de conhecer pessoalmente Helen Keller?
— Sim, senhor! E considero isso uma graça divina que recebi.
— A cega, surda e muda?! — perguntou admirada dona Angelina.
— Sim, essa mesmo. E tive a grande honra de apertar-lhe a mão. E vou pedir--lhes licença para contar-lhes uma bonita e verdadeira história...
— Viva a Tia Maria! — bradaram os sobrinhos, concedendo-lhe a autorização.

Helen Keller

— Estávamos no dia 14 de maio de 1953. Ao despertar pela manhã, jamais eu poderia supor que esse dia, que apenas começava, pudesse trazer-me uma tão maravilhosa surpresa... a de conhecer Helen Keller, a notável conferencista cega e surda que muito tem trabalhado para a recuperação daqueles nossos irmãos privados da vista e da audição.

Fui vê-la no Instituto Padre Chico, estabelecimento de ensino para os cegos, onde ela deveria pronunciar sua conferência.

Cheguei cedo. O salão de festas, todo enfeitado, já estava completamente lotado. Em todos os rostos liam-se a emoção e a impaciência pela chegada daquela a quem todos já aprendemos a amar. Eis quando a banda de recepção começa a tocar e Helen Keller entra acompanhada de sua solícita e abnegada secretária, Miss Thompson. Um halo de simpatia e bondade a cerca e irradia-se de sua pessoa envolvendo a todos, que a saúdam com entusiástica salva de palmas, enquanto Miss Keller, apoiada ao braço de Miss Thompson, encaminha-se para o lugar de honra.

Ouve-se, então, o coro dos alunos entoando o Hino Nacional. E, para surpresa geral, Miss Keller, com uma das mãos sobre a mesa, acompanha com a outra o ritmo da música.

Em seguida é saudada por uma das alunas daquele educandário que lê, em inglês, pelo sistema Braile, palavras de agradecimento e carinho à sua grande benfeitora. Logo depois, os pequeninos cegos a presenteiam com flores, que ela comovida agradece.

E Helen Keller começa sua palestra, dirigindo-se primeiro aos pequeninos e lhes diz palavras tocantes de ternura e de estímulo, incentivando-os para a luta que os espera, a fim de que o desânimo não os vença nunca.

Depois, dirigindo-se aos adultos, sempre com aquele sorriso bom a iluminar-lhe o semblante, Miss Keller diz-lhes: "Bem compreendo as vossas amarguras e as vossas dores, porque sofro convosco as limitações de quem não pode ouvir nem ver. Mas é preciso não desanimar, é preciso lutar para sobrepor-se à adversidade. O pior não é viver em silêncio: o pior é ser surdo às dores alheias".

Essas palavras cheias de fé exprimem bem a grandeza de uma alma nobre e pura, que soube fazer de seu próprio infortúnio uma fonte de consolo, de fé, de esperança, não só para aqueles aos quais falta a luz dos olhos, mas para a humanidade inteira.

Várias perguntas lhe foram feitas. As perguntas lhe eram transmitidas por Miss Thompson, e Helen Keller, com uma das mãos sobre os lábios dela, captava-as e a elas respondia com firmeza e entusiasmo.

Ao terminar a conferência, todos queriam aperta-lhe a mão que ela nos oferecia, como a querer transmitir-nos um pouco de sua bondade, um pouco de seu amor ao próximo.

— A senhora poderia contar-nos alguma coisa da vida dela, Tia Maria? — pediu-lhe Thiago.

— Sim, e para isso sirvo-me do magnífico livro que o professor Irineu Monteiro escreveu sobre ela, cuja leitura lhes recomendo com empenho.

Helen Keller nasceu no dia 27 de junho de 1880, em Tuscumbia, uma cidade dos Estados Unidos, e desencarnou no dia 1º de junho de 1968, vivendo, portanto, oitenta e oito anos. E em fevereiro de 1881, ficou cega, surda e muda.

— Mas a senhora disse que ela falava, Tia Maria! — disse Bruno.

— Falava e muito bem! Tanto assim que ela pronunciou sua conferência. Aos 14 anos começou sua instrução no Instituto Perkins, aprendendo a ler com os dedos. E foi na Escola de Surdos de Horace Mann que ela começou a articular palavras. A diretora da Escola, Sara Fuller, com paciência e habilidade, iniciou a tarefa. O primeiro som emitido por Helen foi a vogal "i". Depois as vogais "a" e "e". Em seguida, as palavras "mamã" e "papá". Certa vez, dirigindo-se a Anne Sullivan, disse-lhe: "Já não sou muda". Daí em diante, jamais cessou de procurar conhecimentos.

— Quem foi Anne Sullivan, Tia Maria?— perguntou Paulo Guilherme.

— Foi a professora de Helen Keller a partir de março de 1887, e acompanhou-a durante a vida toda.

— E como ela se comunicava com o mundo exterior, Tia, se não enxergava? — perguntou Luís Felipe.

— Pelo olfato e pelo tato altamente desenvolvidos. Em seu livro, O *Mundo em Que Eu Vivo*, Helen Keiler escreve: "O olfato é um mago possante que nos transporta a milhares de quilômetros e atravessa todos os anos vividos por nós. O odor das frutas me atrai à minha casa do Sul, aos meus divertimentos infantis no pomar de pêssegos... O sentido do olfato me adverte de uma tempestade. A exalação me faz conhecer muita coisa em torno de uma pessoa, e frequentemente em torno do trabalho a que uma pessoa está ligada: o odor da madeira, do ferro, do verniz, das drogas impregnam as roupas das pessoas que as usam".

— A senhora disse, Tia, que ela nunca deixou de procurar novos conhecimentos, e como? — perguntou Angélica.

— Pelo sistema Braille; aprendeu o grego, o latim; lia e falava em três línguas; e escreveu catorze livros; escrevia-os em Braille e depois eram passados para a ortografia comum e enviados aos editores.

De 1924 em diante, dedicou-se inteiramente à Fundação Americana a favor dos cegos e para isso viajou por quase todo o mundo fazendo conferências. No Brasil visitou a Fundação para o Livro do Cego no Brasil, entidade fundada por iniciativa e esforços de Dorina Gouveia Nowill, professora especializada no ensino de deficientes da visão. Esse objetivo foi amplamente atingido, pois hoje a Fundação é de âmbito nacional, produzindo e distribuindo livros em Braille para todo o Brasil. Mais do que isso: seus livros chegam até outros países da América Latina, África e Portugal. Os livros em Braille editados pela Fundação abastecem todas as escolas do território nacional, países africanos de língua portuguesa, além de vários países da América do Sul.

A manutenção da "Fundação para o Livro do Cego no Brasil" é realizada através da obtenção de recursos dos órgãos federais, estaduais, municipais e de doações da comunidade em geral.

— E do tato, Tia Maria, a senhora não nos disse nada! — exclamou Alessandra.

— Em seu livro, repito, O Mundo em Que Eu Vivo, no capítulo: "As vibrações mais delicadas", ela se expressa assim: "O tato me põe em contato com o tráfego e com a múltipla atividade citadina". E no capítulo "A mão vidente", Helen dá ênfase ao tato dizendo: "O mundo no qual vivemos é formado de ideias que nascem das impressões. O meu mundo é feito de sensações táteis, desprovidas de cores e de sons. Mas ainda que sem cores e sem sons, a vida existe e se agita nisso. Todo objeto em minha mente está associado à ideia de qualidade tátil que, com suas numerosas combinações, me proporcionam um sentido de poder, de beleza ou de contrastes: pois com minhas mãos eu posso compreender tanto o cómico quanto o belo na aparência exterior das coisas. As mãos são, por assim dizer, a minha antena com a qual atravesso o isolamento e a escuridão, alcançando e agarrando todos os prazeres, todas as atividades que os meus dedos encontram".

E, para finalizar, vou dar-lhes o

Credo de Helen Keller

Creio em Deus.
Creio no Homem.
Creio no poder do Espírito.
Espero, feliz, a aproximação do outro mundo
em que todas as minhas limitações cairão como
grilhetas. Aí hei de encontrar minha querida

professora e me dedicarei com júbilo a um
trabalho bem maior do que aquele que, até o presente,
conheci.

— Linda vida! — exclamou Vovô.— E sobre Braille, você poderia dizer-nos alguma coisa, Maria?

Luís Braille

— Sim, mano; Helen Keller rendeu-lhe homenagem por ocasião do centenário de sua morte (1809-1852) em rica mensagem sob o título: "Um farol para um mundo de escuridão", publicada na The New York Times Magazine, e divulgada no Brasil pela Fundação para o Livro do Cego no Brasil:

"Há cem anos falecia Luís Braille em Coupvray, um pequeno povoado francês distante quarenta quilômetros de Paris. Um ser humano completo, embora cego, e grande porque havia utilizado ao máximo sua perda de visão para liberar seus companheiros de aflição. Viveu e morreu na luz gloriosa de um Espírito vitorioso e de um talento brilhante e criador. A finalidade deste artigo é a de depositar um tributo de fé no Santuário que ele ocupa para sempre nos corações dos cativos da escuridão, para os quais manteve acesas lâmpadas alimentadas pela chama jovem da esperança.

"Aos 3 anos de idade, Luís furou seu olho acidentalmente com um instrumento pontudo na oficina de seu pai, um celeiro, e como resultado nunca mais viu a luz do dia. Pouco se conhece sobre os efeitos da cegueira em Luís como criança. Porém, a julgar pelo brilho de sua mente, demonstrado mais tarde na escola, eu o imagino como um menino excepcionalmente inteligente, cheio de curiosidade por tudo o que pudesse tocar Ainda mais, ele teve a felicidade de contar com pais muito afetuosos, e tenho a certeza de que ele respondeu ao seu amor como uma planta ao calor do Sol.

"Sabe-se que cursou a escola da aldeia com crianças videntes, onde foi reconhecido como um aluno muito promissor... e medidas foram tomadas para sua matrícula na Instituition des Jeunes Aveugies de Paris... Quando foi nomeado professor da Instituição, aplicou ativamente a liberdade proclamada pelos *Direitos do Homem* a seus companheiros cegos, que não tinham conhecimento anterior de como utilizar a iniciativa e a autodeterminação essenciais ao desenvolvimento individual. Sua invenção de um sistema de pontos em relevo como instrumento para sua educação foi o meio pelo qual atingiu sua liberdade intelectual. Foi um educador moderno no melhor sentido — reconheceu o direito e a necessidade dos cegos desenvolverem personalidades tão naturais e independentes como as dos videntes. Parece que nunca se julgou como uma criatura afastada da humanidade vidente.

"Foi Luís Braille que, possuidor da característica capacidade francesa de adaptação, reduziu a base de doze pontos para seis e demonstrou que seis pontos eram suficientes para o alfabeto, sinais de pontuação, matemática e música. Assim, o rápido e florescente crescimento do gênio, originário daquela assombrosa semente de talento, forjou a maior realização para os cegos.

"Depois de sua nomeação como professor da Instituição, modificou e aperfeiçoou seu sistema para escrever música e, mediante esse passo, colocou o músico cego em pé de igualdade com o vidente. Sob a orientação indulgente de M. Piguier, ele ensinou matemática, geografia, história e música, em Braille, aos alunos. Luís Braille publicou uma explicação escrita de seu procedimento talentoso de escrever com pontos. A primeira edição foi feita em relevo em 1829, e exibida na Exposição de Produtos Industriais em 1834. Foi feita uma segunda edição em Braille, em 1837.

"Estudei", declara Helen, "no Colégio Radcliffe com o auxílio de livros em Braille europeu, não somente em inglês, mas também em francês, alemão e grego. O mundo ao meu redor brilhou de novo com tesouros de Poesia e pensamentos de filosofia, história e literatura de outras terras.

"Maravilhada, senti renovada a minha condição de ser humano e saudei o 'Congresso dos grandes, dos sábios, os ouvidos que ouvem, os olhos que veem', que me trouxeram inspiração de todas as terras e tempos."

Aqui Tia Maria calou-se. Um silêncio comovente envolvia a todos. Carolina Maria e comadre Zita, a um sinal de Vovó, foram à cozinha e de lá voltaram trazendo um enorme e belíssimo bolo, ambas exclamando:

— O bolo do Vovô! O bolo de aniversário do Vovô!

23ª Aula

Afeição dos Espíritos por Certas Pessoas

— E os Espíritos gostam de nós, Vovô? — perguntou Alessandra.
— Os bons Espíritos gostam dos homens de bem, cujo progresso ajudam. Os maus Espíritos apegam-se às pessoas viciadas, maldosas, com as quais se afinam; e procuram sempre afastar-nos do caminho reto.

— E conseguem, Vovô? — perguntou Bruno.

— Depende de nós; se lhes dermos ouvidos, conseguem.

— E os nossos parentes, Vovô. Ainda são nossos parentes do lado de lá? — perguntou Thiago.

— Pela desencarnação, os laços de parentesco se desatam; subsistem apenas os laços do amor. Os parentes que se amaram de verdade podem continuar juntos; e quando não, visitam-se constantemente. Os que só se ligaram pelos laços de parentesco, sem o menor sentimento de amor uns pelos outros, separam-se seguindo cada qual o seu caminho.

Anjos da Guarda, Espíritos Protetores, Familiares ou Simpáticos

— E os anjos da guarda, Vovô. Existem? — perguntou Luís Felipe.

— Existem sim. é um consolo para nós saber que do lado de lá temos Espíritos bondosos que velam por nós.

— E como é que eles são, Vovô? — perguntou Paulo Guilherme.

— Para vocês compreenderem bem, classifico-os em quatro classes: os anjos da guarda propriamente ditos; os Espíritos protetores; os Espíritos familiares e os Espíritos simpáticos. As três últimas classes estão subordinadas à primeira:

auxiliam-nos a suportar nossa encarnação, alegram-se quando vencemos e se entristecem quando falhamos.

— Não poderiam evitar que falhássemos, Vovô? — perguntou Bruno.

— Fazem todo o possível, mas não podem interferir em nosso livre-arbítrio. A ajuda deles é indireta; sugerem-nos bons pensamentos e, agindo sobre a nossa consciência, demonstram-nos adiantadamente o resultado bom ou mau dos atos que tencionamos praticar, ou das resoluções que desejamos tomar; aproveitam-se também da liberdade que o sono concede ao nosso Espírito para aconselhar-nos diretamente sempre que possível.

— Então é por isso que arquitetamos um plano e no dia seguinte descobrimos a inconveniência dele: e ou desistimos dele, ou o transformamos, não é, Vovô? — perguntou dona Angelina.

— Exatamente.

— Podemos orar ao nosso anjo da guarda, Vovô? — perguntou Thiago.

— Podemos e devemos. Ele está sempre pronto a ouvir-nos e a aconselhar-nos; é um amigo ao qual temos a liberdade de recorrer em nossas necessidades e em nossas indecisões.

— Vovô, o senhor citou-nos quatro classes; quer descrevê-las, por favor? — pediu dona Purezinha.

— A primeira classe é ocupada por Espíritos elevadíssimos, puros, já livres das encarnações terrenas. Cada um deles é responsável pela evolução de um grande grupo de Espíritos, que se subdividem em numerosíssimas famílias sob sua direção. Em seguida, temos a classe dos Espíritos protetores, a dos Espíritos familiares e a dos Espíritos simpáticos ou amigos, todos subordinados aos Espíritos da primeira classe e trabalhando em benefício do conjunto.

— É por isso que ninguém está desamparado no mundo, não é, Vovô! — exclamou nhá Zita.

— Isso mesmo; e por cima dessa imensidão de conjuntos está Jesus, representante direto do Senhor dos mundos, Deus, Nosso Pai.

— E, havendo tantos responsáveis por nós, como é que funciona a nossa prece? — perguntou Vovó Cirene.

— Ela é primeiramente captada por nossos familiares e amigos que a analisam; se puderem resolver o caso, resolvem-no; se não puderem, apelam para os protetores espirituais, os quais, também não o podendo solucionar, endereçam nossa prece ao anjo da guarda, que dirá a última palavra sobre o caso, objeto de nossa rogativa, muito embora submetido à Vontade Divina.

— Afora este conjunto que vela por nós, particularmente cada um de nós tem o seu anjo da guarda, ou seu Espírito protetor? — perguntou Alessandra.

— Sim, tem. E é sempre mais adiantado do que o seu protegido.

— E poderemos saber o nome dele, Vovô? — perguntou Luís Felipe.

— Poderíamos, mas não há necessidade disso; geralmente é um Espírito que conviveu conosco em eras passadas e adiantou-se mais rapidamente do que nós e, estando já livre das necessidades terrenas, pede ao Altíssimo a tarefa de nos guiar, de nos ajudar, embora indiretamente, a subir a escada da perfeição.

— E ele ganha alguma coisa com isso, Vovô? — perguntou Bruno, que sempre via o lado prático das coisas.

— Ganha. O progresso do seu pupilo, o trabalho que ele tem com ele, tudo lhe é creditado em sua folha de serviços espirituais.

— Então o anjo da guarda de Bruno deve ganhar bem; só o trabalho que ele lhe dá! — exclamou Angélica.

— E você, queridinha, que com o seu *booom* comportamento não deixa o coitado ganhar nada! — replicou Bruno.

As risadas foram gerais, enrubescendo os dois. E Vovô continuou:

— Além disso, cada família, cada cidade, cada nação tem seus Espíritos protetores, ou seja, um conjunto deles. É de se notar que trabalham sem interferir no livre-arbítrio de ninguém, deixando a cada qual a plena responsabilidade de seus atos. É de notar também que o adiantamento dos protetores, quer dos indivíduos como o das massas humanas, é sempre proporcional ao adiantamento de seus protegidos.

Pressentimentos

— E o pressentimento, o que é, Vovô? — perguntou dona Angelina.

— O pressentimento é um aviso ou um conselho íntimo de um Espírito amigo ou familiar. E também pode ser a intuição de provas a que estamos sujeitos, segundo nosso plano reencarnatório.

— E, tendo um pressentimento, o que devemos fazer, Vovô? — continuou dona Angelina.

— Oremos a Deus, e um de nossos protetores nos orientará. Sobre isso leiamos o que nos diz O *Livro dos Espíritos*:

"Os Espíritos protetores nos ajudam com os seus conselhos, através da voz da consciência, que fazem falar em nosso íntimo; mas, como nem sempre lhes damos a necessária importância, oferecem-nos outros mais diretos, servindo-se das pessoas que nos cercam. Que cada um examine as diversas circunstâncias, felizes ou infelizes, de sua vida, e verá que em muitas ocasiões recebeu conselhos que nem sempre aproveitou, e que lhe teriam poupado muitos dissabores se os houvessem escutado".

O sr. Vésper, consultando o relógio, anunciou:

— Bem! Vamos à tertúlia e depois ao quê, comadre Zita?

— Surpresa! — gritou Carolina Maria.

— Ouçamos Paulo Guilherme com seus "Retalhos Luminosos"! — convidou o sr. Vésper.

Retalhos Luminosos

"As atenções devidas ao pobre, ao fraco, ao enfermo, à mulher e ao velho, são índices das lições que se recebem no berço."

* * *

"O reconhecimento é a memória do coração."

* * *

"Estude e trabalhe incessantemente. O estudo favorece o crescimento espiritual. O trabalho confere grandeza."

* * *

"A bondade e a reserva são adornos para todas as idades."

* * *

"As mãos que muitas vezes se erguem juntas para o céu, outras vezes devem ser postas no trabalho, porque de outra forma não haverá colheita."

* * *

"As jornadas do bem têm humilde começo e ninguém pode prever quando nem onde terminam."

* * *

"A ignorância desaparecerá da face da Terra no dia em que cada nação possuir mais professores do que soldados."

* * *

— E agora o nosso Bruno — disse o sr. Vésper.

E Bruno, desdobrando uma folha de papel, leu a poesia de Marieta Leite:

O Mandiocal da Bondade

Para além,
até onde a estrada o alcança,
verde como a esperança
das colheitas fartas,
se estende o mandiocal.

E eu perguntei ao homem:
— A quanto monta
o dinheiro que rende à tua casa
toda esta mandioca brava
que transformas numa farinha boa?

— Não é tanto o meu dinheiro,
nem é brava
a mandioca que eu planto.
É das mansas.

— Das mansas?
Então não sabes tu
que a mandioca melhor,
aquela que mais farinha dá
é a mandioca brava?
Se a plantasses,
três vezes mais teu cobre renderia.
Não o sabias tu?

— Sabia.
— E então?

O homem pousou em mim seus olhos doces
como deviam ser os de Jesus.

— Meu mandiocal fica à beira da estrada.
À noitinha,
quando das matas escuras
sobe para o céu a solidão.
crianças famintas,
seminuas,
rondam minha roça.

E roubam as pobres pequenitas,
do roçado que eu planto,
uma raiz,
que outra coisa não têm
para matar a fome que as maltrata.

Na tarde mansa,
passou um frémito de luz
como se Deus abraçasse o mandioca!
verde como a esperança
das colheitas fartas.

— E agora vamos à surpresa! — gritou Carolina Maria.

24ª Aula

Influência dos Espíritos sobre os Acontecimentos da Vida

Como não podia deixar de ser, ainda teciam-se os mais variados comentários sobre a festinha do Vovô, quando o sr. Vasco perguntou:

— Na sessão do Centro de quinta-feira passada, o orador falou-nos que os Espíritos influem em nossa vida. É certo, Vovô?

— Certíssimo, respeitando sempre nosso livre-arbítrio, respeitando sempre as leis naturais, mas até certo ponto, além do qual não lhes é permitido passar.

— Também os maus Espíritos, Vovô? — perguntou Bruno.

— Uns e outros: os maus nos impelem aos maus atos e os bons aos bons atos. Todavia, a escolha cabe unicamente a nós: daí o sermos totalmente responsáveis pelas nossas ações.

— Ele disse que até na encarnação seguinte, Vovô — continuou o sr. Vasco.

— Perfeitamente. Se fizermos o mal a uma pessoa e ela não nos perdoar e alimentar o desejo de vingar-se de nós, poderá perseguir-nos até em nossas futuras encarnações. Eis o que nos diz *O Livro dos Espíritos*:

"A experiência prova que certos Espíritos prosseguem na sua vingança de uma existência a outra e que assim expiaremos, cedo ou tarde, os males que tivermos acarretado a alguém".

— O que é expiar, Vovô? — perguntou Paulo Guilherme.

— É corrigir pelo sofrimento o mal que tivermos causado aos outros.

— Assim, o sofrimento...

— É sempre a consequência do mal.

— Culpam os Espíritos de muita coisa...

— Mas nem de tudo o que sucede eles são culpados. Na maioria das vezes as coisas acontecem por culpa única da pessoa — interrompeu dona Corina.

Ação dos Espíritos sobre os Fenômenos da Natureza

— Os Espíritos agem sobre os fenômenos da Natureza, Vovô? — perguntou o sr. Vésper.

— Os Espíritos, em qualquer estado de adiantamento, desde o mais primitivo ao mais elevado, são sempre auxiliares de Deus. Os mais adiantados agem conscientemente; e os ainda pequeninos, instintivamente. Mas todos agem segundo as leis divinas. E os fenômenos da Natureza, por mais incompreensíveis que nos sejam, ocorrem para a manutenção do equilíbrio da nossa morada terrena.

Os Espíritos durante os Combates

— E como se comportam os Espíritos durante os combates, Vovô? — perguntou dona Angelina.

— Há multidões de Espíritos que se ocupam em socorrer os que desencarnam nos campos de batalha. A desencarnação dos combatentes e dos habitantes das cidades atingidas pela guerra é sempre violenta, dolorosa, e por isso eles necessitam de socorro.

— E são responsáveis pelas mortes e destruições que causam, Vovô? — perguntou dona Purezinha.

— Os promotores das guerras, do mais pequenino ao maior, dos soldados dos campos de batalha, os inventores e fabricantes de armamento, aos que as dirigem de seus gabinetes confortáveis, serão todos punidos segundo o papel que nelas desempenharam, porque a lei de Deus é uma só: "Não matarás" — concluiu Vovô pensativamente.

Dos Pactos

— Já li alguma coisa, contos, histórias de pactos com o diabo. Há alguma coisa de verdade nisso, Vovô? — perguntou Vovó Cirene.

— O diabo, personificação do mal, não existe. Vocês poderiam pensar que Deus, Pai cheio de misericórdia e amor, criaria um pobre Espírito eternamente voltado ao mal? O diabo e seus pactos não passam de lendas, sem base nenhuma na realidade.

— Então, Vovô, um Espírito não poderá ser mau eternamente? — perguntou Carolina Maria.

— Não poderá. Eterno, só o bem. O mal não tem eternidade. Um Espírito poderá ser mau por anos, séculos, milênios; mas um dia, por meios que só Deus sabe aplicar, ele retornará ao caminho do bem. Contudo, prestem atenção, sempre que cometermos o mal, pactuaremos com os Espíritos maus, compreendem?

Poder Oculto, Talismãs, Feiticeiros

— Vovô, quando vamos ao Centro, vemos doentes tomarem passes. O que é aquilo? — perguntou Thiago.

— Possuímos em nós uma força oculta, um poder oculto, a que chamamos magnetismo ou força magnética. Assim, movimentamos o fluido magnético de propriedades curativas a favor dos doentes, pelo simples estender as mãos sobre eles; isso é o passe. A pessoa que aplica o passe é um médium passista, porque aprendeu a usar essa força, no que é ajudada pelos bons Espíritos. O fluido magnético é um derivado do fluido cósmico universal, ou seja, da matéria-prima universal que vocês já conhecem.

— Há pessoas que dizem possuir um talismã contra os maus Espíritos, as más influências, e que o talismã atrai os bons Espíritos. Há alguma verdade nisso, Vovô? — perguntou dona Angelina.

— Nenhuma. O que atrai os Espíritos são os nossos pensamentos e os nossos atos, nada mais: pensamentos puros e atos bons atraem os bons Espíritos; pensamentos maus e viciosos, os maus Espíritos. Um talismã nenhum poder exerce sobre eles.

— E os feiticeiros, o que são, Vovô? — perguntou Bruno.

— São pessoas que, consciente ou inconscientemente, usam sua força magnética a favor do próximo.

— No caminho que vai para o seu sítio mora uma feiticeira, não é, Tio Vésper? — perguntou Angélica.

— É nhá Gertrudes, a benzedeira. Uma boa mulher. O povo a procura para benzer as crianças de cobreiro ou de quebranto. Ela benze, as crianças saram.

— Estão vendo? Ali não há feitiçaria nenhuma: é a aplicação do passe magnético com fé e amor, nada mais — disse Vovô.

Bênção e Maldição

— Dizem que a maldição causa sofrimento ao amaldiçoado e que a bênção ajuda o abençoado, é verdade isso, Vovô? — perguntou comadre Zita.

— Nossa boca nunca se deve abrir para amaldiçoar, ou seja, desejar o mal para alguém. Se não pudermos abençoar, calemo-nos. Que nossa divisa seja: abençoar sempre, amaldiçoar nunca. E, para finalizar nosso serão, pois creio que o relógio está para bater, vou ler-lhes um pequeno trecho de O Livro dos Espíritos que bem resume nosso assunto de hoje. Ouçam:

"O Espiritismo e o magnetismo nos dão a chave de uma infinidade de fenômenos sobre os quais a ignorância teceu muitas fábulas, em que os fatos são exagerados pela imaginação. O conhecimento esclarecido dessas duas ciências, que se resumem numa só, mostrando a realidade das coisas e sua verdadeira causa, é o melhor preservativo contra as ideias supersticiosas, porque revela o que é impossível, o que está nas leis da Natureza e o que não passa de crença ridícula".

— E quem é o responsável pela tertúlia de hoje? — perguntou o sr. Vésper.

— Chiii!, era eu — respondeu Angélica —, mas me esqueci! Porém, Paulo Guilherme salvou a situação com os seus "Retalhos Luminosos". Abrindo o seu caderninho, leu:

Retalhos Luminosos

"A vida do homem estará centralizada onde ele centralize o próprio coração."

* * *

"Atravessamos experiências consanguíneas na Terra, para adquirir o verdadeiro amor espiritual. O Senhor da Vida nos permite a paternidade ou a maternidade no mundo, a fim de aprendermos a fraternidade sem mácula."

* * *

"As abelhas trabalham no escuro; o pensamento, no silêncio; e a virtude, no segredo."

* * *

"A noção do dever bem cumprido, ainda que todos os homens permaneçam contra nós, é uma luz firme para o dia e um abençoado travesseiro para a noite."

* * *

"Tudo o que fizerdes, fazei-o bem."

* * *

"Enquanto uma alma não sentir sede, será inútil oferecer-lhe água e mostrar-lhe onde está a fonte."

* * *

"O mal aumenta as dívidas que devem ser pagas; evita o mal e faze o bem: conserva o teu império sobre ti mesmo; tal é o caminho."

* * *

"Vigiai vossos lábios como se fossem a porta de um palácio habitado por um rei; que todas as vossas palavras sejam tranquilas, francas, corteses como se o rei estivesse presente."

* * *

"A compaixão e a necessidade unem todos os homens com um laço indissolúvel."

* * *

"Que cada uma de vossas ações destrua uma imperfeição ou ajude a acrescentar um mérito; como se vê um fio de prata através das contas de um colar, deixai que o Amor transpareça de vossas ações."

* * *

À mesa de chá, comadre Zita, além de sequilhos, apresentou um creme que arrancou elogios de todos, e dona Purezinha, às pressas, tirou sua caderneta da bolsa e exigiu a receita. Ei-la:

Um Creme

12 gemas de ovos, 250 g de açúcar, 1 garrafa de leite, 1 pouco de baunilha ou casca de limão. Bate-se bem, passa-se em peneira, põe-se em forminhas dentro de uma assadeira com água para assar em banho-maria, e leva-se ao forno com brasas em cima.

25ª Aula

Ocupações e Missões dos Espíritos

— Os Espíritos trabalham, Vovô? O que faremos quando desencarnarmos? — perguntou Thiago.

— Trabalharemos muito mais do que aqui; só os inúteis é que não trabalham; concorreremos para a harmonia do Universo, executando a vontade de Deus, como os filhos aqui na Terra ajudam os pais. Nossa vida na pátria espiritual é uma ocupação contínua; mas nada terá de penosa, porque estaremos livres do cansaço corporal e das necessidades físicas.

— Até nós que ainda somos pequeninos, Vovô? — perguntou dona Angelina.

— Todos teremos deveres a cumprir. O servente de pedreiro com seu humilde trabalho não concorre para a perfeição do edifício que o arquiteto idealizou? Todos somos úteis, não importa o grau de adiantamento em que estejamos; há trabalho para todos.

— E se eu não quiser trabalhar, o que me acontecerá, Vovô? — perguntou Thiago.

— Ninguém o obrigará a isso. Contudo, chegará um dia em que a ociosidade lhe pesará tanto que você pedirá um serviço pelo amor de Deus.

Aqui o sr. Vésper tomou a palavra e disse:

— Vou contar-lhes resumidamente a história de um preguiçoso: conta um autor desencarnado que havia aqui na Terra um homem preguiçoso ao extremo e que dizia: "Quando eu desencarnar, quero ir para um lugar onde não se faça nada, nada, nada. Só vou querer sombra e água fresca".

— Que malandro, hein, Tio Vésper?! — exclamou Bruno.

— Se era! E como não podia deixar de ser, um belo dia, "tchim-bum", desencarnou. Quando se pilhou do lado de lá e reconheceu seu estado, exclamou alegre: "Tá pra mim!". Mas logo se amedrontou: não via ninguém parado. Todos trabalhavam. Era um tal de ir e vir de Espíritos ocupados, a prestar contas a seus superiores das tarefas que executavam, que não acabava mais! "E se me apanharem para trabalhar, o que será de mim!", pensava.

Todos lhe davam o exemplo do trabalho, porém ninguém se importava com ele: era como se não o vissem, se não existisse. E, procurando fugir daquele movimento, tomou por uma estrada muito bem cuidada, florida e arborizada de ambos os lados, mas deserta. Andou e andou por ela todo feliz. A estrada desembocava na entrada de uma encantadora vila de repouso cercada de altos muros. Não havia portão. Entrada livre.

Entrou cautelosamente, desconfiado, inspecionou o local e soltou um "Oh!" de satisfação e de alívio: julgou-se no paraíso. Havia gente, muita gente e ninguém fazia nada. Refestelavam-se em poltronas, em redes, deitados na grama, estirados em bancos, homens e mulheres conversavam e entretinham-se nesses jogos comuns nas estações de águas, nos hotéis de veraneio, como aqui na Terra. Trabalhando, ninguém. Todos no mais completo *dolce far niente*.

— Troque isso em miúdos para nós, Tio Vésper — pediu Carolina Maria.

— É um ditado italiano que quer dizer: "Na mais doce ociosidade".

Passaram-se anos e o nosso homem ali, satisfeito, feliz.

No entanto, tudo tem seu fim. E esse fim chegou: nosso homem começou a se aborrecer daquela vida inútil, vazia. Queria fazer qualquer coisa. Sentia como que uma força estranha que o paralisava, tornava-o pesado, de movimentos lentos. Quis ir embora. A custo chegou à saída. Todavia, que desilusão! O portão, invisível por fora, mostrava-se por dentro pesadíssimo, preto, trancado com grossas correntes e cadeados fortíssimos, não deixando ninguém sair. Perguntou a um e outro e nada lhe souberam informar.

Certa vez, sentindo-se mais lerdo e pesadão, julgando-se perdido para sempre, lembrou-se de sua mãe, de seu pai, que lhe deram o exemplo do trabalho, e orou a eles pedindo-lhes socorro, de joelhos. E quando levantou-se, um pouco consolado pela oração, viu chegar-se a ele um guarda. Admirou-se, pois nunca vira guardas por ali. O guarda o informou: "Este retiro está sob a responsabilidade de um inspetor. De tempos em tempos ele aparece por aqui. Meu irmão será atendido por ele. Espere."

Já confortado, o nosso homem esperou-o ansioso. A demora afigurou-se-lhe uma eternidade. Por fim, ele chegou.

Atendido gentilmente, nosso homem explicou-lhe sua situação e queria trabalho, muito trabalho. E concluiu, implorando: "Tire-me daqui, pelo amor de Deus, nem que seja para me mandar para o inferno!"

Ao que o inspetor bem-humorado e sorridente perguntou-lhe: "E onde é que meu irmão pensa que está?"

Riram-se todos e dona Purezinha comentou:

— Por essa ele não esperava: estava no inferno e não sabia!

— Como vocês perceberam — continuou Vovô —, o trabalho é uma lei da Natureza. Se fugirmos dele, nossos entes queridos se adiantam e ficaremos para trás, estacionados e sem progresso. Leiamos em O Livro dos Espíritos o resumo deste capítulo: "Os Espíritos encarnados têm ocupações inerentes à sua existência corporal. No estado errante ou de desmaterialização, suas ocupações são proporcionais ao seu grau de adiantamento.

"Uns percorrem os mundos, instruindo-se e preparando-se para uma nova encarnação.

"Outros, mais avançados, ocupam-se do progresso, dirigindo os acontecimentos e sugerindo pensamentos favoráveis; assistem aos homens de gênio que concorrem para o adiantamento da humanidade.

"Outros se encarnam com uma missão de progresso.

"Outros tornam sob sua tutela indivíduos, famílias, aglomerações humanas, cidades e povos, dos quais se tornam anjos da guarda, gênios protetores e Espíritos familiares.

"Outros, enfim, presidem aos fenômenos da Natureza, dos quais são os agentes diretos.

"Os Espíritos comuns se imiscuem nas ocupações e divertimentos dos homens.

"Os Espíritos impuros ou imperfeitos esperam, em sofrimentos e angústias, o momento em que praza a Deus conceder-lhes os meios de se adiantarem. Se fazem o mal, é pelo despeito de ainda não poderem gozar do bem."

— Mais uma pergunta, Vovô: Podemos considerar a paternidade como uma missão? — perguntou dona Purezinha.

— Recorramos ainda a O Livro dos Espíritos:

"É, sem contradita, uma missão. E ao mesmo tempo um dever muito grande que implica, mais do que o homem pensa, sua responsabilidade para o futuro. Deus põe a criança sob a tutela dos pais para que estes a dirijam no caminho do bem, e lhes facilitou a tarefa, dando à criança uma organização débil e delicada, que a torna acessível a todas as impressões. Mas há os que mais se ocupam de endireitar as árvores do pomar e fazê-las carregar de bons frutos do que de endireitar o caráter do filho. Se este sucumbir por sua culpa, terão de sofrer a pena, e os sofrimentos da criança na vida futura recairão sobre eles, porque não fizeram o que lhes competia para o seu adiantamento nas vias do bem".

— Continuo com O Livro dos Espíritos, lendo-lhes as perguntas 583 e 583-a e suas respostas:

"Se uma criança se transviar, apesar dos cuidados dos pais, estes são responsáveis?"

"Não, mas quanto piores as disposições da criança mais a tarefa é pesada e maior será o mérito se conseguirem desviá-la do mau caminho."

"Se uma criança se torna um bom adulto, apesar da negligência ou dos maus exemplos dos pais, estes se beneficiam com isso?"

"Deus é justo."

— Venham saborear uma surpresa! — convidou Carolina Maria, acompanhando as nove badaladas do relógio.

— Uh! Uh! Uh! — resmungou o sr. Vésper. — Ainda não! E a tertúlia! De quem é o dia hoje?

— Meu, Tio Vésper, meu! E vou recitar-lhe uma poesia de Olavo Bilac! — exclamou Angélica.

O Credo

Crê no Dever e na Virtude!
É um combate insano e rude
A vida, em que tu vais entrar,
Mas, sendo bom, com esse escudo.
Serás feliz, vencerás tudo:
Quem nasce vem para lutar.

E crê na Pátria! Inda que a vejas,
Presa de ideias malfazejas.
Em qualquer época, infeliz,
— Não a abandones! Porque a Glória
Inda hás de ver numa vitória
Mudar cada cicatriz.

E crê no bem! Inda que, um dia,
No desespero e na agonia,

Mais desgraçado que ninguém,
Te vejas pobre e injuriado.
De toda a gente desprezado,
— Perdoa o mal! E crê no Bem.

E crê no Amor! Se pode a guerra
Cobrir de sangue toda a Terra,
Levando a tudo a assolação,
— Mais pode, límpida e sublime,
Caindo sobre um grande crime
Uma palavra de perdão!

— Muito bem! — bradaram em uníssono, correndo para a sala de jantar, onde depararam com duas magníficas terrinas de arroz-doce.
— Contudo, não dispensarei o meu caafééé! — avisou o sr. Vésper, recebendo das mãos da Carolina Maria o seu prato.
— Já está providenciado, Tio Vésper! É só coar — respondeu-lhe comadre Zita.

26ª Aula

Os Três Reinos

Os Minerais e as Plantas

— Vovô, do ponto de vista espiritual, é certa a divisão da Natureza em três reinos: o mineral, o vegetal e o animal? — perguntou dona Purezinha.

— É certo. E alguns até querem um quarto reino: o hominal. Esses reinos admitem duas divisões: os seres orgânicos e os seres inorgânicos; e, dentro dessas duas divisões, a Natureza nos apresenta quatro classes, que são:

a) a matéria inerte, representada pelo reino mineral ou inorgânico;

b) a matéria inerte, porém, orgânica, por possuir vitalidade, representada pelo reino vegetal;

c) o reino animal, constituído de matéria individualizada, dotada de vitalidade e possuidora do Espírito, posto que na fase instintiva;

d) o reino hominal, ou seja, o homem cujo corpo carnal é formado de tudo o que existe nos outros reinos, mas cujo instinto, ainda que existente no homem, é superado pela inteligência. Embora repetindo o assunto, vou ler-lhes o que nos diz Allan Kardec em comentário a O Livro dos Espíritos:

"Esses quatro graus têm, com efeito, caracteres bem-definidos, embora pareçam confundir-se os seus limites. A matéria inerte, que constitui o reino mineral, não possui mais do que uma força mecânica; as plantas, compostas de matéria inerte, são dotadas de vitalidade; os animais, constituídos de matéria inerte e dotados de vitalidade, têm ainda uma espécie de inteligência instintiva, limitada, com a consciência de sua existência e de sua individualidade; o homem, tendo tudo o que existe nas plantas e nos animais, domina todas as outras classes por uma inteligência especial, ilimitada, que lhe dá a consciência do seu futuro, a percepção das coisas extramateriais e o conhecimento de Deus".

Os Animais e o Homem

— Nós somos Espíritos em crescimento, por enquanto; somente alcançaremos a maioridade ao atingir o estado de Espíritos puros. Individualizamo-nos ou, para lhes dar uma imagem mais clara, nascemos em mundos inferioríssimos e, através de milênios, adquirimos o instinto.

— E então nós... — ia dizendo o sr. Vasco, mas Vovô o interrompeu:

— Sim, por milênios e milênios de evolução experimentamos graus inferiores até conquistar a inteligência.

— E o Tetis, Vovô, o nosso cachorro, quando der sinais de inteligência, continuará aqui na Terra? — perguntou Bruno.

Tetis, que cochilava a um canto, ao ouvir Bruno pronunciar o seu nome, veio lamber-lhe as mãos e foi acariciado.

— Não mais aqui na Terra, que não lhe oferecerá condições; mas em mundos em começo de evolução, para onde o Espírito dele será transferido.

— Transferido por quem, Vovô? — perguntou Thiago.

— Por Espíritos encarregados disso, meu caro neto.

— Vovô, acho que o Tetis já começa a dar sinais de inteligência: faz tanta coisa que não parece instinto...

— Chiii! — exclamou Angélica cortando a palavra de Bruno. — Então, logo será transferido.

— Ele sendo transferido, Vovô, poderei ser o protetor dele? — continuou Bruno.

— Talvez lhe seja possível; mas lhe será difícil reconhecê-lo, dado que se encarnará no corpo de um primata aprendendo a andar de pé, a usar as mãos e morando em cavernas.

— Os animais se entendem entre si, Vovô? — perguntou Luís Felipe.

— Os zoólogos dizem que sim, e citam numerosos exemplos disso.

— Zooo... o quê, Vovô? Isso me cheira a grego.

— Pois é grego mesmo, Carolina Maria! Duas palavras gregas formando uma: *zoo*, animal, e *logos*, estudo. Pessoa que estuda os animais — explicou o sr. Vésper.

— Qual a situação do Espírito de um animal ao desencarnar, Vovô? Ficará por aí andando? — perguntou dona Purezinha.

— São recolhidos; há Espíritos que cuidam deles.

— Os animais obedecem à lei do progresso como os homens, Vovô? — perguntou o sr. Vasco.

— Nos mundos materiais superiores, onde os homens são mais evoluídos, os animais também o são. Por toda parte, antes de adquirirem o direito de se encarnarem no grau hominal, os animais são preciosos auxiliares do homem.

— Vovô, o Espírito encarnado tem por dever lutar contra suas próprias imperfeições até livrar-se delas, não é verdade? Agora, estando ele encarnado num corpo material, de carne, não sofrerá ele a influência da matéria? — perguntou dona Purezinha.

— Quem vai responder-lhe é O *Livro dos Espíritos*: "Sim, quanto mais inferior é ele, mais apertados são os laços entre o Espírito e a matéria. Não o vedes? Não, o homem não tem duas almas; a alma é sempre única, um ser único. A alma do animal e a do homem são distintas entre si, de tal maneira que a de um não pode animar o corpo criado para o outro. Mas se o homem não possui uma alma animal, que por suas paixões o coloque no nível dos animais, tem o seu corpo, que o rebaixa frequentemente a esse nível, porque o seu corpo é um ser dotado de vitalidade, que tem instintos, mas ininteligentes e limitados ao interesse de sua conservação.

"O Espírito, encarnando-se no corpo do homem, transmite-lhe o princípio intelectual e moral, que o torna superior aos animais. As duas naturezas existentes no homem oferecem às paixões duas fontes diversas: umas provêm dos instintos da natureza animal, outras das impurezas do Espírito encarnado, que simpatiza em maior ou menor proporção com a grosseria dos apetites animais. O Espírito, ao purificar-se, liberta-se pouco a pouco da influência da matéria. Sob essa influência, ele se aproxima dos brutos; liberto dessa influência, eleva-se ao seu verdadeiro destino."

— Cito-lhes dois exemplos marcantes do instinto animal no homem: cito-lhe o bebê que, mal nasce, já procura o seio materno para alimentar-se e mexe os labiozinhos até achá-lo, ou até que sua mãezinha coloque o bico do seio em sua boquinha, tal qual os cachorrinhos a procurar as tetas de sua mãe. Outro exemplo do instinto animal no homem é despertar-lhe, na idade própria, o instinto sexual incoercível, que o leva a procurar no casamento a continuação da espécie humana, assim como os animais que se acasalam com a mesma finalidade de procriar, visando à continuação da espécie. No homem, esse instinto animal é santificado pelo amor dos cônjuges; e nos animais não é mais do que um simples instinto.

— Obrigado, Vovô; agora deu bem para entender — agradeceu com um sorriso dona Purezinha.

— E quando desencarnarmos, Vovô, nós nos lembraremos de todas as nossas reencarnações desde o princípio? — perguntou Paulo Guilherme.

— Naturalmente que não; a lembrança de nossas primitivas encarnações perde-se na noite dos tempos, do passado, assim como não nos recordamos do início de nossa atual encarnação. Sabemos disso, ou seja, como encarnamos, pela observação que fazemos das encarnações dos outros, não é mesmo?

Metempsicose

— E a metempsicose, Vovô, o que o senhor nos diz sobre ela? — perguntou o sr. Vésper.

— A metempsicose é uma doutrina antiga da transmigração da alma humana para o corpo de um animal, e vice-versa. Isso seria retrogradar, e o Espírito não retrograda, assim como o rio não volta à nascente.

E, fechando o serão, Carolina Maria contou a história das

Reviravoltas da Vida

A fazenda de Ribeirão Claro possuía um lote de quase cem escravos, entre homens, mulheres e crianças. Os homens eram distribuídos pelas lidas da lavoura, do pomar, da horta, da criação; as mulheres tratavam do arranjo da casa-grande e de outros misteres próprios delas, sob o olhar vigilante de dona Aninhas, mulher do fazendeiro; a criançada corria livremente por todos os lados, menos pela casa-grande, para não desarrumá-la. Corria fama, e era verdade, de não haver senhor mais benigno para com seus escravos do que o sr. Lourenço, dono da fazenda. Lá, não havia o rebenque, nem o pelourinho, nem o tronco, nem algemas, nem correntes, nem ferro de marcar, nada, nenhum instrumento de castigo. O sr. Lourenço sabia fazer-se respeitado e obedecido, e suas ordens eram rigorosamente cumpridas sem necessidade de ameaças ou de castigos corporais. E, por isso, o sr. Lourenço era querido e dona Aninhas adorada pela escravaria.

Uma vez por mês, no primeiro domingo, o casal de fazendeiros convidava para almoçar com eles, na comprida mesa da casa-grande, aqueles que melhor se tinham comportado e cumprido seus deveres no mês que passou. Essa era uma honra muito disputada e desejada.

E vieram os dias heroicos da Abolição. Um vento de liberdade soprava conclamando os homens a se tornarem iguais perante as leis humanas, como já o eram perante Deus.

E a Abolição foi proclamada.

Quem trouxe a notícia para a fazenda foi o Mário, filho do casal, que estudava na Corte. Tão logo se proclamara a lei, fora para casa, ajudar o pai em tal emergência.

O sr. Lourenço não titubeou: tendo ao lado a mulher e o filho, reuniu no pátio da casa-grande os escravos, sem faltar um só, e lhes disse: "Vocês agora não são mais meus. Vocês são livres. Vocês também são brasileiros."

Contendo a custo as lágrimas e os soluços que lhe sacudiam o peito, continuou: "Hoje é um dia de festa para vocês e para nós. Quero que vocês se alegrem comigo. Depois da festa, amanhã, os que quiserem ir embora poderão ir. Os que quiserem ficar, ficarão como meus empregados e combinaremos a paga."

E mandou separar duas reses, leitões e frangos para a festa que as mulheres preparariam sob a direção de dona Aninhas.

Muitos foram embora ao encontro de seus parentes; alguns ficaram.

Os anos rolaram. Um dia, numa das ruas centrais de Campinas, um casal de velhos pobremente trajados parecia estender a mão à caridade pública. Eis senão quando, atravessando a rua, afobada, com uma trouxa de roupa na cabeça, veio a eles uma preta robusta, alta, espadaúda, que, olhando fixamente no rosto deles, atirou para um lado a trouxa e exclamou:

"Mas é o "só" Lourenço e a dona Aninhas!"

"Marta!", bradou dona Aninhas reconhecendo-a.

Era efetivamente Marta, uma de suas escravas mais novas no ano da Abolição.

Marta os recolheu à sua casa modesta, na qual lhes arrumou um cantinho sossegado e onde também não lhes faltou um prato de feijão gostoso, como só a Marta sabia temperar, no dizer do sr. Lourenço.

Marta, ao deixar a fazenda, fora para Campinas e se casara com um homem muito bom e trabalhador; já tinham quatro filhinhos, que passaram a ser os netos peraltas do casal de velhos.

Dona Aninhas contou a Marta o que lhes acontecera. Depois da Abolição, tocaram a fazenda ainda por algum tempo, esperando que Mário se formasse. Porém, veio a epidemia de febre amarela e Mário apanhou a doença e morreu antes de se formar. As dificuldades na fazenda cresciam hora por hora, as dívidas se amontoaram, e um dia a perderam, passando para as mãos dos credores. Viveram ainda com algumas sobras, que também se acabaram, reduzindo-os ao estado em que Marta os encontrou.

Anos depois, um após outro, com pequeno intervalo, os pobrezinhos faleceram, cercados do carinho de Marta e de sua família.

— E agora vamos ao chá com bolachas de leite! — convidou-os nhá Zita, quebrando o silêncio que se seguiu.

27ª Aula

Livro Terceiro

As Leis Morais

A Lei Divina ou Natural

Caracteres da Lei Natural

— O que devemos entender por lei de Deus, Vovô? — perguntou Angélica.

— Há duas espécies de leis: a de Deus e a dos homens. A dos homens modifica-se constantemente, acompanhando a evolução humana. A de Deus é a lei natural, a única necessária à felicidade dos homens; ela indica o que devemos e o que não devemos fazer; e tornamo-nos infelizes quando dela nos afastamos, isto é, sempre que não a respeitamos.

— Deus modifica suas leis como os homens, Vovô? — perguntou Bruno.

— Não. A lei de Deus é imutável porque é perfeita; se fosse mutável, o Universo não seria harmonioso como é.

— Por que as leis humanas se modificam tanto, Vovô? — perguntou Paulo Guilherme.

— As leis do homem acompanham o seu desenvolvimento, o seu progresso. À medida que o homem cresce em compreensão, suas leis refletem esse crescimento. A lei de Deus, ou seja, a lei natural, divide-se em duas partes: uma trata do movimento e das relações da matéria: são as leis físicas que a Ciência estuda; a outra trata do homem, de suas relações com Deus e com seus semelhantes; abrange as regras da vida do corpo e as da alma: são as leis morais.

— Essas leis são iguais para todos os mundos, Vovô? — perguntou Thiago.

— Logicamente devem corresponder ao progresso de cada mundo. Mas há uma lei que é igual para todos os mundos, e que não pode ser diferente em mundo nenhum...

— Que lei tão importante que é essa, Vovô?! — perguntou admirado Luís Felipe.

— É a lei do Amor, que une todos os mundos e suas humanidades.

Conhecimento da Lei Natural

— Como é que reconhecemos a lei de Deus ou a lei natural, Vovô? — perguntou o sr. Vasco.

— A lei de Deus, a lei natural, está gravada em nossa consciência, a qual desperta através de nossas múltiplas reencarnações. Mas já há um livro que facilita muito a compreensão da lei de Deus.

— Então é fácil, Vovô; basta a gente estudá-lo. E qual é esse livro? — perguntou Bruno.

— O Evangelho de Nosso Senhor Jesus Cristo, que encerra a lei moral à qual devemos obedecer.

— Houve alguém perfeito na Terra, Vovô? — perguntou Alessandra.

— Sim. Deus nos deu um homem para nos servir de guia e de modelo...

— Jesus! — exclamaram todos.

— Jesus é para nós o tipo de perfeição moral, o modelo perfeito para guiar-nos; a doutrina que ensina é a expressão da lei de Deus. Foi um Espírito puro que se encarnou na Terra.

— Mas, Vovô, se Jesus nos trouxe sua doutrina, que é a expressão da lei de Deus, qual a utilidade do ensinamento dado pelos Espíritos? Há algo mais que eles têm para nos ensinar? — perguntou dona Purezinha.

— Lerei para vocês as respostas que os Espíritos deram a Allan Kardec, em seu *O Livro dos Espíritos*, o qual lhes faz a mesma pergunta; e a promessa que Jesus faz a seus discípulos antes de partir, o que confirma as respostas que Allan Kardec recebeu:

"O ensino de Jesus era frequentemente alegórico e em forma de parábolas, porque ele falava de acordo com a época e os lugares. Faz-se hoje necessário que a Verdade seja inteligível para todos. É preciso, pois, explicar e desenvolver essas leis, tão poucos são os que as compreendem e ainda menos os que as praticam. Nossa missão é a de espertar os olhos e os ouvidos, para confundir os orgulhosos e desmascarar os hipócritas; os que afetam exteriormente a virtude e a religião para ocultar suas torpezas. O ensinamento dos Espíritos deve ser claro e sem equívocos, a fim de que ninguém possa pretextar ignorância e cada um possa julgá-lo e apreciá-lo com sua própria razão. Estamos encarregados de preparar o Reino de Deus anunciado por Jesus; por isso, é necessário que ninguém venha interpretar a lei de Deus ao sabor de suas paixões, nem falsear o sentido de uma lei que é toda amor e caridade.

"É necessário que cada coisa venha a seu tempo. A verdade é como a luz: é preciso que nos habituemos a ela pouco a pouco, pois de outra maneira nos ofuscaria.

"Jamais houve um tempo em que Deus permitisse ao homem receber comunicações tão completas e tão instrutivas como as que hoje lhe são dadas. Havia na Antiguidade, como sabeis, alguns indivíduos que estavam de posse daquilo que consideravam uma ciência sagrada e da qual faziam mistério para os que consideravam profanos. Deveis compreender, com o que conheceis das leis que regem esses fenômenos, que eles recebiam apenas verdades esparsas no meio de um conjunto equívoco e na maioria das vezes alegórico. Não há, entretanto, para o homem de estudo, nenhum antigo sistema filosófico, nenhuma tradição, nenhuma religião a negligenciar, porque todos encerram os germes de grandes verdades que, embora pareçam contraditórias entre si, espalhadas que se acham entre acessórios sem fundamento, são hoje muito fáceis de coordenar, graças à chave que vos dá o Espiritismo de uma infinidade de coisas que até aqui vos pareciam sem razão, e cuja realidade vos é agora demonstrada de maneira irrecusável. Não deixeis de tirar temas de estudo desses materiais. São eles muito ricos e podem contribuir poderosamente para a vossa instrução."

— Até aqui os Espíritos e Allan Kardec. Vejamos agora o que Jesus nos diz em seu Evangelho sobre o mesmo assunto:

"E rogarei ao Pai e ele vos dará outro Consolador, para que fique eternamente convosco. O Espírito de Verdade, a quem o mundo não pode receber, porque o não vê nem o conhece; mas vós o conhecereis porque ele ficará convosco e estará entre vós. Eu tenho muitas coisas para vos dizer, mas vós não as podeis suportar agora. Quando vier, porém, aquele Espírito de Verdade, ele vos ensinará todas as verdades, porque ele não falará de si mesmo, mas dirá tudo o que tiver ouvido, e anunciar-vos-á as coisas que estão para vir".

— E Jesus cumpriu a promessa ao enviar-nos o Espiritismo, que para nós, para a Humanidade, é o Consolador prometido. Não é, Vovô? – disse o sr. Vésper.

— Realmente, não há doutrina que mais nos console, que mais nos encha de alegria, de otimismo, do que o Espiritismo – disse dona Corina.

— E vocês perceberam agora que os ensinamentos, desde os de Jesus, chegam-nos sempre à medida que os possamos compreender?

— E como Allan Kardec os recebeu para transmiti-los a nós, Vovô? — perguntou Thiago.

— Vá amanhã à biblioteca, apanhe o livro *Obras Póstumas*, abra-o na segunda parte, e você terá a resposta, meu caro neto.

O Bem e o Mal

— O que podemos entender por Moral, ou seja, o que é a Moral, Vovô? — perguntou dona Corina.

— A Moral é a regra de boa conduta e, portanto, da distinção entre o Bem e o Mal.

— Mas nem todos sabem distinguir o Bem do Mal — disse ainda dona Corina. — Há alguma regra para isso, Vovô?

— Há, e quem nos deu foi Jesus: "Você faça aos outros tudo quanto quer que os outros façam a você. E jamais faça aos outros o que você não quer que os outros façam a você". Na dúvida, lembrem-se dessa norma e verão se estão dentro ou fora da Moral.

— Todavia, Vovô, há pessoas que não conhecem ainda esses ensinamentos de Jesus; por exemplo, os silvícolas — disse dona Angelina.

— Diz-nos *O Livro dos Espíritos* que os Espíritos foram criados simples e ignorantes; Deus deixa ao homem a escolha do caminho; se ele seguir o caminho do mal, sua marcha para a perfeição será mais longa; se seguir o caminho do bem, será mais curta e menos crivada de sofrimentos. O sofrimento que o mal causa ao indivíduo que o pratica desenvolve-lhe a compreensão de que deve evitar os atos maus, sejam eles quais forem. E assim, através das vidas sucessivas, através de quedas e tropeços, pouco a pouco, o Espírito encarnado, o homem, aprende a distinguir o Bem do Mal. À medida que o homem cresce em compreensão, sua responsabilidade também cresce. Sua responsabilidade está na proporção dos meios que ele tiver para compreender o Bem e o Mal. é assim que o homem esclarecido que comete uma simples injustiça é mais culpável aos olhos de Deus do que o selvagem que se entrega aos instintos.

— E se uma pessoa comete o mal induzido por outra, Vovô? — perguntou Paulo Guilherme.

— Ambas são responsáveis pelo mal cometido; cada uma no grau em que colaborou no mal que foi feito.

— Há pessoas que se queixam de que não podem fazer o bem; não têm meios para isso; é possível, Vovô? — perguntou dona Emerenciana.

— Continuemos com *O Livro dos Espíritos*:

"Não há ninguém que não possa fazer o bem; somente o egoísta não encontra jamais ocasião de praticá-lo. É suficiente estar em relação com outros homens para se poder fazer o bem, e cada dia da vida oferece essa possibilidade a quem não estiver cego pelo egoísmo; porque fazer o bem não é apenas ser caridoso, mas ser útil na medida do possível, sempre que o auxílio se faça necessário".

— Dizem que o meio faz o homem, Vovô. E esses que nascem no meio de vícios e de crimes? — perguntou o sr. Vasco.

— De fato, o meio influi muito sobre o caráter da pessoa; entretanto, quem se reencarna nesses meios são Espíritos muito culpados, cuja situação se origina de faltas cometidas no passado; compete-lhes agora resistirem às tentações do mal, adquirindo o mérito da resistência e dando o exemplo de bem viver apesar das circunstâncias, para que outros também se livrem daquele charco. Há também almas caridosas que solicitam encarnar-se nesse meio para trabalhar em favor de entes queridos que ali estão, e ao mesmo tempo influenciando a todos a seguirem o bom caminho: são almas missionárias. Quanto mais difícil for a prática do bem, tanto mais mérito o Espírito terá.

Divisão da Lei Natural

— E a lei de Moisés, Vovô, explica-nos alguma coisa sobre ela — pediu dona Purezinha.

— Moisés dividiu a lei de Deus, ou lei natural, em dez partes, que são: a adoração, o trabalho, a reprodução, a conservação, a destruição, a sociedade, o progresso, a igualdade, a liberdade, e, por fim, a justiça, o amor e a caridade. Tal divisão abrange todas as circunstâncias da vida, o que é essencial. E o Apóstolo Paulo nos dá uma belíssima interpretação dela, em sua epístola aos Romanos. Ei-la:

"A ninguém devais coisa alguma, senão é o amor com que vos ameis uns aos outros; porque aquele que ama ao próximo tem cumprido a lei. Porque estes são os mandamentos de Deus: Não cometerás adultério; não matarás; não furtarás; não dirás falso testemunho; não cobiçarás; e se há algum outro mandamento, todos eles vêm a resumir-se nesta palavra: 'Amarás o próximo como a ti mesmo!' O amor do próximo não obra mal. Logo a caridade é o complemento da lei".

— E de quem é o dia hoje? — perguntou o sr. Vésper, acompanhando as badaladas do relógio.

— Meu, Tio Vésper, meu! E vou recitar-lhes uma poesia de Gomes Leal — bradou Paulo Guilherme.

O Rabi

O Rabi com seus tristes olhos sérios,
Pelos montes, os rios, as searas.
Vai andando e pregando os ideais mistérios,
Novos céus, novas leis místicas, raras!

E assim prega o Rabi: — Andai no mundo
Sem alforjes, sandália, nem bordão!
Pregai e consolai!... Limpai o imundo!
Largai a própria capa a vosso irmão!

Do valor próprio não façais alardes!...
Saudai o vosso hóspede primeiro!
Sede entre lobos cândido cordeiro.
Não temais que vos mofem os covardes!

Se, acaso vos baterem numa face,
Estendei logo a outra após também.
Porque antes que este mundo ou o céu passe,
Do bando meu não passará ninguém!

Não ameis tudo o que fulgura e brilha.
Se acaso um inimigo pelas ruas
Vos force a andar com ele quase a milha:
Ide! — e caminhai com ele as duas.

Dai aos órfãos e aos pobres que não têm
Os grãos da vossa eira ou da colheita.
Que a vossa esquerda nunca saiba o bem
Que praticou a vossa mão direita!

Não vos causem receios ou estorvos
Cuidados do alimento ou do trajar.
Nunca aprenderam a ceifar os corvos!
Nem sabem tecer lírios, ou fiar!

Contudo, em sua tépida estação,
Ninguém tem um vestido como o lírio!
Nem Mago ou Tetrarca, ou Rei Assírio,
Nem mesmo, em sua glória, Salomão.

Aferrolhai tesouros só de graça
Celeste nas divinas regiões.
Pois, na Terra, no escuro, vem a traça.
De noite vêm os furtos dos ladrões.

Em meu nome e meu verbo, largareis
Vosso lar, vossos pais, as vossas mães.
— Pérolas a cerdos vis nunca deiteis!
Nunca o que é santo profaneis aos cães!

Se pleito litigardes, ou questão
Com irmão vosso, e fordes para orar,
Deixai a vossa oferta ao pé do altar,
E correi a abraçar o vosso irmão!

Se em qualquer terra, sem mostrarem dó
De vós, vos molestarem os ingratos.
Fugi dela! Deixai-a! e dos sapatos
Sacudi, maldizendo-a, à porta, o pó.

Mas ah! tristes das terras, das cidades!
Mais lhes valerem terem, juro eu.
De Sodoma e Gomorra as impiedades,
E sobre elas chover fogo do céu!

Assim prega o Rabi.
Eis cai-lhe aos pés Um certo homem da tribo de Levi,
E brada-lhe: — Conheço quem tu és!...
Irei contigo e com os teus. Rabi!

Mas o Rabi: — As feras e as raposas
Acham covas na terra onde habitar.

Têm seus ninhos também aves gloriosas.
— Mas eu não tenho pedra, leito ou lar.

Outro lhe diz: — Ó Mestre! Se te apraz.
Deixa primeiro que eu abrace os meus!
Mas ele: — Nunca chega a ver os céus
Quem mete a mão no arado e olha atrás!

Diz-lhe um órfão recente e sem confortos:
— Deixa, Rabi, ir enterrar meu pai!
Mas ele: — Enterrem mortos os seus mortos!
Tu prega às almas, e consola. Vai.

Assim segue o Rabi sempre entre os seus
Discípulos e apóstolos da fé,
Sem saco, sem alforje, nem bordão, a pé,
Dizendo coisas místicas do céu.

28ª Aula

Lei da Adoração

Finalidade da Adoração

— Por que é que devemos adorar a Deus, Vovô? — perguntou Bruno.

— Para demonstrar-lhe nossa gratidão. Assim como somos gratos a nossos pais terrenos, assim devemos fazer para com nosso Pai Supremo; a adoração consiste em elevar a Ele nosso pensamento; pela adoração, nossa alma se aproxima dele.

— O homem sempre O adorou, Vovô? — perguntou Paulo Guilherme.

— Sempre. Desde que o homem despertou para a razão, para o raciocínio, adora-O, posto que de formas diferentes; a princípio, personificando-O nos fenômenos da Natureza...

— Por exemplo, Vovô — pediu Angélica.

— Nossos silvícolas, que o adoravam como Tupã, o senhor do raio e do trovão. A adoração a Deus é um sentimento inato no homem.

— O que vem a ser um sentimento inato, Vovô? — perguntou Luís Felipe.

— E um pensamento, uma ideia, que nasce dentro de nós mesmos, sem necessidade que nos revelem. A crença em Deus é inata na humanidade, nasceu com ela.

Adoração Exterior

— A verdadeira adoração é a do coração. Em todos os nossos atos devemos lembrar-nos de que Ele nos observa; por isso devemos praticar só atos bons.

— E essas cerimônias de adoração a Deus, como se explicam, Vovô? — perguntou dona Corina.

— Todas as religiões, todos os cultos tiveram e têm rituais, que são uma forma material de adorá-Lo. Todavia, se o adepto de qualquer religião praticar o ritual e viver conforme sua religião ensina, muito bem! Porém, apenas apegar-se ao ritual e não observar os mandamentos de sua religião, é um hipócrita...

— O que é um hipócrita, Vovô? — perguntou Alessandra, cortando-lhe a palavra.

— Hipócrita é uma pessoa fingida: mostra ser uma coisa, mas é outra muito diferente. Por exemplo: observa os rituais, as cerimônias de sua religião, e com isso encobre o seu mau comportamento, o seu mau-caráter.

— Deus faz caso dos rituais, Vovô? — perguntou sr. Vésper.

— Não, Ele não se importa com rituais, e sim com os atos, com o comportamento de seus filhos. Deus é um Espírito e devemos adorá-lo em Espírito e Verdade, como falou Jesus à mulher de Samaria.

— E como podemos adorá-Lo em Espírito e Verdade, Vovô? — perguntou Thiago.

— Fazendo o bem pelo pensamento, pelas palavras e pelos atos; essa é a maneira de adorá-Lo verdadeiramente; a Ele devemos dar contas de nossos atos, e não de rituais.

Vida Contemplativa

— Tem mais valor aos olhos de Deus quem se retira da sociedade para viver unicamente orando e pensando em Deus do que aquele que não se retira dela, Vovô? — perguntou dona Angelina.

— Não tem valor nenhum. Nascemos para viver em sociedade, auxiliando-nos uns aos outros. Deus não quer que pensemos somente n'Ele, pois temos deveres a cumprir na Terra. Uma vida de contemplação e meditação é uma inutilidade diante de Deus.

Da Prece

— Diga-nos alguma coisa sobre a prece, Vovô — pediu dona Purezinha.

— Vejamos o que os Espíritos nos dizem em O *Livro dos Espíritos*: "A prece é sempre agradável a Deus quando ditada pelo coração, porque a intenção é tudo para Ele. A prece do coração é preferível à que podeis ler, por mais bela que seja, se a lerdes mais com os lábios do que com o pensamento. A prece é agradável a Deus quando proferida com fé, com fervor e sinceridade. Não creiais, pois, que Deus seja tocado pelo homem vão, orgulhoso e egoísta, a menos que sua prece represente um ato de sincero arrependimento e de verdadeira humildade".

"A prece é um ato de adoração. Fazer preces a Deus é pensar n'Ele, aproximar-se d'Ele, pôr-se em comunicação com Ele. Pela prece podemos fazer três coisas: louvar, pedir e agradecer."

— A prece pode nos melhorar, Vovô? — perguntou Vovó Cirene.

— Pode e muito. Orando com confiança, ficamos mais fortes contra as tentações do mal e Deus permite que os bons Espíritos nos venham ajudar. Ele não nega socorro a quem pedir-lhe com sinceridade.

— Podemos rogar-lhe que perdoe nossos pecados, Vovô? — perguntou comadre Zita.

— Podemos, contanto que, daí por diante, nos comportemos bem e pratiquemos somente boas ações. As boas ações são a melhor prece, porque os atos valem mais do que as palavras. Continuemos com O Livro dos Espíritos:

"Possuímos em nós mesmos, pelo pensamento e a vontade, um poder de ação que se estende muito além da nossa esfera corpórea. A prece por outros é um ato dessa vontade. Se for ardente e sincera, pode chamar os bons Espíritos em auxílio daquele por quem pedimos, a fim de lhe sugerirem bons pensamentos e lhe darem a força necessária para o corpo e a alma. Mas, ainda nesse caso, a prece do coração é tudo e a dos lábios é nada".

— Vovô — disse Thiago — podemos orar...

— Por nós e por todos; pelos amigos e pelos inimigos; pelos encarnados e pelos desencarnados; pelos sãos e pelos doentes; pelos que se dedicam ao mal e aos vícios; pelos pobres e pelos ricos; enfim, a aplicação da prece é infinita.

— Se orarmos por nós, Vovô, nossa prece poderá modificar nosso destino ou, por outra, alterar o curso de nossas provas e expiações? — perguntou dona Angelina.

— O nosso destino está nas mãos de Deus. As preces que fazemos por nós mesmos, se não mudam nem alteram o plano de nossa vida de encarnados, nem por isso deixam de ter o seu valor e jamais deixam de ser ouvidas pelo nosso Criador; se não modificam, elas nos dão coragem, resignação, paciência, boa vontade para suportarmos as tribulações da vida, tribulações essas necessárias ao nosso progresso espiritual.

— E pelos mortos, Vovô, podemos orar? — perguntou Bruno.

— Podemos e devemos. Em qualquer situação em que estejam como desencarnados, receberão a prece sempre com alegria por alguém se ter lembrado deles e como um incentivo para o seu progresso.

— E podemos orar aos bons Espíritos, em lugar de orar a Deus, Vovô? — perguntou Paulo Guilherme.

— Os bons Espíritos são os mensageiros de Deus, os executores de sua vontade; podemos orar a eles, posto que saibamos que, sem a permissão de Deus, eles nada podem fazer.

Politeísmo

— E o Politeísmo, o que era realmente, Vovô? — perguntou Luís Felipe.
— O Politeísmo foi a crença de toda a Antiguidade. Era um sistema religioso que admitia muitos deuses, tantos quantos personificassem a Natureza e suas manifestações.
— Isso é grego, não é Vovô?
— É grego sim, Carolina Maria.
— Eu sabia. Esses gregos estão metidos em toda parte!...
— É uma palavra formada de duas palavras gregas e um sufixo: *polys*, muito; *theos*, deus: politeísmo, ou seja, muitos deuses. Certo, Carolina Maria?
— Está, e garanto que vai aparecer muito mais grego por aí...
— O Cristianismo — continuou Vovô — modificou essa situação implantando na Terra o Monoteísmo, ou seja, um só Deus, o Pai Altíssimo.
— Não falei?! — exclamou Carolina Maria, triunfante. — Temos mais grego, não é, Tio Vésper?
— Temos: *monos*, que quer dizer um, sozinho, um só, compreendeu? O resto você já sabe.

Sacrifícios

— O que vinham a ser os sacrifícios que os antigos faziam? Li num livro que eles queimavam gente viva, crianças, animais, em louvor dos deuses! — disse Paulo Guilherme.
— Foram consequência do Politeísmo. A matéria sobrepunha-se ao instinto; os instintos animais eram muito fortes nos homens. E ofereciam sacrifícios aos deuses para abrandar-lhes as cóleras ou conquistar seus favores. À medida que os homens se desenvolviam em compreensão e sentimento, esses sacrifícios se foram abrandando: primeiro sacrificavam criaturas humanas, que foram em seguida substituídas por animais e depois pela oferta de frutos da terra...
— E hoje, Vovô? — perguntou Thiago.
— Hoje, o melhor sacrifício que podemos oferecer a Deus é amparar os pobres, consolar os aflitos; esse é o melhor meio de sacrificar a Deus: socorrer os pobrezinhos, suavizando-lhes as provas difíceis pelas quais passam; ampará-los,

consolá-los, tornar-lhes a vida menos penosa. Infelizmente, há muitas cerimônias inúteis aos olhos de Deus; há muito dinheiro que poderia ser aplicado mais utilmente. O homem que se prende a exterioridades é um Espírito de vista curta, estreita.

— Bem! Alguma coisa para a tertúlia? — perguntou o sr. Vésper.
— Eu tenho — respondeu Bruno. — é de Dias Freitas.

Hino a Deus

Mundos celestes, mundos invisíveis,
Cantai os seus louvores nos altos céus;
Criaturas sensíveis e insensíveis,
Louvai o vosso Deus.

Reis e povos da Terra, chuva, frio,
Geada, treva e luz, fogo e calor,
Tempestades de inverno, sóis de estio,
Louvai o Criador.

Astro do dia, lua prateada,
Estrelas que bordais cerúleos véus,
Nuvens da tarde, névoas da alvorada,
Louvai o vosso Deus.

Algares da montanha, água das fontes,
Grama dos prados, boninas em flor,
Feras dos bosques, e repteis dos montes,
Louvai o Criador.

Arbustos dos vergéis, cedros anosos,
Alimárias da Terra, aves dos céus,
Brandos arroios, mares procelosos,
Louvai o vosso Deus.

Só a Ele se deve eterno canto
De alegria e de louvor
E toda honra.
Pois só Ele é santo,
E só Ele só é Senhor.

Passaram em seguida para o "caafééé" de Carolina Maria, e dona Purezinha exclamou:

— Mas que biscoitos gostosos são estes, comadre Zita! Quero a receita — pediu ela, tirando da bolsa sua inseparável caderneta.

— São biscoitos de polvilho, dona Purezinha. Tome nota:

Biscoitos

Uma xícara de farinha de milho escaldada com leite quente, deixando ficar uma hora. Duas colheres de banha ou de gordura de coco derretidas; sal, erva-doce, dois ovos inteiros, duas xícaras de polvilho azedo.

Amassar tudo, fazer os biscoitos. Forno quente. Se a massa ficar muito mole, endurecer com polvilho; se ficar muito dura, amolecer com leite.

29ª Aula

Vovô Conta uma História

O dia amanhecera chuvoso. Logo após a meia-noite ribombou o trovão, relâmpagos riscaram o céu e a chuva caiu, embebendo a terra. Os netos levantaram-se mais tarde do que de costume e encontraram o Vovô lendo, refestelado em sua poltrona, diante da lareira, onde um fogo gostoso aquecia a sala de jantar.

Admiram-se?! Pois na vasta sala de jantar havia uma lareira. Verdade é que só servia de enfeite, pois raras eram as ocasiões de ser usada. Depois do café com leite, pão com manteiga, bolachas e rosquinhas, uns amontoaram-se ao pé do avô e outros foram para a biblioteca.

— Que chuva, Vovô! — exclamou Bruno. — Não poderemos sair de casa hoje!

— Bendita seja ela, meu neto! O sr. Anselmo esteve aqui a esfregar as mãos de contente: "Vamos ter um colheitão, o senhor vai ver! A chuva chegou na hora certa", disse-me. E lá está ele, todo encapotado, correndo a lavoura.

O telefone tilintou. Era o sr. Vésper, que avisava não poder comparecer ao serão. Afazeres o reteriam fora até tarde.

O dia passou. À noitinha, a chuva amainou, e o sr. Vasco e dona Angelina vieram, pois bastava-lhes atravessar a estrada.

— Vovô, o senhor sabe alguma história bonita para nos contar? — perguntou Paulo Guilherme.

— Boa ideia, Vovô. E no próximo serão, já com a presença do sr. Vésper, continuaremos com O *Livro dos Espíritos*.

Concordando, Vovô narrou-lhes:

Memórias de uma Formiga

Um dia, já lá vão muitos anos, eu era estudante ainda, estava eu a remexer o canteiro do jardim, quando provoquei um pequeno desmoronamento na terra com uma enxadada mais forte. Abaixei-me para verificar o buraco que se me apresentava bem por baixo da roseira grande. Era um formigueiro velho, abandonado de há muito. Os corredores, já quase todos entupidos, ainda guardavam os restos de carcaças secas de formigas. Dispunha-me a aterrá-lo, mas sustive a enxada: é que percebi num desvão um rolinho muito amarelecido pelo tempo; apanhei-o e só então percebi que era uma larga folha seca, enrolada e cheia de sinais à maneira de um papiro antigo. Curioso, guardei-o na escrivaninha da biblioteca para estudar o estranho achado mais tarde, com vagar, e voltei a cuidar do jardim.

Passaram-se dias sem que eu tivesse tempo de sentar-me à escrivaninha. Porém, num domingo de manhã, de um céu muito azul, e de um Sol muito claro a entrar pela janela, pus-me a trabalhar, revendo lições; e no meio da papelada que enchia a mesa, estava a folha seca, da qual me tinha esquecido. "Esquisito", monologuei pegando o rolinho, "isto até parece escritura em língua desconhecida!"

"E é mesmo", respondeu-me uma voz esganiçada vinda do peitoril da janela. Era o meu papagaio que ali pousara e me observava ora com um olho, ora com o outro, meneando a cabeça.

"É letra de formiga, que bem eu conheço", continuou ele. "E se você desenrolar a folha, sou capaz de lê-la. Coisas dos homens não entendo, mas coisas de bichos bem que eu entendo."

E, entre espantado e incrédulo, tratei de desenrolar a folha; mas estava muito ressecada e corria o risco de esfarelar-se; lembrei-me de mergulhá-la na água e deu certo. Logo depois estendo a folha úmida diante do louro que a leu assim:

"Eu sou uma formiguinha ruiva, ruivinha; nasci num formigueiro que fica além das serras, de um ovinho muito pequenino. No dia em que nasci, nasceram várias centenas de irmãs minhas.

"No formigueiro formávamos uma grande família. Vivíamos felizes na fartura proporcionada pelo trabalho. Em nosso formigueiro não havia ociosos; todos trabalhavam, e, por isso, a fome jamais cruzou o limiar de nossa colônia. E, quando ouvíamos falar de insetos brincalhões e irresponsáveis que no inverno morriam de inanição, uma de nossas dirigentes, muito velhinha e sábia, dizia-nos: 'Lembrem-se, pequeninas, de que na casa de quem trabalha, a fome ronda, mas não entra.'

"Aquela vida pacífica não se enquadrava ao meu temperamento: eu queria viajar, aventuras, conhecer o mundo. E, numa ocasião que fui escalada para integrar um grupo de companheiras que ia à roça apanhar grãos, propositadamente distanciei-me delas, tomei um atalho e pus-me a correr terras sozinha.

"Tudo para mim eram novidades. Quanta coisa havia das quais eu não podia fazer ideia em nosso acanhado formigueiro!

"Os dias transcorriam enchendo-me de admiração por tudo o que eu via. Alimentos não me faltavam; sou muito gulosa por doces e as flores me forneciam um melzinho gostoso. Uma vez em que eu sugava o mel no fundo do cálice de uma flor, levei um susto tremendo: uma abelha zunindo estrondosamente penetrou ali, mas não me fez mal nenhum, foi só o susto; sorveu o seu tanto de mel, sorriu para mim e se foi.

"De noite, eu tinha o cuidado de me abrigar nas fendas dos troncos das árvores e dormia descansadamente. De manhã, fazia minha toalete na primeira gota de orvalho que encontrava e recomeçava a caminhada. Para onde? Nem eu sabia; guiava-me por minha fantasia.

"Certa vez, subi num pauzinho que jazia atravessado em meu caminho e, com surpresa, vi-me arrebatada pelos ares; agarrei-me firmemente para não cair e meu coraçãozinho batia descompassadamente. Eu tinha sido apanhada por um menino. O danadinho colocou o pauzinho em que me prendeu apoiado em duas forquilhas e se pôs a observar-me. Julguei que podia fugir sem perigo e desci por uma das forquilhas. Qual não foi o meu desaponto ao verificar que a forquilha estava fincada numa pocinha d'água, para mim tão grande como uma lagoa; subi, atravessei o pauzinho, desci pela outra forquilha e dei na água de novo. Água, havia água por todos os lados; eu estava prisioneira naquela estaca. O menino ria de meu apuro e eu chorava de desespero. Eu não podia parar; cada vez que eu tentava parar a fim de descansar um pouco, o capetinha me cutucava com um capim. E ali fiquei, não sei quanto tempo, a correr de um lado para outro. E quando as forças ameaçaram faltar-me, a mãe de meu algoz chamou-o e ele abandonou-me."

— Coitadinha da formiga. Mas que pirralho perverso! — exclamou Bruno.

"Felizmente a lagoinha era artificial", continuou Vovó a contar a história. "O menino a fizera para divertir-se comigo e, ao cair da tarde, secou."

"Desci de minha prisão, atravessei o terreno ainda úmido e, antes que a noite fechasse, consegui abrigo num recanto ao pé de uma roseira.

"Raiava a madrugada, e no lusco-fusco da manhã descobri que passara a noite na entrada de uma caverna na raiz de uma flor. Tive ali um mau bocado: um par de olhos reluzentes, grandes, do fundo do oco vinha em minha direção..."

— Que susto! — exclamou novamente Bruno, interessadíssimo na história. — O que seria?

"... ao aproximar-se mais, pude distinguir o seu corpo enorme, negro, maciço, de patas altas e pesadas. Comecei a tremer e tentava gritar, mas a voz não me saía da garganta.

"Foi quando ouvi atrás de mim alguém a rir-se gostosamente. Esse alguém tomou-me pela mão e disse-me: 'Bobinha, é um grilo... dá passagem para o sr. Gruo! Ele não lhe fará mal nenhum!'

"Quem assim me falava era uma formiga parecida comigo, porém de um ruivo mais escuro, tirando a preto, e um pouquinho mais alta do que eu; seus olhinhos irrequietos revelavam astúcia e sua maneira de olhar, profunda por vezes, denunciava muita experiência. Deixei-me arrastar por ela e o grilo passou por nós, sereno, majestoso, sem nos dar a menor atenção.

"Daquele dia em diante, fomos amigas inseparáveis. Ela era uma andeja como eu e vagava pelo mundo há muito tempo. Ainda terei ocasião de lhes contar algumas peripécias de sua vida.

"Partimos dali em agradável conversa, quando ouvimos um tropel como de soldados em marcha. Minha amiga puxou-me violentamente para dentro do mato, escondemo-nos numa espessa moita, e fez-me sinal para que eu me conservasse em profundo silêncio. Segui intrigada suas recomendações; e, aproximando-se o tropel..."

— O que será agora? — murmurou Bruno.

"... vi que na estrada marchava um pelotão de doze formigões. Depois que se perderam ao longe, saímos do esconderijo e minha amiga me disse: 'São formigões, as temíveis saúvas; se nos apanhassem levar-nos-iam para o seu formigueiro e lá seríamos suas escravas, encerradas no fundo de suas galerias subterrâneas, a tratar de seus fungos, e jamais veríamos a doce luz do dia.'

"Caminhávamos lado a lado por algum tempo, quando entrei a cismar: quantos perigos ameaçam uma pobre formiguinha! Quantos sustos levei depois que saí de meu lar! Veio-me então à memória um ditado que sempre repetia a velha e sábia formiga da qual já lhes falei: boa romaria faz quem em sua casa fica em paz.

"Dispunha-me a voltar para casa, para o meu confortável formigueiro e voltaria mesmo se minha companheira não me perguntasse: 'Você conhece a casa dos homens?'

"A casa dos homens!", exclamei. "Não!"

"Pois vamos lá."

"E fomos. Entramos pela cozinha e logo senti cheiro de doces; minha amiga também; e, adivinhando o meu pensamento, disse: 'Estão naquele guarda-comida; subamos pelos fundos para não sermos descobertas.'

"E subimos e penetramos no guarda-comida por uma frestazinha que tivemos o cuidado de assinalar bem, para o caso de uma fuga precipitada.

"Que beleza, que delícia! Havia doces de muitas qualidades. Atiramo-nos a uma magnífica compoteira de doce de leite e fartamo-nos a valer. Fizemos do guarda-comida nossa morada, até que um dia ouvimos gritar: 'Belinha! As formigas deram nos doces!!! É preciso limpar o guarda-comida!!!'

"Preparei-me para fugir sem demora, porém, minha companheira calmamente me disse: 'Ainda é cedo. Você não conhece aquele provérbio que diz: Quem quer faz, quem não quer manda?. Pois ela mandou a criada; temos mais alguns dias diante de nós.'

"Com efeito, assim foi. Regalamo-nos ainda por algum tempo na doçaria, esquecidos da ordem e da criada. E uma manhã a patroa gritou: 'Belinha!!! Você ainda não limpou o guarda-comida!!! Espere que vou eu mesma limpá-lo!!!'

"'Agora fujamos, amiguinha, porque vem quem quer', disse-me minha guia apressando-se a fugir."

"Dirigimo-nos à fenda por onde tínhamos entrado e só então percebi o desastre que me acontecera: não era mais a lépida formiguinha de dias atrás; eu engordara muito; até para pensar eu tinha dificuldades. Soube então, por experiência própria, que a gula deforma o corpo e torna lento o raciocínio.

"A custo, safamo-nos dali, e, nem bem alcançamos a porta da cozinha, a dona abriu o guarda-comida e começou a limpá-lo, resmungando contra a empregada.

"Ao atravessarmos o quintal..."

"Termina aqui o manuscrito", disse-me o papagaio. — Eu que estivera a ouvir atento a leitura dessas memórias de uma formiga, corri ao jardim, abri de novo o velho formigueiro para ver se achava mais um rolinho de folha seca. Em vão. Nada achei. Desalentado e desapontado, voltava eu à biblioteca, quando ouvi o louro dizer com sua voz esganiçada:

"É... não é bonito ser bisbilhoteiro, como diria aquela velha e sábia formiga..."

— Olhei feio para ele, mas o bicho voou para a cozinha, onde contava com a proteção de minha mãe.

— Esse papagaio era muito inteligente, não era, Vovô?! — perguntou admirada Angélica.

— Se era...

— Mais inteligente era a formiga que escreveu as memórias! O senhor ainda tem aquela folha, Vovô? — perguntou Bruno, ansioso.

— Não sei... faz tanto tempo... eu era mocinho como vocês hoje...

— Pois amanhã vou procurá-la, estante por estante, livro por livro. Não só nos daqui como nos de São Paulo. Deixa, Vovô? Pode ser que esteja dentro de algum de seus livros, não é, Vovô? — pediu Bruno.

— Eu vou ajudar. Posso, Vovô? — pediu Angélica.

— Você não; você vai atrapalhar — gritou Bruno.

— Pois iremos todos; cada um de nós se encarregará de uma estante; assim terminaremos mais depressa. Lembrem-se de que depois do almoço, se não chover, o Tio Vasco prometeu nos levar com ele à fazenda do sr. Deodato, para ver um lote de vacas leiteiras que ele quer comprar — disse Paulo Guilherme fechando a questão.

E ao doce embalo da chuva que caía forte, todos foram dormir.

30ª Aula

Lei Do Trabalho

Necessidade do Trabalho

— Por que é preciso que todos trabalhem, Vovô? — perguntou Thiago.

— É verdade, Vovô. Eu também estava pensando nisso, mas logo me lembrei da historieta que Tio Vésper nos contou — disse Luís Felipe.

— O trabalho é uma lei da Natureza e por isso é uma necessidade. Sem o trabalho não haveria progresso. Jesus nos ensina que o Pai Altíssimo trabalha incessantemente. O trabalho é um dever social. Pelo trabalho ajudamo-nos uns aos outros, a Humanidade progride, o mundo melhora tornando-se cada vez mais confortável.

— Os Espíritos desencarnados trabalham, Vovô? — perguntou Paulo Guilherme.

— Claro que trabalham, e muito mais do que nós. Estão livres apenas de uma modalidade de trabalho que é a de prover a alimentação do corpo material; quanto ao mais, trabalham, cada qual conforme seu adiantamento.

— Mas um homem rico não precisa trabalhar, Vovô — disse Alessandra.

— Realmente, não precisa dedicar-se ao trabalho manual; porém, tem um dever moral a cumprir, um trabalho moral a executar: o de movimentar sua riqueza a favor do bem-estar social, fazendo com que ela produza trabalho, muito trabalho para todos.

— Os filhos devem trabalhar para os pais, Vovô? — perguntou Carolina Maria.

— Os filhos têm o dever de socorrer os pais em suas necessidades, assim como os pais têm a obrigação de cuidar dos filhos, enquanto não o possam fazer por si próprios. Assim, os pais obedecem ao amor paterno e os filhos ao amor filial.

Limite do Trabalho. Repouso

— Qual é o limite do trabalho, Vovô? — perguntou o sr. Vasco.

— É o limite das forças de cada um. Entretanto, Deus lhe dá liberdade para isso.

— E o descanso? — perguntou Vovó Cirene.

— Sem dúvida, o repouso é muito necessário, não só para refazer as forças do corpo, como também para dar um pouco de liberdade à inteligência, que deve ser cultivada para o Espírito elevar-se acima da matéria.

— O que pensar, Vovô, dos que exigem de seus empregados um excesso de trabalho, abusando de sua autoridade e aproveitando-se da necessidade deles? — perguntou o sr. Vésper.

— É um mal. O superior que assim proceder é responsável pelas consequências maléficas que seu subordinado sofrer.

— E na velhice, Vovô? — perguntou comadre Zita.

— O forte deve trabalhar para o fraco; a sociedade deve ampará-lo; é a lei da caridade.

— A propósito, lembro-me de outra historieta.

— Conte-a, conte-a, Tio Vésper! — bradaram todos.

— Dois homens eram vizinhos e cada um deles tinha mulher e filhos; e, para viver, somente o seu trabalho.

Um deles se preocupava muito e dizia: "Se eu morrer ou cair doente, o que será de minha mulher e filhos?"

Essa preocupação não o deixava um só instante e roía-lhe o coração como um verme rói o fruto no qual penetrou. No entanto, o mesmo pensamento teve o outro pai de família, mas não lhe deu atenção, pensando: "Deus, que conhece todas as suas criaturas e que vela por nós, velará por; mim, por minha mulher e por meus filhos".

Este vivia tranquilamente, enquanto o outro não gozava um minuto de sossego ou de alegria interior.

Um dia em que ele trabalhava em sua roça, viu dois passarinhos entrar numa moita, sair e logo voltar. Curioso, aproximou-se, percebeu dois ninhos lado a lado e, dentro deles, alguns filhotinhos implumes. E, enquanto trabalhava, sempre reparava nos passarinhos que iam e vinham trazendo o alimento para seus filhinhos.

Eis que, um dia, uma das mães, ao vir com a comida, é apanhada por um gavião que a levou, apesar dos esforços da pobrezinha para livrar-se de suas garras.

Ao presenciar isso, o homem que estava trabalhando ficou mais perturbado ainda, pensando que a morte da mãe seria a morte dos pequeninos: "Os meus filhos só têm a mim, o que será deles se eu lhes faltar, como a esses pobrezinhos do ninho?", gemia ele. E passou um dia triste e de noite não dormiu. De manhã, a caminho do trabalho, murmurou: "Vou ver os filhotes daquela infeliz mãe; por certo já morreram!"

E chegou à moita; e viu as avezinhas passando bem; nada sofriam, o que o deixou maravilhado. Escondeu-se para descobrir o porquê.

Pouco depois, ouviu um gritinho; a outra mãe chegava às pressas com o alimento que distribuiu a todos indistintamente: trouxe comida para os dois ninhos. E assim os orfãozinhos não foram abandonados à miséria.

O pai, que não confiava na Providência Divina, à noite contou o caso ao outro pai, o qual lhe disse: "Por que se preocupar? Deus não abandona os seus; seu amor tem recursos e segredos que não conhecemos. Creiamos, confiemos, esperemos, amemos e sigamos nosso caminho em paz. Se eu morrer antes de você, você será o pai dos meus filhos. E se você morrer primeiro do que eu, serei o pai dos seus. E se morrermos sem que ainda possam viver por si, terão por pai o Pai que está nos céus".

— Bonita história — exclamaram.

— Essa é a lei da caridade, da solidariedade humana. É a lei a que a sociedade deve obedecer: quem pode mais ajudará quem pode menos; quem for o mais forte, amparará o mais fraco. E o Pai Altíssimo velará por todos — concluiu o sr. Vésper.

E Vovô continuou:

— Trabalhar não é sofrer, mas progredir, desenvolver-se, conquistar a felicidade. Vejamos o que *O Livro dos Espíritos* nos diz sobre o trabalho:

"Não basta dizer ao homem que ele deve trabalhar; é necessário também que o que vive do seu trabalho encontre ocupação e isso nem sempre acontece. Quando a falta de trabalho se generaliza, toma as proporções de um flagelo, como a escassez. A ciência econômica procura o remédio no equilíbrio entre a produção e o consumo, mas esse equilíbrio, supondo-se que seja possível, sofrerá sempre intermitências, e durante essas fases o trabalhador tem necessidade de viver. Há um elemento que não se ponderou bastante e sem o qual a ciência econômica não passa de teoria: a educação. Não a educação intelectual, mas a moral, e nem ainda a educação moral pelos livros, mas a que consiste na arte de formar os caracteres, aquela que cria os hábitos, *porque educação é conjunto de hábitos adquiridos*.

"Quando se pensa na massa de indivíduos diariamente lançados na corrente da população, sem princípios, sem freios, entregues aos próprios instintos, deve-se admirar das consequências desastrosas desse fato? Quando essa arte for conhecida, compreendida e praticada, o homem seguirá no mundo os hábitos de ordem e previdência para si mesmo e para os seus, de respeito pelo que é respeitável, hábitos que lhe permitirão atravessar de maneira menos penosa os maus dias inevitáveis. A desordem e a imprevidência são duas chagas que somente uma educação bem compreendida pode curar. Nisso está o ponto de partida, o elemento real do bem-estar, a garantia da segurança de todos."

— Sim, sim, *educação e trabalho*, eis o lema para a Humanidade ser feliz — afirmou o sr. Vésper que, ouvindo o relógio, perguntou:

— De quem é o dia hoje?

— Meu, meu — respondeu Luís Felipe, e recitou-nos a seguinte poesia de Bastos Tigre:

A Ovelha Perdida

Qual dentre vós que cem ovelhas tendo
E uma delas perdendo
Não deixa as outras todas e não parte
Por vales e por serras, em batida,
Solícito a buscar por toda a parte
Sua ovelha perdida?

E quando a houver achado, numa festa
Os amigos não reúne jubiloso,
Dizendo-lhes: — É esta,
É esta a ovelha que eu perdido tinha!
Vinde regozijar-vos com o meu gozo,
Vinde juntar-se à alegria minha!

Assim digo-vos eu
Que haverá maior júbilo no céu
Por um só pecador arrependido
Que por um cento
De justos que o meu Reino Prometido
Hajam bem-merecido
E não precisam de arrependimento.

— E agora ao chá com bolachas de leite, receita de comadre Zita!... — convidou Carolina Maria.

31ª Aula

Lei da Reprodução

População do Globo

O sr. Vésper, tomando O *Livro dos Espíritos*, abriu o serão, dizendo:
— Dá licença, Vovô, que eu leia alguma coisa que me encabula sobre a população do globo: são as perguntas 686, 687 e as respostas. Gostaria de saber também a sua opinião a respeito.
— Leia, sou todo ouvidos.
"*Pergunta 686* — A reprodução dos seres vivos é uma lei natural?"
"Isso é evidente; sem a reprodução, o mundo corpóreo pereceria.
"*Pergunta 687* — Se a população seguir sempre a progressão constante que vemos, chegará um momento em que se tornará excessiva na Terra?"
"Não. Deus a isso provê, mantendo sempre o equilíbrio. Ele nada faz de inútil. O homem, que só vê um ângulo do quadro da Natureza, não pode julgar a harmonia do conjunto.
— Como vocês veem, não há o perigo que o economista inglês Thomas Robert Malthus aponta em seu livro *Um Ensaio Sobre o Princípio da População*. Ele estuda o problema por um ângulo apenas, e não seu conjunto. A Terra ainda está muito longe de conter uma superpopulação; ainda há muito o que fazer, muito o que explorar, muita terra que nem começou ainda a ser trabalhada. O homem que dê recursos para a Ciência, como dá recursos para a guerra e verá do que a Terra é capaz. A Natureza sabe manter o equilíbrio; haverá sempre lugar e alimentos para todos. E para isso bastará ao homem movimentar-se, em lugar de brincar de guerra, o que não o levará a nada, a não ser à destruição, à morte, à miséria, à fome — Vovô explicou.

Sucessão e Aperfeiçoamento das Raças

— É verdade que a gente descende dos macacos, Vovô? — perguntou Luís Felipe.

— Sim, o corpo humano sim...

— Aaaah! Já descobri!!! É por isso que o Bruno vive trepado nas árvores! E Vovó não se cansa de ralhar com ele. É porque ele já foi macaco! — exclamou Angélica.

— E você, macaca! — revidou Bruno.

— E por sinal deve ter sido uma macaquinha bem bonita! — ajuntou o sr. Vésper, pondo mais lenha na fogueira que se armava.

— Vamos por partes, vamos por partes. Não é bem assim — disse Vovô acalmando o ânimo dos dois, enquanto os outros riam. — O corpo sim, o Espírito, não. O homem é um mamífero. Mais exatamente, um mamífero placentário. Pertence à ordem dos Primatas.

— O que é um mamífero placentário, Vovô? — perguntou Thiago.

— Os mamíferos placentários representam a mais adiantada das cinco classes dos vertebrados; são os mais evoluídos dentre os mamíferos, porque dispõem de um novo órgão, a placenta, destinado à respiração e à alimentação do feto.

— E primata, Vovô? — perguntou Alessandra.

— É uma classe de mamíferos à qual pertencem os macacos. Os primatas se diferenciam dos outros mamíferos placentários pelo desenvolvimento precoce do cérebro, pelo aperfeiçoamento da visão, que se torna estereoscópica, pela redução da face, pela substituição das garras por unhas chatas e pela oposição do polegar aos outros dedos.

— O que é estereoscópica, Vovô? — perguntou dona Corina.

— Lá vem grego, lá vem grego...

— Pois é grego mesmo — atalhou o sr. Vésper. — é palavra formada por duas outras gregas: *stereos*, sólido; *skopein*, ver. É fotografar-se um mesmo objeto por duas câmaras fotográficas separadas por uma distância igual à de nossos olhos, o que dá a visão perfeita do relevo, da solidez. Compreendeu, madame Carolina Maria?

— Entendi, Capitão.

— Os primatas — continuou Vovô — classificam-se em *prossímios* e *símios*. Os prossímios têm a cauda longa, braços curtos e dedos livres. Os símios vocês conhecem. O homem pertence a este segundo grupo, o dos símios, que se caracteriza por um aumento de estatura, pelo deslocamento das órbitas na face, e consequente melhoria da visão e pela independência das fossas temporais.

Tal era a atenção dos ouvintes ante as explicações do Vovô, que mal se lhes ouvia a respiração. A uma pausa que ele fez para tomar um copo d'água, várias vozes se ouviram:

— E depois, Vovô, e depois?

— Uma repentina proliferação de formas ocorre entre os símios há mais ou menos trinta milhões de anos, o que nos faz supor que a diferenciação da família *Hominidae*, isto é, da família da qual proveio o homem destacando-se dos símios, poderia datar dessa época.

— Como sabem disso, Vovô? — perguntou comadre Zita.

— Pelo estudo dos arqueólogos...

— Arque... o quê, Vovô? É grego de novo?

— Mas que implicância você tem com os gregos, Carolina Maria. Você nunca viu nenhum! — exclamou o sr. Vésper.

— E nem quero ver. Tá doido! Gente com uma língua dessas. Explique-me o que é...

E, como sempre, o sr. Vésper esclareceu-lhe:

— A Arqueologia é a ciência que estuda a Pré-história, ou seja, o antepassado da Humanidade. *Arkaios*, primitivo; *logia*, estudo. Continue, por favor, Vovô — pediu o sr. Vésper.

— Para poder escrever a história desses hominídeos, os arqueólogos têm de pesquisar entre os fósseis dos símios dos últimos trinta milhões de anos, cujas tendências evolutivas se orientam para os traços que caracterizam o gênero *Homo* ao qual pertencemos: locomoção sobre os membros posteriores com as consequentes transformações dos pés, das pernas, da bacia, da orientação do crânio, das proporções da coluna vertebral; desenvolvimento da caixa craniana; arredondamento da arcada dentária; redução da face e dos dentes caninos; curvatura do palato etc.

— O que são fósseis, Vovô? — perguntou Angélica.

— São o material que os arqueólogos estudam: ossos, esqueletos, pegadas, traços dos animais que viveram nas diversas idades da Terra, ou períodos geológicos, porque a Terra também tem a sua idade, também passou por transformações. Essas idades ou períodos são: Primário, Secundário, Terciário e Quaternário. Os primatas que apareceram no fim do Secundário, isto é, há setenta milhões de anos, desenvolveram-se durante o Terciário e o Quaternário. O Terciário se divide em cinco grandes épocas que são, da mais antiga à mais recente: Paleoceno, Eoceno, Oligoceno, Mioceno e o Plioceno. O Quaternário compreende somente duas épocas: o Pleistoceno e o Holoceno, que é o período no qual estamos hoje.

— Agora, Vovô...

— Já sei, mas não vou explicar nada. Na biblioteca vocês encontrarão explicação para tudo: nos dicionários, nos livros de Geologia, de História Natural, de Arqueologia e outros que há nas minhas estantes. Amanhã, em lugar de correrem pelo sítio, estudem um pouco, leiam e saberão. E assim chegamos ao *Australopithecus*.

— Valha-me Nossa Senhora da Boa Morte! Não aguento mais esses gregos; esse tal de *austra*, austra o quê? Astragoli...

— Que *astragoli*, que nada, madame! É *Australopithecus*. E desta vez você deu com os burros n'água, porque não é uma palavra apenas grega; é uma palavra híbrida, ou seja, uma palavra formada de outras duas de línguas diferentes: *australis*, palavra latina, que quer dizer meridional, sul; e da grega *pithecus*, que quer dizer macaco. *Australopithecus*, isto é, macaco do sul. Estou certo, Vovô? — concluiu o sr. Vésper.

— Certíssimo. Esse nome foi criado pelo naturalista Dart, em 1924. E com ele designou vários fósseis encontrados na África do Sul, os quais apresentavam características não só simiescas, mas também aspectos humanos. Em seguida, foram feitas descobertas semelhantes na África Oriental. As tendências evolutivas do *Australopithecus* não deixam margem à dúvida. Esses bípedes permanentes têm pés humanos, mãos modernas, cérebro com nítido aumento de volume, caninos pequenos e face reduzida. Não podemos deixar de considerá-los *hominídeos*. E por fim temos o gênero *Homo*, ao qual pertencemos. Esse gênero se distingue do *Australopithecus* por aumento de estatura, melhoria na postura ereta, crescimento do volume do cérebro que, a partir da espécie mais antiga, pode atingir oitocentos centímetros cúbicos, transformação da dentição com maior desenvolvimento dos dentes anteriores em relação aos laterais, em consequência da mudança do regime alimentar de vegetariano para onívoro.

Todos ouviam o Vovô embevecidos; mal respiravam; não ousavam perguntar nada.

— Bem: agora façamos uma ligeira recapitulação de nossa conversa sobre a evolução da Humanidade:

Hominidae é a família zoológica de primatas superiores, representada pelos homens fósseis e modernos.

Homo habilis designa fósseis com um grau de evolução anatômica intermediário entre os *australopitecínios*, isto é, entre alguns que apresentam algumas facetas humanas, e *pitecantropicínios*, ou seja, o macaco propriamente dito.

Homo sapiens é a designação atualmente dada às formas modernas, ou neoantrópicas, para determinar o homem que alcançou, graças à sua inteligência, seu estado de adaptação ao meio que lhe permite pensar livremente.

— Pararemos por aqui, Vovô? — perguntou dona Purezinha.

— Não. Continuaremos a caminhada, que ainda é longa. O *Homo sapiens*, que hoje somos, caracteriza-se pela sua intelectualidade. Temos de alcançar o estado de *Homo spiritualis*. Intelectualidade e Espiritualidade completam-se, constituindo a Sabedoria, apanágio dos Espíritos Superiores.

— E vai demorar muito, Vovô? — perguntou Paulo Guilherme.

— A julgar pelas etapas anteriores, nas quais desenvolvemos nossa intelectualidade, que agora nos ajudará muito, e dado que já estamos dando os primeiros passos em direção à Espiritualidade, acredito que levaremos uns três mil anos para lá chegar. Ao raiar do ano 6.000 seremos o *Homo spiritualis*.

— Tudo isso, Vovô?! — exclamou dona Angelina, espantada.

— E não é muito; pois não gastamos milhões de anos para chegar até aqui? E quem se lembra deles? Nenhum de nós, não é verdade?

— E depois, Vovô? — perguntaram em coro.

— Depois, meus caros, depois só o Altíssimo o sabe.

O serão terminou. E lá de dentro veio o convite de Carolina Maria:

— Venham que hoje temos doce de batata-doce, batata-doce assada e caaafééé!

Esqueci-me de lhes contar que o sr. Anselmo, sua mulher, dona Emerenciana e filhos frequentavam os serões. Encontraram-se numa sessão das quintas-feiras no Centro Espírita de dona Corina; e Vovô convidou-os a participarem de nossos serões, o que fizeram com gosto. Nessa manhã, colheram batata-doce e mandaram uma cestada delas para Vovó. E nhá Zita, com sua mão de doceira, preparou-as deliciosamente.

— Mas antes vamos à nossa tertúlia. E como o tema da noite foi um tanto pesado, sugiro que Paulo Guilherme nos leia algumas anedotas do caderninho do Vovô. O que acham? — perguntou o sr. Vésper.

A turma aprovou com entusiasmo.

— Do meu caderninho, pois agora tenho o meu — corrigiu Paulo Guilherme, e começou:

Anedotas

Lição de ciência:

O pai, um tanto nervoso, ao filho:

— Já te expliquei mais do que uma vez, meu filho. O homem provém do macaco. Antigamente só havia macacos. Depois, a raça se foi aperfeiçoando e chegou a ser o que é hoje. Dize-me isso por tuas próprias palavras, para que eu verifique o teu grau de compreensão.

— Ah! Agora compreendi muito bem. Papai! Antes de eu nascer, o senhor e a mamãe eram dois orangotangos. Certo?

Para livrar-se de ladrões:
Muitas vezes uma senhora está só em casa e entram ladrões sem que ela possa fazer nada. Tendo-se jeito de chegar perto, põe-se a mão dentro do colarinho por detrás e agarra-se com toda a força e põe-se o joelho no meio das costas e acalca-se com força. O homem mais forte fica sem movimento, podendo ser dominado por uma mulher fraca. Com isso tem-se tempo de gritar por socorro. Este é o melhor processo de uma mulher livrar-se de ladrões.

Sacrifício de pai:
— De tempos para cá, sr. José, noto que chega tarde ao escritório e vai embora correndo, nem bem toca o sinal!
— O senhor sabe, com uma filhinha de dez meses...
— Mas o que tem a ver a filhinha? E sua esposa, o que faz?
— O caso é, sr. gerente, que, enquanto minha mulher lhe dá a papinha, eu preciso fazer piruetas diante dela. Do contrário a menina não come.

32ª Aula

Quem abriu as perguntas foi Paulo Guilherme, que andara a manhã toda a remexer a biblioteca.
— E o Espírito, Vovô, o que era antes de animar o australopiteco?
— Não sabemos a origem do Espírito; apenas sabemos que é uma criação divina. Mas como a lei da evolução é universal, pois abrange mundos e seres, tudo faz crer que o Espírito levou milhões de anos para adquirir o instinto e outros milhões para chegar à inteligência. Tanto num estado como noutro, o Espírito atua sobre a matéria, a qual, por si só, é inerte, amorfa, isto é, sem forma determinada. E como é que o Espírito atua sobre a matéria?
— Pelo perispírito — respondeu prontamente Angélica.
— Ora viva! Eu bem que gostaria de saber qual foi a australopiteca que foi a primeira mãe dessa inteligente mocinha chamada Angélica!
— E eu, Tio Vésper, gostaria de saber qual foi o pitecantropo do qual o senhor herdou essas incríveis sobrancelhas! — replicou Angélica.
As gargalhadas foram gerais; aplaudiram Angélica com palmas, inclusive o sr. Vésper, que muito se divertiu com a resposta.
E Vovô continuou:
— Quando o Espírito começa a dar sinais de inteligência é encarnado em corpos materiais que lhe facilitem o desenvolvimento. Naturalmente, em corpos cuja evolução tendem para a forma humana. E, durante os intervalos das encarnações, esses Espíritos brutais, semianimais ainda, recebem lições de Espíritos especializados, os quais lhes desenvolvem a inteligência e lhes aperfeiçoam o perispírito.
— Como, Vovô, é possível aperfeiçoar o perispírito? — perguntou Luís Felipe.
— Sim. Os professores de educação física não aperfeiçoam, não corrigem o corpo dos encarnados? Pois então; assim os instrutores lhes aperfeiçoam o corpo

espiritual, o qual, encarnando-se, modela o corpo material, o corpo de carne, cada vez mais melhorado.

— Levou tempo, Vovô? — perguntou Thiago.

— Tempo?! Põe tempo nisso, meu caro neto! Calcula-se que, para sair do estado de australopiteco para o de *Homo*, gastaram-se pelo menos quarenta milhões de anos. Mas não foi apenas uma variedade de primatas que os Espíritos sábios experimentaram, foram muitas. Cito-lhes o...

— Grego! Lá vem grego, gente! Acudam! — gritou Carolina Maria.

— Deixa de interromper, madame! Na sua próxima encarnação você há de reencarnar como grega, numa das ilhas da Grécia, você vai ver!

— Vigiii! Hei de ser bonita como uma daquelas estátuas gregas do livro de Vovô, você vai ver também.

— Bom, se for assim mesmo, eu quero ser grego só para me casar com você — retrucou-lhe Paulo Guilherme.

— Cito-lhes — continuou Vovô — o *Parapithacus*, o *Apidium*, o *Oligapithecus*, o *Propliopithecus*, o *Aoleopithecus*, o *Aegiptopithecus*, mas o que deu resultado mesmo foi o *Australopithecus*, que evoluiu para o *Hominidae*. E o *Homo*, como espécie humana formada, e já utilizando alguns instrumentos de pedra, é de três milhões a um milhão e oitocentos e cinquenta mil anos. Assim nasceu a Humanidade.

— Depois a Humanidade aprendeu o resto sozinha? — perguntou Alessandra.

— O homem sempre teve instrutores. Quando desencarnado, aprende muita coisa no plano espiritual, sabe que traz consigo em forma de intuições, inspirações, lembranças. Além disso, encarnam-se Espíritos que sabem mais e vêm como instrutores. E, de tempos em tempos, reúnem-se grupos de Espíritos adiantados para impulsionarem o progresso terreno.

— Por exemplo, Vovô! — pediu o sr. Vasco.

— Entre seis mil e três mil anos antes de Cristo, podemos notar que se encarnaram muitos Espíritos instrutores: o homem aprendeu a usar a força do boi, inventou o arado, o carro de rodas, o barco à vela, descobriu processos químicos da fundição de minérios e as propriedades físicas dos metais e começou a desenvolver um calendário solar aperfeiçoado. Preparou-se assim para a vida urbana, que exigirá a escrita, processos de contagem, padrões de numeração, instrumentos de uma nova forma de transmitir o conhecimento e as Ciências Exatas. Em nenhum período da história até a época de Galileu o progresso foi tão rápido e descobertas de grande alcance tão frequentes.

— E a alimentação, Vovô, como se alimentavam? — perguntou Luís Felipe.

— A princípio, alimentavam-se da carne crua de animais que caçavam, de ervas, de raízes comestíveis, de frutas e possivelmente fossem até antropófagos.

— Cruz, credo! Grego de novo! Antro... o quê? Não entendo o grego, Vovô, o senhor sabe disso! — exclamou Carolina Maria.

— É grego sim, Carolina Maria, e quer dizer comedores de carne humana, compreendeu? — explicou-lhe o sr. Vésper.

— É por isso que não gosto de grego; agora descobri!

— Depois aprenderam a fazer fogo e a usá-lo; a selecionar os cereais e outros produtos da terra, a plantá-los, cultivá-los.

— Houve algum outro período marcante da descida de Espíritos instrutores ao nossa planeta, Vovô? — perguntou dona Purezinha.

— Na realidade, a vinda de instrutores ao nosso planeta é constante e, como Espíritos mais adiantados, influenciam todos os ramos das atividades humanas. Há, entretanto, um período que sobressai aos outros: é o período da Renascença, que se produziu na Europa nos séculos XV e XVI. Guttenberg inventa a tipografia, que difundiu a cultura até então contida em pergaminhos, ao alcance só de poucos privilegiados; inventou-se a gravura que difundiu as obras de arte. É a época de Ariosto, de Maquiavel, de Bembo, Tasso, Trissimo, Bruneleschi, Donatello, Luca delia Robia, Fra Angélico, Leonardo da Vinci, Rafael, Michelangelo, Bramante, na Itália. Na França, Francisco I funda o College de France; foram Marot, Rabelais, Ronsard, Du Bellay, Montaigne, Primaticcio, Andrea dei Sarto, Cellini e tantos outros que deram novo aspecto ao mundo.

— E depois, Vovô, depois de tudo isso, o que é que o senhor nos ensina? — perguntou Thiago vibrante de entusiasmo.

— Bem... digo-lhes que a raça humana atual, que por seu conhecimento invadirá toda a Terra e substituirá as raças que se extinguirem, terá também o seu período de decrescimento e de extinção. Outra raça mais aperfeiçoada a substituirá, descendendo da raça atual, como os homens civilizados de hoje descendem dos seres brutos e selvagens dos tempos primitivos.

— E nossos Espíritos, Vovô, para onde irão? — perguntou Angélica.

— Voltarão, isto é, voltaremos, querida. Voltaremos a habitar a Terra, mais bela, mais perfeita e nós também mais sábios, mais puros, em corpos mais perfeitos, mais lindos.

Obstáculos à Reprodução

— E o que o senhor nos diz das leis e costumes humanos que criam obstáculos à reprodução? — perguntou dona Corina.

— Criar obstáculos à reprodução é contrariar a lei natural. Tudo o que entrava a marcha da Natureza desobedece à lei geral.

— O que pensar dos usos que têm por fim deter a reprodução, com vistas à sensualidade? — perguntou o sr. Vésper.

— Isso prova a predominância do corpo sobre a alma, e o quanto o homem está imerso na matéria.

— Mas, Vovô, nós que cultivamos a terra, temos de lutar contra várias pragas e animais, cuja reprodução excessiva acabaria com nossas colheitas. O senhor bem viu algumas delas aí no sítio — disse o sr. Anselmo.

— É verdade — respondeu Vovô. — Recorramos às explicações de O Livro dos Espíritos:

"Deus deu ao homem, sobre todos os seres vivos, um poder que ele deve usar para o bem, mas não abusar. Ele pode regular a reprodução segundo as necessidades, mas não deve entravá-la sem necessidade. A ação inteligente do homem é um contrapeso posto por Deus entre as forças da Natureza para restabelecer-lhes o equilíbrio, e isso também o distingue dos animais, pois ele o faz com conhecimento de causa. Os animais concorrem por sua vez, para esse equilíbrio, pois o instinto de conservação que lhes foi dado faz com que, ao proverem a própria conservação, detenham o crescimento excessivo e talvez perigoso das espécies animais e vegetais de que se nutrem".

— Isso me faz lembrar —, disse o sr. Vésper —, de um artigo que li há pouco num de nossos jornais, o qual resumo: "Notou-se que atualmente as piranhas nos rios amazônicos se vêm desenvolvendo extraordinariamente. Um ecólogo, estudando o assunto, descobriu que isso era devido à caça indiscriminada que os coureiros dão aos jacarés. Os jacarés alimentam-se principalmente de piranhas e, sem eles, as piranhas têm o campo livre para se reproduzirem; ai do infeliz que cair num daqueles rios ou mesmo inadvertidamente mergulhar as mãos na água: vira esqueleto. Este é um caso do rompimento do equilíbrio".

— O senhor falou em ecólogo, Tio Vésper...

— Ecólogo, meu caro Thiago, são os cientistas que estudam a ecologia, que é um dos ramos da biologia. A ecologia estuda a relação dos seres vivos com seu meio natural, ou seja, com o meio ambiente. Assim, antes de o homem se atirar inconscientemente a destruir os dons da Natureza, deveria consultar um ecólogo, que lhe traçaria os planos de explorar inteligentemente o quinhão de terra que possui, evitando desperdícios e ruínas desnecessárias, tanto no reino animal como no vegetal.

— O que é um coureiro, Tio Vésper? — perguntou Bruno.

— Coureiro é um caçador de animais, principalmente de jacarés, para tirar-lhes o couro que vendem aos fabricantes de artigos de couro.

— Essa caçada deveria acabar; pois já temos o plástico que substitui tão bem o couro! — exclamou dona Purezinha.

— É verdade: acabar ou regulamentá-la, e que o regulamento fosse conscienciosamente obedecido, de acordo com o que for elaborado pelos ecólogos. Mas noto que nossa Carolina Maria está meio inquieta, como que procurando dizer alguma coisa; pois diga, madame.

— Essa tal de ecologia é grego, não é?

— Perfeitamente, madame, é formada de duas palavras gregas: *oikos* e *logos*. *Oikos* é casa, e *logos* é estudo. Estudo da casa, ou seja, estudo do meio ambiente.

Casamento e Celibato

— E sobre o casamento, o que é que o senhor nos diz, Vovô? — perguntou comadre Zita.

— O casamento é um progresso na marcha da Humanidade.

— E se o abolíssemos, qual seria o efeito, Vovô? — perguntou Vovó Cirene.

— Retornaríamos à vida animal. Eis o que O *Livro dos Espíritos* nos ensina a respeito:

"A união livre e fortuita dos sexos pertence ao estado da Natureza. O casamento é um dos primeiros atos de progresso nas sociedades humanas, porque estabelece a solidariedade fraterna e se encontra entre todos os povos, embora nas mais diversas condições. A abolição do casamento seria, portanto, o retorno à infância da Humanidade e colocaria o homem abaixo mesmo de alguns animais, que lhe dão o exemplo das uniões constantes".

— E os que não se casam, Vovô, os celibatários? — perguntou o sr. Anselmo.

— No celibato temos de distinguir dois aspectos: o celibato por egoísmo, que é contrário às leis divinas; e o celibato por prova, para o indivíduo, *ele ou ela*, passar pela prova da solidão, visando à correção de faltas passadas. E como *ele ou ela* não têm a alegria da família, que se dediquem à felicidade dos outros.

Poligamia

— E a poligamia, há povos que são polígamos, não são, Vovô? — perguntou dona Angelina.

E, antes que Carolina Maria abrisse a boca, o sr. Vésper explicou:

— É grego sim, Carolina! Sossegue. E quer dizer casar com muitas mulheres ao mesmo tempo, entendeu?

— Vigiii! Que castigo! — exclamou ela.

— A poligamia deve ser considerada como um uso ou uma legislação particular, apropriada a certos costumes, e que o aperfeiçoamento social fará desaparecer pouco a pouco. Na poligamia não há verdadeira afeição, há apenas sensualidade.

E com o agradável aroma que vinha da cozinha e o costumeiro chamado de Carolina Maria, terminou o serão, não sem a reclamação dos ouvintes:

— Hoje é o seu dia, Tio Vésper! O senhor não nos vai contar uma história?

— Não; hoje não lhes contarei uma história. Vou ler-lhes um folheto que recebi há dias, e que se enquadra muito bem na lição da noite, ou seja, no meio ambiente. E o sr. Vésper tirou de sua pasta um folheto que desdobrou e leu, sob a curiosidade geral:

"O QUE OCORRER COM A TERRA, RECAIRÁ SOBRE OS FILHOS DA TERRA. HÁ UMA LIGAÇÃO EM TUDO".

"No ano de 1854, o presidente dos Estados Unidos fez a uma tribo indígena a proposta de comprar grande parte de suas terras, oferecendo, em contrapartida, a concessão de uma outra 'reserva'. O texto da resposta do Chefe Seatle, distribuído pela ONU (Programa para o Meio Ambiente) e aqui publicado na íntegra, tem sido considerado, através dos tempos, como um dos mais belos e profundos pronunciamentos já feitos a respeito do meio ambiente."

"Como é que se pode comprar ou vender o céu, o calor da terra? Essa ideia nos parece estranha. Se não possuímos o frescor do ar e o brilho da água, como é possível comprá-los?

"Cada pedaço desta terra é sagrado para o meu povo. Cada ramo brilhante de um pinheiro, cada punhado de areia das praias, a penumbra na floresta densa, cada clareira e inseto a zumbir são sagrados na memória e experiência do meu povo. A seiva que percorre o corpo das árvores, carrega consigo as lembranças do homem vermelho.

"Os mortos do homem branco esquecem sua terra de origem quando vão caminhar entre as estrelas. Nossos mortos jamais esquecem esta bela terra, pois ela é a mãe do homem vermelho. Somos parte da terra e ela faz parte de nós. As flores perfumadas são nossas irmãs; o cervo, o cavalo, a grande águia, são nossos irmãos. Os picos rochosos, os sulcos úmidos nas campinas, o calor do corpo do potro, e o homem — todos pertencem à mesma família.

"Portanto, quando o Grande Chefe em Washington manda dizer que deseja comprar nossa terra, pede muito de nós. O Grande Chefe diz que nos reservará um lugar onde possamos viver satisfeitos. Ele será nosso pai e nós seremos seus filhos. Portanto, nós vamos considerar sua oferta de comprar nossa terra. Mas isso não será fácil. Esta terra é sagrada para nós.

"Essa água brilhante que escorre nos riachos e rios não é apenas água, mas o sangue de nossos antepassados. Se lhe vendermos a terra, vocês devem lembrar-se de que ela é sagrada, e devem ensinar às suas crianças que ela é sagrada e que cada reflexo nas águas límpidas dos lagos fala de acontecimentos e lembranças da vida do meu povo. O murmúrio das águas é a voz dos meus ancestrais.

"Os rios são nossos irmãos, saciam a nossa sede. Os rios carregam as nossas canoas e alimentam as nossas crianças. Se lhes vendermos nossa terra, vocês devem lembrar e ensinar a seus filhos que os rios são nossos irmãos e seus também. E, portanto, vocês devem dar aos rios a bondade que dedicariam a qualquer irmão.

"Sabemos que o homem branco não compreende os nossos costumes. Uma porção da terra, para ele, tem o mesmo significado que qualquer outra, pois é um forasteiro que vem à noite e extrai da terra aquilo de que necessita. A terra não é sua irmã, mas sua inimiga, e quando ele a conquista, prossegue seu caminho. Deixa para trás os túmulos de seus antepassados e não se incomoda. Rapta da terra aquilo que seria de seus filhos e não se importa. A sepultura de seus pais e o direito de seus filhos são esquecidos. Trata sua mãe, a terra, e seu irmão, o céu, como coisas que possam ser compradas, saqueadas, vendidas como carneiros ou enfeites coloridos. Seu apetite devorará a terra, deixando somente um deserto.

"Eu não sei, nossos costumes são diferentes dos seus. A visão de suas cidades fere os olhos do homem vermelho. Talvez seja porque o homem vermelho é um selvagem e não compreenda.

"Não há lugar quieto nas cidades do homem branco. Nenhum lugar onde se possa ouvir o desabrochar de folhas na primavera ou o bater das asas de um inseto. Mas talvez seja porque eu sou um selvagem e não compreendo. O ruído parece somente insultar os ouvidos. E o que resta da vida se um homem não pode ouvir o choro solitário de uma ave ou o coaxar dos sapos ao redor de uma lagoa, à noite? Eu sou um homem vermelho e não compreendo. O índio prefere o suave murmúrio do vento encrespando a face do lago e o próprio vento, limpo por uma chuva diurna ou perfumado pelos pinheiros.

"O ar é precioso para o homem vermelho, pois todas as coisas compartilham do mesmo sopro – o animal, a árvore, o homem, compartilham do mesmo sopro. Parece que o homem branco não sente o ar que respira. Como um homem agonizante há vários dias, é insensível ao mau cheiro. Mas, se vendermos nossa terra ao homem branco, ele deve lembrar que o ar é precioso para nós, que o ar compartilha seu espírito com toda a vida que mantém. O vento que deu a nosso avô seu primeiro inspirar, também recebe seu último suspiro. Se lhes vendermos nossa terra, vocês devem mantê-la intacta e sagrada, como um lugar onde até mesmo o homem branco possa ir saborear o vento açucarado pelas flores dos prados.

"Portanto, vamos meditar sobre sua oferta de comprar a nossa terra. Se decidirmos aceitar, imporei uma condição: o homem branco deve tratar os animais desta terra como seus irmãos.

"Sou um selvagem e não compreendo outra forma de agir. Vi um milhar de búfalos apodrecendo na planície, abandonados pelo homem branco que os alvejou de um trem ao passar. Eu sou um selvagem e não compreendo como é que o fumegante cavalo de ferro pode ser mais importante que o búfalo, que sacrificamos somente para permanecer vivos.

"O que é o homem sem os animais? Se todos os animais se fossem, o homem morreria de uma grande solidão de espírito. Pois o que ocorre com os animais breve acontece com o homem. Há uma ligação em tudo.

"Vocês devem ensinar às suas crianças que o solo a seus pés é a cinza de nossos avós. Para que respeitem a terra, digam a seus filhos que ela foi enriquecida com as vidas do nosso povo. Ensinem às suas crianças o que ensinamos às nossas: que a terra é nossa mãe. Tudo o que acontece à terra acontecerá aos filhos da terra. Se os homens cospem no solo, estão cuspindo em si mesmos.

"Isto sabemos: a terra não pertence ao homem; o homem pertence à terra. Isto sabemos: todas as coisas estão ligadas como o sangue que une uma família. Há uma ligação em tudo.

"O que ocorre com a terra recairá sobre ou filhos da terra. O homem não tramou o tecido da vida; ele é simplesmente um de seus fios. Tudo o que fizer ao tecido fará a si mesmo.

"Mesmo o homem branco, cujo Deus caminha e fala com ele de amigo para amigo, não pode estar isento do destino comum. É possível que sejamos irmãos, apesar de tudo. Veremos. De uma coisa estamos certos — e o homem branco poderá vir a descobrir um dia: nosso Deus é o mesmo Deus. Vocês podem pensar que O possuem, como desejam possuir nossa terra, mas não é possível. Ele é o Deus do homem, e sua compaixão é igual para o homem vermelho e para o homem branco. A terra lhe é preciosa, e feri-la é desprezar o seu criador. Os brancos também passarão; talvez mais cedo que todas as outras tribos. Contaminem suas camas, e uma noite serão sufocados pelos seus próprios desejos.

"Mas, quando de sua desaparição, vocês brilharão intensamente, vocês brilharão intensamente iluminados pela força de Deus que os trouxe a esta terra e por alguma razão especial lhes deu o domínio sobre a terra e sobre o homem vermelho. Esse destino é um mistério para nós, pois não compreendemos que todos os búfalos sejam exterminados, os cavalos bravios sejam todos domados, os recantos secretos da floresta densa impregnados do cheiro de muitos homens e a visão dos morros cortada pelo emaranhado dos fios. Onde está o arvoredo? Desapareceu. Onde está a águia? Desapareceu. É o final da vida."*

Ao sr. Vésper terminar a leitura, todos estavam pensativos. E Vovô tristemente disse:

— Tudo isso é verdadeiro. Tudo também aconteceu e está acontecendo com as nossas florestas, os nossos animais, os nossos índios. Mas um dia os homens vindouros hão de se lembrar das árvores e reflorestar nossa terra.

E Angélica, com voz lamuriosa, disse:

— Vovô, eu gostaria tanto de recitar meu soneto, é de Colombina!

— Pois recite-o, minha cara!

Perdoa!

Perdoa! Não porque o Cristo tenha perdoado,
Nem porque, perdoando, o céu alcançarás.
O rancor sempre deixa azedo, envenenado
Um coração qualquer que dentro em si o traz.

Perdoa sempre! E tu viverás sossegado,
Sem receio de errar... Só o perdão é capaz
De trazer à tua alma o prémio desejado
Que se compõe de amor, de ternura e de paz.

Perdoa a quem a ti qualquer mal tenha feito,
Talvez sem o querer. (Não há ninguém perfeito.)
E da pedra atirada, outras pedras virão.

Perdoar é ser feliz. Quem perdoa não sente
O remorso de haver sido, um dia, inclemente
E o pesar de não ter agido como irmão.

— Gente! — gritou Carolina Maria. — Tudo aqui na mesa está esfriando! Corram!

---

* Tradução de Irina O. Bunning.

33ª Aula

Lei da Conservação

Instinto de Conservação

— De nosso tempo de australopitecos, ainda guardamos alguns sinais, Vovô? — perguntou Luís Felipe.

— Sim, guardamos. É o instinto de conservação, que todos os seres possuem e sem o qual não suportaríamos as dificuldades da vida, as quais são necessárias ao nosso progresso espiritual.

Meios de Conservação

— E se nos faltar os meios de subsistência, os meios de conservação da vida, Vovô? — perguntou dona Purezinha.

— A Providência Divina jamais deixará de proporcionar ao homem tudo de que ele precisar para viver. A Natureza é uma mãe pródiga. O que causa as dificuldades de subsistência ao ser humano é o egoísmo. O próprio homem é o responsável por suas dificuldades: não temos visto o homem destruir colheitas, queimar gêneros alimentícios, sacrificar animais, reduzir a produção da terra, para que, com o resto, obtenha bons lucros? É o egoísmo que comanda. Quando o egoísmo, essa chaga da Humanidade, desaparecer das relações humanas, as dificuldades da vida serão mínimas.

— Temos notado, Vovô, que por vezes batem à nossa porta indivíduos, famílias, às quais faltam os meios de subsistência. A que atribuir isso, Vovô? — perguntou dona Angelina.

— Isso é devido a eles mesmos. Quantas vezes não vemos o chefe da casa entregar-se a vícios e esbanjar o que ganha sem se importar com a família, e ficar desempregado, e perder o que tem? Que tenha mais juízo e nada lhe faltará.

Outras vezes, é verdade, o indivíduo veio com a prova de lutar contra os obstáculos que se lhe opõem; então é lutar com coragem, sem desfalecimento, com paciência, e sairá vencedor da prova a que estava sujeito. Fé e perseverança vencem todos os obstáculos.

— Mas há anos de carestia, de realmente pouca produção...

— Sim, mas também há anos de fartura; estes devem prover para os anos de escassez. Pelo contrário: o homem provoca a escassez na ânsia de mais ganhar, pela ganância do lucro.

— Vocês não conhecem a história de José do Egito? — perguntou o sr. Vésper.

— É o exemplo que a Bíblia nos dá e que deveria ser seguido por todos os governantes. Eis a história:

O Faraó, rei do Egito, teve um sonho. Parecia-lhe estar sobre um rio, do qual saíam sete vacas muito gordas e bonitas, que se puseram a pastar nas margens cheias de capim. Em seguida, saíram do mesmo rio sete vacas feias, consumidas de magreza, que devoraram as sete vacas gordas.

O Faraó acordou, e pela segunda vez adormeceu, e sonhou: viu nascer sete espigas do mesmo pé muito bem granadas. E vieram sete espigas quase secas e devoraram as primeiras.

Despertando o Faraó do sono, e tendo amanhecido, apavorado, mandou chamar todos os adivinhos e sábios do Egito para que lhe interpretassem o sonho. Nenhum deles foi capaz.

Então apresentou-se ao Faraó o seu copeiro-mor, que lhe disse: "Há no cárcere um moço hebreu, escravo do general dos soldados, chamado José, o qual esclarece bem os sonhos."

Imediatamente José foi retirado da prisão e levado à presença do Faraó, cujos sonhos interpretou assim: "Os sonhos do rei não são mais do que um: as sete vacas gordas e as sete espigas graúdas significam sete anos de abundância. As sete vacas magras e as sete espigas secas demonstram que aos sete anos de fartura seguir-se-ão sete anos de escassez, de fome. A grandeza da penúria absorverá a grandeza da abundância. É preciso pois que o Faraó, durante os anos de abundância, separe uma parte das fartas colheitas para socorrer o povo nos anos de fome".

— E assim foi feito; nada faltou ao povo nos anos de carestia — concluiu o sr. Vésper.

— Vejam, portanto — continuou Vovô —, que a prudência dos governantes pode suavizar em muito as dificuldades dos governados. Eis o que O *Livro dos Espíritos* nos diz:

"Se a civilização multiplica as necessidades, também multiplica as fontes de trabalho e os meios de vida; mas é preciso convir que nesse sentido ainda muito lhe resta a fazer. Quando ela tiver realizado a sua obra, ninguém poderá dizer que lhe falte o necessário, a menos que falte por sua própria culpa. O mal, para muitos, é viver uma vida que não é a que a Natureza lhes traçou: é então que lhes falta a inteligência para vencerem. Há para todos um lugar ao Sol, mas com a condição de cada qual tomar o seu e não o dos outros. A Natureza não poderia ser responsável pelos vícios da organização social e pelas consequências da ambição e do amor-próprio.

"Seria preciso ser cego, entretanto, para não se reconhecer o progresso que nesse sentido têm realizado os povos mais adiantados.

"Graças aos louváveis esforços que a filantropia e a Ciência, reunidas, não cessam de fazer para a melhoria da condição material dos homens, e malgrado o crescimento incessante das populações, a insuficiência da produção é atenuada, pelo menos em grande parte, e os anos mais calamitosos nada têm de comparável aos de há bem pouco tempo. A higiene pública, esse elemento tão essencial da energia e da saúde, desconhecido por nossos pais, é objeto de uma solicitude esclarecida; o infortúnio e o sofrimento encontram lugares de refúgio; por toda a parte a Ciência é posta em ação, contribuindo para o acréscimo do bem-estar. Pode-se dizer que atingimos a perfeição? Oh, certamente que não. Mas o que já se fez dá-nos a medida do que pode ser feito com perseverança, se o homem for bastante sensato para procurar a sua felicidade nas coisas positivas e sérias e não nas utopias que o fazem recuar em vez de avançar."

Gozo dos Bens da Terra

— Vovô, toda a Humanidade tem o direito de gozar dos bens da terra? — perguntou dona Angelina.

— Naturalmente! Esse direito é a consequência da necessidade de viver. Deus não criaria o homem sem lhe dar os meios de vida.

— Há um limite traçado para esse gozo, Vovô? — perguntou o sr. Vasco.

— Sim. Consultemos O *Livro dos Espíritos*:

"O homem que procura nos excessos de toda espécie um refinamento dos gozos coloca-se abaixo dos animais, porque estes sabem limitar-se à satisfação de suas necessidades. Ele abdica da razão que Deus lhe deu para guia, e quanto maiores forem os seus excessos maior é o império que concede à sua natureza animal sobre a espiritual. As doenças, a decadência, a morte mesmo, que são a consequência do abuso, são também a punição pela transgressão da lei de Deus".

Necessário e Supérfluo

— Como é que podemos conhecer o limite entre o necessário e o supérfluo, Vovô? — perguntou dona Purezinha.

— Para responder-lhe, recorro mais uma vez a O Livro dos Espíritos: "O limite entre o necessário e o supérfluo nada tem de absoluto. A civilização criou necessidades que não existem no estado de selvageria, e os Espíritos que ditaram esses preceitos não querem que o homem civilizado viva como selvagem. Tudo é relativo, e cabe à razão colocar cada coisa em seu lugar. A civilização desenvolve o senso moral e ao mesmo tempo o sentimento de caridade que leva os homens a se apoiarem mutuamente. Os que vivem à custa das privações alheias exploram os benefícios da civilização em proveito próprio; não têm da civilização mais do que o verniz, como há pessoas que não possuem da religião mais do que a aparência".

Privações Voluntárias. Mortificações

— Há algum mérito aos olhos de Deus nas privações voluntárias que se fazem para pagar algum pecado que se comete, Vovô? — perguntou dona Angelina.

— O maior mérito é fazer o bem aos outros; é retirar do que se tem para dar ao que não tem.

— E a carne, Vovô? O que o senhor nos diz sobre a alimentação com carne? — perguntou o sr. Vasco.

— Nosso corpo, ainda pesadamente material, exige por enquanto a alimentação carnívora; chegará o dia em que ela não mais nos será necessária.

"O instinto de conservação foi dado a todos os seres contra os perigos e o sofrimento. Fustigai o vosso Espírito, mortificai o vosso orgulho, sufocai o vosso egoísmo, que se assemelha a uma serpente a vos devorar o coração, e fareis mais pelo vosso adiantamento do que por meio de rigores que não mais pertencem a este século" — diz-nos O Livro dos Espíritos.

Aqui, dona Purezinha, tirando uns apontamentos de sua bolsa, disse a Vovô:

— Vovô, de acordo com as seitas religiosas a que pertencem, há pessoas que se privam voluntariamente de coisas do mundo. Desde a Antiguidade e em diferentes povos, mortificam-se no ascetismo, abstêm-se de certos alimentos, mutilam-se ou torturam o corpo, enfim, criam sofrimentos voluntários, na esperança de que os ajudem a elevar-se espiritualmente aos olhos de Deus. São corretos tais procedimentos? Há algo de meritório em tais práticas?

— As mesmas perguntas Allan Kardec faz aos Espíritos. Eis a resposta: "Os únicos sofrimentos que elevam são os naturais, porque vêm de Deus. Os sofrimentos voluntários para nada servem, porque nada valem para o bem dos outros. Crês que os que abreviam a vida através de rigores sobre-humanos, como o fazem os bonzos, os faquires e alguns fanáticos de tantas seitas, avançam na sua senda? Que visitem o indigente, consolem o que chora, trabalhem pelo que está enfermo, sofram privações para o alívio dos infelizes, e então sua vida será útil e agradável a Deus. Quando, nos sofrimentos voluntários a que se sujeita, o homem não tem em vista senão a si mesmo, trata-se de egoísmo; quando alguém sofre pelos outros, pratica a caridade; são estes os preceitos de Cristo".

— E hoje, qual é a história, Tio Vésper? — cobrou Thiago, ouvindo as badaladas do relógio encerrando o serão.

— É uma história dos primeiros tempos do Cristianismo e se intitula:

A Catacumba Marcelina

Quando o imperador Décio decretou a sétima perseguição contra os cristãos, mais ou menos pelo ano 249, o Cristianismo já se achava bem desenvolvido no Império Romano.

Não podendo os cristãos praticar o seu culto à luz do dia, o que lhes acarretaria a destruição e a morte, refugiavam-se nas catacumbas.

As diversas catacumbas de Roma são intermináveis galerias subterrâneas que se estendem sob a cidade e se prolongam pelos campos vizinhos. Afiguram-se a corredores de um metro a um metro e meio de largura, por uma altura que varia de um a quatro metros, que se cruzam em todas as direções sob espessas trevas. De tanto em tanto, aqueles corredores desembocam num local mais amplo, uma espécie de sala. Primitivamente, serviam de cemitérios para os pobres e escravos; os túmulos eram cavados nas paredes, como nichos; contam-se por mais de seis milhões desses nichos, hoje vazios, raros guardando alguns restos de ossos. Com as perseguições desfechadas contra os seguidores do Evangelho, as catacumbas lhes serviram de refúgio e também de templos.

Era nas catacumbas que os soldados romanos iam buscar o maior contingente de figurantes para os espetáculos sangrentos do circo.

O culto evangélico nas profundezas das catacumbas era muito simples: para serem admitidos a ele, precisava o candidato ser apresentado por um amigo de confiança, para que não fosse descoberto o caminho secreto da catacumba. Corredores inumeráveis que se cruzavam e entrecruzavam, formando labirintos, guardavam a sala das reuniões, e quem não fosse prático do caminho, arriscava-se a perder-se, encontrando a morte muito antes que uma saída. Reuniam-se a horas altas da noite, quando a cidade dormia, e era fácil iludir a vigilância das sentinelas e escapar dos espiões. Havia sinais, convencionais, senhas e contrassenhas que os fiéis permutavam, não só uma entrada bem dissimulada, como, de espaço a espaço, no cruzamento dos corredores. Havia também, partindo da sala de reuniões, corredores de fuga por onde os fiéis fugiam, ao serem avisados pelos vigias da aproximação dos soldados, caso estes tivessem descoberto a entrada, ou dela fossem avisados por um traidor. Os soldados não se atreviam a perseguir Os fugitivos por esses corredores escuríssimos e cheios de perigos para os que não os conheciam muito bem.

Uma vez reunidos os fiéis à luz mortiça das tochas, um deles presidia à reunião, iniciando-a pela prece do Pai-Nosso. Em seguida, desenrolavam os pergaminhos nos quais se grafara o texto evangélico e liam um trecho que era comentado por um deles. Assim se fortificavam para a luta de cada dia e para serem fiéis ao ideal superior que abraçaram.

Ora, entre os frequentadores da catacumba chamada Marcelina, na Via Appia, notava-se uma Matrona romana, Domitila, e seus dois filhos, Caius e Polianus. Tinham sido atraídos à Doutrina Cristã e abraçado o Evangelho por intermédio de uma escrava, cuja meiguice e bondade conquistara o coração da patrícia. Entre as duas mulheres, conquanto de classes bem diferentes, estabelecera-se uma confiança recíproca; confessou-lhe a escrava que era cristã e Domitila, curiosíssima, quis saber o que os cristãos faziam para serem tão perseguidos. "Serão inimigos do Império, cuja estabilidade querem abalar?", perguntou-lhe a senhora.

"Longe disso, minha ama", respondeu-lhe a escrava. "Seguimos os ensinamentos de fraternidade e amor, que nos trouxe Jesus Cristo, por ordem de Deus."

Conseguiu uma cópia das anotações de Mateus e deu-a à senhora. Domitila era uma romana culta e inteligente; os ensinamentos de Jesus lhe iluminaram o coração, e pensamentos novos povoaram-lhe o cérebro. Instruiu seus filhos, adolescentes ainda, na nova doutrina e ocultamente, como os cristãos, assistiam às práticas evangélicas no seio da catacumba, onde foram admitidos pela mão da escrava.

O chefe da família era Cneus P. Flavienus, um general do Império, comandante de uma legião que se havia coberto de glória em várias campanhas. Militar austero, tinha a religião da pátria no coração, ante cujo altar não hesitaria sacrificar-se. Completamente mergulhado nos negócios do Estado, não notou que seus familiares respiravam em novo clima religioso. Por diversas vezes a esposa lhe falara dos cristãos, mas apenas lhe arrancara palavras acres contra eles que, a seu ver, constituíam um perigo para a República. Por isso, mulher e filhos prudentemente calavam-se, esperando melhores tempos. Quem sabe se o imperador Décio não revogaria a ordem de perseguição e daria liberdade aos cristãos para seguirem seu culto? Então seria a ocasião propícia de atraírem para a luz o pai e marido bem-amado.

Porém, a perseguição recrudescia. A polícia imperial fora informada das reuniões da catacumba Marcelina na Via Appia. E como não queria perder a presa, Décio encarregou Cneus P. Flavienus de supervisionar uma batida.

O general, que não via com bons olhos o desenvolvimento da seita cristã, tudo providenciou secretamente para o êxito da captura. E quando julgou o momento oportuno, numa noite escura, guiado por um delator, penetrou na catacumba, depois de dispor os soldados para assaltar seu interior a um sinal convencionado.

Levado por um traidor que bem conhecia aqueles corredores misteriosos, achou-se na sala de reuniões repleta de fiéis.

Se a abóbada da sala lhe tivesse caído na cabeça o general teria levado um choque menor do que o de ver sua mulher e seus dois filhos no meio daqueles escravos e humildes, orando com eles e lendo as anotações evangélicas. Apanhados de surpresa, ninguém esboçou um gesto sequer de defesa ou de fuga. E Domitila voltou seus olhos límpidos para o marido, que a fitava estarrecido, e abraçou-se a seus dois filhos.

Numa fração de segundo o patrício compreendeu tudo. E, compreendendo, virou sobre seus passos e ao pelotão de soldados que aguardava suas ordens, comandou resoluto: "Voltemos, aqui não há ninguém".

A luz da manhã vinha clareando a campanha romana. Cneus P. Flavienus tinha o peito cheio de soluços e a cabeça pesada, incapaz de raciocinar. Chegou tarde em casa. Dirigiu-se aos aposentos interiores. Domitila o esperava. Ante a muda interrogação do marido, estendeu-lhe o rolo de anotações evangélicas. Ele apanhou-o sem dizer palavra e encerrou-se em seu gabinete.

O general do Império, Cneus P. Flavienus, estudou aquelas palavras que destruíam o seu mundo, o mundo dos seus deuses, o mundo de força de Roma.

Os fiéis da catacumba Marcelina nada sofreram. Cneus P. Flavienus os pôs cuidadosamente a salvo. E quando nova batida foi dada ali, os soldados do imperador Décio a encontraram vazia.

34ª Aula

Lei da Destruição

Destruição Necessária e Abusiva

— Vovô, hoje à tarde passaram por aqui alguns homens que foram caçar na mata; traziam aves e animaizinhos mortos. Fiquei triste. O que o senhor acha disso? — perguntou Angélica.

— Devemos notar que a destruição das coisas da Natureza são de duas espécies: a destruição necessária para a melhoria do planeta, para conforto e segurança do homem, é a que chamamos de progresso o qual, por vezes, exige a destruição de muitas coisas naturais. Essa destruição é benfazeja. E a destruição abusiva, ou seja, destruir sem necessidade nenhuma, seja lá o que for da Natureza, tanto no reino animal como no vegetal. Essa destruição é um mal.

— O que O *Livro dos Espíritos* nos diz a esse respeito, Vovô? — perguntou o sr. Vasco.

Vovô folheou o livro e leu:

"*Pergunta 735* — O que pensar da destruição que ultrapassa os limites das necessidades e da segurança; da caça, por exemplo, quando não tem por objetivo senão o prazer de destruir, sem utilidade?"

— E eu acrescento: sem precisão nenhuma, porque já passou o tempo para a grande maioria da Humanidade de recorrer à caça para manter-se — disse o sr. Vésper. — Continue, Vovô, por favor.

"*Resposta* — Predominância da bestialidade sobre a natureza espiritual. Toda destruição que ultrapassa os limites da necessidade é uma violação da lei de Deus. Os animais não destroem mais do que necessitam, mas o homem, que tem o livre-arbítrio, destrói sem necessidade. Prestará contas do abuso da liberdade que lhe foi concedida, pois nesses casos ele cede aos maus instintos."

— Aqui no sítio nós não matamos nem as cobras; quando aparece alguma, nós a apanhamos, encaixotamos e zás! Vai para a Capital, para o Instituto Butantã — disse o sr. Anselmo.

— E o senhor não tem medo? — perguntou dona Purezinha, toda arrepiada.

— Não; é muito fácil, não há perigo. Outro dia mesmo o Antoninho, esse meu filho mais novo, prendeu uma no laço e o senhor...

— Vovô. Aqui no serão sou "Vovô" para todos.

— Obrigado. E o Vovô despachou-a. Imaginem que essa criançada toda deu de brincar de caçar cobras e sai por aí com os laços, fuçando em tudo quanto é moita! — concluiu o sr. Anselmo.

— Criançada não, sr. Anselmo! Nós já somos grandes; eu e Alessandra somos mocinhas e os primos, moços! — exclamou Angélica.

— Até você, menina! — ralhou Vovô.

— Ah! Quando eu voltar à escola quero bater um papo danado contando nossas aventuras de caçadas de cobras — disse Bruno. — Pena é não termos achado ainda nenhuma, não é, Antoninho?

— Nenhuma. Só uma minhoquinha lá na beira do córrego...

— Por que é que a gente tem um medão horrível de morrer, Vovô? — perguntou Thiago.

— Esse medo se origina do instinto de conservação, que é muito forte em nós todos. O instinto de conservação sustenta-nos nas provas e nas expiações dolorosas pelas quais devemos passar como encarnados, para correção de nossos atos errados do passado, isto é, de nossas encarnações anteriores. Ele preserva nossa vida de encarnados porque, de outro modo, facilmente tentaríamos contra ela, aumentando nossos erros. Devemos aproveitar o tempo que Deus nos concede de permanência na Terra e, quanto mais tempo aqui ficarmos, tanto melhor para o nosso Espírito. E quando estivermos no meio de dissabores, dificuldades, sofrimentos quaisquer que sejam, elevemos nossa prece a Deus, com plena confiança de filho para com o Pai, e o consolo, o conforto divino descerá ao nosso coração.

Flagelos Destruidores

— Mas a Natureza se destrói a si mesma, Vovô! Volta e meia há enchentes, secas, tempestades, terremotos, vulcões a vomitar chamas, cinza e lava, flagelos que tudo arrasam! — exclamou dona Corina.

— E a senhora pensa que a evolução material da Terra já terminou? Estamos agora, como já vimos, no meio do período Quaternário. Esse período de aperfeiçoamento da Terra passará e outros sucederão a este, cada um deles apresentando novos melhoramentos. Daqui a um milhão ou mais de anos, os homens vindouros, já mais aperfeiçoados do que nós, analisarão o nosso período como estamos fazendo com os anteriores e, como nós, também verificarão que as revoluções que o globo sofreu concorreram para o bem geral.

— Então a Terra será diferente, Vovô? — perguntou Thiago.

— A Terra não para de mudar; de minuto em minuto está mudando; mas são mudanças imperceptíveis para nós, que só serão notadas de milênios em milênios.

— Mas tanta gente sofre com estes flagelos! — exclamou dona Angelina.

— A Justiça Divina aproveita-os para punir os Espíritos culpados: grupos de Espíritos que cometeram barbaridades em encarnações passadas, sofrem-lhes agora as consequências; é o que chamamos de expiações coletivas. Ouçam o que nos diz O Livro dos Espíritos:

"Entre os flagelos destruidores, naturais e independentes do homem, devem ser colocados em primeira linha a peste, a fome, as inundações, as intempéries fatais à produção da Terra. Mas o homem não achou, na Ciência, nos trabalhos de arte, no aperfeiçoamento da agricultura, nos afolhamentos e nas irrigações, no estudo das condições higiênicas, os meios de neutralizar ou pelo menos de atenuar tantos desastres? Algumas regiões antigamente devastadas por terríveis flagelos, não estão hoje resguardadas? O que não fará o homem, portanto, pelo seu bem-estar material, quando souber aproveitar todos os recursos da sua inteligência e quando, ao cuidado da sua preservação pessoal, souber aliar o sentimento de uma verdadeira caridade para com os semelhantes?"

Guerras

— Por que há guerras, Vovô? — perguntou o sr. Anselmo.

— A guerra demonstra que no homem ainda predomina o animal que ele foi em períodos remotos da Terra. É a sua natureza animal que se sobrepõe à sua natureza espiritual.

— Um dia, não haverá mais guerras, na face da terra, Vovô? — perguntou Alessandra.

— Não haverá. Chegará o dia em que todos os homens se abraçarão como irmãos e resolverão suas pendências pelo amor e não pelas armas.

— Vovô, apenas duas perguntas. Primeira: o soldado é culpado pelas mortes que causa na guerra? Segunda: os promotores da guerra em que pé ficam? — perguntou o sr. Vasco.

— Primeira pergunta: cumprindo um dever que lhe é imposto pelo seu governo, o soldado não é responsável pelas mortes que comete nos combates; porém, é plenamente responsável por toda e qualquer crueldade que cometer durante a guerra e responderá perante as leis divinas por toda e qualquer perversidade que perpetrou. Quanto à segunda pergunta: os verdadeiros culpados causadores das guerras necessitarão de muitas existências para expiar todas as mortes de que foram causa, e perante as leis divinas responderão por cada homem cuja morte tenham causado para satisfazer sua ambição.

Assassinato

— E o assassinato, Vovô? — perguntou Luís Felipe.

— O assassinato é uma grande falta que o homem comete, porque destrói um corpo, interrompendo, atrasando o plano evolutivo da vítima e, geralmente, de toda a família dela, e mesmo da sua.

— Mas pode haver atenuantes, não pode, Vovô? — perguntou o sr. Anselmo.

— Sim, pode. Todavia, o assassinato é sempre um crime sob qualquer forma de que se revestir — concluiu Vovô pensativamente.

Crueldade

— Por que certas pessoas são cruéis; parece que fazem o mal por prazer, Vovô? — perguntou comadre Zita.

— A crueldade é sinal de um Espírito primitivo, ainda muito próximo da animalidade.

— O Bruno é um Espírito primitivo, Vovô. Arrancou as perninhas traseiras de um grilo que ele achou debaixo de uma pedra no quintal, só para o coitadinho não pular mais — disse às pressas Angélica.

— E você, santinha, que cortou as asas de uma borboleta amarela para pregá-las no vestido novo da sua boneca. Isso você não conta, não é, santinha?

— Não façam mais isso; não maltratem os animais; nem os insetos, por menores que sejam — recomendou-lhes Vovó Cirene.

— Mas, Vovô, como é que se explica que nas civilizações mais adiantadas existam criaturas cruéis? — perguntou dona Purezinha.

— Na realidade, de civilizados tais criaturas só têm a aparência, lobos extraviados no meio de cordeiros. Os Espíritos de uma ordem inferior, muito atrasados, podem encarnar-se entre homens adiantados, com a esperança de também se adiantarem; mas, se a prova for pesada, a natureza primitiva reage, é o que nos esclarece O *Livro dos Espíritos*.

— Então foi a natureza primitiva desses dois que reagiu, quando judiaram daqueles pobres bichinhos, não foi, Vovô? — perguntou Paulo Guilherme com cara de santo.

Um olhar enérgico de Vovó cortou a discussão que se iniciava.

— E, continuando com O Livro dos Espíritos — disse Vovô —, vou ler-lhes a pergunta 756 e a resposta:

"*Pergunta 756* — A sociedade dos homens de bem será um dia expurgada dos malfeitores?"

"*Resposta* — A Humanidade progride. Esses homens dominados pelo instinto do mal, que se encontram deslocados entre os homens de bem, desaparecerão pouco a pouco como o mau grão é separado do bom quando joeirado. Mas renascerão com outro invólucro. Então, com mais experiência, compreenderão melhor o bem e o mal. Tendes um exemplo nas plantas e nos animais que o homem aprendeu como aperfeiçoar, desenvolvendo-lhes qualidades novas. Pois bem: é só depois de muitas gerações que o aperfeiçoamento se torna completo. Essa é a imagem das diversas existências do homem."

Duelo

— E o duelo, que era um hábito antigo? — perguntou o sr. Vasco.

— O senhor disse bem; um hábito antigo que, felizmente, está banido por lei e pelos costumes dos povos civilizados.

— Espiritualmente falando, como podemos classificá-lo?

— O duelo, sob qualquer forma que se apresente, é um crime e um suicídio: ambos os duelistas sabem que vão matar ou morrer; quem mata é um criminoso e quem morre, um suicida. Um pouco menos de orgulho de um ou de outro dos contendores e o duelo seria facilmente evitado.

Pena de Morte

— E a pena de morte, Vovô? — perguntou Paulo Guilherme.

— É também um resto do animal que foi o homem e que, felizmente, desaparece da legislação à medida que o homem se moraliza.

— Mas, Vovô, a pena de morte não é a aplicação da lei de talião, ou seja: "guarda, Pedro, tua espada na bainha, pois quem matar pela espada perecerá pela espada", como disse Jesus? — perguntou dona Purezinha.

— Eis o que O Livro dos Espíritos responde a esta pergunta: "Tomai tento! Estais equivocados quanto a essas palavras, *como muitas outras*. A pena de talião é a justiça de Deus; é Ele quem a aplica. Todos vós sofreis a cada instante essa pena, porque sois punidos naquilo em que pecais, *nesta vida ou numa outra*. Aquele que fez sofrer o seu semelhante estará numa situação em que sofrerá o mesmo. É este o sentido das palavras de Jesus. Pois não vos disse também: 'Perdoai aos vossos inimigos'. E não vos ensinou a pedir a Deus que perdoe as vossas ofensas da maneira que perdoastes, ou seja, *na mesma proporção* em que houverdes perdoado? Compreendei bem isso". E vocês lembrem-se sempre de que: "Somente Deus tem o direito de tirar a vida de um de seus filhos, porque a vida é Ele quem lhe dá. Além do mais, preservando a vida do criminoso, abrimos para ele a porta do arrependimento. O arrependimento é sempre o primeiro passo que se dá em caminho da regeneração. Há muitos outros meios de a sociedade conter um elemento perigoso, sem a necessidade de matá-lo. O primeiro desses meios é a educação. Que as cadeias, os cárceres se transformem em estabelecimentos de ensino, e os condenados sairão de lá como homens úteis à sociedade".

E, acompanhando as badaladas do relógio, veio o chamado de Carolina Maria:
— Chááá com novidade!

A novidade era uma baciada de biscoitos de polvilho.

— Mas, antes, vamos à nossa tertúlia. De quem é a vez hoje? — perguntou o sr. Vésper.

— Pela escala, é a minha, Tio Vésper — respondeu Bruno. — E vou declamar algumas estrofes do poema de Olavo Bilac:

O Caçador de Esmeraldas

Foi em março, ao findar das chuvas, quase à entrada
Do outono, quando a terra, em sede requeimada,
Bebera longamente as águas da estação.
Que, em bandeira, buscando esmeraldas e prata,
À frente dos peões filhos da rude mata,
Fernão Dias Pais Leme entrou pelo sertão.

Ah! quem te vira assim, no alvorecer da vida,
Bruta Pátria, no berço, entre as selvas dormida,
No virginal pudor das primitivas eras,
Quando aos beijos do Sol, mal compreendendo o anseio
Do mundo por nascer que trazias no seio.
Reboavas ao tropel dos índios e das feras!

Aí não ia ecoar o estrupido da luta...
e, no seio nutriz da Natureza bruta,
Resguardava o pudor teu verde coração!
Ah! quem te vira assim, entre as selvas sonhando,
Quando a bandeira entrou pelo teu seio, quando
Fernão Dias Pais Leme invadiu o sertão!

E sete anos, de fio em fio destramando
O mistério, de passo em passo penetrando
O verde arcano, foi o bandeirante audaz...
— Marcha horrenda! derrota implacável e calma,
Sem uma hora de amor, estrangulando na alma
Toda recordação do que ficou atrás!

Sete anos! combatendo índios, febres, paludes,
Feras, répteis, — contendo os sertanejos rudes.
Dominando o furor da sertaneja escolta...
Sete anos!... Ei-lo volta enfim com o seu tesouro!
Com que amor, contra o peito, a sacola de couro
Aperta, a transbordar de pedras verdes! — volta...

Mas num desvão da mata, uma tarde, ao Sol posto,
Para. Um frio livor se lhe espalha no rosto...
É febre! O vencedor não passará dali!
Na terra que venceu há de cair vencido;
É a febre: é a morte! e o Herói, trôpego e envelhecido,
Roto, e sem forças, cai junto do Guaicuí...

Aqui Bruno parou e gritou para Vovó:
— Vó, olhe a Angélica comendo todos os biscoitos!
— Foi um só, Vovó, ele está exagerando!
— Pare com esse croc, croc, croc. Espere os outros para comerem juntos. Preste atenção, menina!
E Bruno, olhando para a prima com um sorriso maroto, continuou:
O corpo se levanta...
E treme, e cresce, e brilha, e afia o ouvido, e escuta
A voz, que na solidão só ele escuta, — só:

"Morre! morrem-te às mãos as pedras desejadas,
"Desfeitas como um sonho, e em lodo desmanchadas...
"Que importa? Dorme em paz, que o teu labor é findo!
"No campo, no pendor das serras fragosas,
"Como um grande colar de esmeraldas gloriosas,
"As tuas povoações se estenderão fulgindo!

"Morre! tu viverás nas estradas que abriste!
"Teu nome rolará no largo choro triste
"Da água do Guaicuí... Morre, conquistador!
"Viverás quando, feito em seiva o sangue, aos ares
"Subirás, e, nutrindo uma árvore, cantares
"Numa ramada verde entre um ninho e uma flor!

"Tu cantarás na voz dos sinos, nas charruas,
"No esto da multidão, no tumultuar das ruas,
"No clamor do trabalho e nos hinos da paz!
"E subjugando o olvido, através das idades,
"Violador dos sertões, plantador de cidades,
"Dentro do coração da Pátria viverás!"

Cala-se a estranha voz...
Fernão Dias Pais Leme os olhos cerra e morre!

— Muito bem! — exclamaram todos.
— O poema não o declamei completo; escolhi apenas alguns pontos.
— Eram mesmo esmeraldas, Tio Vésper, o que a sacola continha? — perguntou Paulo Guilherme.
— Não, não eram. A morte poupou-lhe essa decepção. Eram simples crisólitas sem valor. A glória cabe-lhe por ter lançado a semente da civilização nos sertões de Minas Gerais, fazendo oito cidades rebentarem de seu solo fecundo. E agora vamos aos biscoitos.
Mas Bruno não ficou sem troco; ao passar-lhe perto, Angélica murmurou-lhe ao ouvido:
— Linguarudo!!!

35ª Aula

Lei da Sociedade

Necessidade da Vida Social

— Poderíamos progredir sozinhos, Vovô? — perguntou o sr. Vasco.

— Temos necessidade da vida social; em contato com os outros é que progredimos; o isolamento não traria o progresso.

— Então a vida social é uma lei natural, ou seja, uma lei de Deus? — perguntou dona Purezinha.

— Sim. Vamos a O *Livro dos Espíritos*; vejamos o que nos diz: "Nenhum homem dispõe de faculdades completas e é pela união social que eles se completam uns aos outros, para assegurarem seu próprio bem-estar e progredirem. Eis por que, tendo necessidade uns dos outros, são feitos para viver em sociedade e não isolados".

Vida de Isolamento. Voto de Silêncio

— O que pensar daqueles que fazem votos de isolamento e de silêncio por motivos religiosos? — perguntou o sr. Vasco.

— Puro egoísmo. Não é agradável a Deus uma vida em que o homem não é útil a ninguém, na qual se priva das relações sociais, que lhe podem fornecer as ocasiões de fazer o bem e cumprir a lei do progresso.

— Vovô, e os que se retiram do mundo para se devotarem ao amparo dos infelizes? — perguntou comadre Zita,

— Estes se elevam ao se rebaixarem. Têm o duplo mérito de se colocarem acima dos prazeres materiais e de fazerem o bem pelo cumprimento da lei do trabalho, diz-nos O *Livro dos Espíritos*.

Laços de Família

— E a família, Vovô? O que nos ensina O *Livro dos Espíritos* sobre ela? — perguntou dona Angelina.

— Sem os laços de família, viveríamos no mais completo egoísmo. O Espiritismo afirma o que os grandes pensadores disseram sobre ela:

"Herbert Spencer, filósofo inglês fundador da filosofia evolucionista, considerou a família entre as instituições que dão forma à vida social; Karl Marx, filósofo e economista judeo-alemão, e seu colaborador, Friederich Engels, teórico e socialista alemão, considerou-a como o primeiro grupo histórico, a primeira forma de interação humana; Augusto Comte, filósofo francês, fundador do Positivismo e tido como fundador da Sociologia, tem a família como a célula básica da sociedade, o embrião e o modelo desta, de maneira que a sociedade perfeita é a que funciona com a família. Atualmente, a Sociologia da família e a Psicologia Social, bem como as próprias escolas de Psicologia do indivíduo reconhecem a importância básica da família. O mesmo se dá nos estudos de Psicologia Educacional e de Filosofia e Educação. John Dewey, filósofo e psicólogo americano, renovador do método de ensino nos Estados Unidos, em seu livro *Democracia e Educação* acentua a importância do lar na organização social e na preparação da vida social. Como vocês estão vendo, o ensino dos Espíritos, de que o laço de família resume os liames sociais, é confirmado até mesmo pelos estudiosos materialistas da sociedade". (Nota de Herculano Pires em rodapé.) E Deus quis assim para que aprendêssemos a amar-nos uns aos outros como irmãos.

Lei do Progresso

Estado Natural

— Por que é que não vivemos mais no estado natural, isto é, como a Natureza nos criou, bem mais fácil do que o estado atual, tão cheio de problemas e de necessidades? — perguntou dona Corina.

— O estado natural foi a infância da humanidade, o ponto de partida de seu desenvolvimento intelectual e moral. E a responsável pelo nosso estado atual é a lei natural; a Humanidade progride à medida que melhor compreende e pratica essa lei.

— O que é isso, dona Corina! — exclamou o sr. Vésper. — Então a senhora preferiria ter permanecido como uma australopiteca? Não vá dizer-me que sim!

— E poderíamos, Vovô? — perguntou Alessandra.

— Não. Progrediremos sempre, sem cessar; jamais voltaremos ao estado de infância, ou seja, ao estado natural; isso seria negar a lei do progresso.

— Então o Bruno não progrediu muito; ele vive trepado nas árvores como um macaco — disse Angélica.

— E você, pitecantropa, que não sai de cima da goiabeira grande, comendo todas as goiabas, sem deixar nenhuma para os passarinhos...

— Ela ainda guarda uns restinhos de seu estado natural — disse o sr. Vésper, mordiscando-a.

A intervenção de dona Corina não deixou que a discussão prosseguisse.

Marcha do Progresso

— Progredimos por nós mesmos, Vovô? — perguntou Thiago.

— Sim, por nós mesmos; porém, seguindo os ensinamentos e os exemplos dos Espíritos mais adiantados que se encarnam em todos os ambientes terrenos. Os ramos do conhecimento humano são impulsionados por eles, que trazem continuamente novas ideias à Humanidade e, com a assimilação delas, o progresso marcha.

— Mas parece que não, Vovô! — exclamou Luís Felipe.

— Parece, mas não é. Leiam a História, comparem as épocas e verão que cada uma delas deixou alguma coisa melhor para a seguinte.

— Mas houve muita destruição, Vovô! — disse Thiago.

— Sim, houve. O que já não satisfaz à Humanidade é abandonado, é destruído e substituído por coisas mais adiantadas.

— É como a moda feminina: para andar na moda, as mulheres largam os vestidos, os sapatos, os penteados etc.; etc.; etc.; porque caíram da moda, dizem elas. Isso dá uma despesa... não é mesmo Angélica?

— Não venha com brincadeiras e arregalando essas sobrancelhonas para mim. Olhe que eu não sou flor que se cheire!

— Cuidado, Tio Vésper. É flor que...

— Esses dois não me dão sossego. Quando é que vocês vão parar com isso? Não se largam um só instante e sempre a se debicarem!

— Mas eu não falei nada dela, Vó! Ia falar da flor... — disse Bruno com ares inocentes.

— O progresso se faz em duas direções: na intelectual e na moral; raramente nos dois sentidos ao mesmo tempo. O progresso intelectual geralmente se faz primeiro do que o moral, embora haja exemplos do contrário.

— Por que o progresso intelectual quase sempre antecede o moral, Vovô? — perguntou o sr. Vasco.

— Porque a inteligência faz com que o homem discirna o bem e o mal; e sabendo fazer essa distinção, inicia o seu progresso moral.

Povos Degenerados

— Estudando-se a História, ela nos mostra povos que degeneraram. Como assim, Vovô? — perguntou Paulo Guilherme.

— Sim, e cita-se como exemplo o povo egípcio que, depois de uma brilhantíssima civilização, atrasou-se, ficando dela só ruínas.

— Por quê? O que aconteceu com ele? — perguntou Vovó Cirene.

— A história do Egito é conhecida com alguma certeza a partir do IV milênio antes da era cristã. Cerca de três mil anos antes de Cristo começa a história do Egito faraônico, época do seu esplendor; depois de Ramsés II, o faraó que reinou de 1301 a 1235 antes de Cristo, principia a sua decadência, e no ano 525 antes de Cristo é conquistado pelos persas. O que houve foi o seguinte: de tempos em tempos, os mundos passam por depurações, e os Espíritos que não acompanharam a evolução do seu mundo, que ainda se entregam ao mal, perturbando o progresso dos outros, são transferidos para mundos inferiores com dois objetivos: a) em contato com um mundo adverso, primitivo, corrigem-se; b) levam para esse mundo um pouco do saber que já conquistaram; após o quê, quando modificados para o bem, voltam para o seu próprio mundo, deixando naquele que lhes serviu de exílio lições das quais seus habitantes normais se aproveitam. Assim, os corpos descendem dos exilados, mas os Espíritos já não são os mesmos; no nosso caso, são terrenos. Portanto, não há propriamente uma degeneração de raças, mas uma ocupação, digamos assim, de corpos por Espíritos em estágio inferior de evolução. E do saber dos Espíritos mais adiantados que se foram, a Terra se beneficia...

— Até hoje, Vovô? — perguntou Paulo Guilherme.

— Até hoje. Muita coisa que sabemos hoje tem raízes no que nos deixaram aqueles degredados.

— Vovô, a História nos mostra que os povos passam pela infância, a idade madura e a velhice, como os indivíduos. Assim, será de supor-se que os povos mais adiantados deste nosso século terão o mesmo fim que os da Antiguidade? — perguntou o sr. Vésper.

— O Livro dos Espíritos nos dá um excelente estudo de Allan Kardec sobre o tema proposto por Vésper; vou lê-lo para vocês, pois que é muito elucidativo:

"A Humanidade progride através dos indivíduos que se melhoram pouco a pouco e se esclarecem; quando estes se tornam numerosos, tomam a dianteira e arrastam os outros. De tempos em tempos, surgem os homens de gênio, que lhes dão um impulso; e depois, homens investidos de autoridade, instrumentos de Deus, que em alguns anos a fazem avançar de muitos séculos.

"O progresso dos povos faz ainda ressaltar a justiça da reencarnação. Os homens de bem fazem louváveis esforços para ajudar uma nação a avançar moral e intelectualmente; a nação transformada será mais feliz neste mundo e no outro, compreende-se; mas, durante sua marcha lenta através dos séculos, milhares de indivíduos morrem diariamente, e qual seria a sorte de todos esses que sucumbem durante o trajeto? Sua inferioridade relativa os priva da felicidade reservada aos que chegam por último? Ou também sua felicidade é relativa? A justiça divina não poderia consagrar semelhante injustiça. Pela pluralidade das existências, o direito à felicidade é sempre o mesmo para todos, porque ninguém é deserdado pelo progresso. Os que viveram no tempo da barbárie, podendo voltar no tempo da civilização, no mesmo povo ou em outro, é claro que todos se beneficiam da marcha ascendente.

"Mas o sistema da unicidade da existência apresenta nesse caso outra dificuldade. Com esse sistema, a alma é criada no momento do nascimento, de maneira que um homem é mais adiantado que outro porque Deus criou para ele uma alma mais adiantada. Por que esse favor? Que mérito tem ele, que não viveu mais do que o outro, e geralmente menos, para ser dotado de uma alma superior? Mas essa não é a principal dificuldade. Em mil anos, uma nação passa da barbárie à civilização. Se os homens vivessem mil anos poderia conceber-se que, nesse intervalo, tivessem tempo de progredir; mas diariamente morrem criaturas em todas as idades, renovando-se sem cessar, de maneira que dia a dia as vemos aparecerem e desaparecerem. No fim do milênio, não há mais traços dos antigos habitantes; a nação, de bárbara que era, tornou-se civilizada: mas quem foi que progrediu? Os indivíduos outrora bárbaros? Estes já estão mortos há muito tempo. Os que chegaram por último? Mas se a sua alma foi criada no momento do nascimento, essas almas não existiriam no tempo da barbárie, e é necessário admitir, então, que os esforços desenvolvidos para civilizar um povo têm o poder, não de melhorar as almas imperfeitas, mas de fazer Deus criar outras almas mais perfeitas.

"Comparemos esta teoria do progresso com a que nos foi dada pelos Espíritos. As almas vindas no tempo da civilização tiveram sua infância, como todas as outras, mas já viveram e chegam adiantadas em consequência de um progresso anterior; elas vêm atraídas por um meio que lhes é simpático e que está em relação com seu estado atual. Dessa maneira, os cuidados dispensados à civilização de um povo não têm por efeito determinar a criação futura de almas mais perfeitas, mas atrair aquelas que já progrediram, seja as que já viveram nesse mesmo povo em tempos de barbárie, seja as que procedem de outra parte. Aí temos ainda a chave do progresso de toda a Humanidade. Quando todos os povos estiverem no mesmo nível quanto ao sentimento do bem, a Terra só abrigará bons Espíritos, que viverão em união fraterna. Os maus, tendo sido repelidos e deslocados, irão procurar nos mundos inferiores o meio que lhes convém, até que se tornem dignos de voltar ao nosso meio, transformados. A teoria vulgar tem ainda esta consequência: os trabalhos de melhoramento social só aproveitam as gerações presentes e futuras; seu resultado é nulo para as gerações passadas, que cometeram o erro de chegar muito cedo e só avançaram na medida de suas forças, sob a carga dos seus atos de barbárie. Segundo a doutrina dos Espíritos, os progressos ulteriores aproveitam igualmente a essas gerações, que revivem nas condições melhores e podem aperfeiçoar-se no seio da civilização."

— Pelo que se conclui, Vovô, dessa sua leitura, os homens mais civilizados podem ter sido selvagens e antropófagos?! — perguntou dona Purezinha arregalando os olhos.

Vovô riu e disse:

— Eis o que os Espíritos responderam a Allan Kardec, que lhes fez a mesma pergunta: "Tu mesmo o foste, mais de uma vez, antes de seres o que é".

— E a Grécia, Vovô? Com ela aconteceu a mesma coisa que aos egípcios? — perguntou Thiago.

— Oh! A Grécia! O gênio grego até hoje ilumina o mundo. Mas sobre ele nos falará o Tio Vésper, que conhece bem a história grega.

E o sr. Vésper, demonstrando infinita humildade arrancando risadas de todos, começou:

— Bem, bem, bem, não, Vovô! Mas conheço um pouquinho, um pouquinho só; não exagere, Vovô!

— Vamos, vamos, Vésper! Deixa de conversa! — disse dona Purezinha.

— O apogeu da Grécia deu-se no II milênio antes de Cristo. As Letras, as Artes, a Filosofia, atingiram um alto grau de esplendor. E com Péricles cobriu-se dos mais lindos monumentos que a Humanidade já contemplou.

Porém, para desespero dos ouvintes, o relógio bateu nove horas, e Carolina Maria anunciou:

— Caaaféééé com pipocas... depois da teluriaca...

— Não é teluriaca, Carolina Maria, é tertúlia, e pela escala hoje é dia de Tio Vésper — disse Luís Felipe.

— Vou contar-lhes a vida de um dos benfeitores da Humanidade:

Jenner

— Na Inglaterra, na segunda metade do século XVIII, morriam a cada ano perto de quarenta mil pessoas, vítimas de varíola. Ricos e pobres, sem distinção, eram igualmente vitimados pelo mal que, frequentemente, dizimava famílias inteiras. Os que conseguiam escapar com vida ficavam desfigurados e outros totalmente cegos.

Eduardo Jenner, filho de um pastor anglicano de Berkeley, na Inglaterra, nasceu no dia 17 de maio de 1749. Aos 5 anos de idade, perdeu o pai e foi educado por seus irmãos mais velhos, Maria e Estêvão. Vivendo no campo, Eduardo sempre se interessou por tudo quanto se relacionava com a Natureza e colecionava com carinho insetos e fósseis. Ainda adolescente, estudou com o cirurgião Daniel Ludlow, perto de Bristol. Em 1770, foi para Londres, onde ingressou como aluno interno no Hospital São Jorge, tornando-se discípulo e amigo de John Hunter, grande sábio e anatomista.

Voltou depois para Berkeley, onde começou uma vida afanosa de médico do interior. Seu interesse pelas ciências naturais permanecia, porém, sempre crescente, estimulado por uma assídua correspondência com Hunter. Foi por inspiração desse mestre que Jenner estudou a emigração de várias espécies de aves, a hibernação dos morcegos e dos ouriços e os hábitos exóticos do cuco.

Malgrado todas essas atividades, Jenner dedicou-se fervorosamente à sua profissão, sendo numerosos os episódios de abnegação heroica do grande médico para atender aos doentes de sua cidade.

Entretanto, um problema preocupava constantemente o espírito curioso desse médico do interior: a varíola. Uma crença tradicional da população do campo na Inglaterra ditava que aqueles que tivessem contraído a vacina não seriam atacados pela varíola. A vacina é uma doença infectocontagiosa que ataca o gado vacum. Jenner, já em 1775, começou a apurar a veracidade dessa crença. Inicialmente, extraiu a matéria purulenta de uma fístula que aparecera no braço de uma jovem, que se contaminara ao ordenhar uma vaca doente e inoculou-a no braço de um rapaz. A varíola, inoculada em seguida no mesmo rapaz, não produziu efeito algum. Como a doença das vacas, denominada vacina, produzia, nas pessoas que a contraíam, a imunização contra a varíola, restou a Jenner provocar artificialmente a vacina.

Teve de sustentar uma luta ingente contra a superstição dos ingênuos que afirmavam que as pessoas vacinadas passavam a tossir com mugidos de vaca e a ter seu corpo coberto de pelos semelhantes aos desses animais, e contra os médicos que se improvisavam em vacinadores, sem jamais terem visto um só caso de vacina.

De 1798 a 1800, Jenner publicou vários escritos, nos quais descrevia diversos casos de vacinação coroados de êxito.

Ao terminar o primeiro ano do século XIX, a prática da vacinação espalhava-se por toda a Europa, a Índia e o Extremo Oriente.

A descoberta da vacinação significa muito mais do que a simples vitória sobre uma doença. Era o primeiro dos grandes triunfos que a medicina preventiva conseguia no domínio da imunidade. Jenner abria o caminho para a vitória sobre todas as doenças contagiosas.

Coberto de glória e da veneração da Humanidade, Jenner desencarnou fulminado por uma hemorragia cerebral a 26 de janeiro de 1823. O mais famoso médico da roça foi sepultado na igreja de Berkeley ao lado dos aldeões que tanto amara e servira.

— E agora obedeçamos à Carolina Maria! — exclamou dona Purezinha.

36ª Aula

A Grécia

—A Grécia, a Grécia, Tio Vésper! — gritou Thiago abrindo o serão.
— Creio que não foram Espíritos exilados que foram para a Grécia, mas sim uma plêiade de Espíritos Superiores, encarregados de fixar, de construir os alicerces da civilização terrena. Vejamos: temos Heródoto, designado o pai da História, historiador grego, muito viajado, narrou em seu livro todos os acontecimentos verídicos ou lendários que evidenciam a oposição entre a cultura grega e a de outros povos: egípcios, medos e persas. E mais Tucídides e Xenofonte.

Os poetas: Hesíodo, autor de poemas didáticos, tais como "O Trabalho e os Dias", a *Teogonia*, fonte da Mitologia. Homero, poeta épico considerado o autor da *Ilíada* e da *Odisseia*.

No teatro, cito-lhes Ésquilo, Eurípides, Sófocles e Aristófanes, cujos dramas, comédias, tragédias até hoje são representados e ainda não ultrapassados.

Na Oratória, cito-lhes apenas o maior de todos: Demóstenes, cuja "Oração da Coroa" é uma obra-prima inigualável, que lhe valeu a denominação de príncipe dos oradores da Antiguidade.

Na Filosofia, ternos: Sócrates, Platão, Aristóteles.

Na Arquitetura, admiramos o Templo de Poseidon, o Parthenon, o Templo de Zeus Olímpico, o Templo de Nike Apteros, e mais outros monumentos, posto que arruinados, ainda nos encantam. E as três ordens de colunas: a dórica, a jônica e a ática.

Na Escultura, temos: Eirene com seu filho Pluto, o monumento sepulcral de Hegeso; Afrodite de Cnidas; Hermes com o menino, de Praxiteles; Apoxiómenos, de Lísipo; o Laocoonte, estupendo grupo escultórico hoje no Vaticano; e muitos outros.

Na Pintura, cito-lhes o maior pintor da Antiguidade: Apeles.

Paremos por aqui. Seria um nunca acabar de descrever tudo o que devemos aos gregos, à Grécia. Tanto que, para se considerar culto, ainda hoje um homem precisa conhecer a civilização grega.

— E a Mitologia, Tio Vésper! Fale-nos dela, Tio Vésper! — pediu Thiago, entusiasmado.

— Chama-se mitologia a religião dos povos antigos, especialmente a dos gregos, que eram dotados de uma riquíssima imaginação.

Para eles, Zeus era o deus supremo, filho de Cronos, o Tempo, e de Cibele, a Terra. Cronos representa o Tempo e, por isso, figuram-no com grandes barbas, longas asas e uma foice ao ombro.

— Ah!, agora já sei por que o relógio se chama também cronômetro, que quer dizer medidor do tempo, não é, Tio Vésper? — perguntou Bruno.

— Isso mesmo. Como vemos, a Grécia se faz presente até nas mínimas coisas. Zeus e seus irmãos dividiram-se pelo Universo.

— E Júpiter, quem era, Tio Vésper? — perguntou Paulo Guilherme.

— Júpiter era o nome latino de Zeus. Os romanos adotaram a mitologia grega, e por isso passou a ser designada por mitologia greco-romana; e assim latinizaram os nomes gregos: Netuno ficou sendo o deus do mar; Plutão, o deus dos infernos; Vulcano, o deus do raio; Minerva era a deusa da sabedoria e da guerra; Apolo ou Febo era o deus da luz e do Sol, e por isso vivia rodeado das musas, que eram nove irmãs, filhas de Zeus. Essas musas presidiam às Artes e às Ciências. Ei-las: Calíope presidia à poesia épica, à eloquência, à retórica. Camões, em seu imortal poema épico, *Os Lusíadas*, pede-lhes inspiração, invocando-a:

"Agora tu, Calíope, me ensina
O que contou ao rei o ilustre Gama;
Inspira imortal canto e luz divina
Neste peito mortal, que tanto te ama".

Clio, à História.
Tália, à Comédia.
Erato, à Poesia amorosa, sentimental.
Melpômene, à Tragédia.
Terpsícore, à Dança.
Euterpe, à Música.
Polimia, à Harmonia.
Urânia, à Astronomia.

— E os sábios da Grécia, Tio Vésper? Fale-nos deles...

— Os sábios da Grécia foram sete:

1º — Tales, matemático e filósofo; responsável pelo enunciado de muitos teoremas; teria levado do Egito para a Grécia os fundamentos da Geometria.

2º — Bias, considerado o mais sábio de todos.

3º — Pítaco, que libertou a ilha grega de Mitilene dos tiranos e governou-a durante dez anos. Viveu setenta anos.

4º — Cleóbulo, hábil em compor enigmas.

5º — Periandro, de grande talento, porém, de mau proceder.

6º — Quilon, que foi magistrado. Desencarnou de alegria ao beijar o filho, vencedor dos jogos olímpicos.

7º — Sólon, grande legislador de Atenas, contemporâneo e amigo de Cleóbulo. Político, deu à Grécia uma legislação democrática.

E, terminando, Tio Vésper disse:

— Espero que vocês rivalizem com os sábios da Grécia, menos com Periandro, isto é, com o caráter dele.

Civilização

— E a civilização, Vovô? O que o senhor nos diz dela? Olhe que, em nome dela, e apesar dela, o homem tem cometido barbaridades! — disse dona Purezinha.

— A civilização terrena ainda não se completou e está longe de se completar. No momento, nossa civilização está na fase do esclarecimento, que é transitória; mistura-se com muita selvageria, que trouxe de seu longínquo e milenar passado. Recorramos, como sempre, ao nosso querido *O Livro dos Espíritos*:

"A civilização tem os seus graus, como todas as coisas. Uma civilização incompleta é um estado de transição que engendra males especiais, desconhecidos no estado primitivo, mas nem por isso deixa de constituir um progresso natural, necessário, que leva consigo mesmo o remédio para aqueles males. À medida que a civilização se aperfeiçoa, vai fazendo cessar alguns dos males que engendrou, e esses males desaparecerão com o progresso moral.

"De dois povos que tenham chegado ao ápice da escala social, só poderá dizer-se o mais civilizado, na verdadeira acepção do termo, aquele em que se encontre menos egoísmo, cupidez e orgulho; em que os costumes sejam mais intelectuais e morais do que materiais; em que a inteligência possa desenvolver-se com mais liberdade; em que exista mais bondade, boa-fé, benevolência e generosidade recíprocas; em que os preconceitos de casta e de nascimento sejam menos enraizados, porque esses prejuízos são incompatíveis com o verdadeiro amor do próximo; em que as leis não consagrem nenhum privilégio e sejam as mesmas para o último como para o primeiro; em que a justiça se exerça com o mínimo de parcialidade; em que o fraco sempre encontre apoio contra o forte; em que a vida do homem, suas crenças e suas opiniões sejam mais bem respeitadas; em que haja menos desgraçados; e, por fim, em que todos os homens de boa vontade estejam sempre seguros de não lhes faltar o necessário."

— E em nota de rodapé, Herculano Pires faz a seguinte observação: "Será essa a civilização cristã que o Espiritismo estabelecerá na Terra. Como se vê pelas explicações dos Espíritos e os comentários de Kardec, a civilização incompleta em que vivemos é apenas uma fase de transição entre o mundo pagão da Antiguidade e o mundo cristão do Futuro. Nos costumes, na legislação, na religião, na prática dos cultos religiosos, vemos a mistura constante dos elementos do paganismo com os princípios renovadores do Cristianismo. Cabe ao Espiritismo a missão de remover esses elementos pagãos para fazer brilhar o espírito cristão em toda a sua pureza. Veja-se, a propósito, todo o capítulo 1 de O Evangelho Segundo o Espiritismo".

Progresso da Legislação Humana

— Por que tantas leis a regular a sociedade? Não bastaria a lei natural, Vovô? — perguntou dona Purezinha.

— Sim, se os homens se compreendessem bem e quisessem praticá-la. Por enquanto nossas leis são muito instáveis e se modificam à medida que compreendemos a justiça. A esse respeito, O Livro dos Espíritos nos diz:

"A civilização criou novas necessidades para o homem e essas necessidades são relativas à posição social de cada um. Foi necessário regular os direitos e os deveres dessas posições através de leis humanas. Mas, sob a influência de suas paixões, o homem criou, muitas vezes, direitos e deveres imaginários, condenados pela lei natural e que os povos apagam de seus códigos à proporção que progridem. A lei natural é imutável e sempre a mesma para todos; a lei humana é variável e progressiva: somente ela pode consagrar, na infância da Humanidade, o direito do mais forte".

— Mas Vovô, com leis severas ainda os homens, atualmente, praticam barbaridades; o senhor não acha que a severidade das leis penais é uma necessidade? — perguntou o sr. Vésper.

— Essa pergunta Allan Kardec fez aos Espíritos. Eis a resposta que recebeu:

"Uma sociedade depravada tem certamente necessidade de leis mais severas. Infelizmente, essas leis se destinam antes a punir o mal praticado do que cortar a raiz do mal. Somente a educação pode reformar os homens, que assim não terão mais necessidade de leis tão rigorosas".

Influência do Espiritismo no Progresso

— E o Espiritismo, Vovô, será que algum dia se tornará crença comum? — perguntou dona Corina.

— Indubitavelmente. Ele se tornará uma crença comum e marcará uma nova etapa na História da Humanidade. O Espiritismo pertence à Natureza, e chegou o tempo em que deve tomar lugar entre os conhecimentos humanos.

— Mas o combatem tanto! — exclamou dona Corina.

— O que importa isso? Qual foi a ideia progressista que não foi combatida? Quando Galileu, físico e astrônomo italiano, defendeu e divulgou o sistema do mundo proposto por Copérnico, demonstrando os dois movimentos da Terra, o de rotação sobre si mesma e o de translação ao redor do Sol, o que lhe aconteceu? Leiam a História! E, no entanto, hoje o sistema de Copérnico é matéria do currículo escolar. Assim será com os ensinamentos do Espiritismo: é questão de tempo apenas.

— O Espiritismo acabará com as outras religiões, Vovô? — perguntou dona Angelina.

— Jamais. O Espiritismo não veio para acabar com religião nenhuma, nem para combatê-las; mas injetará sangue novo em todas elas.

— Como o Espiritismo poderá contribuir para o progresso? Gostaria de sabê-lo, Vovô — pediu dona Corina.

— Destruindo o materialismo, que é uma das chagas da sociedade, e fazendo os homens compreenderem onde está o seu verdadeiro interesse. A vida futura, não mais estando encoberta pela dúvida, o homem compreenderá melhor que pode assegurar seu futuro através do presente. Destruindo os preconceitos de seita, de casta, de cor, de raças, ele ensina aos homens a grande lei da solidariedade que os deve unir como irmãos. Como de costume, recorramos a *O Livro dos Espíritos*:

"As ideias se transformam com o tempo e não subitamente; elas se enfraquecem de geração em geração e acabam por desaparecer pouco a pouco com os que as professavam e que são substituídos por outros indivíduos imbuídos de novos princípios, como se verifica com as ideias políticas. Vede o paganismo: não há ninguém, certamente, que professe hoje as ideias religiosas daquele tempo; não obstante, muitos séculos depois do advento do Cristianismo ainda haviam deixado traços que somente a completa renovação das raças pôde apagar. O mesmo acontecerá com o Espiritismo; ele faz muito progresso, mas haverá ainda, durante duas ou três gerações, um fenômeno de incredulidade que só o tempo fará desaparecer. Contudo, sua marcha será mais rápida do que a do Cristianismo, porque é o próprio Cristianismo que lhe abre as vias sobre as quais ele se desenvolverá. O Cristianismo tinha que destruir; o Espiritismo só tem que construir".

— E Herculano Pires, em nota de rodapé, comenta: "O transcurso do primeiro século do Espiritismo, a 18 de abril de 1957, veio confirmar plenamente essa extraordinária previsão de Kardec. No primeiro século de seu desenvolvimento, o Cristianismo era ainda uma seita obscura e terrivelmente perseguida. Somente no fim do terceiro século atingiu as proporções do desenvolvimento e universalização que o Espiritismo apresenta no seu primeiro século. A marcha do Espiritismo se fez com muito maior rapidez e sua vitória brilhará mais rápido do que se espera".

— E por quê, Vovô, apenas hoje os Espíritos se manifestam ensinando-nos estas coisas? Não seria melhor que a Humanidade soubesse delas desde o passado? — perguntou Paulo Guilherme.

— Caro neto, não se ensina às crianças o que só os adultos podem compreender. E mesmo os adultos não negam fatos que se passam diante dos olhos deles? Tudo tem o seu tempo, como diz o Eclesiastes...

— O quê? — bradou Carolina Maria. — Equi... o quê? Não me diga que é grego de novo, Vovô!

— Não, não é grego, Carolina Maria. Tudo o que você não entende você pensa que é grego! — respondeu o sr. Vésper, pedindo a palavra a Vovô. — Eclesiastes é um dos livros da Bíblia, composto por um judeo-palestino por volta do ano 250 antes de Cristo, mas geralmente é atribuído ao rei Salomão.

— Bruno, vá à biblioteca e traga-me a Bíblia que está sobre a escrivaninha, por favor.

E Vovô, depois de folhear o livro, leu:

"Há, para todas as coisas, um tempo determinado por Deus; todas as coisas têm o seu tempo e todas elas passam debaixo do céu, segundo o termo que a cada uma foi prescrito. Há tempo de nascer e tempo de morrer. Há tempo de plantar e tempo de arrancar o que se semeou. Há tempo de ficar doente e tempo de sarar. Há tempo de destruir e tempo de edificar. Há tempo de chorar e tempo de rir. Há tempo de se afligir e tempo de saltar de alegria. Há tempo de espalhar e tempo de ajuntar. Há tempo de dar abraços e tempo de se pôr longe deles. Há tempo de adquirir e tempo de perder. Há tempo de guardar e tempo de jogar fora. Há tempo de rasgar e tempo de coser. Há tempo de falar e tempo de calar. Há tempo de amor e tempo de ódio. Há tempo de guerra e tempo de paz".

— Como vocês veem, meus caros, há tempo determinado para tudo. Assim, também com as ideias: brotam e se desenvolvem em seu devido tempo.

— É verdade. Vovô; semente plantada fora de tempo não dá nada, eu sei bem disso — disse o sr. Anselmo.

— E, para encerrar este longo serão, pois já passa da hora, o que é que temos? — perguntou o sr. Vésper.

— Temos pão de cará e café com leite — respondeu Carolina Maria.

— E para a tertúlia? Parece que é o seu dia, não, Paulo Guilherme?

— Catei alguma coisa nos apontamentos do Vovô, Tio Vésper, mas pouco.

— Vamos lá com esse pouco!

— São máximas de Abraão Lincoln, o grande presidente norte-americano que proclamou a emancipação dos escravos.

Retalhos Luminosos

"Não se promove a prosperidade desencorajando a economia."

* * *

"Não se fortalece o fraco enfraquecendo o forte."

* * *

"Não se promove a fraternidade entre os homens fomentando o ódio de classe."

* * *

"Não se auxilia o pobre desencorajando o rico."

* * *

"Não se constrói estabilidade à base de dinheiro emprestado."

* * *

"Não se pode evitar aborrecimentos quando se gasta mais do que se ganha."

* * *

"Não se constrói caráter e coragem quando se destrói a iniciativa e a independência dos homens."

* * *

"O dinheiro, quando não bem aproveitado, sempre dissolve os laços e as responsabilidades mais santas."

* * *

E todos foram saborear o pão de cará e o café com leite.

37ª Aula

Lei da Igualdade

Igualdade Natural

— Se somos todos filhos de Deus, Vovô, por que há tanta desigualdade entre nós? — perguntou o sr. Vasco.

— A desigualdade é apenas aparente; todos somos iguais perante o Altíssimo; estamos submetidos às mesmas leis naturais; nascemos com a mesma fragilidade; estamos sujeitos às mesmas dores; e todos nós, filhos de Deus, caminhamos para a perfeição.

— Agora, o que há são desigualdades de aptidões, de saber?

Desigualdade de Aptidões

— Justamente isso é o que eu pergunto, Vovô: quanto às aptidões, por que não são as mesmas entre todos os homens? — perguntou o sr. Vasco.

— Sobre isso O Livro dos Espíritos nos ensina:

"Deus criou todos os Espíritos iguais, mas cada um deles viveu mais ou menos tempo e, por conseguinte, realizou mais ou menos aquisições; a diferença está no grau de experiência e na vontade, que é o livre-arbítrio: daí decorre que uns se aperfeiçoam mais rapidamente, o que lhes dá aptidões diversas. A mistura de aptidões é necessária a fim de que cada um possa contribuir para os desígnios da Providência, nos limites do desenvolvimento de suas forças físicas e intelectuais: o que um não faz o outro faz, e é assim que cada um tem a sua função útil. Além disso, sendo todos os *mundos solidários entre si*, é necessário que os habitantes dos mundos superiores, na sua maioria criados antes do vosso, venham habitar aqui para vos dar exemplo".

— Agora o comentário de Allan Kardec:

"Assim, a diversidade das aptidões do homem não se relaciona com a natureza íntima de sua criação, mas com o grau de aperfeiçoamento a que ele tenha chegado como Espírito. Deus não criou, portanto, a desigualdade das faculdades, mas permitiu que os diferentes graus de desenvolvimento se mantivessem em contato a fim de que os mais adiantados pudessem ajudar os mais atrasados a progredir. E também a fim de que os homens, necessitando uns dos outros, compreendam a lei de caridade que os deve unir".

Desigualdades Sociais

— Outra pergunta, Vovô: e a desigualdade das condições sociais? Essa desigualdade faz parte da lei natural? — perguntou dona Purezinha.

— As desigualdades sociais não são obras de Deus, mas dos homens; originam-se do orgulho e do egoísmo que predominam entre os homens; elas desaparecerão quando o homem se curar dessas duas chagas sociais que o infelicitam; chegará o dia em que elas desaparecerão da face da Terra, dando lugar a uma outra desigualdade que predominará entre os homens: a predominância do mérito. Então ninguém mais pensará em sangue mais ou menos puro, porque compreenderá que somente o Espírito é mais ou menos puro, o que não depende da posição social.

— Será uma felicidade, Vovô. Porque há muitos homens que se aproveitam da superioridade da sua posição social para abusar dos pequeninos — observou o sr. Vésper.

— São uns infelizes os que assim procedem; grandes humilhações os aguardam em suas reencarnações futuras; porque é da lei: aquilo que fizeres aos outros, isso mesmo receberás.

Desigualdade das Riquezas

— E sobre a desigualdade das riquezas, Vovô. O que o senhor nos diz dela? — perguntou dona Angelina.

— Farei um resumo das perguntas que Allan Kardec faz aos Espíritos e das respostas que recebeu, segundo O *Livro dos Espíritos*. Entretanto, vocês poderão perguntar sobre o que lhes ocorrer sobre o assunto:

"A desigualdade das riquezas origina-se na desigualdade das faculdades que cada um possui. Todavia, há exceções: as que são adquiridas pela astúcia e pelo roubo; não é louvável aos olhos de Deus uma riqueza assim adquirida. Também não são louváveis aos olhos de Deus a cobiça de bens, mesmo os mais bem adquiridos e os desejos secretamente alimentados de possuí-los o mais cedo possível".

— Uma pergunta, Vovô. O senhor falou em fortunas adquiridas pela astúcia e pelo roubo. Os herdeiros de fortunas assim conseguidas são responsáveis pelo mal que foi causado a outros? — perguntou dona Corina.

— Não e sim. Explico: não serão responsáveis se ignorarem completamente a origem da fortuna. Mas se souberem da má origem dela e não corrigirem o mal que foi praticado, são responsáveis, porque se tornam coparticipantes de quem cometeu o mal do qual se originou a fortuna herdada. Reparado que seja o crime, isso será levado em conta para ambos. Podemos dispor, por nossa desencarnação, de nossos bens em testamento, lembrados, porém, de que toda ação traz os seus frutos: os das boas ações são doces e os das más ações são sempre amargos. *Sempre*, entenderam bem? Outro ponto é que a igualdade das riquezas nunca houve e nunca será possível, porque a diversidade das faculdades e dos caracteres humanos se opõe a isso; o que importa, antes de tudo, é combater o egoísmo.

— E o bem-estar de todos, Vovô, não dependeria da igualdade das riquezas? — perguntou dona Purezinha.

— Não. O bem-estar, a disposição física, o conforto, são relativos e cada um poderia gozá-los se todos se entendessem bem... Porque o verdadeiro bem-estar, ensinam-nos os Espíritos, consiste no emprego do tempo de acordo com a vontade, e não em trabalhos pelos quais não se têm nenhum gosto. Cada um de nós tem aptidões diferentes, e assim nenhum trabalho ficará por fazer.

— É como nós, estudantes, há matérias que não vão, que não gostamos delas e, no entanto, bem a contragosto temos de estudá-las, não é, Vovô? — disse Paulo Guilherme.

— E quase sempre é nelas que a gente leva bomba... — ajuntou Thiago.

Provas da Riqueza e da Miséria

— Por que uns têm a riqueza, o poder, e outros a miséria, Vovô? — perguntou dona Angelina.

— São provas diferentes a que cada um é submetido. Essas provas são de conformidade com os atos praticados no passado e com as necessidades futuras do Espírito, ou seja, de cada um de nós.

— Qual das duas é mais difícil para o encarnado vencê-la, Vovô? — perguntou dona Purezinha.

— As duas o são: a miséria provoca lamentações contra a Providência Divina; e a riqueza leva a todos os excessos. Sobre isso, eis o esclarecimento que *O Livro dos Espíritos* nos dá:

"A posição elevada no mundo e a autoridade sobre os semelhantes são provas tão grandes e arriscadas quanto a miséria; porque, quanto mais o homem for rico e poderoso mais obrigações tem a cumprir, maiores são os meios de que dispõe para fazer o bem e o mal. Deus experimenta o pobre pela resignação e o rico pelo uso que faz de seus bens e do seu poder. A riqueza e o poder despertam todas as paixões que nos prendem à matéria e nos distanciam da perfeição espiritual. Foi por isso que Jesus disse: 'Em verdade vos digo: é mais fácil um camelo passar pelo fundo de uma agulha do que um rico entrar no reino dos céus'".

Igualdade dos Direitos do Homem e da Mulher

— E o que o senhor nos diz, Vovô, dessa diferença de direitos entre o homem e a mulher. Não são iguais perante Deus? — perguntou dona Corina.

— Absolutamente iguais perante as leis divinas, e assim deverá ser perante as leis humanas. Qualquer privilégio concedido a um e não ao outro é contrário à justiça. Sobre isso leiamos a observação que Herculano Pires faz em nota de rodapé em *O Livro dos Espíritos*:

"Há mais de cem anos este livro indicava a solução exata do problema feminino: igualdade de direitos e diversidade de funções. Marido e mulher não são senhor e escrava, mas companheiros que desempenham uma tarefa comum, com a mesma responsabilidade pela sua realização. O feminismo adquire um novo aspecto à luz deste princípio. A mulher não deve ser a imitadora e a competidora do homem, mas a sua companheira de vida, ambos mutuamente se completando na manutenção do lar, que é a célula básica da estrutura social".

— Por que é que nós, mulheres, somos mais fracas do que os homens? É isso o que nos coloca na dependência deles, Vovô? — perguntou dona Angelina.

— Comentando esse ponto, *O Livro dos Espíritos* nos diz: "Deus apropriou a organização de cada ser às funções que ele deve desempenhar. Se deu menor força física à mulher, deu-lhe, ao mesmo tempo, maior sensibilidade em relação à delicadeza das funções maternais e à debilidade dos seres confiados aos seus cuidados".

— Assim, uma legislação perfeitamente justa deve consagrar a igualdade de direitos entre o homem e a mulher, não é verdade, Vovô? — perguntou dona Corina.

— De direitos, sim; de funções, não. É necessário que cada um tenha um lugar determinado; que o homem se ocupe de fora e a mulher do lar, cada um segundo a sua aptidão. A lei humana, como já lhes disse, para ser justa, deve consagrar a igualdade de direitos entre o homem e a mulher. A emancipação da mulher segue o progresso da civilização; sua escravização marcha com a barbárie, dizem-nos os Espíritos.

Igualdade Perante o Túmulo

— É válido para o Espírito que desencarna o luxo do seu funeral e do túmulo que lhe guarda os restos, Vovô? — perguntou dona Purezinha.

— Não. Nenhum valor tem; são apenas uma demonstração do orgulho da família. Logicamente, devemos cercar de todo respeito e carinho os restos de quem se foi, mas não exageremos. Diz-nos O Livro dos Espíritos: "A tumba é o lugar de encontro de todos os homens e nela se findam impiedosamente todas as distinções humanas. É em vão que o rico tenta perpetuar a sua memória por meio de faustosos monumentos. O tempo os destruirá, como aos seus próprios corpos. Assim o quer a Natureza. A lembrança das suas boas e más ações será menos perecível que o seu túmulo. A pompa dos funerais não o lavará de suas torpezas e não o fará subir sequer um degrau na hierarquia espiritual".

— Carolina Maria, você não teria mais uma daquelas histórias que sua avó contava? Não tenho vontade de iniciar hoje novo capítulo de O Livro dos Espíritos — disse Vovô.

— Tenho sim e vou contá-la. É uma história de

Gratidão

— Foi no tempo da escravidão. E, como todas as fazendas daquela época, a do sr. Albuquerque também era movida pelo braço escravo. Logo de manhãzinha, aberto pelo capataz o portão da enorme senzala, cada feitor apanhava seu grupo de escravos e partia com eles rumo à lavoura: uns a cuidar do cafezal, outros do pomar, quais da criação, dos serviços gerais outros. As mucamas esparramavam-se pela casa-grande, a polir, arrumar, esfregar, lavar, coser, numa azáfama contínua.

E, quando o sr. Albuquerque apeava do seu cavalo e descansava o seu tanto no alpendre à espera do almoço, e dona Josefina, de penteado alto, avental muito branco, um molho de chaves a pender-lhe da cintura, vinha assentar-se ao seu lado, era sabido que na vasta propriedade ninguém estava inativo; todos os serviços caminhavam, pois os olhos dos donos tudo tinham visto e o corretivo, quando necessário, tinha sido dado.

Ora, entre os escravos da fazenda, havia um de nome Arquimedes, mocetão desempenado, bom trabalhador, um joão-faz-tudo, gozando por isso certa liberdade e trabalhando principalmente na ferraria em consertos dos implementos da fazenda.

Arquimedes tinha sido comprado pelo sr. Albuquerque em um dia de feira na cidade, com sua mãe, boa doceira e cozinheira, e com ela partilhava os longos dias da escravidão.

E um dia a filha primogênita do casal de fazendeiros casou-se e foi para a casa do marido, distante dali um dia de viagem. Entre os haveres que lhe coube em dote, contavam-se algumas cabeças de escravos; e quando o pai os separou, a casadinha exigiu-lhe a velha doceira, não só, alegava ela, por se lhe ter afeiçoado, como também a queria para sua cozinheira. Cedeu-lhe, mas não o filho, o Arquimedes, que assim ficou separado de sua mãe.

O sr. Albuquerque não era um mau senhor; seus escravos eram tratados com algum conforto e cuidado; raramente se lhes aplicavam castigos corporais. Porém, partilhava do modo de pensar comum naqueles tempos entre os senhores e traficantes: o escravo era uma "coisa" nula de sentimentos e da qual se podia fazer o que se quisesse. E assim pouco se lhe deu separar a mãe do filho.

Mas Arquimedes, como escravo, era humano, sentia: doeu-lhe fundo a separação. E a saudade da mãezinha, que sempre trazia no bolso do avental um doce para ele, passou a torturá-lo.

Nos dias santos, suspendia-se o trabalho na fazenda. E à tarde, quando no terreiro em frente da casa-grande arrumavam-se as danças, somente Arquimedes não se entregava aos folguedos, e ali ficava quieto, o olhar vago nas nuvens; apenas um leve sorriso lhe aflorava nos lábios, quando Brinquinho, um cachorrinho seu, se lhe aninhava ao lado, lambendo-lhe as mãos.

Brinquinho era um rejeitado; sarnento, aparecera a errar pela fazenda, e não fora a proteção do escravo, teria sido jogado no canil e despedaçado pelos canzarrões, cujo ofício era acompanhar o mateiro na captura de escravos fujões. Arquimedes curou-lhe a sarna e alimentava-o com bocados de sua comida. E Brinquinho passou a ser respeitado como propriedade de Arquimedes, do qual raramente se separava: onde ele estivesse trabalhando, lá estava Brinquinho.

Em uma ocasião, Arquimedes resolveu ir visitar sua mãe; pelos retalhos de conversa que ouvira dos senhores, fazia uma ligeira ideia de onde ela estava.

"É perto", pensava ele, "vejo-a, abraço-a e volto. Quando derem por minha falta, já estarei aqui."

E, na manhã de um dia santo, tão logo abriram a senzala, tratou de ir. Andou um pouco por aqui e por ali, ganhou os fundos, atravessou o pomar, saiu no pasto, pegou a estrada e foi. E andou, andou, andou. Ao descambar do dia, convenceu-se de que não sabia o caminho; sem uma indicação segura, convenceu-se de que não acharia sua mãe. Perguntar onde? A quem? Tomá-lo-iam por um fugido, avisariam o sr. Albuquerque, e o castigo para os fujões era duro. Tremeu.

"Voltarei, é melhor voltar", monologava ele; "de madrugada estarei na fazenda; ninguém perceberá minha saída."

E voltou. A grande cruz de Órion ia alta no céu quando a fadiga o venceu; caminhara desde manhã sem alimento, a não ser alguns jatobás que lhe fornecera um jatobazeiro à beira da estrada. Mas a lembrança dos castigos se o pegassem fora dos limites da fazenda deu-lhe algum ânimo; tentou caminhar, as pernas trôpegas recusando-se a obedecer-lhe.

"Descansarei um pouco", disse de si para si, "creio não estar longe da fazenda... logo que começar a clarear, continuarei o caminho e... chegarei quase na hora de soltar o povo da senzala..."

Aconchegou-se numa lapinha do barranco e dormiu. Acordou com os primeiros raios do Sol a acariciar-lhe o rosto; pôs-se de pé, assustado. Como estava claro! Daria tempo de chegar? Era preciso andar depressa, depressa! E batia os dentes, tomado de terror.

Não tinha andado duzentos metros, estacou petrificado: ouvira latidos; seriam os cães da fazenda? Refez-se e aguçou os ouvidos. Os latidos redobravam, vinham em sua direção. Não havia dúvidas: tinham notado sua ausência e o considerado negro fugido. Seus joelhos cederam; ajoelhou-se; só do céu lhe podia vir socorro. Fugir? Os cães o alcançariam. Subir numa árvore? De que adiantaria? O mateiro ataria os cachorros ao pé do tronco e esperariam que a fome o fizesse descer às goelas escancaradas que o vigiavam.

Criou coragem; armou-se de um pedaço de pau, encostou-se ao barranco e esperou. E da orla da capoeira desembocaram dois canzarrões que fecharam sobre o escravo, que se viu perdido; e de mais longe a voz do mateiro os excitava.

Arquimedes ergueu o cacete num gesto de defesa, quando Brinquinho lhe saltou em cima fazendo-lhe festas; ele também sentira a ausência de seu dono e seguira a matilha. Pobre Brinquinho! Não sabia o que lhe estava reservado! Quando os cães se atiraram sobre Arquimedes, Brinquinho compreendeu o perigo que ameaçava seu amo e protetor. E resolutamente enfrentou as feras. Lutou, lutou com a fúria que só lutam aqueles que defendem uma causa perdida. Enquanto os gigantes se entretinham em lacerar o infeliz pigmeu, chegou o mateiro. Conteve os cães, atrelou-os, passou a gargalheira no pescoço de Arquimedes e rumaram para a fazenda.

Arquimedes foi tratado como negro fugido e durante uma semana castigado em frente da escravaria para exemplo, como dizia o fazendeiro. Não se queixou sequer uma vez; dizem que de uma feita gritou: "Não contem nada à minha mãe!"

E tudo voltou ao que era dantes. Embora vigiado, Arquimedes vivia sua vida costumeira, porém, mais triste, mais taciturno, mais retraído.

E dona Aninhas veio passar uma temporada com os pais. E com ela veio a mãe de Arquimedes para cuidar das coisas de sua sinhá. Com que palavras lhes descreverei a alegria do filho? Não as tenho. O certo é que Arquimedes tinha um brilho novo no olhar e um timbre de entusiasmo na voz. O caso de sua fuga chegou aos ouvidos de dona Aninhas, que lhe perguntou humanamente por que fizera aquilo. Arquimedes, humilde, lhe confessou que não fugira; apenas tinha ido visitar sua mãezinha.

Dona Aninhas, que há tempos era instada pela velha doceira para trazer o Arquimedes para sua fazenda, arranjou com seu pai uma troca dele por outro de seus escravos, e assim levou mãe e filho para sua casa. Dizem que Arquimedes então viveu muito feliz e morreu de velho, pois dizem que os filhos que amam seus pais gozam de longa vida sobre a Terra.

E Brinquinho?

Brinquinho morreu. Na semana que Arquimedes passou ligado ao tronco, uma nuvem de urubus revoluteou no lugar da luta, Arquimedes viu-a e chorou por seu companheirinho.

O que fazer? De qual outra maneira Brinquinho poderia pagar sua dívida de gratidão para com seu benfeitor?

E, discutindo o belo ato do cãozinho, foram para a mesa onde os esperava um pudim amarelinho, amarelinho, bem como um cheiroso café, cuja falta o sr. Vésper não perdoava.

38ª Aula

Lei da Liberdade

Liberdade Natural

— Na vida de relação que vivemos de uns para com os outros, haverá para alguém a liberdade absoluta, Vovô? — perguntou o sr. Vasco, iniciando o serão.
— O homem nada pode sozinho. Todos necessitamos uns dos outros, quer sejamos pequenos ou grandes. Liberdade absoluta só o eremita no deserto. Desde que haja duas pessoas juntas, há direitos a respeitar; e não terão elas, por conseguinte, liberdade absoluta.

Escravidão

— Houve um tempo em que havia escravidão. Era justo isso, Vovô? — perguntou comadre Zita.
— Não, não era justo. Um ser humano como propriedade de outro ser humano, que possa dispor dele como quiser, é contra a lei de Deus. A escravidão foi uma lei contra a Natureza, que degradava o homem moral e fisicamente. Ela foi sempre um mal, muito embora o homem, aplicando a lei do mais forte, usasse muitos meios de desculpar-se. Mas, uma vez que o Cristianismo lhe mostrou no escravo um seu semelhante, um irmão perante Deus, não houve mais desculpas para mantê-la.
— Mas, Vovô, não pertenciam eles a uma raça inferior? — perguntou Thiago.
— Inferior, não; menos evoluída, sim. E uma das principais obrigações de uma raça mais adiantada é educar as raças mais atrasadas, e não escravizá-las.

Liberdade de Pensamento

— Voltando à pergunta do sr. Vasco — disse o sr. Vésper —, lembro-me agora de que há um lugar no qual gozamos de uma liberdade absoluta, e do qual somos senhores absolutos, sem restrições.

— E qual é ele, onde fica? — perguntaram várias vozes.

— Fica dentro de nós mesmos: é o pensamento. Pelo pensamento gozamos de liberdade absoluta; podem impedir sua manifestação, mas nunca aniquilá-lo. E somos responsáveis pelos nossos pensamentos perante Deus e perante mais ninguém.

Liberdade de Consciência

— O que é a consciência, Vovô? — perguntou Luís Felipe.

— A consciência é a voz secreta da alma, que aprova ou reprova nossas ações; é o sentimento do que se passa em nós, no mais profundo de nosso coração. Quanto mais nós nos moralizamos, tanto mais desenvolvida teremos nossa consciência; com mais facilidade a ouviremos. A liberdade de consciência, a liberdade de pensar, é uma das características da verdadeira civilização e do progresso.

— O que dizer, Vovô, daqueles que se julgam no direito de entravar a liberdade de consciência? — perguntou o sr. Vésper.

— Faltam à lei da caridade e conduzem o homem à hipocrisia; só Deus tem o direito de julgar a consciência. Toda crença é respeitável quando conduz o homem ao bem; e escandalizar seus adeptos é faltar com a caridade e desrespeitar a liberdade de pensamento.

— Mas, Vovô, há doutrinas perniciosas; por respeito à liberdade de consciência não devem ser combatidas? — perguntou o sr. Vasco.

— Sim, podemos e devemos; porém, que não seja pela violência e sim pela doçura e persuasão, como fez Jesus ao combater o paganismo.

— Todas as doutrinas, Vovô, têm a pretensão de possuírem a verdade; como reconhecer a verdadeira? — perguntou o sr. Vésper.

— É fácil, dizem-nos os Espíritos: essa será a que produza mais homens de bem e menos hipócritas; quer dizer, a que pratique a lei do amor e da caridade na sua maior pureza e na sua aplicação mais ampla. Por esse sinal reconhecereis que uma doutrina é boa, pois toda doutrina que tiver por consequência semear a desunião e estabelecer divisões entre os filhos de Deus só pode ser falsa e perniciosa.

Livre-Arbítrio

— E o livre-arbítrio, Vovô, o que é? — perguntou Paulo Guilherme.

— O livre-arbítrio é a liberdade que cada um de nós tem de praticar seus atos de acordo com sua consciência. E por isso nosso livre-arbítrio nos confere a responsabilidade plena de nossas ações. E assim temos a liberdade total de pensar e de agir, sem o que seríamos quais uma máquina.

— Mas o nosso corpo carnal, Vovô, pesado como ele é em relação ao Espírito, não pode influir sobre nosso livre-arbítrio? — perguntou dona Corina.

— Não há como negar que pode. Todavia possuímos faculdades morais e intelectuais com as quais controlamos nossos impulsos instintivos. Os nossos bons ou maus impulsos provêm do Espírito e não de nossos órgãos materiais; e nossa inteligência, movida pela nossa vontade, pode controlá-los. Agora, quem se dedica unicamente à vida material se embrutece, e não pensa em se premunir contra o mal e torna-se faltoso, porque age segundo sua própria vontade.

— A alteração das faculdades mentais tira ao homem o seu livre-arbítrio, Vovô? — perguntou dona Purezinha.

— Essa é a pergunta 847 de O *Livro dos Espíritos*. Paulo Guilherme, leia a resposta, por favor.

"Aquele cuja inteligência está perturbada por uma causa qualquer perde o domínio de seu pensamento e a partir daí não tem mais liberdade. Essa alteração é frequentemente uma punição para o Espírito que, numa existência, pode ter sido vão e orgulhoso, fazendo mau uso de suas faculdades. Ele pode renascer no corpo de um idiota, como o déspota no corpo de um escravo e o mau rico no corpo de um mendigo. Mas o Espírito sofre esse constrangimento, do qual tem perfeita consciência: é nisso que está a ação da matéria".

— E os maus atos que um embriagado pratica sob a ação do álcool, é ele responsável, Vovô? — perguntou Thiago.

— Duplamente responsável: porque um bêbado se priva da razão voluntariamente e, assim, em lugar de uma falta comete duas: o vício e o crime.

— E a posição social, Vovô, não é, às vezes, um obstáculo à inteira liberdade de ação de uma pessoa? — perguntou dona Purezinha.

— Na verdade, o mundo tem suas exigências e Deus, que é justo, a tudo leva em conta, mas nos deixa a liberdade de fazer esforços para superar as dificuldades.

Fatalidade

— E a fatalidade, Vovô, como o senhor a explica? — perguntou dona Purezinha.

— A fatalidade é um acontecimento doloroso e que não podemos evitar.

— E por que não o podemos evitar, Vovô? — perguntou o sr. Anselmo.

— Pelo simples motivo de termos nosso livre-arbítrio, o qual nos dá a liberdade de fazer o bem e o mal. E se fizermos o mal teremos de sofrer-lhe as consequências nesta ou em futuras reencarnações, fatalmente. Por isso, não cometamos o mal e não haverá fatalidade.

— Mas ao reencarnarmos, Vovô, nossa existência não foi planificada e, assim, os acontecimentos de nossa vida predeterminados? — perguntou dona Corina.

— Vou responder-lhe lendo o que o Espíritos dizem, em O Livro dos Espíritos: "A fatalidade não existe senão pela escolha feita pelo Espírito, ao encarnar-se, de sofrer esta ou aquela prova; ao escolhê-la, ele traça para si mesmo uma espécie de destino, que é a própria consequência da posição em que se encontra. Falo das provas de natureza física, porque, no tocante às provas morais e às tentações, o Espírito, conservando o seu livre-arbítrio sobre o bem e o mal, é sempre senhor de ceder ou resistir. Um bom Espírito, ao vê-lo fraquejar, pode correr em seu auxílio, mas não pode influir sobre ele a ponto de subjugar-lhe a vontade. Um Espírito mau, ou seja, inferior, ao lhe mostrar ou exagerar um perigo físico, pode abalá-lo e assustá-lo, mas a vontade do Espírito encarnado não fica por isso menos livre de qualquer entrave".

— Há aqueles que parecem perseguidos por uma fatalidade. Nada lhes dá certo. É a desgraça que está em seu destino, Vovô? — perguntou dona Angelina.

— São provas que, talvez, eles mesmos escolheram, mas nem sempre. Eis o que Allan Kardec, comentando esse fato, nos esclarece: "As ideias justas ou falsas que fazemos das coisas nos levam a vencer ou fracassar, segundo o nosso caráter e a nossa posição social. Achamos mais simples e menos humilhante para o nosso amor-próprio atribuir os nossos fracassos à sorte ou ao destino do que a nós mesmos. Se a influência dos Espíritos contribui algumas vezes para isso, podemos sempre nos subtrair a ela, repelindo as ideias más que nos forem sugeridas".

— Vovô, um conhecido nosso escapou ileso de um tremendo desastre; porém, pouco tempo depois, indo para Barretos, seu carro chocou-se contra a traseira de uma jamanta carregada de toras de peroba e ele desencarnou. Não há nisso uma fatalidade? — perguntou o sr. Vasco.

— Fatal mesmo, no sentido lato da palavra, só a hora da morte, isto é do desencarne. Chegada que seja essa hora, não há como escapar: desencarna-se mesmo. Temos disso numerosos exemplos. Ao chegar nossa hora de partir, nada segurará nosso Espírito ao nosso corpo de carne; nós o abandonaremos quer queiramos ou não. E, lembrem-se: para a morte sempre há uma desculpa; depois do fato consumado lá se diz: se não fosse isso, se não fosse aquilo, se tivesse tido mais cuidado, etc., etc., etc., não teria morrido. De nada adiantam as desculpas: ao soar a hora da partida, o Espírito parte mesmo, largando o corpo à sepultura.

— Não tem barriga me dói, não é, Vovô, como dizia minha falecida avó. Com o meu Tonho foi a mesma coisa: o dr. Soares, o advogado que vendeu o sítio ao Vovô, tudo fez pelo Tonho: mandou buscar recursos em Barretos, em Olímpia e nada. O Tonho não sarava, e resolveu levá-lo para São Paulo. Mas Tonho morreu antes de ir... — disse Carolina Maria com lágrimas a escorrer-lhe pelas faces.

— Então, Vovô, se é assim, as precauções que tomamos para evitar a morte são inúteis: se não for a hora não se morre e, se for a hora, de que adianta lutar? — perguntou dona Purezinha.

— Quando nossa vida corre perigo, ou pela doença ou por outra coisa qualquer, é uma advertência que recebemos para que nos desviemos do mal e nos tornemos melhores; porque, sob a impressão do risco que corremos, recebemos mais fortemente as sugestões dos bons Espíritos e lembramo-nos da nossa fraqueza e da fragilidade de nossa existência. Quantas vezes uma doença ou um perigo por que passamos não nos foram causados por uma falta cometida ou um dever negligenciado, e assim Deus nos adverte para refletirmos sobre nós mesmos e nos emendarmos.

— E quanto a um assassinato, Vovô? Está no plano de um encarnado tornar-se um assassino? — perguntou Thiago.

— Não. Ele sabe apenas que ao escolher uma vida de lutas terá a probabilidade de matar um de seus semelhantes, mas ignora se o fará ou não, porque depende dele tomar a deliberação de cometer o crime. Ora, aquele que delibera sobre uma coisa é sempre livre de a fazer ou não. Se o Espírito soubesse com antecedência que, como encarnado, teria de cometer um assassinato, estaria predestinado a isso. Todavia, não há ninguém predestinado ao crime; e que todo crime, como todo e qualquer ato, é sempre o resultado da vontade e do livre-arbítrio. Não podemos nem devemos confundir duas coisas bastante distintas, que são: os acontecimentos materiais da existência e os atos da vida moral. Se, por vezes, há fatalidade, é apenas no tocante aos acontecimentos materiais, cuja causa está fora de nós e que não dependem de nossa vontade. Quanto aos atos da vida moral eles emanam sempre de nós próprios e temos, por conseguinte, a liberdade de escolha: para os atos da vida moral não existe jamais a fatalidade.

— Vovô, independentemente de sua vontade e de sua inteligência, há pessoas que são favorecidas pela sorte, pela loteria, por exemplo. O que pensar delas? — perguntou dona Angelina.

— O *Livro dos Espíritos* nos diz que: "Certos Espíritos escolheram antecipadamente determinadas espécies de prazer e a sorte que os favorece é uma tentação.

Aquele que ganha como homem perde como Espírito: é uma prova para o seu orgulho e sua cupidez".

— Concluindo, Vovô, penso que a fatalidade com a qual nós nos defrontamos por vezes e nosso destino na vida material resultam de nosso livre-arbítrio, segundo o apliquemos bem ou mal. Estou certo? — perguntou o sr. Vésper.

— Perfeitamente. Ainda no mundo dos Espíritos, preparando-nos para a reencarnação, escolhemos nossas provas; quanto mais rudes elas forem, se bem suportadas, mais nós nos elevaremos na escala espiritual. Os que passam a vida na abundância e no bem-estar são Espíritos covardes, que permanecem estacionários. Assim, o número de sofredores excede em muito o dos felizes no mundo; quando ainda no mundo espiritual, compreendendo melhor as coisas, e vendo a futilidade das grandezas e dos prazeres terrenos, os Espíritos procuram, na sua maioria, as provas que lhes sejam mais frutuosas. Aliás, a vida mais feliz é sempre agitada, sempre perturbada: não é somente a dor que produz contrariedades.

Conhecimento do Futuro

— Podemos conhecer o futuro, Vovô? — perguntou dona Emerenciana, esposa do sr. Anselmo.

— Não. O futuro a Deus pertence; conservá-lo oculto é uma caridade da qual Ele usa para conosco. Se o conhecêssemos, não teríamos sossego: se nos fosse adverso, ficaríamos desesperados; e se nos fosse favorável, cruzaríamos os braços a esperá-lo.

— E essas pessoas que leem a sorte, Vovô? — perguntou Carolina Maria.

— Não digo que elas não sejam sinceras; mas o que predizem é destituído de fundamento.

— Vovô, sobre esse assunto, gostaria de fazer-lhe algumas perguntas. O senhor não se aborrecerá com elas? — perguntou dona Purezinha.

— De modo nenhum, caríssima; vamos a elas.

— Deus sabe tudo, Vovô; até o futuro?

— Sim, nada lhe está encoberto. Futuro e presente, para Ele, são a mesma coisa.

— Então Ele sabe se uma pessoa, digamos eu, cada um de nós, fracassará ou triunfará na prova, não é verdade?

— Sim, sabe.

— Então qual a necessidade de passarmos pelas provas, se de antemão Ele sabe o resultado de cada uma delas?

— As mesmas perguntas, embora por outras palavras, Allan Kardec fez aos Espíritos. Vou ler-lhe em O Livro dos Espíritos a resposta que recebeu e o comentário que Kardec faz:

"Tanto valeria perguntar por que Deus não fez o homem perfeito e realizado, por que o homem passa pela infância, antes de chegar à idade madura. A prova não tem por fim esclarecer a Deus sobre o mérito do homem, porque Deus sabe perfeitamente o que ele vale, mas deixar ao homem toda a responsabilidade da sua ação, uma vez que ele tem a liberdade de fazer ou não fazer. Podendo o homem escolher entre o bem e o mal, a prova tem por fim colocá-lo ante a tentação do mal, deixando-lhe todo o mérito da resistência. Ora, não obstante Deus saiba muito bem, com antecedência, se ele vencerá ou fracassará, não pode puni-lo nem recompensá-lo, na sua justiça, por um ato que ele não tenha praticado.

"É assim entre os homens. Por mais capaz que seja um aspirante, por mais certeza que se tenha do seu triunfo, não se lhe concede nenhum grau sem o exame, o que quer dizer, sem prova. Da mesma maneira, um juiz não condena um acusado senão pela prova de um ato consumado e não pela previsão de que ele pode ou deve praticar esse ato.

"Quanto mais se reflete sobre as consequências que teria para o homem o conhecimento do futuro, mais se vê como a Providência foi sábia ao ocultá-lo. A certeza de um acontecimento feliz o atiraria na inação; a de um acontecimento desgraçado, no desânimo; e num caso como no outro suas forças seriam paralisadas. Eis por que o futuro não é mostrado ao homem senão como um alvo que ele deve atingir pelos seus esforços, mas sem conhecer as vicissitudes por que deve passar para atingi-lo. O conhecimento de todos os incidentes da rota lhe tiraria a iniciativa e o uso do livre-arbítrio; ele se deixaria arrastar pelo declive fatal dos acontecimentos sem exercitar as suas faculdades. Quando o sucesso de uma coisa está assegurado, ninguém mais se preocupa com ela."

— Estou satisfeita, Vovô. Obrigada.

Resumo Teórico do Móvel das Ações Humanas

— Caríssimos — disse Vovô, dirigindo-se a todos —, O Livro dos Espíritos faz um apanhado dos motivos das ações humanas; são algumas páginas que vocês deverão ler com atenção. Para encerrar nosso serão de hoje, delas lerei para vocês apenas o último parágrafo:

"Todos os Espíritos mais ou menos bons, quando encarnados, constituem a espécie humana. E como a nossa Terra é um dos mundos menos adiantados, nela se encontram mais Espíritos maus do que bons; eis por que nela vemos tanta perversidade. Façamos, pois, todos os esforços para não regressar a este mundo após esta passagem e para merecermos repousar num mundo melhor, num desses mundos privilegiados onde o bem reine inteiramente e onde nos lembraremos de nossa permanência neste planeta como de um tempo de exílio".

— E por que a maioria é má, Vovô? — perguntou Angélica.

— Não é propriamente má, minha neta; é que ainda guarda muitos resquícios da animalidade.

— Então, o Bruno...

— Vai começar, vai? — ralhou Vovó, repreendendo-a.

— Vamos à nossa tertúlia, que o relógio já dará a hora.

— É o meu dia, Tio Vésper. E tenho uma bonita poesia — disse Alessandra. — "O Suave Milagre", de Eça de Queiroz, posto em versos por J. Lourenço de Oliveira:

O Suave Milagre

Para lá de Enganim e aquém de Cesareia,
em casa atrás de um serro escuro desgarrada,
vivia uma infeliz viúva da Judeia,
com um filho — uma criança única e aleijada.

Cresceu-lhes a miséria, espessa, em negra teia,
como cresce o bolor em cacos pelo ermo;
faltava o pão na arca e o azeite na candeia;
morreu-lhes a figueira e a cabra, em triste termo.

E como assim moravam longe do povoado,
nunca de pão ou mel esmola recebiam;
cozendo um molho de erva, em fendas apanhado,
com isto tristemente o estômago nutriam.

Um dia no casebre, acaso, entrou um mendigo
que, abrindo o seu farnel à mãe entristecida,
assentado à lareira, em jeito brando e amigo,
enquanto ia coçando à perna uma ferida,

contou a história de um Rabi maravilhoso
que os pobres confortava e enchia de esperança,

que a todos prometia um reino luminoso,
multiplicava pães, gostava de crianças.

A mulher escutava a tudo muito atenta,
perguntou-lhe onde estava esse doce Rabi.
"Esse doce Rabi!" Com voz profunda e lenta,
magoado, repetiu o mendigo: "Eu nunca vi!"

"A fama de seu nome anda por toda a parte,
como o Sol que em qualquer velho muro faz festa;
mas no esforço de vê-lo em vão se emprega arte;
ditoso é aquele, só, a quem se manifesta.

"Obede, de Enganim, os servos seus mandou
buscá-lo em toda a Terra, em toda a Galileia;
e Séptimo soldados muitos enviou
que o conduzissem por seu mando a Cesareia.

"Sempre errando e esmolando por estas estradas,
topei os servos e topei os legionários,
sandálias rotas e vontades derrotadas,
sem sombras nem sinal do Mestre extraordinário!"

Vindo à tarde, o mendigo desceu pelo trilho.
A mãe, inda mais triste, pôs-se para um canto.
Com voz sumida e leve, então falou o filho:
"De ver esse Rabi eu gostaria tanto!"

"Mas, filho, tu não queres que eu te deixe e vá
andando, sem caminho, à busca do Rabi!
Já Séptimo que é forte e Obede, rico, lá
tentaram encontrá-lo, em vão, daqui, dali.

Da enxergazinha assim falou o menino:
"Sou tão pequeno ainda e tenho uma vontade
tão grande de sarar! A todo pequenino
Jesus ama, por certo! Há de atender-nos, há de!"

"Mas, meu filho, não posso deixar-te.
São longas as estradas; e curta a piedade mortal.
Contra mim, por aí, à toa nas delongas...
até cães ladrariam de cada portal!

"Onde mora o Rabi não diriam, garanto,
a uma pobre mulher, rota e trôpega e triste...
Deus sabe não morreu esse Jesus que, tanto,
tantos buscam em vão? — Morreu! Já não existe!"

Assim, triste, acabou. Mas o filho insistindo,
"Mãe, eu queria ver Jesus" — inda falou.
E então... abrindo a porta devagar... sorrindo...
logo Jesus disse à criança: "Aqui estou!"

Eusápia Paladino

A tarde acabava de cair quente, tarde de verão. No céu de um azul puríssimo, já brilhava esplendoroso o planeta Vénus. No arvoredo chilreavam passarinhos, acomodando-se para dormir, disputando, irrequietos, lugares entre os ramos. O ar parado não bulia uma folha. A abóbada celeste marchetava-se de estrelas. A constelação de Órion luzia soberana no meio do firmamento.

Terminado o jantar, Vovô acomodou-se em sua cadeira de balanço no alpendre; Vovó, com sua cestinha de costura no colo, cerzia meias. Logo que acabaram de arrumar a cozinha, nhá Zita e Carolina Maria vieram completar o grupo dos netos acomodados ao redor dos avós. Como que por um acordo tácito, ninguém falava, todos entregues a seus pensamentos gozando a paz bucólica.

Quem quebrou o silêncio foi Bruno:

— Vovô, embora não seja dia de serão, posso fazer-lhe uma pergunta sobre o Espiritismo?

— Pode, meu rapaz, qual é ela?

— Ainda não falamos nada sobre mediunidade; o que vem a ser ela?

— A mediunidade é um dom que o Espírito encarnado tem pelo qual se comunica com os Espíritos desencarnados. Todos nós o possuímos, posto que em graus diversos.

— Se eu o tenho, Vovô, como é que eu não o sinto? — perguntou Paulo Guilherme.

— A maioria da Humanidade o tem adormecido, sufocado pela matéria. Todavia, há pessoas que o sentem e podem usá-lo. As pessoas que sabem usá-lo chamam-se médiuns, e para usá-lo tiveram de aprender. Aprender a usar esse dom diz-se desenvolver a mediunidade.

— E como poderemos desenvolvê-lo, Vovô? — perguntou Carolina Maria.

— A pessoa interessada deve dirigir-se a um Centro Espírita bem orientado e, ali, mediante exercícios, desenvolver sua mediunidade, tornando-se médium, ou seja, um intermediário entre os Espíritos encarnados e os desencarnados.

— É o que temos assistido nas sessões do Centro de Dona Corina, não é verdade, Vovô? — perguntou Angélica.

— Isso mesmo, minha neta. Nas sessões espíritas, os médiuns trabalham espalhando benefícios entre os encarnados e os desencarnados.

— Como é que podemos saber que devemos desenvolver nossa mediunidade, Vovô? — perguntou Thiago.

— Há sinais inequívocos disso, alguns dos quais poderei apontá-los: cérebro perturbado, sensação de peso na cabeça e nos ombros; nervosismo, ficamos irritados até por motivos sem importância; desassossego; insônia; arrepios frios, desagradáveis, e muitos outros.*

Refez-se o silêncio. A Lua surgiu no horizonte, espalhando luz suave pelos campos, pelas plantações afora, empalidecendo o brilho das estrelas. Uma coruja crocitou na mangueira e um curiango soltou seu canto à beira do pasto.

— Há muitos médiuns famosos, não, Vovô? — perguntou Vovó.

— Sim, e dentre eles, brilhando na história do Espiritismo, como fulge uma estrela de primeira grandeza no céu, cito-lhes Eusápia Paladino. Vou contar-lhes a história dela:

Eusápia Paladino nasceu em Nápoles, Itália, no ano de 1853. Era, por conseguinte, uma criança quando Allan Kardec codificava o Espiritismo. E quando adulta era de físico pequeno, membruda, modesta no vestir, de compleição plebeia e não agradável. A cabeça não era muito simétrica apesar de não apresentar nenhuma anormalidade, a não ser uma certa fixidez no olhar, do que as pupilas, por vezes, ganhavam um brilho fosforescente. Sua condição era humílima; viúva de um trabalhador braçal e ela própria costureira de roupas brancas, inculta ao máximo grau. Permaneceu mulher do povo, loquaz, rude de maneiras e de ânimo, não obstante o contato inesperado com as classes sociais mais elevadas.

Trabalha, trata de seus afazeres domésticos, cozinha o seu modesto almoço no pátio, e frequentemente um médico ilustre ou um senhor da aristocracia

---

* Ver A *Mediunidade sem Lágrimas*, do autor, Editora Pensamento, São Paulo, 1981.

surpreende-a no ato de cortar tomates ou de mexer o macarrão para si e para algum menino da vizinhança, pois que é estéril e gosta muito de crianças.

Eusápia Paladino tinha isto de particular: dada a exiguidade do cômodo em que morava, não fazia sessões em sua casa; mas ia a qualquer casa em que a chamassem para realizar uma sessão espírita; ela tinha o costume de não aceitar imediatamente o convite, mas fazia-se rogar um pouco, antes de aceitar.

A popularidade de Eusápia Paladino era enorme; chamavam-na os espíritas familiarmente de Sápio. Sua popularidade certamente ela a deveu em parte ao cavaleiro Chiaia, ao professor Capuano e a alguns outros que por ela sustentaram ardorosas polêmicas em público, a par de um interessado desejo de pesquisas.

As faculdades mediúnicas de Eusápia Paladino se manifestaram espontaneamente, como aliás em todos os médiuns de efeitos físicos da época. Ela não sabia explicar os fenômenos a que dava causa desde sua adolescência. Esses fenômenos se resumiam em sentir pancadas no móveis em que apoiava as mãos, sentir tirar-lhe violentamente objetos das mãos ou o vestido do corpo. Primeiro pensou que fosse uma doença; depois o mistério foi descoberto; e aceitou sua mediunidade e os deveres que ela lhe impunha com a doce serenidade dos napolitanos. E fatalisticamente aceitou os fenômenos que se produziam sem cessar, sem ao menos indagar a causa, ouvindo incondicionalmente todas as hipóteses, mesmo as mais absurdas, com que tentavam explicá-los.

Eusápia Paladino participou como médium ativo de um número considerável de sessões espíritas; perde-se a conta dessas sessões. Pessoas de todas as classes sociais da Europa, da América, artistas, aristocratas, professores, escritores, médicos, cientistas, membros de outras religiões, foram assistir às sessões espíritas de Eusápia Paladino.

Os fenômenos que se produziam por meio da mediunidade de Eusápia Paladino eram: um vento que assoprava violenta e inexplicavelmente, uma vez que todas as portas e janelas eram fechadas; os assistentes sentiam que eram tocados, apalpados por mãos invisíveis; transporte de móveis pesados, tais como mesas, cadeiras, poltronas, armários; luzes que apareciam imprevistamente; impressões de mãos em pratos de farinha ou em negro-de-fumo; e materializações de Espíritos atestadas por pessoas de absoluta confiança. Houve também algumas notáveis reproduções de rostos de Espíritos em gesso, inclusive o rosto da mãe de Eusápia Paladino, de notável naturalidade.

Como todos os médiuns, principalmente os do fim do século XIX e começo do século XX, teve de arrostar grandes sofrimentos morais, originados das polêmicas que se travavam entre os pesquisadores, negando os fatos alguns e chamando-a de charlatã, e defendida por outros que acreditavam na veracidade dos fenômenos produzidos por ela.

Esteve Eusápia Paladino em contínua correspondência com os luminares da Ciência do princípio do século, como William Crooks, Camilo Flamarion, Aksakof, Charles Richet, e, em Milão, deu uma série de sessões para servir de estudos a esses grandes estudiosos do Espiritismo científico.

Em Eusápia Paladino notava-se a verdade do que diz Jesus em seu Evangelho de Amor: "Graças te dou, Pai, por mostrares estas coisas aos simples e aos pequeninos".

Eusápia Paladino, médium, simples, pequenina, compreendia essas coisas e através de sua mediunidade tentava demonstrá-las aos vaidosos cientistas, mas estes eram como se vissem e ouvissem; porém, mantinham-se cegos e surdos aos apelos que nossos irmãos do mundo espiritual lhes faziam.

Vovô terminou. E Vovó, fechando sua cestinha de costura, convidou a todos:
— E agora vamos dormir, que já está na hora.

39ª Aula

Lei da Justiça, do Amor e da Caridade

Justiça e Direito Natural

— Hoje entraremos no estudo de um capítulo muito importante de O *Livro dos Espíritos*, o qual trata da lei de justiça, do amor e da caridade — anunciou Vovô, abrindo o serão.

— Como definir a justiça, Vovô? — foi a primeira pergunta do serão, feita por Paulo Guilherme.

— Justiça é uma virtude moral pela qual se atribui a cada indivíduo o que lhe compete. Por exemplo: praticar a justiça, isto é, dar a cada um aquilo a que tem direito; e também justiça é respeitar o direito de cada um. Justiça é um sentimento que Deus pôs no coração do homem, sentimento esse que é tanto mais forte quanto mais seja o progresso moral que o homem atingiu, isto é, que cada um de nós conquistou.

— Então, é uma lei natural, Vovô? — perguntou o sr. Vasco.

— E porque há tanta injustiça sobre a Terra, Vovô? — perguntou dona Corina.

— Porque o homem ainda é levado por suas paixões, pelo seu interesse e, assim, sempre que pode, sobrepõe seus interesses à justiça, falseando as coisas em seu proveito. E, respondendo à pergunta do sr. Vasco, digo-lhe: sim, a justiça é uma lei natural que se desenvolve paulatinamente no coração dos homens.

— O senhor falou sobre direito, Vovô. O que vem a ser o direito? — perguntou ainda Paulo Guilherme.

— O direito é um conjunto de leis ou normas que regem as relações entre os homens. É a faculdade de praticar um ato, de possuir, de ser dono de alguma coisa, de exigir ou dispor dela. O direito é determinado por duas leis: a lei humana e a lei natural. A lei humana determina os direitos dos homens; é feita por eles, e apropriada aos usos e costumes de uma época. Por exemplo, as leis da Idade Média nos horrorizam hoje, mas estavam de acordo com os usos e costumes daquele tempo; portanto, são variáveis, são progressivas; melhoraram à medida que o homem melhorou. A lei natural é a base de toda a justiça e Deus a põe no coração dos homens pelo desejo que cada um de nós tem de ver nossos direitos respeitados. E Cristo consubstanciou-a nesta simples frase: "Querer para os outros o que queremos para nós mesmos". Sempre que estivermos em dúvida quanto a praticar um ato para com nosso semelhante, perguntemos a nós mesmos se gostaríamos que alguém praticasse o mesmo ato para conosco. E nossa consciência responderá fazendo-nos respeitar o direito natural, ou seja, a lei natural.

— Com base no que o senhor acaba de nos ensinar, Vovô, qual seria o caráter de um homem que praticasse a justiça em toda a sua pureza? — perguntou o sr. Vésper.

— Encerrando esse assunto, leiamos em *O Livro dos Espíritos* o comentário de Allan Kardec, e a resposta de um Espírito instrutor à pergunta nº 879:

"O critério da verdadeira justiça é de fato o de se querer para os outros aquilo que se quer para si mesmo, e não o de querer para si o que se deseja para os outros, o que não é a mesma coisa. Como não é natural que se queira o próprio mal, se tomarmos o desejo pessoal por norma ou ponto de partida, podemos estar certos de jamais desejar para o próximo senão o bem. Desde todos os tempos, em todas as crenças, o homem procurou sempre fazer prevalecer o seu direito pessoal. O sublime da religião cristã foi tomar o direito pessoal por base do direito do próximo.

"Qual seria então, o caráter do homem que praticasse a justiça em toda sua pureza?

"O verdadeiro justo, a exemplo de Jesus, porque praticaria também o amor ao próximo e a caridade, sem o que não há verdadeira justiça."

Direito de Propriedade. Roubo

— Já que estamos falando de direitos, qual é o primeiro de todos os direitos naturais do homem, Vovô? — perguntou dona Purezinha.

— O primeiro de todos os direitos é o de viver; por isso é que ninguém tem o direito de atentar contra a vida de seu semelhante, ou praticar algo que lhe possa comprometer a existência.

— Temos o direito de defender o que é nosso, Vovô? — perguntou o sr. Vasco.

— Certamente. Temos o direito de defender o que é nosso e o dever de jamais nos apropriar do que não é nosso. "Aquilo que o homem ajunta pelo seu trabalho honesto é uma propriedade legítima, que ele tem o direito de defender. Porque a propriedade, que é o fruto do trabalho, constitui um direito natural, tão sagrado como o de trabalhar e viver", ensina-nos O Livro dos Espíritos. E lembrem-se sempre: a propriedade só é legítima quando adquirida sem prejuízo dos outros.

Caridade e Amor ao Próximo

— Como é que o senhor define a caridade, Vovô? — perguntou Thiago.

— Caridade, tal qual a entende Jesus, é: benevolência para com todos, indulgência para com as imperfeições alheias, perdão das ofensas. Eis como Allan Kardec comenta essa definição:

"O amor e a caridade são o complemento da lei de justiça, porque amar o próximo é fazer-lhe todo o bem possível, que desejaríamos que nos fosse feito. Tal é o sentido das palavras de Jesus: 'Amai-vos uns aos outros como irmãos'.

"A caridade, segundo Jesus, não se restringe à esmola, mas abrange todas as relações com os nossos semelhantes, quer se trate de nossos inferiores, iguais ou superiores. Ela nos manda ser indulgentes, porque temos necessidade de indulgência, e nos proíbe humilhar o infortunado, ao contrário do que comumente se pratica. Se um rico nos procura, atendemo-lo com excesso de consideração e atenção; mas se é um pobre, parece que não nos devemos incomodar com ele. Quanto mais, entretanto, sua posição é lastimável, mais devemos temer aumentar-lhe a desgraça pela humilhação. O homem verdadeiramente bom procura elevar o inferior aos seus próprios olhos, diminuindo a distância entre ambos."

— Jesus também nos recomenda que amemos os nossos inimigos, Vovô. Como é isso possível, se nossa tendência íntima é repudiá-los? — perguntou dona Angelina.

— Em primeiro lugar, meus caros, precisamos evitar por todos os meios ter inimigos, o que é possível se aplicarmos a lei do perdão a tudo quanto de desagradável nos fizerem. Todavia, caso se der que os tenhamos, logicamente que não conseguiremos amá-los de um amor terno e apaixonado. Entretanto, tomem nota: amar aos inimigos é perdoá-los e pagar-lhes o mal com o bem. É assim que nos tornaremos superiores; pela vingança nós nos colocaremos abaixo deles.

— Isto é: a vingança nos fará voltar ao nível dos australopitecos, não é verdade, Vovô? — disse Bruno.

— E a esmola, Vovô, o que podemos pensar dela? — perguntou dona Purezinha.

— A resposta a essa pergunta foi dada a Allan Kardec pelo Espírito de São Vicente de Paulo. São Vicente de Paulo foi um religioso francês nascido em 1581 e desencarnado em 1660. Tomou contato com a miséria e o sofrimento como padre e capelão nas galeras, e fundou numerosas obras de caridade, entre as quais se destaca a das crianças abandonadas.

— Nas galeras, Vovô, o que vêm a ser? — perguntou Luís Felipe.

— Naquele tempo os navios eram movidos a vento e a remos. Os criminosos condenados às galeras eram os galés, acorrentados aos remos e passavam o resto da vida ali, até que a morte os libertasse. São Vicente de Paulo, tocado de compaixão, dedicou sua vida a cuidar desses infortunados e dos sofredores de qualquer espécie. Eis a respeito da esmola o que ele disse a Allan Kardec, que o reproduz em seu O *Livro dos Espíritos*:

"O que pensar da esmola?

"O homem reduzido a pedir esmolas se degrada moral e fisicamente: se embrutece. Numa sociedade baseada na lei de Deus e na justiça, deve-se prover a vida do fraco sem humilhação para ele. Deve-se assegurar a existência dos que não podem trabalhar, sem deixá-los à mercê do acaso e da boa vontade.

"Então condenais a esmola?

"Não, pois não é a esmola que é censurável, mas quase sempre a maneira por que ela é dada. O homem de bem, que compreende a caridade segundo Jesus, vai ao encontro do desgraçado sem esperar que ele lhe estenda a mão.

"A verdadeira caridade é sempre boa e benevolente; tanto está no ato quanto na maneira de fazê-la. Um serviço prestado com delicadeza tem duplo valor; se o for com altivez, a necessidade pode fazê-lo aceito, mas o coração mal será tocado.

"Lembrai-vos ainda de que a ostentação apaga aos olhos de Deus o mérito do benefício. Jesus disse: 'Que a vossa mão esquerda ignore o que faz a direita'.. Com isso ele vos ensina a não manchar a caridade pelo orgulho.

"É necessário distinguir a esmola propriamente dita da beneficência: o mais necessitado nem sempre é o que pede; o temor da humilhação retém o verdadeiro pobre, que quase sempre sofre sem se queixar. É esse que o homem verdadeiramente humano sabe assistir sem ostentação.

"Amai-vos uns aos outros: eis toda a lei, divina lei pela qual Deus governa os mundos. O amor é a lei de atração para os seres vivos e organizados, e a atração é a lei do amor para a matéria inorgânica.

"Não olvideis jamais que o Espírito, qualquer que seja o seu grau de adiantamento, sua situação como encarnado ou na erraticidade, está sempre entre um superior que o guia e aperfeiçoa e um inferior, perante o qual tem deveres iguais a cumprir. Sede, portanto, caridosos, não somente dessa caridade que vos leva a tirar do bolso o óbulo que friamente atirais ao que ousa pedir-vos, mas ide ao encontro das misérias ocultas. Sede indulgentes para com os erros dos vossos semelhantes. Em lugar de desprezar a ignorância e o vício, instruí-os e moralizai-os. Sede afáveis e benevolentes para com todos os que vos são inferiores; sede-o mesmo para com os mais ínfimos seres da Criação, e tereis obedecido à lei de Deus."

São Vicente de Paulo

— Agora, quem nos dá uma definição imortal da caridade, ou seja, do amor ao próximo é o Apóstolo Paulo em sua primeira carta aos Coríntios, na qual nos demonstra a suprema excelência da caridade, ou seja, a suprema excelência do amor ao próximo.

E Vovô, folheando a Bíblia, leu:

"Se eu falar a língua dos homens e dos anjos e não tiver caridade, sou como o metal que soa, ou como o sino que tine. E se eu tiver o dom da profecia, e conhecer todos os mistérios, e quanto se pode saber; e se tiver toda a fé, até o ponto de transportar montanhas, e não tiver caridade, não sou nada. E se eu distribuir todos os meus bens em sustento dos pobres, e entregar o meu corpo para ser queimado, se todavia não tiver caridade, nada disto me aproveita. A caridade é paciente, é benigna; a caridade não é invejosa, não obra temerária nem precipitadamente, não se ensoberbece, não é ambiciosa, não busca os seus próprios interesses, não se irrita, não suspeita o mal, não folga com a injustiça, mas folga com a verdade, tudo tolera, tudo crê, tudo espera, tudo sofre. Agora pois permanecem a fé, a esperança, a caridade: estas três virtudes; porém, a maior delas é a caridade".

— Parece-me, Vovô, que tais palavras nos demonstram claramente que apenas dar esmolas não é praticar toda a caridade, estou certa? — perguntou dona Purezinha.

— Sim, dar esmolas é uma parte da caridade. A caridade em seu mais alto sentido, é um profundo amor ao próximo. Caridade é amor, amor que nos leva até a sacrifícios em benefício dos outros, sem qualquer distinção social; é isso que Paulo nos convida a fazer.

— Fale-nos alguma coisa sobre ele, Vovô — pediu Paulo Guilherme.

— Paulo brilha na história do Cristianismo como o Sol no periélio. Jesus fundou o Cristianismo, e Paulo semeou-o pelo mundo, não o deixando morrer. Sem Paulo, o Cristianismo não se tornaria uma religião universal, e acabaria como uma seita obscura e esquecida na Palestina. Quem nos conta bem a história dele é Lucas em seu livro Atos dos Apóstolos, que hoje faz parte integrante do Novo Testamento, o Evangelho de Jesus. Resumindo lhes direi que Saulo de

Tarso, cujo nome trocou depois por Paulo de Tarso, sendo Tarso sua cidade natal, foi um judeu leal, cujo maior desejo foi o de propagar o Evangelho de Jesus por toda a Terra, iniciando assim o Cristianismo. Indo de Jerusalém para Damasco com a missão de prender os cristãos, um ano ou dois depois da morte de Jesus, pois no começo Paulo foi um perverso perseguidor dos discípulos de Jesus, Saulo teve uma grande revelação, através da qual ele se tornou imediatamente um ardoroso batalhador a favor do Cristianismo sob o nome de Paulo. Fisicamente forte e possuidor de imensa coragem, viajou pelos países do Oriente, do Mediterrâneo e da Europa, sofrendo toda a sorte de perigos, de dificuldades e de privações para pregar o Evangelho e suas novas normas de vida. Foi, acima de tudo, um homem de ação, jamais se desencorajando, um intemerato pregador, um magnífico escritor e empregou suas grandes qualidades em difundir os ensinamentos de Jesus. Leiam o Atos dos Apóstolos e vocês verão.

Amor Maternal e Filial

— Uma pergunta, talvez um tanto indiscreta, Vovô: o amor maternal é uma virtude ou um sentimento instintivo comum aos homens e aos animais? — perguntou dona Angelina.

— É uma coisa e outra: a Natureza deu à mãe o amor pelos filhos no interesse de sua conservação; mas no animal esse amor é limitado às necessidades materiais e cessa tão logo o filhote já não precise da mãe. No homem ele persiste por toda a vida, e torna-se um devotamento e uma abnegação que constituem virtudes e sobrevive mesmo à própria morte.

— Eu tive uma vizinha que odiava um de seus filhos, sem saber por quê. Por mais que ela se esforçasse não conseguia vencer esse mau sentimento. Qual seria a causa, Vovô? — perguntou dona Emerenciana.

— Possivelmente a causa estivesse no passado; talvez ele tenha sido um mau pai ou um mau filho, ou prejudicado muito a mãe atual; e agora junto a ela, procurasse redimir-se. Lembrem-se sempre: não há efeito sem causa.

— E os filhos que causam desgostos a seus pais, muito embora tenham sido tratados com todo o carinho, Vovô? — perguntou dona Corina.

— Há duas explicações: primeira, é um encargo que foi confiado aos pais de levar esses Espíritos para o caminho do bem; se o conseguirem ganham muito mérito. Segundo: pode ser o efeito, a consequência dos maus costumes que os pais deixaram os filhos seguirem desde o berço, e agora colhem o que semearam.

— Mas já está na hora da tertúlia — convidou o sr. Vésper.

— Se me permitem, lerei a história de Hahnemann, o criador da homeopatia que achei na biblioteca de Vovô — disse Paulo Guilherme.

— E, se me permitem também — ajuntou Carolina Maria —, convido-os para, depois da leitura, darem cabo de um bolo de fubá que comadre Zita está para tirar do forno.

— Mas, como está falando bem a nossa madame! Três hurras para ela! — exclamou tio Vésper.

Hahnemann, o Criador da Homeopatia

Entre os médicos célebres, Hahnemann ocupa um lugar muito particular, porque suas concepções terapêuticas, ousadas para sua época, ainda permanecem vivas, malgrado tanto tempo decorrido. A homeopatia, que se baseia nas ideias gerais de Hahnemann, é inegavelmente um notável traço de união entre a medicina hipocrática e a medicina contemporânea.

Nasceu no dia 10 de abril de 1755, na Saxônia, província da atual Alemanha, e recebeu o nome de Samuel Hahnemann. Seu pai era pintor de uma fábrica de objetos de porcelana, e levava uma vida pautada pela honestidade e pelo amor ao trabalho.

Mal iniciava seus estudos, seu pai, premido pelas dificuldades econômicas, tencionava fazê-lo abandonar os mesmos e empregá-lo no comércio ou na indústria. Entretanto, seu mestre, Dr. Müller, com o carinho de sua abnegada mãe, obteve do rei uma bolsa de estudos, que lhe permitiu prosseguir sua instrução. Com 20 anos, terminados seus estudos na Escola Real de Santo Afra, Hahnemann chegou a Leipzig disposto a estudar medicina. Para poder manter-se, traduzia obras francesas e inglesas. Em 1799, defendeu tese de doutorado: "Considerações etiológicas e terapêuticas sobre afecções espasmódicas".

Clinicou inicialmente em Hehsted, e depois em Dessau. Nas horas de lazer, Hahnemann continuava a ler autores estrangeiros e médicos antigos e a meditar sobre as doutrinas e teorias contraditórias da medicina, comparando-as entre si e com a realidade de cada dia. Percebia claramente a desproporção existente entre a doença, sob todas as formas, e a fraqueza dos meios que a medicina lhe oferecia. Praticou sangrias, lavagens e receitava drogas, mas cada vez mais se convencia da inutilidade desses tratamentos. Essas constatações criaram-lhe irreprimível estado de angústia e grandes escrúpulos de consciência. Causava-lhe repugnância clinicar e receitar medicamentos inúteis e até nocivos aos doentes. Para atender à voz de sua consciência, embora já casado e com filhos, resignou-se a ganhar a vida como tradutor, em vez de explorar a enorme clientela que já se formava.

Continuou com afinco a estudar Química, que começava a se desenvolver extraordinariamente, e as obras de médicos célebres, procurando com afinco um meio eficaz de cura terapêutica. A essa ansiedade profissional, juntavam-se a angústia material e o sofrimento moral: sua esposa não compreendia os escrúpulos de consciência de Samuel, que suportava com uma infinita paciência todas as discussões, embora permanecesse inamovível em sua decisão.

A doença então abateu-se sobre seus filhos. E foi na cabeceira das crianças, em seu lar sempre agitado, que Hahnemann, surdo às críticas maldizentes, fez algumas observações que o levaram à comprovação de algumas leis universais elementares. Começou a observar o efeito dos medicamentos sobre o organismo humano sadio: as modificações sofridas deviam ter um significado qualquer. Mais tarde, em 1790, traduzindo a Matéria médica de Crellen, ficou impressionado pela descrição das propriedades do quinino. Estudando-as minuciosamente em si mesmo, percebeu que essa droga desencadeava nele crises febris idênticas àquelas habitualmente tratadas e curadas pelo quinino. Renovou com ardor as experiências com o quinino, e estendeu-as ao mercúrio, à beladona e ao digitális, comprovando a antiga lei de semelhança: "As substâncias que provocam determinadas anomalias servem para curar anomalias semelhantes às provocadas". Durante longos anos, Hahnemann dedicou-se ao estudo das relações naturais do homem são e do homem doente com os diferentes medicamentos, fundando a homeopatia sobre a lei da semelhança, da individualização da doença e do medicamento, e descobrindo o poder dos remédios diluídos. Todo esse imenso trabalho foi realizado com o auxílio de seus filhos, amigos e alunos. Deixou obras notáveis como: *Fragmentos Sobre as Propriedades Positivas dos Medicamentos*; *Arte de Curar*; *A Matéria Médica Pura* e *O Tratado das Doenças Crônicas*.

Em 1830, desencarnou sua esposa, companheira de trabalhos e sacrifícios. Em 1835, Hahnemann viaja para Paris em companhia de sua segunda esposa, uma jovem parisiense que fora procurá-lo em busca de cura para seus males. Na Franca, sua celebridade e prosperidade chegou ao auge e seu tempo se dividia entre a clientela numerosíssima, o trabalho de atualização e reedição de suas obras, a correspondência com seus discípulos e a polêmica com seus adversários, tudo isso numa atmosfera de luxo, de elegância e de arte.

A 2 de julho de 1843, com 88 anos, desencarnou esse médico genial, cuja vida foi das mais movimentadas, das mais difíceis e com os maiores contrastes entre a pobreza e o luxo, entre o ódio e a dedicação, sempre com um único objetivo, porém: curar os que nele confiavam.

40ª Aula

Perfeição Moral

As Virtudes e os Vícios

— E as virtudes. O que é uma pessoa virtuosa, Vovô? — perguntou comadre Zita.

— Virtude é uma caridade moral. Virtuosa é uma pessoa que tem disposição firme e habitual para a prática do bem. É uma pessoa que compreende o verdadeiro significado da caridade. A sublimidade da virtude consiste no sacrifício do interesse pessoal para o bem do próximo, sem segunda intenção. A mais meritória é aquela que se baseia na caridade mais desinteressada.

— E os vícios, Vovô? — perguntou o sr. Anselmo.

— Os vícios, do menorzinho ao maior, não fazem parte de uma pessoa virtuosa, porque demonstram sua inferioridade, sua imperfeição. O viciado é descaridoso para consigo mesmo, além de o ser para com a família; o vício lhe arruína o corpo e lhe atrasa o progresso espiritual.

Nos mundos superiores, habitados por Espíritos Superiores — isto é, por bons Espíritos, pois a bondade demonstra a superioridade de um Espírito — o bem, a caridade são praticados espontaneamente, sem esforço nenhum. É verdade que aqui na Terra, posto que raras, encontramos pessoas que também assim o fazem. São Espíritos que lutaram no passado e venceram; os bons sentimentos não lhes custam nada. Quando aqui na Terra o número deles não for exceção, a Humanidade caminhará para a felicidade, e os homens serão felizes como são felizes os habitantes dos mundos mais adiantados do que o nosso.

— Afora os vícios e os defeitos que facilmente são reconhecíveis em qualquer pessoa, qual o sinal mais marcante da imperfeição, Vovô? — perguntou dona Angelina.

— O interesse pessoal: esse, a pedra de toque. Há indivíduos realmente bons, que já demonstram um progresso, mas não suportam que se lhes bula em seus interesses. Quando isso ocorre, bumba! Lá se vai a bondade, e vemos então o fundo do tacho...

— Ai de quem lhes pisa no calo, não, Vovô? Tenho um cliente assim — disse o sr. Vésper. — É muito bom, porém duro de trabalhar com ele.

— O verdadeiro desinteresse é ainda raro na Terra. O apego às coisas materiais é a regra geral, o que muito contribui para a inferioridade do nosso planeta.

— Vovô, há pessoas desinteressadas a ponto de esbanjarem o que têm, sem proveito real; como o senhor as qualifica? — perguntou dona Purezinha.

— São os pródigos: jogam fora o que possuem, sem beneficiarem ninguém. A prodigalidade impensada é sempre, no mínimo, uma falta de juízo. A fortuna dada pela Providência Divina não é para ser lançada ao vento, como também não é para ser trancada num cofre. A fortuna é um depósito que lhes concede o Altíssimo, do qual terão de prestar contas como um depositário infiel. A fortuna na mão de quem quer que esteja deve sempre gerar benefícios, e não ser atirada pela janela, ou aferrolhada numa caixa forte.

— E aqueles que fazem o bem calculadamente, isto é, visando a uma situação melhor...

— Fazem o bem esperando que Deus os ajude, não é, dona Emerenciana? — ajuntou comadre Zita.

— Estes têm, por certo, o seu mérito; mas o bem mesmo, o bem mais agradável a Deus é aquele que se faz sem segundas intenções. O bem interesseiro não parte do coração. O egoísta é o que faz o bem visando a lucros nesta ou na outra existência.

— Sem um exemplo disso, Vovô, não compreendo — disse Paulo Guilherme.

— Nem eu — ajuntou Carolina Maria.

— É fácil. Há possuidores de bens que durante a vida não deram um centavo a ninguém, não beneficiaram ninguém; mas quando se lhes abre o testamento, há uma porção de distribuições a casas de caridade, a instituições, a pobres, etc., etc. Julgam com isso redimirem-se da sovinice em que viveram...

— Deram porque não podiam levar, não é, Vovô? — disse Thiago.

— É como diziam os latinos do tempo de Cícero: *Do ut dês*, ou seja, eu dou para que me dês — disse o sr. Vésper.

— Uma vez que temos de deixar a Terra, há vantagem em se estudar as ciências, por exemplo, Vovô? — perguntou Paulo Guilherme.

— Claro que há, meu neto! A Terra é uma grande Universidade, onde recebemos lições morais, intelectuais e espirituais. Essas três matérias formam a sabedoria, apanágio dos Espíritos Superiores.

— E os defeitos alheios, Vovô, há culpa em a gente reparar neles, mesmo para corrigi-los? — perguntou Luís Felipe.

— Meu caro Luís Felipe. Aquele que repara em seus próprios defeitos para corrigi-los tem muito pouco tempo para se importar com os alheios e querer emendá-los, certo? Pois já Jesus nos disse: "Vocês veem o cisco que está nos olhos dos outros mas não enxergam a pedra que têm nos seus próprios olhos".

Das Paixões

— E as paixões, de que falam tanto, Vovô? — perguntou dona Angelina.

— A paixão é um sentimento excessivo que uma pessoa nutre por alguma coisa; por exemplo: a paixão pelo dinheiro, leva-a à avareza; a paixão pelo jogo, leva-a à miséria; a paixão por alguém, leva-a ao ciúme e por vezes ao crime; a paixão pelo vício, arrasa-lhe a existência, e assim por diante.

— Então, todas as paixões são perniciosas, Vovô? — perguntou o sr. Vasco.

— Nem sempre. Por exemplo, a paixão pelas Artes, Pintura, Música, Literatura, Escultura, Arquitetura, pela Ciência, pelo estudo, pela família, pode levar o indivíduo a realizações sublimes. Todavia, é sempre conveniente controlar nossas paixões, isto é, nossos sentimentos, a fim de não cairmos em excessos. Como vocês notaram, as paixões podem conduzir-nos a grandes coisas. O abuso a que o homem se entrega é que causa o mal. As paixões são como um cavalo: útil quando o governamos, perigoso quando é ele que governa. Atualizando isso que lemos em O Livro dos Espíritos, direi que as paixões são como os automóveis: úteis quando dirigidos com prudência, perigosos nas mãos de motoristas imprudentes. Comentando tal assunto, eis o que nos diz Allan Kardec:

"As paixões são alavancas que duplicam as forças do homem e o ajudam a cumprir os desígnios da Providência. Mas, se em vez de as dirigir, o homem se deixa dirigir por elas, cai no excesso e a própria força que em suas mãos poderia fazer o bem recai sobre ele e o esmaga.

"Todas as paixões têm seu princípio num sentimento ou numa necessidade da Natureza. O princípio das paixões não é, portanto, um mal, pois repousa sobre uma das condições providenciais da nossa existência. A paixão propriamente dita é o exagero de uma necessidade ou de um sentimento; está no excesso e não na causa; e esse excesso se torna mau quando tem por consequência algum mal.

"Toda paixão que aproxima o homem da Natureza animal o afasta da Natureza espiritual.

"Todo sentimento que eleva o homem acima da Natureza animal anuncia o predomínio do Espírito sobre a matéria e o aproxima da perfeição."

— Nossas más tendências podem ser vencidas por nós mesmos, Vovô? — perguntou Bruno.

— Se tivermos vontade para isso podem, e os bons Espíritos nos ajudarão; a oração sincera os atrai para junto de nós e eles compartilham de nossos esforços com muito boa vontade. Há muita gente que diz "quero", mas só da boca para fora; no seu íntimo compraz-se com elas, o que é um sinal evidente de sua inferioridade. Vencer suas más tendências, suas más paixões, suas más inclinações, é um triunfo do Espírito sobre a matéria.

— Como podemos combater a predominância do nosso corpo sobre o nosso Espírito, Vovô? — perguntou dona Corina.

— Pela abnegação. Abnegar-se é renunciar. É fazer o bem desinteressadamente sem olhar a quem. É devotar-se, fazendo o bem pelo bem, sem esperar recompensa de espécie alguma.

Do Egoísmo

— O que o senhor nos diz do egoísmo, Vovô? — perguntou dona Purezinha.

— Oh! O egoísmo! O egoísmo é um vício radical, fundamental; dele se deriva todo o mal que infelicita o mundo; é o excessivo amor por nós próprios, unicamente pelo nosso bem-estar, pelos nossos interesses; é o exagerado cuidado por nós mesmos, pouco ou nada nos importando os outros.

E em quaisquer circunstâncias o egoísta pensa: "Primeiro eu e depois eu também". Infelizmente, todos nós, uns mais outros menos, temos esse vício.

— Como, Vovô? — perguntou Thiago.

— Analisem os atos humanos, e dificilmente verão um que não contenha uma parcela maior ou menor de egoísmo.

— Então, Vovô, a Angélica é egoísta, porque ela sempre quer o pedaço maior dos bolos que comadre Zita faz! — disse Bruno.

— Ah! É? E você que não se contenta com um pires só de doce; sempre quer dois. Não é verdade, comadre Zita?

Nhá Zita respondeu com uma gostosa risada, e Vovô continuou:

— O egoísmo é uma chaga inata no coração do homem; ela o acompanha desde o tempo em que ele era um australopiteco; é uma prova da sua imperfeição. Precisamos curar-nos dela.

— E como, Vovô? — perguntou dona Purezinha.
— Cultivando o altruísmo. O altruísmo é o contrário do egoísmo. A pessoa altruísta pensa primeiro nos outros antes de pensar em si.
— Vou explicar — disse o sr. Vésper. — *Egoísmo* vem do latim *ego*, que quer dizer *eu*, mais o sufixo grego *ismo*, e significa demasiado amor a seus interesses sem atender aos dos outros. *Altruísmo* origina-se do latim *alter*, e se traduz por outro, junto ao mesmo sufixo e exprime amor ao próximo, abnegação, filantropia. Poderei, Vovô, ler em O *Livro dos Espíritos* o que Fenelon nos diz sobre o egoísmo?
— À vontade, caro Vésper.
— Fenelon foi um prelado e escritor francês do século XVIII; escreveu vários livros, dentre os quais lhes recomendo *As Aventuras de Telêmaco*, sempre atual.
"*Pergunta 917* — Qual o meio de se destruir o egoísmo? — pergunta Allan Kardec.
"*Resposta:* De todas as imperfeições humanas, a mais difícil de desenraizar é o egoísmo, porque se liga à influência da matéria, da qual o homem, *anda muito próximo de sua origem*, não pôde libertar-se. Tudo concorre para manter essa influência: suas leis, sua organização social, sua educação. O egoísmo se enfraquecerá com a predominância da vida moral sobre a vida material, e sobretudo com a compreensão que o Espiritismo vos dá quanto ao vosso *futuro real*, e não desfigurado pelas ficções alegóricas. O Espiritismo bem-compreendido, quando estiver identificado com os costumes e as crenças, transformará os hábitos, as usanças e as relações sociais. O egoísmo se funda na importância da personalidade; ora, o Espiritismo bem compreendido, repito-o, faz ver as coisas de tão alto que o sentimento da personalidade desaparece de alguma forma perante a imensidade. Ao destruir essa importância, ou pelo menos ao fazer ver à personalidade aquilo que de fato ela é, ele combate necessariamente o egoísmo.
"É o contato que o homem experimenta do egoísmo dos outros que o torna geralmente egoísta, porque sente a necessidade de se pôr na defensiva. Vendo que os outros pensam em si mesmos e não nele, é levado a ocupar-se de si mesmo mais que dos outros. Que o princípio da caridade e da fraternidade seja a base das instituições sociais, das relações legais de povo para povo e de homem para homem, e este pensará menos em si mesmo quando vir que os outros o fazem; sofrerá assim a influência moralizadora do exemplo e do contato. Em face do atual desdobramento do egoísmo, é necessária uma verdadeira virtude para abdicar da própria personalidade em proveito dos outros, que em geral não o reconhecem. É a esses, sobretudo, que possuem essa virtude, que está aberto o reino dos céus; a eles sobretudo está reservada a felicidade dos eleitos, pois em verdade

vos digo que, no dia do juízo, quem quer que não tenha pensado senão em si mesmo será posto de lado e sofrerá o abandono."

— Até aqui Fenelon; vamos agora ao comentário de Allan Kardec: "Louváveis esforços são feitos, sem dúvida, para ajudar a Humanidade a avançar; encorajam-se, estimulam-se, honram-se os bons sentimentos, hoje mais do que em qualquer outra época, e não obstante, o verme devorador do egoísmo continua a ser a praga social. É um verdadeiro mal que se espalha por todo o mundo e do qual cada um é mais ou menos vítima. É necessário combatê-lo, portanto, como se combate uma epidemia. Para isso, deve-se proceder à maneira dos médicos: remontar à causa. Que se pesquisem em toda a estrutura da organização social, desde a família até os povos, da choupana ao palácio, todas as causas, as influências patentes ou ocultas que excitam, entretêm e desenvolvem o sentimento do egoísmo. Uma vez conhecidas as causas, o remédio se apresentará por si mesmo; só restará então combatê-las, senão a todas ao mesmo tempo, pelo menos por partes, e pouco a pouco o veneno será extirpado. A cura poderá ser prolongada porque as causas são numerosas, mas não se chegará a esse ponto se não se atacar o mal pela raiz, ou seja, com a educação. Não essa educação que tende a fazer homens instruídos, mas a que tende a fazer homens de bem. A educação, se for bem compreendida, será a chave do progresso moral. Quando se conhecer a arte de manejar os caracteres como se conhece a de manejar as inteligências, poder-se-á endireitá-los, da mesma maneira como se endireitam as plantas novas. Essa arte, porém, requer muito tato, muita experiência e uma profunda observação. É um grave erro acreditar que basta ter a ciência para aplicá-la de maneira proveitosa. Quem quer que observe, desde o instante do seu nascimento, o filho do rico como o do pobre, notando todas as influências perniciosas que agem sobre eles em consequência da fraqueza, da incúria e da ignorância dos que os dirigem, e como em geral os meios empregados para moralizar fracassam, não pode admirar-se de encontrar no mundo tanta confusão. Que se faça pela moral tanto quanto se faz pela inteligência e ver-se-á que, se há naturezas refratárias, há também, em maior número do que se pensa, as que requerem apenas boa cultura para darem bons frutos.

"O homem quer ser feliz e esse sentimento está na sua própria natureza; eis por que ele trabalha sem cessar para melhorar a sua situação na Terra e procura as causas de seus males para os remediar. Quando compreender bem que o egoísmo é uma dessas causas, aquela que engendra o orgulho, a ambição, a cupidez, a inveja, o ódio, o ciúme, dos quais a todo o momento ele é vítima, que leva a perturbação a todas as relações sociais, provoca as dissensões, destrói a confiança, obrigando-o a se manter constantemente numa atitude de defesa em face ao seu vizinho, e que, enfim, do amigo se faz um inimigo, então ele compreenderá também que esse vício é incompatível com a sua própria felicidade. Acrescentaremos que é incompatível com a sua própria segurança. Dessa maneira, quanto mais ele sofrer mais ele sentirá necessidade de o combater, como combate a peste, os animais daninhos e todos os outros flagelos.

"O egoísmo é a fonte de todos os vícios, como a caridade é a fonte de todas as virtudes. Destruir um e desenvolver a outra deve ser o alvo de todos os esforços do homem, se ele deseja assegurar a sua felicidade neste mundo, tanto quanto no futuro."

Caracteres do Homem de Bem

— Quais os sinais pelos quais se reconhece um Espírito encarnado adiantado, um homem de bem, um altruísta? — perguntou dona Corina.

— Recorramos a O *Livro dos Espíritos*:

"O verdadeiro homem de bem é aquele que pratica a lei da justiça, do amor e da caridade na sua mais completa pureza. Se interroga a sua consciência sobre os atos praticados, perguntará se não violou essa lei, se não cometeu nenhum mal, se fez todo o bem que podia, se ninguém teve de se queixar dele, enfim, se fez para os outros tudo o que queria que os outros lhe fizessem.

"O homem possuído pelo sentimento de caridade e de amor ao próximo faz o bem pelo bem, sem esperança de recompensa, e sacrifica seu interesse pela justiça.

"Ele é bom, humano e benevolente para com todos, porque vê irmãos em todos os homens, sem exceção de raças ou de crenças.

"Se Deus lhe deu o poder e a riqueza, olha essas coisas como um depósito do qual deve usar para o bem, e disso não se envaidece porque sabe que Deus, que lhos deu, também poderá retirá-los.

"Se a ordem social colocou homens sob a sua dependência, trata-os com bondade e benevolência, porque são seus iguais perante Deus; usa de sua autoridade para lhes erguer a moral e não para os esmagar com o seu orgulho.

"É indulgente para com as fraquezas dos outros, porque sabe que ele mesmo tem necessidade de indulgência e se recorda destas palavras do Cristo: 'Que aquele que estiver sem pecado atire a primeira pedra'.

"Não é vingativo; a exemplo de Jesus, perdoa as ofensas para não se lembrar senão dos benefícios, porque sabe que lhe será perdoado assim como tiver perdoado.

"Respeita, enfim, nos seus semelhantes, todos direitos decorrentes da lei natural, como desejaria que respeitassem os seus."

— É um belo programa de vida, não, Vovô?! — exclamou Luís Felipe.
— Se é, meu caro neto! Cumprindo-o, você deixará para trás todos os seus restos australopitecos.

Conhecimento de Si Mesmo

— Como é que a gente pode melhorar-se, Vovô? — perguntou Carolina Maria.
— Um sábio da Antiguidade já nos disse: "Conhece-te a ti mesmo". E Santo Agostinho em O *Livro dos Espíritos* nos ensina:

"Fazei o que eu fazia quando vivi na Terra: no fim de cada dia, interrogava a minha consciência, passava em revista o que havia feito e perguntava a mim mesmo se não tinha faltado ao cumprimento de algum dever, se ninguém teria tido motivo para se queixar de mim. Foi assim que cheguei a me conhecer e ver o que em mim necessitava de reforma. Aquele que todas as noites lembrasse todas as ações do dia e se perguntasse o que fez de bem ou de mal, pedindo a Deus e ao seu anjo guardião que o esclarecessem, adquiriria uma grande força para se aperfeiçoar, porque, acreditai-me, Deus o assistirá. Formulai, portanto, as vossas perguntas, indagai o que fizestes e com que fito agistes em determinada circunstância, se dissestes alguma coisa que censuraríeis nos outros, se praticastes uma ação que não ousaríeis confessar. Perguntai ainda isto: Se aprouvesse a Deus chamar-me neste momento, ao entrar no mundo dos Espíritos, onde nada é oculto, teria eu de temer o olhar de alguém? Examinai o que pudésseis ter feito contra Deus, depois contra o próximo e, por fim, contra vós mesmos. As respostas serão motivo de repouso para vossa consciência ou indicarão um mal que deve ser curado.

"O conhecimento de si mesmo é, portanto, a chave do melhoramento individual. Mas, direis, como julgar a si mesmo? Não se terá a ilusão do amor próprio, que atenua as faltas e as torna desculpáveis? O avaro se julga simplesmente econômico e previdente, o orgulhoso se considera tão somente cheio de dignidade. Tudo isso é muito certo, mas tendes um meio de controle que não vos pode enganar. Quando estais indecisos quanto ao valor de uma de vossas ações, perguntais como a qualificaríeis se tivesse sido praticada por outra pessoa. Se a censurardes em outros, ela não poderia ser mais legítima para vós, porque Deus não usa de duas medidas para a justiça. Procurai também saber o que pensam os outros e não negligencieis a opinião dos vossos inimigos, porque eles não têm nenhum interesse em disfarçar a verdade e geralmente Deus os colocou ao vosso lado como um espelho, para vos advertirem com mais franqueza do que o faria um amigo. Que aquele que tem a verdadeira vontade de se melhorar, portanto, explore a sua consciência, a fim de arrancar dali as más tendências como arranca as ervas daninhas do seu jardim; que faça um balanço de sua jornada moral como o negociante o faz de seus lucros e perdas, e eu vos asseguro que o primeiro será mais proveitoso que o outro. Se ele puder dizer que sua jornada foi boa, pode dormir em paz e esperar sem temor o despertar na outra vida.

"Formulai, portanto, perguntas claras e precisas e não temais multiplicá-las: pode-se muito bem consagrar alguns minutos à conquista da felicidade eterna. Não trabalhais todos os dias para ajuntar o que vos dê repouso na velhice? Esse repouso não é o objeto de todos os vossos desejos, o alvo que vos permite sofrer as fadigas e as privações passageiras? Pois bem: o que é esse repouso de alguns dias, perturbado pelas enfermidades do corpo, ao lado daquilo que aguarda o homem de bem? Isso não vale a pena de alguns esforços? Sei que muitos dizem que o presente é positivo e o futuro incerto. Ora, aí está precisamente o pensamento que fomos encarregados de destruir em vossas mentes, pois desejamos fazer-vos compreender esse futuro de maneira a que nenhuma dúvida possa restar em vossa alma. Foi por isso que chamamos primeiro a vossa atenção para os fenômenos da Natureza que vos tocam os sentidos e depois vos demos instruções que cada um de vós tem o dever de difundir. Foi com esse propósito que ditamos O Livro dos Espíritos."

Santo Agostinho

— Agora o comentário de Allan Kardec:
"Muitas faltas que cometemos nos passam despercebidas. Se, com efeito, seguindo o conselho de Santo Agostinho, interrogássemos mais frequentemente nossa consciência, veríamos quantas vezes falimos sem disso nos apercebermos, por não perscrutarmos a natureza e o móvel de nossos atos. A forma interrogativa tem alguma coisa de mais preciso do que uma máxima que em geral não aplicamos a nós mesmos. Ela exige respostas categóricas, por um sim ou um não, que não deixam lugar a alternativas: respostas que são outros tantos argumentos pessoais, pela soma das quais podemos computar a soma do bem e do mal que existe em nós".

— Vou arranjar um caderninho — disse Bruno — para anotar as minhas faltas e corrigi-las.

— Primo, você vai precisar de um cadernão — disse Angélica, mordaz.

— Pois, Angélica, tome nota em seu cadernão do que acaba de dizer, para desculpar-se amanhã cedo sem falta, a primeira coisa que deve fazer, ouviu? — ordenou Vovó.

Bruno sorriu satisfeito e Angélica encabulou.

— E o que temos agora? — perguntou o sr. Vésper.

— Temos a tertúlia, e arranjei para ela uma bonita poesia mediúnica — disse Thiago erguendo o braço.
— A ela, então! — exclamou o sr. Vésper.

Psique

(Mediúnica)

Acreditar se extinga a vida humana à beira
Da cova, já não vai com o claro descortino;
Há mais alguma coisa acima desta poeira!
Anda, por certo, além do pó nosso destino.

Uma cova que se abre ao que morreu, é a porta
Que abre para outra vida, onde há também deveres...
Porque a própria matéria inerte, fria, morta,
Transforma-se aí dentro em seres e mais seres.

Loucura fora crer fosse o homem só matéria;
Que o nosso corpo, enfim, somente o sangue agita;
A vida está pedindo análise mais séria;
Através da matéria o Espírito palpita!

O Espírito palpita; é certamente a sede
De tudo de afeição que o nosso íntimo inflama;
Não procede do pó, visto que não procede
O que é feito de luz, do que é feito de lama!

A vida não tem fim no fundo de uma cova;
Se aí fica a matéria, o Espírito se eleva;
Vai gozar ou sofrer numa existência nova;
Deslumbrar-se na luz ou mergulhar na treva!

O Espírito se oculta ou prende-se ao regaço
Da matéria; ambos, pois, vibram no mesmo anseio;
Findo esse pacto, voa o Espírito ao espaço!
A matéria regressa à terra de onde veio.

— E agora vamos ao café e mais pudim de queijo; do queijo fabricado pelo sr. Vasco — convidou Carolina Maria.

41ª Aula

Livro Quarto

Esperanças e Consolações

Penas e Gozos Terrenos

Felicidade e Infelicidade Relativas

— Vovô, será que ninguém é feliz na Terra? Por que todos se queixam? — perguntou Luís Felipe.

— Há dois motivos para isso: o primeiro é o próprio homem que faz sua infelicidade por não praticar a lei de Deus; se a praticasse, evitaria muitos males. O segundo é que o homem nesta encarnação é punido pelos males que cometeu em encarnações passadas. Eis o que O *Livro dos Espíritos* nos diz:

"O homem bem compenetrado do seu destino futuro não vê na existência corpórea mais do que uma rápida passagem. É como uma parada momentânea numa hospedaria precária. Ele se consola facilmente de alguns aborrecimentos passageiros, numa viagem que deve conduzi-lo a uma situação tanto melhor quanto mais atenciosamente tenha feito os seus preparativos para ela.

"Somos punidos nesta vida pelas infrações que cometemos das leis da existência corpórea, pelos próprios males decorrentes dessas infrações e pelos nossos próprios excessos. Se remontarmos pouco a pouco à origem do que chamamos infelicidades terrenas, veremos estas, na sua maioria, como a consequência de um primeiro desvio do caminho certo. Em virtude desse desvio inicial, entramos num mau caminho, e, de consequência em consequência, caímos afinal na desgraça."

— Realmente, Vovô, o homem, isto é, nós, dificilmente poderemos gozar de uma felicidade completa, pois temos de levar em conta nossas provas e expiações, e raros são os que se conformam com seu destino, digamos assim. Permite-me que me alongue um pouco mais?

— Ora, Vésper! Instrua-nos, instrua-nos — respondeu Vovô.

— Obrigado. Sempre que um mal nos atinge, seja ele qual for, nosso primeiro ímpeto é lamentar-nos, julgando-nos injustiçados; entretanto, o sofrimento é uma escada de progresso espiritual, pela qual atingimos posições melhores na vida espiritual e em nossas futuras reencarnações. Uma vez que nossa consciência de nada nos acusa, soframos sem queixas, já que não podemos evitá-lo. É verdade que vemos pessoas beneficiadas por fortunas que, segundo nosso pensar, não as merecem. Mas nós bem sabemos, segundo o ensinamento dos Espíritos, que a fortuna é uma prova geralmente mais perigosa do que a miséria. Quantos não estão por aí encarnados curtindo penas que a fortuna lhes gerou, quantos foram ricos em encarnações passadas, não é verdade? E, depois, há sofrimentos causados por não sabermos limitar nossos desejos; cobiçamos coisas que estão fora de nossas possibilidades, o que nos traz decepções e aborrecimentos. Tenho para mim que o mais rico é aquele que tem menos necessidades, ou seja, o que se conforma em viver dentro dos seus recursos. Lamentamos o pobre e invejamos o rico: lembremo-nos de que ambos passam por provas que, bem suportadas, lhes abrirão novos campos de progresso.

Aqui, o sr. Vésper parou e Thiago comentou:

— Puxa! o senhor sabe coisas, hein, Tio Vésper!

— Com um professor como o Vovô, quem não aprende, meu caro!

E Vovô retrucou:

— Eu não sou professor; apenas repito muito mal o que Allan Kardec nos ensina; ele, sim, é o nosso professor. E por isso, com a permissão de vocês, vou ler-lhes algumas lições de Allan Kardec sobre o assunto:

"O deslocamento dos homens de sua esfera intelectual própria é seguramente uma das causas mais frequentes de decepção. A inaptidão para a carreira abraçada é uma fonte inesgotável de reveses. Depois, o amor-próprio vem juntar-se a isso, impedindo o homem de recorrer a uma profissão mais humilde e lhe mostra o suicídio como o supremo remédio para escapar ao que ele julga uma humilhação. Se uma educação moral o tivesse preparado acima dos tolos preconceitos do orgulho, jamais ele seria apanhado desprevenido".

— Agora vou dar-lhes um exemplo: um homem é infeliz em sua posição A, mas sente que seria feliz na posição B, posto que esta é bem inferior àquela; mas o orgulho, o amor-próprio, o preconceito, não o deixam trocar de posição e, assim, sente-se intimamente infeliz. Todos nós temos aptidões naturais, pelas quais Deus nos indica nossa vocação: se não a seguirmos, ou se os pais desviarem a vocação natural de seus filhos, seremos infelizes nós e mais tarde o serão também nossos filhos. Creiam-me: o trabalho que nos torna felizes é aquele para o qual nascemos, aquele que é a nossa vocação natural, trabalho que desempenharemos gostosamente, seja ele humilde ou superior. O que faz o homem — continuou Vovô — sofrer necessidades que o levam ao desespero é o orgulho que se lhe interpõe entre a necessidade e o trabalho. E se o homem puser de lado preconceitos sociais, jamais lhe faltará nada, porquanto sempre encontrará um trabalho que o ajudará a viver. Numa sociedade organizada segundo a lei do Cristo, ninguém deve morrer de fome, segundo nos ensina Allan Kardec:

"Com uma organização social previdente e sábia, o homem não pode sofrer necessidades, a não ser por sua culpa. Mas as próprias culpas do homem são frequentemente o resultado do meio em que ele vive. Quando o homem praticar a lei de Deus, disporá de uma ordem social fundada na justiça e na solidariedade e com isso ele mesmo será melhor".

— O homem — continuou Vovô — nem sempre está preparado para frequentar o meio social em que entra movido pelo orgulho; daí praticar desatinos para conservar-se nesse meio de luxo, incompatível com suas posses. Uma ordem social virá quando o homem praticar a lei de Deus; uma ordem social que se apoiará na justiça e na solidariedade.

— Além dos sofrimentos materiais, dos quais, geralmente, o homem é o próprio causador, sê-lo-á também dos sofrimentos morais, Vovô? — perguntou dona Purezinha.

— Mais ainda, dizem os Espíritos, pois os sofrimentos materiais são às vezes independentes da vontade, enquanto o orgulho ferido, a ambição frustrada, a ansiedade da avareza, a inveja, o ciúme, todas as ambições, enfim, constituem torturas da alma. Inveja e ciúme! Felizes daqueles que não conhecem esses dois vermes vorazes. Com a inveja e o ciúme não há calma, não há repouso possível. Para aquele que sofre desses males, os objetos de sua cobiça, de seu ódio e do seu despeito se erguem diante dele como fantasmas que não o deixam em paz e o perseguem até no sono. O invejoso e o ciumento vivem num estado de febre contínua. É uma situação desejável? Não compreendeis que com essas paixões o homem cria para si mesmo suplícios voluntários e que a Terra se transforma para ele num verdadeiro inferno?

— E Allan Kardec comenta:

"Muitas expressões figuram energicamente os efeitos de algumas paixões. Diz-se estar inchado de orgulho, morrer de inveja, secar de ciúmes ou de despeito, perder o apetite por ciúmes, etc. Esse quadro nos dá bem a verdade. Às vezes o ciúme nem tem objeto determinado. Há pessoas que se mostram naturalmente ciumentas de todos os que se elevam, de todos os que saem da vulgaridade, mesmo quando não tenham no caso nenhum interesse direto, mas unicamente por não poderem atingir o mesmo plano. Tudo aquilo que parece acima do horizonte comum as ofusca, e, se formassem a maioria da sociedade, tudo desejariam rebaixar ao seu próprio nível. Temos nesses casos o ciúme aliado à mediocridade.

"O homem só é infeliz, geralmente, pela importância que liga às coisas deste mundo. A vaidade, a ambição e a cupidez fracassadas o fazem infeliz. Se ele se elevar acima do círculo estreito da vida material, se elevar seu pensamento ao infinito, que é o seu destino, as vicissitudes da Humanidade lhe parecerão mesquinhas e pueris, como as mágoas da criança ao se afligir pela perda de um brinquedo que representava a sua felicidade suprema.

"Aquele que só encontra a felicidade na satisfação do orgulho e dos apetites grosseiros é infeliz quando não os pode satisfazer, enquanto o que não se interessa pelo supérfluo se sente feliz com aquilo que para os outros constituiria infortúnio.

"Referimo-nos aos homens civilizados, porque o selvagem, tendo necessidades mais limitadas, não tem os mesmos motivos de cobiça e de angústias: sua maneira de ver as coisas é muito diferente. No estado de civilização, o homem pondera a sua infelicidade, a analisa, e por isso é mais afetado por ela, mas pode também ponderar e analisar os seus meios de consolação. Essa consolação ele a encontra no sentimento cristão, que lhe dá a esperança de um futuro melhor, e no Espiritismo, que lhe dá a certeza do futuro."

Perda de Entes Queridos

— E a perda de nossos entes queridos não nos causa um sofrimento, uma infelicidade, Vovô? — perguntou Carolina Maria. — Só eu sei quando perdi o meu Tonho.

— Apenas momentaneamente. A morte, ou melhor, a desencarnação é um tributo que todos temos de pagar. Porém, o Espiritismo, que é uma doutrina consoladora, nos mostra que se trata de uma separação transitória, nada mais. Ao chegar a nossa vez, reunir-nos-emos a eles, não há dúvida nenhuma.

— Graças a Deus, encontrarei o meu Tonho, o meu marido! — exclamou Carolina Maria com um sorriso de felicidade a iluminar-lhe o rosto meigo.

— Há pessoas que têm horror a comunicações entre encarnados e desencarnados, achando que isso é uma profanação. Qual é a sua opinião, Vovô? — perguntou dona Corina.

— Respondo-lhe com o que os Espíritos responderam a Allan Kardec:

"Não pode haver profanação quando há recolhimento e quando a evocação é feita com respeito e decoro. O que o prova é que os Espíritos que vos são afeiçoados se manifestam com prazer, sentem-se felizes com a vossa lembrança e por conversarem convosco. Profanação haveria se as evocações fossem feitas com leviandade".

— E Allan Kardec comenta:

"A possibilidade de entrar em comunicação com os Espíritos é uma bem doce consolação, que nos proporciona o meio de nos entretermos com os parentes e amigos que deixaram a Terra antes de nós. Pela evocação, eles se aproximam de nós, permanecem ao nosso lado, nos ouvem e nos respondem. Não existe mais, por assim dizer, separação entre nós e eles, que nos ajudam com seus conselhos, nos dão testemunho de sua afeição e do contentamento que experimentam por nos lembrarmos deles. É para nós uma satisfação sabê-los felizes e aprender através deles os detalhes da sua nova existência, adquirindo a certeza, por nossa vez, de um dia nos juntarmos a eles".

— É certo, Vovô, a gente lamentar-se, ficar inconsolável, e mesmo revoltar-se pela desencarnação de nossos entes queridos? — perguntou dona Angelina.

— Não, não é certo, porque:

"Estando o Espírito mais feliz do que na Terra, lamentar que tenha deixado esta vida é lamentar que ele seja feliz. Dois amigos estão presos na mesma cadeia; ambos devem ter um dia a liberdade, mas um deles a obtém primeiro. Seria caridoso que aquele que continua preso se entristecesse por ter o seu amigo se libertado antes? Não haveria de sua parte mais egoísmo que afeição, ao querer que o outro partilhasse por mais tempo do seu cativeiro e dos seus sofrimentos? O mesmo acontece com dois seres que se amam na Terra. O que parte primeiro foi o primeiro a se libertar, e devemos felicitá-lo por isso, esperando com paciência o momento em que também nós nos libertaremos.

"Faremos outra comparação. Tendes um amigo que, ao vosso lado, se encontra em situação penosa. Sua saúde ou seu interesse exige que vá para outro país, onde estará melhor sob todos os aspectos. Dessa maneira, ele não estará mais ao vosso lado, durante algum tempo, mas estareis sempre em correspondência com ele. A separação não será mais do que material. Ficareis aborrecido com o seu afastamento, que é para o bem dele?

"A doutrina espírita, pelas provas patentes que nos dá quanto à vida futura, à presença ao nosso redor dos seres aos quais amamos, à continuidade da sua afeição e da sua solicitude, pelas relações que nos permite entreter com eles, nos oferece uma suprema consolação, numa das causas mais legítimas de dor. Com o

Espiritismo não há mais solidão, não há mais abandono. O mais isolado dos homens tem sempre amigos ao seu redor, com os quais pode comunicar-se.

"Suportamos impacientemente as atribulações da vida. Elas nos parecem tão intoleráveis que supomos não as poder aguentar. Não obstante, se as suportarmos com coragem, se soubermos impor silêncio às nossas lamentações, haveremos de nos felicitar quando estivermos fora desta prisão terrena, como o paciente que sofria se felicita ao se ver curado, por haver suportado com resignação o tratamento doloroso."

— Tudo isso é o que O *Livro dos Espíritos* nos ensina — disse Vovô, ao concluir a leitura.

Decepções, Ingratidão, Quebra de Afeições

— Mas neste mundo também sofremos pelas decepções, pela ingratidão, pelo rompimento de amizades. Por quê, Vovô? — perguntou dona Purezinha.

— Quando o egoísmo fala mais alto, é isso o que acontece. O *Livro dos Espíritos* dá uma boa resposta à sua pergunta:

"A Natureza deu ao homem a necessidade de amar e ser amado. Um dos maiores gozos que lhe são concedidos na Terra é o de encontrar corações que simpatizem com o seu. Ela lhe concede, assim, as primícias da felicidade que lhe está reservada no mundo dos Espíritos, onde tudo é amor e benevolência: essa é uma ventura recusada ao egoísta".

Uniões Antipáticas

— E as uniões antipáticas, Vovô? Dois entes se amam, unem-se e depois antipatizam-se. Como se explica isso? — perguntou dona Angelina.

— A causa geralmente está no passado; Espíritos que em vida anterior erraram juntos, agora se encontram para a correção de um pretérito culposo. E a correção não é fácil: exige muito desprendimento, muita paciência, muito altruísmo de ambas as partes; do contrário, é acumular erro sobre erro.

— E quando houver a separação e essa causar prejuízos, sofrimentos a terceiros, aos filhos, por exemplo? — perguntou dona Purezinha.

— É difícil e mesmo doloroso, moralmente falando, alguém conviver com outro alguém que se lhe torne antipático. Todavia, a separação não resolve o problema: apenas transfere-o para o futuro; é uma simples moratória com juros asfixiantes por vezes. E serão ambos responsabilizados pelos males que ela causar a terceiros, no caso, os filhos. Além do mais, quantos há que pensam amar perdidamente porque julgam apenas as aparências; porém, ao viverem em comum, não tardam a reconhecer que se tratava simplesmente de uma paixão material. Não é suficiente estarmos enamorados de uma pessoa que nos agrada e que supomos dotada de belas qualidades: é convivendo com ela que a podemos apreciar. Quantas uniões, por outro lado, que a princípio pareciam incompatíveis, e com o correr do tempo, quando ambos se conhecem melhor, se transformam num amor terno e durável, porque baseado na estima recíproca. Quem ama é o Espírito e não o corpo; e quando se dissipa a ilusão material, o Espírito vê a realidade. Há duas espécies de afeições: a do corpo e a da alma. A afeição da alma, quando pura e simpática, é duradoura; a do corpo é perecível, é ilusória. Eis porque, passada a ilusão, vem o fastio, a aversão, a decepção de um pelo outro e não se toleram mais.

— Pode também ocorrer que começaram a pagar com juros altos uma separação ou erros do passado, isto é, que a moratória tenha acabado, não é, Vovô? — perguntou dona Purezinha.

— Quem o sabe a não ser o Pai Altíssimo?

Preocupação com a Morte

— E essas pessoas que têm medo da morte, Vovô? — perguntou Bruno.

— É verdade. Tive uma patroa que era falar de morte diante dela, arrepiava-se toda: "Ai, Jesus, não falem de morte diante de mim, que me sinto mal!", lamentava-se ela — disse comadre Zita, arremedando-a comicamente, do que todos riram com gosto.

— O medo da morte tem dois fatores: o primeiro deles é o nosso instinto de conservação, do qual já tratamos; e o segundo é a educação religiosa errada que a Humanidade recebe há séculos, digo mesmo, há milênios. Essa educação dá-nos duas imagens do pós-morte: a do paraíso e a do inferno; tanto no paraíso como no inferno permaneceremos por toda a eternidade. No paraíso, caso formos para lá, o que não é fácil, pois nos demonstram mil e uma dificuldades para nele entrar, viveremos uma vida inútil, sem uma finalidade qualquer, nada fazendo senão adorar perpetuamente, enfim, uma vida fastidiosíssima e isso pela eternidade. O inferno já é mais movimentado: milhões de caldeirões fervendo cheios de almas a se cozinharem como batatas, milhões de fogueiras assando almas, milhares de diabinhos irrequietos a espetarem as almas, revirando-as no azeite fervente... E ir para o inferno, pregavam os entendidos, é facílimo: por dá cá aquela palha... bumba... lá vamos nós para as profundezas!

— Vigiii, vigiii! — bradou Carolina Maria. — Bastante razão tinha a patroa de comadre Zita de ter medo de morrer... T'esconjuro! — concluiu ela, toda arrepiada e persignando-se.

— E, assim, não é de admirar que a morte cause pavor, ou causasse, porque hoje ninguém mais acredita nisso; que haja materialistas a nada crerem; que haja religiosos ainda amedrontados. Já o espírita, o estudioso do Espiritismo, não teme a morte e não a procura: espera tranquilamente que ela lhe chegue. A morte não lhe inspira nenhum temor, porque a fé lhe dá a certeza do futuro; a esperança lhe acena com uma vida melhor; e a caridade, cuja lei praticou, lhe dá a segurança de que não encontrará, no mundo espiritual em que vai entrar, ninguém, nenhum ser cujo olhar deva temer. E Allan Kardec, comentando este assunto, nos diz:

"O homem carnal, mais ligado à vida corpórea do que à vida espiritual, tem na Terra as suas penas e os seus prazeres materiais. Sua felicidade está na satisfação fugitiva de todos os seus desejos. Sua alma, constantemente preocupada e afetada pelas vicissitudes da vida, permanece numa ansiedade e numa tortura perpétuas. A morte o amedronta, porque ele duvida do futuro e porque acredita deixar na Terra todas as suas afeições e todas as suas esperanças.

"O homem moral, que se elevou acima das necessidades artificiais criadas pelas paixões, tem neste mundo prazeres desconhecidos do homem material. A moderação dos seus desejos dá ao seu Espírito calma e serenidade. Feliz com o bem que fez, não há para ele decepções e as contrariedades deslizam por sua alma sem lhe deixarem marcas dolorosas."

— Maravilhosa consolação nos dá o Espiritismo. Leio no brilho dos olhos de Carolina Maria que ela está com a certeza de reencontrar o seu Tonho. E depois... da morte ninguém escapa. Então, por que temê-la? O Espiritismo traz luz e esperança, e sobretudo um grande conforto, não é verdade, Vovô?! — exclamou alegremente o sr. Vasco.

— Muito mais do que luz e esperança, o Espiritismo nos traz: o Espiritismo nos traz a VIDA!

Desgosto pela Vida. Suicídio

— Sim, por que temê-la? Mas há quem se suicida, Vovô! — disse Thiago.

— O homem não tem o direito de dispor de sua vida. O suicídio é uma violenta transgressão das leis divinas. Só Deus pode marcar a hora da nossa desencarnação, porque Ele é o Senhor da Vida.

— E um louco que se mata, Vovô? É ele culpado? — perguntou o sr. Vasco.

— Estando ele destituído de raciocínio e, por conseguinte, não sabendo o que faz, terá sempre fortes atenuantes a seu favor.

— Há pessoas que se matam por desgosto da vida. De onde proviria esse desgosto, Vovô? E o que podemos pensar delas? — perguntou dona Purezinha.

— O desgosto pela vida se origina da falta de fé, da ociosidade e de aborrecimentos facilmente vencíveis. Para aqueles que exercem suas faculdades com um fim útil, *e segundo suas aptidões naturais*, a vida nada tem de desagradável; tendo fé em Deus, o Pai Altíssimo, suportam com paciência e resignação as vicissitudes da vida, certos de que as espera uma felicidade mais sólida e mais durável e, assim, a existência jamais lhes será enfadonha, pesada.

— E quem se mata para escapar das misérias e das decepções deste mundo, Vovô? — perguntou dona Corina.

— Deus ajuda aos que sofrem e não aos que não têm forças nem coragem de suportar a vida. As tribulações da vida são provas ou expiações. Felizes daqueles que as suportam sem se queixar, porque serão recompensados. Infelizes daqueles que fogem desta vida pela porta clandestina do suicídio! Terrível desapontamento os aguarda, pois penetraram no reino espiritual ilegalmente.

— Há livros específicos sobre o suicídio, Vovô? — perguntou dona Angelina.

— Há, sim — respondeu prontamente Paulo Guilherme —; já os vi na biblioteca de Vovô: *Memórias de um Suicida*; *O Martírio dos Suicidas* e *O Evangelho das Recordações*. Anotei-os para as minhas próximas férias.

— E se alguém levar alguém ao suicídio, Vovô, por exemplo, causando-lhe um grande prejuízo, quer material ou moral? — perguntou dona Purezinha.

— Esse alguém que levou alguém a cometer o suicídio *responderá como por um assassinato*.

— E aquele que se suicidou, estará livre das consequências de seu ato, Vovô? — perguntou o sr. Vésper.

— Não, porque estando o Espírito ligado ao corpo, o suicídio rompe e contraria uma lei biológica e, assim, o suicida tem de sofrer as consequências do rompimento brutal dessa ligação, muito embora tenha atenuantes a seu favor.

— E se alguém (perdoa a repetição, Vovô) comete uma má ação, cai em si, isto é, reconhece o seu erro, envergonha-se, quer escapar da vergonha que também recairá sobre a sua família, Vovô? — perguntou dona Purezinha.

— Se a sua intenção for realmente sincera, Deus levará em conta sua sinceridade, porque será uma expiação que a si mesmo esse alguém se impôs, mas nem por isso deixará de ser uma falta. E Allan Kardec nos ensina: "Aquele que tira a própria vida para fugir à vergonha de uma ação má, prova que tem mais em conta a estima dos homens que a de Deus, porque vai entrar na vida espiritual carregado de suas iniquidades, tendo-se privado dos meios de repará-las durante a vida. Deus é muitas vezes menos inexorável que os homens: perdoa o arrependimento sincero e leva em conta o nosso esforço de reparação, mas o suicídio nada corrige".

Aqui se generalizou uma discussão entre os atentos ouvintes de Vovô: uns achavam uma coisa e outros achavam outra sobre o suicídio. Vovô ouvia-os sorrindo; compreendeu que iam bombardeá-lo com um monte de perguntas e, pondo fim ao debate, disse-lhes:

— Se vocês formularem em perguntas tudo o que discutiram, vamos ter vários serões sobre o mesmo assunto, o que nos fará perder um tempo que agora nos será precioso, pois o final das férias se aproxima. Para esclarecimento de tudo o que vocês discutiram, vou ler-lhes em O Livro dos Espíritos a resposta que um Espírito dá a Allan Kardec e o comentário que se segue, encerrando a matéria; concordam?

E como todos responderam sim, Vovô leu:

"*Pergunta 957* — Quais são, em geral, as consequências do suicídio sobre o estado do Espírito?

"*Resposta*: As consequências do suicídio são as mais diversas. Não há penalidades fixadas, e em todos os casos elas são sempre relativas às causas que o produziram. Mas uma consequência a que o suicida não pode escapar é o *desapontamento*. De resto, a sorte não é a mesma para todos, dependendo das circunstâncias. Alguns expiam sua falta imediatamente, outros numa nova existência, que será pior do que aquela cujo curso interromperam."

— Agora o comentário:

"A observação mostra, com efeito, que as consequências do suicídio não são sempre as mesmas. Há, porém, as que são comuns a todos os casos de morte violenta, as que decorrem da interrupção brusca da vida. É, primeiro, a persistência mais prolongada e mais tenaz do laço que liga o Espírito ao corpo, porque esse laço está quase sempre em todo o seu vigor no momento em que foi rompido, enquanto na morte natural se enfraquece gradualmente e, em geral, até mesmo se desata antes da extinção completa da vida. As consequências desse estado de coisas são o prolongamento da perturbação espírita, seguido da ilusão que, durante um tempo mais ou menos longo, faz o Espírito acreditar que ainda se encontra no número dos vivos.

"A afinidade que persiste entre o Espírito e o corpo produz, em alguns suicidas, uma espécie de repercussão do estado do corpo sobre o Espírito, que assim ressente, malgrado seu, os efeitos da decomposição, experimentando uma sensação cheia de angústias e de horror. Esse estado pode persistir tão longamente quanto tivesse de durar a vida que foi interrompida. Esse efeito não é geral; mas, em alguns casos, o suicida não se livra das consequências da sua falta de coragem, e cedo ou tarde expia essa falta, de uma ou de outra maneira. É assim que certos Espíritos que haviam sido muito infelizes na Terra disseram haver se suicidado na existência precedente e estar voluntariamente submetidos a novas provas, tentando suportá-las com mais resignação. Em alguns, é uma espécie de apego à matéria, da qual procuram inutilmente desembaraçar-se para se dirigirem a mundos melhores, mas cujo acesso lhes é interditado. Na maioria, é o remorso de haverem feito uma coisa inútil, da qual só provam decepções.

"A religião, a moral, todas as filosofias condenam o suicídio como contrário à lei natural. Todas nos dizem, em princípio, que não se tem o direito de abreviar voluntariamente a vida. Mas por que não se terá esse direito? Por que não se é livre para pôr um termo aos próprios sofrimentos? Estava reservado ao Espiritismo demonstrar, pelo exemplo dos que sucumbiram, que o suicídio não é apenas uma falta como infração a uma moral, consideração que pouco importa para certos indivíduos, mas um ato estúpido, pois que nada ganha quem o pratica e até pelo contrário. Não é pela teoria que ele nos ensina isso, mas pelos próprios fatos que coloca sob os nossos olhos."

— E Herculano Pires, em nota de rodapé, nos esclarece: "O argumento espírita contra o suicídio não é apenas moral, como se vê, mas também biológico, firmando-se no princípio da ligação entre o Espírito e o corpo. A morte, como fenômeno natural, tem as suas leis que o Espiritismo revelou através de rigorosa investigação. O sofrimento do suicida decorre do rompimento arbitrário dessas leis: é como arrancar à força um fruto verde da árvore. As estatísticas mostram que a incidência do suicídio é maior nos países e nas épocas em que a ambição e o materialismo se acentuam, provocando mais abusos e excitando preconceitos. A falta de organização social justa e de educação para todos é causa de suicídios e crimes".

Acompanhando as batidas do relógio, retumbou o convite de Carolina Maria:
— Vamos ao chááá com bolachas de leiteee!
— Só depois da tertúliaaa! — exclamou o sr. Vésper.
E Alessandra declamou a poesia de Cândido de Figueiredo:

Salmo

O nome do Senhor seja louvado
na Terra e nas alturas;
Louvem-no estrelas, a Lua, o Sol dourado
e angélicas criaturas.

Louvem-no de contínuo os céus profundos
e as águas lá de cima;
Louvem o nome do que fez os mundos
e a todo ser anima.

E, dando a luz a cada ser criado,
pôs-lhe um preceito, que há de
permanecer constantemente, inquebrantado,
por toda a eternidade.

Louve-o quanto na Terra se sustenta,
louve-o até o inferno;
Louve-o a tempestade que rebenta
fiel à voz do Eterno.

Louve-o o monte, que a sua cumiada
às nuvens alevanta;
Louve-o a árvore de frutos avergada,
louve-o a estéril planta.

A ave que voa, a fera, o bicho imundo,
louvem-no a cada instante.
Povos e reis, novos e velhos... tudo
em tudo o louve e cante.

42ª Aula

Vovô não compareceu ao 42º Serão; teve de ir a Olímpia, cidade vizinha, a negócios.
— Voltarei no ônibus da tarde. Aproveitarei para visitar o Fabiano. Estarei em casa para o serão.

Fabiano era um amigo de mocidade do Vovô; mas Vovô não voltou, e telefonou à Vovó:

— O Fabiano segurou-me; pousarei em sua casa; voltarei amanhã com o ônibus da tarde. Peça ao Vésper que dirija o serão. Aqui, tudo bem.

Foi uma surpresa a falta dele. O sr. Vésper aceitou a incumbência, mas, coçando o queixo disse:

— Nada, hoje nada de Espiritismo; deixemo-lo para o Vovô. Contar-lhes-ei uma história muito bonita e verdadeira: é a biografia de Zamenhof, o criador do Esperanto. Concordam?

— Concordamos, Tio Vésper, concordamos! Há tempos que queríamos saber algo sobre o Esperanto. Concordamos!

— O Esperanto é uma língua auxiliar, internacional, e foi inventada pelo médico e linguista russo

Lázaro Zamenhof

A mãe do pequeno Zamenhof, Rosália Sofer, por extremamente tolerante e bondosa, era uma verdadeira alma de eleição. O pai, Marcos Zamenhof, era descendente de família judia; pedagogo ilustre, nasceu em 1837 em Tikocin, na fronteira da Lituânia com a Polônia. Varão austero, nada sentimental, pautou a sua existência pelo cumprimento rigoroso de seus deveres profissionais, familiares e os de bom cidadão.

Aos 24 anos de idade, Marcos Zamenhof fundou em Bialistock, cidade vizinha de Tikocin, uma escola. Nessa cidade, casou-se em 1859 com a filha de um comerciante local, também judeu. Devido à pouca afluência de alunos e a carência absoluta de outros cursos, o casal vivia muito modestamente.

Em 15 de dezembro de 1859, nasceu o primogênito: Luís Lázaro Zamenhof. Depois, nasceram mais quatro meninos e três meninas.

Para assumir o cargo oficial de professor de língua alemã no Instituto Veterinário e no Liceu Real, Marcos Zamenhof mudou-se em 1873 para Varsóvia. Contudo, seu ordenado era insuficiente para prover às necessidades da numerosa prole, sendo obrigado a trabalhos extraordinários como censor de imprensa, em virtude de seus amplos conhecimentos de línguas estrangeiras. Mas a profissão para que fora talhado — a de pedagogo — atraía-o irresistivelmente e, assim, movido por sua vocação, publicou em língua russa livros didáticos, essencialmente práticos, sobre Geografia.

A golpes de energia consegue, não obstante as muitas dificuldades financeiras, proporcionar aos filhos não só uma educação esmerada como também superior: três fizeram-se médicos, e um farmacêutico.

Da mãe, o coração; do pai, o cérebro; e do lugar as impressões: eis os três elementos preponderantes na formação do caráter de Luís Zamenhof, que se elevou às culminâncias do gênio.

O pequeno Zamenhof começou a observar as disputas originadas pela falta de intercompreensão entre polacos e alemães, entre judeus e russos, disputas que suscitavam sempre a interferência da polícia, cujas armas sacrificavam mártires, mas não pacificavam gentes nem conciliavam espíritos. A cisão entre eles era tão forte, a repulsa tão viva que, se uma moça polaca dava atenção a um russo, era irremediavelmente repudiada pelos seus compatriotas e, até mesmo, expulsa da família; nesta não se aceitava um novo elemento que não pertencesse à sua raça.

Os lituanos eram desprezados porque, no dizer dos russos e polacos, constituíam uma ralé da raça de campônios; os judeus, segundo a absurda crença popular, sacrificavam aos seus ritos religiosos criancinhas indefesas. Tudo isso influiu no coração do pequeno Zamenhof, obrigando-o a sonhar com a criação de uma língua comum para que todos se entendessem. Adotar qualquer das línguas naturais era totalmente inaceitável; os polacos rejeitariam a língua russa; os russos repudiariam a alemã; os alemães não tolerariam a língua francesa; enfim, cada povo lutaria pela adoção de seu idioma, já porque lhe era mais cômodo, já porque lhe lisonjearia o amor-próprio.

A única solução seria, pois, uma língua inteiramente neutra que não desagradasse a ninguém.

Em Varsóvia, aprofundando a História, Zamenhof constata a triste verdade de que não só as gentes da Letônia se malqueriam, mas que o mesmo se observava em todo o mundo. Então a alma sentimental desse homem brada emocionada: "Cessem a incompreensão e a inimizade recíprocas! Crie-se uma língua acessível a todas as gentes, a todos os povos, a todas as camadas sociais! A classe baixa é a mais numerosa, *ipso fato*, a menos culta; que a língua comum seja praticamente utilizável, tanto pelas classes incultas, como pelas classes cultas e ilustradas! Que a língua auxiliar seja flexível, simples, lógica e fluente!"

O jovem Zamenhof era pessoa de ação. Antes de tudo, inicia o estudo da estruturação dessa língua artificial. Por que não dar a cada palavra, absolutamente artificial, rápida e curta, como *at, bi, de, ed, eta*, um sentido definido?

Não. Impossível. A memória mais privilegiada não reteria tamanho número de palavras. O aprendizado de tal vocabulário exigiria um esforço inconcebível. O idioma auxiliar deveria ser vivo, dinâmico, constituído por elementos acessíveis, aptos a aceitarem a evolução natural da língua auxiliar, um tanto diferente do atual Esperanto.

Nessa época o grupo constituído pelo autor e mais sete colegas amigos, num chá preparado pela mãe de Zamenhof, festeja entusiasticamente o aparecimento do novo idioma. Em junho de 1879, Zamenhof terminou o curso do Liceu. Seus colegas, impressionados e entusiasmados, ao separarem-se, prometeram tornar-se paladinos da nobre causa, propagadores incansáveis da nova língua. Mas, como contava mais tarde o mestre tristemente: "Tendo encontrado a oposição e a zombaria dos adultos, eles logo negaram a língua, e eu fiquei absolutamente só".

Até então, Zamenhof não recebera ainda a desaprovação do pai. Mas este, influenciado por amigos, temendo que o filho, dominado por aquela ideia fixa, adoecesse, exigiu-lhe o abandono, pelo menos temporário, daquilo que constituía seu mais caro ideal.

Sempre obediente às ordens paternas, enrolou os cadernos e guardou-os numa velha estante. Aqueles seus pedaços de alma, nos quais encontrava a maior razão de sua existência, ficariam ali adormecidos pelo doloroso período de alguns anos.

O estudante de medicina parte para Moscou. Vive ali uma vida assaz difícil, dando aulas para poder manter-se, visto que os nove rublos da mensalidade que o pai lhe mandava eram insuficientes para sua manutenção, e até sua origem judaica era um sério obstáculo para arranjar alunos. Para não sobrecarregar os pais, regressou, passados dois anos, à terra natal, com o intuito de continuar os estudos na Universidade de Varsóvia.

Ao chegar a Bialistok, a sua ideia dominante ressurge. Confessa à mãe o quanto a decisão do pai o fizera sofrer. A vida, sem a ideia de conseguir o estreitamento das relações internacionais, tendo como principal instrumento a sua interlíngua — imaginada com o sacrifício de uma juventude — era-lhe, sem dúvida, penosa e sem objetivo. Iria agora rever, contemplar, apertar contra o peito suas folhas queridas!

O silêncio da mãe denuncia-lhe, então, o drama terrível: o pai, temendo pela razão do filho, destruíra, na melhor das intenções, a obra de Zamenhof.

Como conservava na memória ainda os seus trabalhos anteriores, não foi muito difícil a Zamenhof reconstituir os escritos. Empenhou-se durante seis anos no aperfeiçoamento da língua, como consta dos extratos de uma carta dirigida a um de seus amigos: "Muito tive de cortar, substituir, corrigir, transformar radicalmente. Palavras e formas, princípios e exigências, repeliam-se ou contrariavam-se umas às outras, enquanto que, na teoria, tudo me parecia absolutamente certo".

Durante seis anos, em silêncio, Zamenhof trabalhou inteiramente consagrado ao seu caro ideal, evitando o convívio social, não participando de qualquer diversão. Porém, após demorados estudos, pôde apresentar ao mundo a sua obra-prima de linguística: o Esperanto.

O jovem mestre encontra-se com Clara Zilbernik — a qual, embora antevendo um futuro economicamente difícil — decide compartilhar de sua sorte. Depois de sua formatura em Medicina, em 1885, Zamenhof procura em vão estabilizar-se num lugar que lhe garanta os meios de subsistência. Os primeiros tempos foram dos piores. A sua demasiada modéstia e o excessivo sentimentalismo constituíam séria dificuldade aos seus progressos financeiros. Era adorado pelos pobres; entretanto, não sabia ganhar dinheiro.

Uma vez foi chamado a uma casa rica de Ploc onde, numa cama, jazia em estado desesperador uma senhora de família, rodeada de três outros médicos. A doente não resistiu ao sofrimento e sucumbiu dois dias depois. Os filhos da falecida mandaram aos quatro facultativos os seus honorários. Zamenhof recusou o pagamento. Por que receber o dinheiro se a doente tinha morrido?

De uma outra vez, em Veisieic, assistiu à morte de uma garota. A mãe, semilouca de dor, lamentava-se inconsolavelmente. Zamenhof abandonou a clínica geral; dirigiu-se, então, a Varsóvia, onde se especializou em oftalmologia.

De novo a ideia ressurge, agora mais viva: torna-se urgente a publicação do seu projeto de interlíngua. Entretanto, no Ocidente florescia o Volapük do abade Schieyer, língua demasiado complicada, com um vocabulário todo artificial e arbitrário; tão complicada era que morreu com seu autor.

Zamenhof exultou ao ter conhecimento da existência do Volapük e, ao constatar a sua impraticabilidade, dedicou-se com mais afã à sua obra, a fim de mostrar ao mundo a possibilidade de uma língua auxiliar viva, flexível, plástica e simples, internacional em seus elementos, capaz de seguir a evolução natural dos tempos. E o pai de Clara Zilbernik, entusiasmado com o talento do futuro genro, resolveu financiar a empresa.

Entra o trabalho na tipografia. Dois meses depois, em 14 de julho, a censura permite a publicação, reputando-a, certamente, obra ingênua de mais um visionário.

O pai de Clara exigiu que se casassem nesse mesmo ano, 1887. A primeira gramática foi publicada em língua russa; seguiram-se depois edições polaca, francesa, alemã e inglesa. Todas continham o mesmo texto: o Pai-Nosso, cartas, versos, as dezesseis regras fundamentais da gramática e um pequeno vocabulário bilíngue com novecentos radicais. Nessa primeira obra, o autor declarava renunciar a todos os seus direitos porque, dizia, "como qualquer língua nacional, a língua internacional é propriedade comum". Assinava com o pseudônimo "Dr. Esperanto".

De todos os lados começaram então a afluir perguntas, conselhos, aprovações, sendo mesmo algumas das cartas escritas na nova língua. Estava publicamente provada a utilidade do Esperanto. Em várias nações formaram-se grupos de esperantistas. Verteram-se para o Esperanto obras literárias de autores célebres como Goethe e Puskin. Em 1889, aparece o anuário com mil endereços de esperantistas de diversos países. Generaliza-se o nome "Esperanto". Aderem ao movimento personalidades proeminentes. Fundam-se jornais e revistas.

Em 1898, por morte de sua mãe, Zamenhof se estabelece definitivamente em Varsóvia.

Não obstante a grande clientela que enche o consultório de manhã à noite, o Dr. Zamenhof continua vivendo com modéstia. Trabalha incansavelmente e, tomando a sua profissão como um sacerdócio, dedica-se cuidadosamente aos doentes, na maior parte operários.

Há um episódio revelador da grande popularidade de Zamenhof como "médico providência":

Numa grande cidade norte-americana, um orador falava da obra de Zamenhof. Um pequeno judeu de Varsóvia pergunta admirado: "Esse Zamenhof é aquele oftalmologista da rua Dzike?"

O desenvolvimento do Esperanto de 1900 a 1905 é reconhecido e ajudado por cientistas de todos os países. O seu enorme incremento na França justificou o primeiro congresso mundial, em 1906, em Bologne-sur-Mer. Aqui o mestre viveu os dias mais gratos de sua vida, no círculo familiar dos esperantistas de todos os países, compartilhando todos da mesma alegria, orgulhosamente ostentando nas lapelas a estrela verde, ou agitando flâmulas com o distintivo esperantista.

Dizia ele ao regressar a Varsóvia: "Quem ouviu as numerosas discussões e viu aquele completo à vontade e a sensibilizadora fraternidade dos coparticipantes do congresso, não acredita que todos aqueles homens, ainda ontem completamente desconhecidos, hoje unidos por apenas um idioma, cuja fácil aprendizagem realizou o milagre, vivam entre si na mais pacífica e sincera amizade".

Zamenhof possuía a intuição do ritmo e da harmonia. Só quando conseguiu que o idioma fluísse docemente, nele podendo escrever livremente os seus poemas, se decidiu a publicá-lo.

Além de muitas obras originais, traduziu algumas de vulto, tais como: *Efigênia*, de Goethe; *Hamlet*, de Shakespeare; *Os Salteadores*, de Schiller; e outras mais. E a Bíblia Sagrada, de cujo Velho Testamento, devido ao profundo conhecimento que Zamenhof tinha do hebraico, fez uma tradução extraordinária, no dizer dos entendidos, muito superior a qualquer tradução em línguas nacionais.

Esse homem, puro de coração, íntegro de caráter e equilibrado de raciocínio, desencarnou no dia 14 de abril de 1917, com 57 anos.

Aqui o sr. Vésper calou-se. Todos ficaram em silêncio, pensativos, como que a prestar muda homenagem ao criador do Esperanto, a língua internacional, destinada a unir os povos numa imensa pátria, na qual todos se entendessem. Foi Paulo Guilherme quem o quebrou, perguntando:

— É muito difícil aprender o Esperanto, Tio Vésper?

— Não, é facílimo. Hoje há escolas dele por toda parte, e mesmo, com um pouco de boa vontade, pode ser aprendido sem mestre. Há excelentes gramáticas e dicionários para isso.

— E as palavras, como são? — perguntou Thiago.

— As palavras formam-se por afixos, isto é, prefixos e sufixos. E a língua possui apenas dezesseis regras fundamentais.

E lá de dentro veio o convite de Carolina Maria:

— Vamos à torta!

— Torta?! — bradaram todos.

— Sim, uma deliciosa torta de bananas, receita da comadre Zita — esclareceu Vovó.

— Justo hoje me esqueci da cadernetinha! Mas não faz mal; não a esquecerei no próximo serão — disse dona Purezinha.

43ª Aula

Penas e Gozos Futuros

O Nada. A Vida Futura

— Vovô, tenho pensado muitas vezes no nada; que a morte nos levaria a ele, ao nada. Isto é apenas um diletantismo filosófico meu; mas não consigo conceber o nada absoluto. Por exemplo: nada está sobre a mesa, nada tenho em minha bolsa, no mercado nada havia do que pedi etc. Esse é o nada que entendo. Porém, o nada depois da morte, não consigo concebê-lo. Digo-lhe isso, Vovô, porque me admiro da facilidade com que certas pessoas dizem: "Morreu, acabou, não há mais nada, é só pó" — disse dona Purezinha.

— Mas então não acabou, sobrou alguma coisa, o pó! — exclamou o sr. Vésper, o que provocou o riso de todos.

— Realmente, o nada absoluto não existe; se existisse, não haveria o Universo. Esse algo íntimo que trazemos conosco, que nos garante que a morte não existe e não é o fim, é a vaga lembrança guardada do que vimos e aprendemos no mundo espiritual, onde vivemos antes de reencarnar. Penso mesmo ser essa pálida recordação de nossos dias de desencarnados que nos sustenta encarnados. Vejamos o que nos ensina O Livro dos Espíritos a respeito:

"Em todos os tempos o homem se preocupou com o futuro de além-túmulo, o que é muito natural. Qualquer que seja a importância dada à vida presente, ele não pode deixar de considerar quanto ela é curta e sobretudo precária, pois pode ser interrompida a cada instante e jamais ele se acha seguro do dia de amanhã. Em que se tornará depois do instante fatal? A pergunta é grave, pois não se trata de alguns anos, mas da eternidade. Aquele que deve passar longos anos num país estrangeiro se preocupa com a situação em que se encontrará no mesmo. Como não nos preocuparmos com a que teremos ao deixar este mundo, desde que o será para sempre?

"A ideia do nada tem algo que repugna à razão. O homem mais despreocupado nesta vida, chegado o momento supremo, pergunta a si mesmo o que será feito dele e, involuntariamente, ficará na expectativa.

"Crer em Deus sem admitir a vida futura seria um contrassenso. O sentimento de uma existência melhor está no foro íntimo de todos os homens e Deus não o pôs ali à toa.

"A vida futura implica a conservação de nossa individualidade após a morte. Que nos importaria sobreviver ao corpo, se a nossa essência moral tivesse de perder-se no oceano do infinito? As consequências disso para nós seriam as mesmas do nada."

— É o que penso. Vovô. A nossa individualidade permanece intacta, porque sobrevive ao nosso corpo, sendo a morte uma simples libertação do Espírito — disse dona Purezinha.

Intuição das Penas e dos Gozos Futuros

— Todas as religiões nos falam de penas e gozos futuros, isto é, depois da morte. E, assim, todos os povos creem que serão recompensados ou punidos ao deixarem este mundo. Em que se baseia essa crença, Vovô? — perguntou dona Corina.

— Mesmo os nossos silvícolas tinham essa crença ao ser descoberto o Brasil: acreditavam que, ao morrer, depois de enterrada a igaçaba que lhes continha o corpo, iriam para um lugar cheio de densas florestas e abundante em caça. É o pressentimento da realidade futura que todo o ser humano possui. Allan Kardec perguntou aos Espíritos qual o sentimento que domina os homens na hora da morte. E os Espíritos responderam: "A dúvida para os céticos endurecidos, o medo para os culpados; e a esperança para os homens de bem; sendo que os ditos 'Espíritos fortes', os sem religião, os que se vangloriaram de em nada acreditarem, não se mostram tão fanfarrões". Vamos ler o comentário de Allan Kardec:

"A consequência da vida futura decorre da responsabilidade dos nossos atos. A razão e a justiça nos dizem que, na distribuição da felicidade a que todos os homens aspiram, os bons e os maus não poderiam ser confundidos. Deus não pode querer que uns gozem dos bens sem trabalho e outros só o alcancem com esforço e perseverança.

"A ideia que Deus nos dá de sua justiça e de sua bondade, pela sabedoria de suas leis, não nos permite crer que o justo e o mau estejam aos seus olhos no mesmo plano, nem duvidar de que não recebam algum dia, um a recompensa e outro o castigo pelo bem e pelo mal que tiverem feito. é por isso que o sentimento inato da justiça nos dá a intuição das penas e das recompensas futuras."

Intervenção de Deus nas Penas e Recompensas

— Uma coisa eu não compreendo. Vovô: eu vejo nossos pais tratarem de nós todos, e de cada um de nós em particular; agora, Deus é pai de nós todos, de toda a Humanidade, como é que Ele faz para cuidar de seus filhos, como nossos pais terrenos fazem? — perguntou Paulo Guilherme.

— A bondade de Deus é ilimitada como Ele próprio: Ele se dedica à Criação no seu todo, e a cada um dos seres em particular, por mais ínfimo que seja, como fazem nossos pais terrenos. Todavia Ele não precisa chegar a cada um de nós, dizendo-nos: fulano, faça isto; beltrano, faça aquilo; João, você vai ser castigado porque errou; Pedro, vou recompensar-te porque acertaste. Nada disso; eis o que nos ensina O *Livro dos Espíritos*:

"Deus tem as suas leis, que regulam todas as vossas ações. Se as violardes, a culpa é vossa. Sem dúvida, quando um homem comete um excesso, Deus não expende um julgamento contra ele, dizendo-lhe, por exemplo: tu és um glutão e eu te vou punir. Mas Ele traçou um limite: as doenças e por vezes a morte são consequências dos excessos. Eis a punição: ela resulta da infração da lei. Assim se passa em tudo".

— Continuando, leiamos o comentário de Allan Kardec:

"Todas as nossas ações são submetidas às leis de Deus; não há nenhuma delas, por mais insignificante que nos pareça, que não possa ser uma violação dessas leis. Se sofremos as consequências dessa violação, não nos devemos queixar senão de nós mesmos, que nos fazemos assim os artífices de nossa felicidade ou de nossa infelicidade futura.

"Essa verdade se torna sensível pelo seguinte apólogo:

"Um pai dá ao filho a educação e a instrução, ou seja, os meios para saber conduzir-se. Cede-lhe um campo para cultivar e lhe diz: 'Eis a regra a seguir e todos os instrumentos necessários para tornar fértil o campo e assegurar a tua existência. Dei-te a instrução para compreenderes essa regra. Se a seguires, o campo produzirá bastante e te proporcionará o repouso na velhice; se não a seguires, nada produzirá e morrerás de fome. Dito isso, deixa-o agir à vontade'.

"Não é verdade que o campo produzirá na razão dos cuidados que se dispensar à cultura e que toda negligência redundará em prejuízo da colheita? O filho será, portanto, na velhice, feliz ou infeliz, segundo tenha seguido ou negligenciado a regra traçada pelo pai. Deus é ainda mais previdente, porque nos adverte a cada instante, se fazemos o bem ou o mal. Envia-nos Espíritos que nos inspiram, mas não os escutamos. Há ainda outra diferença e é que Deus dá ao homem um recurso, por meio das novas existências, para reparar os seus erros do passado, ao passo que o filho de que falamos não o terá, se empregar mal o seu tempo."

— Agora entendo. Vovô. As próprias leis divinas trazem consigo o castigo ou a recompensa. Certo?

— Certíssimo, meu caro neto.

Natureza das Penas e dos Gozos Futuros

— Vovô, depois de libertos pela desencarnação, as penas ou os gozos de nossa alma têm alguma coisa de material? — perguntou o sr. Vasco.

— Não podem tê-la, porque a alma não é de matéria. Em nossa pátria espiritual, penas e gozos nada têm de carnal, pelo que serão mil vezes mais vivos: quando encarnados, a matéria nos enfraquece as sensações; somos quais escafandristas dentro de seu escafandro; livre dela, o Espírito é mais impressionável. As ideias que fazemos das penas e recompensas futuras são imperfeitas, grosseiras e absurdas, e mesmo infantis, tal como as das crianças em relação às dos adultos. Há também o erro de ensino pelo qual pecam todas as religiões: é nesse ponto que há grande necessidade de uma reforma. Resumindo, eis o que os Espíritos nos dizem da felicidade dos bons Espíritos:

"Em conhecer todas as coisas; não ter ódio, nem ciúme, nem inveja, nem ambição, nem qualquer das paixões que fazem a infelicidade dos homens. O amor que os une é para eles a fonte de uma suprema felicidade. Não experimentam nem as necessidades, nem os sofrimentos, nem as angústias da vida material. São felizes com o bem que fazem. De resto, a felicidade dos Espíritos é sempre proporcional à sua elevação. Somente os Espíritos puros gozam, na verdade, da felicidade suprema, mas nem por isso os demais são infelizes. Entre os maus e os perfeitos há uma infinidade de graus, nos quais os gozos são relativos ao estado moral. Os que são bastante adiantados compreendem a felicidade dos que avançaram mais que eles e a ela aspiram, mas isso é para eles motivo de emulação e não de inveja. Sabem que deles depende alcançá-la e trabalham com esse fito, mas com a calma da consciência pura. Sentem-se felizes de não ter de sofrer o que sofrem os maus".

— Os Espíritos, então, Vovô, estão livres das necessidades materiais. Porém, a satisfação dessas mesmas necessidades não é para o Espírito encarnado uma fonte de gozos? — perguntou o sr. Vésper.

— Sim, de gozos animais apenas. E quando não os podemos satisfazer ficamos desesperados, torturados.

— Então, Vovô, isso de dizer que os Espíritos puros vivem cantando no seio de Deus é uma ilusão? — perguntou dona Angelina.

— É uma alegoria, e expressão da ideia que eles têm da perfeição de Deus, porque O veem e compreendem; mas, como tantas outras, não deve ser tomada ao pé da letra. Tudo na Natureza canta, desde o grão de areia, proclamando o poder, a sabedoria e a bondade de Deus. Os Espíritos bem-aventurados não estão na eternidade na contemplação d'Ele, o que seria uma felicidade estúpida, monótona e egoísta, uma existência de uma inutilidade sem-fim. Os Espíritos bem-aventurados são ministros de Deus e ocupam-se do progresso do Universo e de suas criaturas, o que lhes proporciona um gozo inefável.

— E os Espíritos inferiores, Vovô, como a...

— Vamos parar, sr. Bruno! — exclamou energicamente Vovó.

— Você me paga! — revidou Angélica, compreendendo a insinuação e fazendo um sinal com as mãos.

— Os sofrimentos dos Espíritos inferiores variam de acordo com as causas que os produzem e são proporcionais à sua inferioridade, assim como os gozos são proporcionais à sua superioridade. Em resumo: cobiçar tudo o que lhes falta para serem felizes, sem poder obtê-lo; ver a felicidade e não poder consegui-la; mágoa, ciúme, raiva, desespero decorrentes de tudo o que os impede de serem felizes, remorsos, e uma ansiedade moral indefinível. Desejam todos os gozos e não podem satisfazê-los?; é isso o que os tortura. Para encerrar este assunto, peço a Paulo Guilherme que leia para ouvirmos, os comentários que dele faz Allan Kardec.

— Eu também quero ler... Eu também... Eu também... — gritaram os netos em uníssono.

— De acordo; cada um lerá um trecho deles; quero ver em que pé vocês andam com a leitura — disse Vovô.

E Paulo Guilherme, recebendo O Livro dos Espíritos das mãos de Vovô, principiou:

"O homem tem das penas e dos gozos da alma após a morte uma ideia mais ou menos elevada, segundo o estado de sua inteligência. Quanto mais ele se desenvolve, mais essa ideia se depura e se desprende da matéria; compreende as coisas de maneira mais racional e deixa de tomar ao pé da letra as imagens de uma linguagem figurada. A razão mais esclarecida nos ensina que a alma é um ser inteiramente espiritual e por isso mesmo não pode ser afetada pelas impressões que não agem fora da matéria. Mas disso não se segue que esteja livre de sofrimentos, nem que não seja punida pelas suas faltas".

— Muito bem. Agora é a vez de Luís Felipe.

"As comunicações espíritas têm por fim mostrar-nos o estado futuro da alma não mais como uma teoria, mas como uma realidade. Colocam sob os nossos olhos as vicissitudes da vida de além-túmulo, mas, ao mesmo tempo, nos apresentam como consequências perfeitamente lógicas da vida terrena. E, embora destituídas do aparato fantástico criado pela imaginação dos homens, nem por isso são menos penosas para os que fizerem mau uso de suas faculdades. A diversidade dessas consequências é infinita, mas se pode dizer, de maneira geral: cada um é punido naquilo em que pecou. Assim é que uns o são pela incessante visão do mal que fizeram; outros pelos remorsos, pelo medo, pela vergonha, a dúvida, o isolamento, as trevas, a separação dos seres que lhes são caros, etc."

— Ótimo. Vejamos, Thiago.

"O homem, incapaz de traduzir na sua linguagem a natureza desses sofrimentos, não encontrou para ela comparação mais enérgica que a do fogo, pois este é para ele o tipo de suplício mais cruel e o símbolo da ação mais enérgica. É por isso que a crença no fogo eterno remonta à mais alta Antiguidade e os povos modernos a herdaram dos antigos. é ainda por isso que, na sua linguagem figurada, ele diz: o fogo das paixões, queimar de amor, de ciúmes, etc.

"O Espírito na erraticidade abrange na sua visão: de um lado, todas suas existências passadas e, do outro, o futuro prometido, e compreende o que lhe falta para atingi-lo. Como um viajante que chegou ao cume de uma montanha, vê a rota percorrida e o que falta para chegar ao destino."

— Perfeito. Ouçamos Bruno, é a vez dele.

"Quando estivermos no mundo dos Espíritos, todo o nosso passado estando descoberto, o bem e o mal que tivermos feito serão igualmente conhecidos. Em vão aquele que fez o mal tentará escapar à visão de suas vítimas: sua presença inevitável será para ele um castigo e um remorso incessante, até que tenha expiado os seus erros. O homem de bem, pelo contrário, só encontrará por toda parte olhares amigos e benevolentes.

"Para o mau, não há maior tormento na Terra do que a presença de suas vítimas. É por isso que ele sempre as evita. Que será dele quando, dissipada a ilusão das paixões, compreender o mal que praticou, vendo os seus atos mais secretos revelados, sua hipocrisia desmascarada, e sem poder afastá-los da sua vista? Enquanto a alma do homem perverso é presa da vergonha, do pesar e do remorso, a do justo goza de perfeita serenidade."

— Você, Angélica, apanhe o livro.

"A alma que chegou a um certo grau de pureza goza a felicidade; um sentimento de doce satisfação a envolve: sente-se feliz com tudo o que vê e que a rodeia; o véu se eleva para ela, descobrindo os mistérios e as maravilhas da Criação e as perfeições divinas se mostram em todo o seu esplendor.

"O homem goza as primícias dessa felicidade, sobre a Terra, quando encontra almas com as quais pode confundir-se numa união pura e santa. Numa vida mais depurada, esse prazer será inefável e sem limites, porque ele só encontrará almas simpáticas, que o egoísmo não tornou indiferentes. Pois tudo é amor na Natureza; o egoísmo é que o aniquila."

— E por fim temos Alessandra — disse Vovô, entregando-lhe o livro.

"A crença no Espiritismo ajuda o homem a melhorar-se ao fixar-lhe as ideias sobre determinados pontos do futuro; ela apressa o adiantamento dos indivíduos e das massas porque permite considerarmos o que seremos um dia: é, pois, um ponto de apoio, uma luz que nos guia. O Espiritismo ensina a suportar as provas com paciência e resignação, desvia o homem da prática dos atos que podem retardar-lhe a felicidade futura, e é assim que contribui para a sua felicidade. Mas nunca se disse que sem ele não se possa atingi-la."

— Quem leu melhor, Vovô? — perguntou Angélica.

— Com pequenas variações, todos vocês leram bem. Recomendo-lhes que façam exercícios de leitura em voz alta, de prosa, de poesias, de discursos, de artigos de jornais, etc., escandindo bem as palavras...

— Escandindo! O que é, Vovô? — perguntou Alessandra.

— Escandir é pronunciar bem as palavras, destacando as sílabas, respeitando a pontuação, dando à frase sua entonação certa, isto é, às frases exclamativas, às interrogativas, às afirmativas, para o que há as pontuações: a vírgula, o travessão, os parênteses, o ponto de exclamação, o ponto e vírgula, os dois-pontos, o ponto de interrogação, as reticências.

— Para isso, meus amiguinhos, é preciso ler a gramática; fazer dela uma companheira constante, consultá-la sempre e a todos os momentos; nada de decorá-la, mas lê-la e consultá-la, repito — completou o sr. Vésper.

Penas Temporais

E Vovô anunciou:

— Vejamos agora as penas temporais...

— Penas temporais! O que são, Vovô? — perguntou Alessandra.

— São as que duram algum tempo; um tempo curto ou longo, mas são transitórias, passageiras.

— Por exemplo, o que sofremos numa existência, Vovô? — perguntou dona Angelina.

— Isso mesmo. Cada um de nós expia suas faltas durante o espaço de vida que terá na Terra. Quando desencarnarmos, caso o mereçamos, passaremos por sofrimentos morais, é o que nos diz O *Livro dos Espíritos*:

"É bem verdade que, reencarnada, a alma encontra nas tribulações da vida o seu sofrimento; mas apenas o corpo sofre materialmente. Dizeis em geral que o morto já não sofre, mas isso nem sempre é verdade. Como Espírito, não sofre mais as dores físicas, mas segundo as faltas que tenha cometido, pode ter dores morais mais cruciantes, e numa nova existência pode ser ainda mais infeliz. O mau rico passará a esmolar, e estará submetido a todas as privações da miséria; o orgulhoso, a todas as humilhações; aquele que abusa de sua autoridade e trata os seus subordinados com desprezo e dureza será forçado a obedecer a um senhor mais duro do que ele tenha sido. Todas as penas e tribulações da vida são expiações de faltas de outra existência, quando não se trata de consequências das faltas da existência atual. Ao sairdes daqui compreendereis bem. O homem que se crê feliz na Terra porque pode satisfazer suas paixões é o que faz menos esforços para se melhorar. Em geral, ele começa a expiar essa felicidade efêmera na própria vida que leva, mas certamente a expiará numa outra existência tão material como essa".

— Vovô — disse comadre Zita —, a gente vê tanta gente boa, que nunca fez mal a ninguém e sofre. Digo isso lembrando-me de meus antigos patrões, coitadinhos! Tinham uma fazenda e acabaram perdendo tudo, por quê?

— Foram provas geralmente escolhidas por eles mesmos antes de reencarnarem, visando corrigir os erros que tinham praticado em existências passadas. Porque jamais a infração das leis de Deus, a lei de justiça, fica impune. Se a punição não é feita nesta vida, será obrigatoriamente em outra. É por isso que pessoas justas, bondosas, corretas hoje aos nossos olhos veem-se frequentemente atingidas pela desgraça, ou seja, pelo seu passado.

— E quando é, Vovô, que iremos para um mundo melhor? — perguntou Angélica.

— Nossa transferência para um mundo melhor é a consequência de nossa purificação. À medida que os Espíritos se purificam, encaminham-se para mundos mais e mais perfeitos, até que se tenham despojado de toda matéria e lavado de todas as manchas.

— Vovô, o senhor não acha que é uma tristeza para um Espírito subir para mundos melhores, deixando para trás entes queridos, que ainda não o podem acompanhar? — perguntou dona Corina.

— Não, não é. Quem subiu dispõe de mais recursos para ajudar os que se atrasaram. Porém, ele tem plena liberdade de escolher: primeiro, pode transferir-se para um mundo melhor, amparando de lá os retardatários; segundo, adiar sua transferência, permanecendo neste plano junto deles, até que conquistem o direito de mudarem-se para planos melhores, ou que entrem aqui mesmo no caminho para esses planos. Angélica, leia para nós o comentário de Allan Kardec.

— Com prazer, Vovô.

"Nos mundos em que a existência é menos material do que neste, as necessidades são menos grosseiras e todos os sofrimentos físicos são menos vivos. Os homens não mais conhecem as más paixões que, nos mundos inferiores, os fazem inimigos uns dos outros. Não tendo nenhum motivo de ódio ou de ciúme, vivem em paz porque praticam a lei de justiça, de amor e caridade. Não conhecem os aborrecimentos e os cuidados que nascem da inveja, do orgulho, do egoísmo e que constituem o tormento de nossa existência terrena".

E quando Angélica terminou a leitura, Bruno perguntou maliciosamente:

— Ela escandiu bem as palavras, Vovô?

— Ela chegará lá, meu neto, não se apresse.

Angélica fez-lhe um muxoxo, que provocou o riso de todos e avermelhou as faces de Bruno.

— E aqueles, Vovô, que passam a vida despreocupados, não fazem o bem nem o mal, e nada fazem para seu progresso espiritual, nem para se libertarem da influência da matéria? — perguntou o sr. Vasco.

— Estacionam e reencarnam para viver uma vida igual à que deixaram, prolongando assim sofrimentos e expiações. é como uma moratória que concederam a si próprios, que faz com que percam um tempo precioso. O Espírito não pode adquirir conhecimentos, nem se elevar, senão através da atividade; se ele adormece na despreocupação, não se adianta. Todavia, cada qual terá de prestar contas da inatividade voluntária durante a sua existência. Essa inutilidade é sempre fatal à felicidade futura. A soma da felicidade futura está na razão da soma do bem que se tiver feito; a da desgraça, na razão do mal e dos infelizes que se tenham feito.

— E esses rabugentos que infernizam a família e mais os que os rodeiam, Vovô? — perguntou dona Angelina.

— Numa outra existência serão infernizados também, porque o que se semeia, isso mesmo se colhe.

Expiação e Arrependimento

— E quando é que um Espírito culpado consegue nova encarnação, Vovô? — perguntou Luís Felipe.

— Tão logo se arrependa do mal que fez. O arrependimento lhe abre as portas de uma nova vida na Terra.

— Mas a gente se esquece, Vovô. E daí, como faremos?

— É fácil. Realmente estamos esquecidos do que fomos e do que fizemos no passado, não é verdade? Mas para aqui não viemos às cegas. Foi-nos traçado um plano de vida do qual consta tudo o que devemos fazer, tudo o que devemos sofrer, enfim, tudo o que devemos passar para corrigir nossos deslizes do pretérito distante: são as provas e as expiações. As provas são os nossos deveres, e as expiações, o nosso sofrimento. Através delas corrigimo-nos e aprendemos, adiantando-nos. Se cumprirmos rigorosamente nossos deveres, e suportamos corajosamente nossos sofrimentos, sairemos vencedores: nosso passado de erros estará liquidado, e nossa consciência, tranquila. E se tivermos a felicidade de fazer algo de bom a favor de nossos semelhantes, nossa felicidade será muito maior.

— Vovô, o que é o arrependimento? — perguntou Luís Felipe.

— O arrependimento é um sentimento íntimo que nos faz mudar de opinião e é sempre comandado por nossa consciência. Esse sentimento nos leva à correção dos atos indignos que tivermos cometido. Quando nós nos arrependermos no estado espiritual, trabalharemos por conseguir uma nova encarnação que nos permita ressarcir nosso mau passado.

— E se a gente se arrepender nessa mesma encarnação, Vovô? — perguntou Thiago.

— Corrijamos imediatamente o que tivermos praticado de errado, pois isso é o que Jesus nos aconselha no seu Evangelho: "Concerta-te sem demora com teu adversário enquanto estás no caminho com ele; para que não suceda que ele, o adversário, te entregue ao juiz, e que o juiz te entregue ao seu ministro e sejas mandado para a cadeia. Em verdade te digo que não sairás de lá enquanto não pagares o último ceitil". O caminho em que estamos postos com nosso adversário é a vida presente, durante a qual houve o atrito entre nós e ele. Enquanto estamos juntos, isto é, todos encarnados, é que convém desfazer os agravos e transformar as inimizades, por menores que sejam, em estima. Convém também corrigir todo o mal que tivermos praticado, porque, se não aproveitarmos a oportunidade que o Senhor nos concede e desencarnarmos odiando alguém e com ações malévolas pesando em nossa consciência, seremos colhidos pelo ciclo das reencarnações dolorosas. Então o sofrimento nos ensinará a mudar todo ódio em amor e a emendar até a mais pequenina falta que tivermos cometido contra o nosso próximo.

— Então, Vovô, por aí vemos que podemos e devemos resgatar nossos erros ainda nesta vida, não é verdade? — perguntou dona Angelina.

— Essa mesma pergunta é a de número 1.000 que Allan Kardec faz aos Espíritos, seguida da 1.001; vou lê-las para que vocês compreendam melhor. Já lhes mostrei o que Jesus nos aconselha. Vejamos agora o que dizem os Espíritos:

"*Pergunta 1.000* — Podemos nós, já nesta vida, resgatar as nossas faltas?"

"Sim, reparando-as. Mas não julgueis resgatá-las por algumas privações pueris ou por meio de doações de pós-morte, quando de nada mais necessitais. Deus não considera um arrependimento estéril, sempre fácil e que só custa o trabalho de bater no peito. A perda de um dedo, quando se presta um serviço, apaga maior número de faltas do que o cilício suportado durante anos, sem outro objetivo que o bem de si mesmo. O mal não é reparado senão pelo bem, e a reparação não tem mérito algum, se não atingir o homem *no seu orgulho ou nos seus interesses materiais*. De que serve restituir após a morte, como justificação, os bens mal adquiridos, que foram desfrutados em vida e que já não servem para nada? De que serve a privação de alguns gozos fúteis e de algumas superfluidades, se o mal que fez a outrem continua o mesmo? De que lhe serve, enfim, humilhar-se diante de Deus, se conserva seu orgulho diante dos homens?

"*Pergunta 1.001* — Não há nenhum mérito em se assegurar, após a morte, um emprego útil para os bens que deixamos?

"Nenhum mérito não é bem o termo; isso vale sempre mais do que nada; mas o mal é que aquele que dá ao morrer geralmente é mais egoísta que generoso: quer ter as honras do bem sem lhe haver provado as penas. Aquele que se priva em vida tem duplo proveito: o mérito do sacrifício e o prazer de ver felizes os que beneficiou. Mas há sempre o egoísmo a dizer ao homem: o que dás, tiras dos teus próprios gozos. E como o egoísmo fala mais alto que o desinteresse e a caridade, ele guarda em vez de dar, sob o pretexto das suas necessidades e das exigências da sua posição. Ah! lastimai aquele que desconhece o prazer de dar, porque foi realmente deserdado de um dos mais puros e suaves gozos do homem. Deus, submetendo-o à prova da fortuna, tão escorregadia e perigosa para o seu futuro, quis dar-lhe em compensação e ventura da generosidade, de que ele pode gozar neste mundo."

Duração das Penas Futuras

— E quanto tempo durarão nossas provas e expiações, Vovô? Estarão elas subordinadas a alguma lei? — perguntou dona Corina.

— Não devemos nos esquecer que após a morte do corpo o Espírito não é subitamente transformado. Se sua vida foi repreensível, é que ele era imperfeito. Ora, a morte não o torna imediatamente perfeito. Ele pode persistir nos seus erros, nas suas falsas opiniões, em seus preconceitos, até que seja esclarecido pelo estudo, pela reflexão e pelo sofrimento.

— E aqueles que se arrependem na hora da morte, mas sem tempo de reparar suas faltas, Vovô? — perguntou dona Purezinha.

— O arrependimento apressa a sua reabilitação, mas não o absolve. Não tem ele o futuro pela frente, que jamais se lhe fecha? Respondendo à pergunta de dona Corina, Deus nunca age arbitrariamente. Tudo no Universo é regido por leis que revelam a Sua sabedoria e a Sua bondade. Não há fatalmente um tempo determinado; esse tempo depende de nós mesmos: poderá ser de uma ou mais encarnações; prolonga-se enquanto falharmos e encurta-se se bem cumprirmos o programa que nos foi traçado. A duração dos sofrimentos subordina-se ao tempo necessário ao nosso melhoramento. À medida que progredirmos e nossos sentimentos se depurem, nossos sofrimentos diminuem e se modificam.

— Então, Vovô, não há sofrimentos eternos? — perguntou comadre Zita.

— Não, não há. Uma comunicação de São Luís em *O Livro dos Espíritos* é que bem responde à sua pergunta:

"Sem dúvida, se um Espírito fosse eternamente mau, ou seja, se jamais tivesse de se arrepender nem de se melhorar, então sofreria eternamente. Mas Deus não criou seres eternamente votados ao mal. Criou-os apenas simples e ignorantes, e todos devem progredir num tempo mais ou menos longo, de acordo com a própria vontade. Esta pode ser mais ou menos retardada; assim como há crianças mais ou menos precoces, mais cedo ou tarde ela se manifesta por uma irresistível necessidade que o Espírito sente de sair da sua inferioridade e ser feliz. A lei que rege a duração das penas é, portanto, eminentemente sábia e benevolente, pois subordina essa duração aos esforços do Espírito, jamais lhe tirando o livre-arbítrio: se dele faz mau uso, sofrerá as consequências disso".

São Luís

— Será que há Espíritos que nunca se arrependem, Vovô? — perguntou Paulo Guilherme.

— Há Espíritos cujo arrependimento é tardio, mas pretender que eles jamais se melhorem é negar a lei do progresso; é como dizer que uma criança não poderá tornar-se adulto, responde-nos São Luís.

— E se um Espírito malévolo persistir no mal e não quiser reencarnar-se, não poderá ser-lhe imposta uma reencarnação independentemente de sua vontade, Vovô? — perguntou dona Purezinha.

— Sim, pode. São as chamadas reencarnações compulsórias, posto que dolorosas, que visam ao progresso do Espírito. E, sobre isso, leiamos a belíssima comunicação de Santo Agostinho, em *O Livro dos Espíritos*, respondendo à pergunta nº 1.009: "Segundo isso, as penas impostas jamais seriam eternas?"

"Consultai o vosso bom-senso, a vossa razão, e perguntai se uma condenação perpétua, em consequência de alguns momentos de erro, não seria a negação da bondade de Deus. Que é, com efeito, a duração da vida, mesmo que fosse de cem anos, em relação à eternidade? Eternidade! Compreendeis bem essa palavra? Sofrimento, torturas sem-fim e sem esperança, apenas por algumas faltas? Não repugna ao vosso próprio critério semelhante pensamento? Que os antigos não tivessem visto contradição em se lhe atribuir a bondade infinita e a vingança compreende-se; na sua ignorância, emprestaram à divindade as paixões dos homens. Mas não é esse o Deus dos cristãos, que coloca o amor, a caridade, a misericórdia, o esquecimento das ofensas no plano das primeiras virtudes; poderia Ele mesmo não ter as qualidades que exige como um dever? Não há contradição em se lhe atribuir a bondade infinita e a vingança infinita? Dizeis que antes de tudo Ele é justo e que o homem não compreende a sua justiça. Mas a justiça não exclui a bondade e Deus não seria bom se destinasse às penas horríveis e perpétuas a maioria das criaturas. Poderia fazer da justiça uma obrigação para seus filhos, se não lhes desse os meios de compreender? Aliás, não é sublime a justiça unida à bondade, que faz a duração das penas depender dos esforços do culpado para se melhorar? Nisto se encontra a verdade do preceito: 'A cada um segundo suas obras'."

Santo Agostinho

— E no mesmo O *Livro dos Espíritos*, e sobre o mesmo tema, ou seja, em continuação a ele, Paulo, o Apóstolo, nos dá a seguinte comunicação, que peço a Vésper ler para nós em voz alta. Por favor, Vésper — pediu Vovô.

— Não é favor nenhum, caríssimo Vovô; é um verdadeiro prazer obedecer-lhe: "Gravitar para a unidade divina, esse é o objetivo da Humanidade. Para atingi-lo, três coisas lhe são necessárias: a justiça, o amor e a ciência; três coisas lhe são opostas e contrárias: a ignorância, o ódio e a injustiça. Pois bem: em verdade vos digo que mentis a esses princípios fundamentais ao comprometer a ideia de Deus com o exagero de sua severidade, e duplamente a comprometeis, deixando penetrar no Espírito da criatura o pensamento de que ela possui mais clemência, mansuetude, amor e verdadeira justiça do que costumais atribuir ao Ser Infinito. Destruís mesmo a ideia do inferno, tornando-a ridícula e inadmissível às vossas crenças, como o é para os vossos corações o horrendo espetáculo das execuções, das fogueiras e das torturas da Idade Média. Mas como? É quando a era das represálias cegas já foi superada pelas legislações humanas, que esperais mantê-la numa forma ideal? Oh! Crede-me, crede-me irmãos em Deus e em Jesus Cristo, crede-me ou resignai-vos a deixar perecer nas vossas mãos todos os vossos dogmas, para não permitir a sua alteração, ou então vivificai-os, abrindo-os aos benéficos eflúvios que os bons Espíritos derramam neste momento sobre eles. A ideia do inferno com suas fornalhas ardentes, com suas caldeiras ferventes pode ser tolerada ou admissível num século mitológico, mas no século atual não passa de vão fantasma que serve apenas para amedrontar as criancinhas e no qual estas mesmas já não acreditam, quando se tornam um pouco maiores. Persistindo nessa mitologia apavorante, engendrais a incredulidade, origem de toda a desorganização social; eis por que tremo ao ver toda uma ordem social abalada e a ruir sobre as próprias bases, por falta de sanção penal. Homens de fé ardente e viva, vanguardeiros do dia da luz, ao trabalho, pois! Não para manter velhas fábulas atualmente desacreditadas, mas para reavivar e revitalizar a verdadeira sanção penal sob formas que correspondam aos vossos costumes, aos vossos sentimentos e às luzes da vossa época.

"Quem é, com efeito, o culpado? É aquele que por um extravio, por um falso impulso da alma se afasta do objetivo da Criação, que consiste no culto harmonioso do belo e do bem idealizados pelo arquétipo humano, pelo homem-deus, por Jesus Cristo.

"Qual o castigo? É a consequência natural decorrente desse falso impulso; uma quantidade de dores necessárias para fazê-lo aborrecer de sua deformação, pela prova do sofrimento. O castigo é o aguilhão que excita a alma pela amargura a voltar-se para si mesma, a retornar ao caminho da salvação. O objetivo do castigo não é outro senão a reabilitação. Querer que o castigo seja eterno, por uma falta que não é eterna, é negar-lhe toda a razão de ser.

"Oh! Em verdade vos digo, cessai, cessai de pôr em paralelo, na eternidade, o Bem, essência do Criador, com o Mal, essência da criatura: isso seria criar uma penalidade injustificável. Afirmai, ao contrário, o abrandamento gradual dos castigos e das penas pelas transmigrações e consagrareis, pela razão ligada ao sentimento, a unidade divina."

Paulo, o Apóstolo

— Obrigado e excelente! — exclamou Vovô. — Agora vamos ao comentário de Allan Kardec sobre o mesmo assunto. Pedaço por pedaço, os netos e as netas o lerão, pois também é um pouco comprido. Comece, Paulo Guilherme.

"Deseja-se incitar o homem ao bem e desviá-lo do mal pelo engodo das recompensas e o temor dos castigos, mas se esses castigos são apresentados de maneira que a razão repele, não terão sobre ele nenhuma influência. Longe disso, ele rejeitará tudo: a forma e o fundo. Que se lhe apresente, pelo contrário, o futuro de uma forma lógica e ele não o recusará. O Espiritismo lhe dá essa explicação.

"A doutrina da eternidade das penas, no seu sentido absoluto, faz do Ser Supremo um Deus implacável. Seria lógico dizer-se que um soberano é muito bom, muito benevolente, muito indulgente, que não deseja senão a felicidade dos que o rodeiam, mas que ao mesmo tempo é invejoso, vingativo, de um rigor inflexível e que pune com o suplício máximo três quartas partes de seus súditos por uma ofensa ou uma infração às suas leis, ainda mesmo aqueles que faliram por não as conhecer? Não seria isso uma contradição? Pois bem: Deus pode ser menos do que seria um homem?"

— Agora você, Thiago.

"Outra contradição se apresenta neste caso. Desde que Deus tudo sabe, sabia então, ao criar uma alma, que ela teria de falir. Ela estava desde sua formação destinada à infelicidade eterna: isso é possível, é racional? Com a doutrina das penas relativas tudo se justifica. Deus sabia, sem dúvida, que ela teria de falir, mas lhe dá os meios de se esclarecer por sua própria experiência e pelas suas próprias faltas. É necessário que ela expie os seus erros para melhor se firmar no bem, mas a porta da esperança jamais lhe será fechada e Deus fez depender o momento de sua libertação dos esforços que ela fizer para o atingir. Eis o que todos podem compreender, o que a lógica mais meticulosa pode admitir. Se as penas futuras tivessem sido apresentadas dessa maneira, haveria muito menos céticos."

— Agora você, Angélica.

"A palavra 'eterno' é quase sempre empregada na linguagem comum em sentido figurado, para designar uma coisa de longa duração e da qual não se prevê o termo, embora se saiba muito bem que esse termo existe. Dizemos, por exemplo, os gelos eternos das altas montanhas, dos polos, embora saibamos, de um lado, que o mundo físico pode ter um fim, de outra parte, que o estado dessas regiões pode modificar-se pelo deslocamento normal do eixo da Terra ou por um cataclismo. A palavra 'eterno', nesse caso, não quer dizer duração infinita. Quando sofremos uma longa doença dizemos que o nosso mal é eterno. Que há, pois, para admirar, se os Espíritos que sofrem desde muitos anos, desde séculos, e até mesmo de milhares de anos, também digam assim? Não nos esqueçamos, sobretudo, de que a sua inferioridade não lhes permite ver o termo da rota e eles creem sofrer para sempre, o que é uma punição."

Ressurreição da Carne

— E quanto ao dogma da ressurreição da carne, Vovô: não é a consagração da reencarnação ensinada pelos Espíritos? — perguntou dona Purezinha.

— Socorro-me ainda de nosso O Livro dos Espíritos para a resposta: "Como quereis que seja de outro modo? Dá-se com essa expressão o que se dá com tantas outras, que só parecem desarrazoadas aos olhos de certas pessoas que a tomam ao pé da letra e por isso são levadas à incredulidade. Dai-lhe, porém, uma interpretação lógica e esses a que chamais livres-pensadores a admitirão sem dificuldades. é o caso da ressurreição da carne que outra coisa não é senão a doutrina da pluralidade das existências a qual se conforma com a justiça de Deus; somente ela pode explicar o que sem ela é inexplicável.

"A Ciência demonstra a impossibilidade da ressurreição segundo a ideia vulgar. Os despojos do corpo humano reduzem-se a pó e dispersam-se, indo concorrer para a formação de novos corpos. Não se pode, portanto, racionalmente admitir a ressurreição da carne, senão como uma figura simbolizando o fenômeno da reencarnação. E então nada há que choque a razão, nada que esteja em contradição com os dados da Ciência."

Paraíso, Inferno, Purgatório, Paraíso Perdido

— E quanto ao paraíso, inferno, purgatório, paraíso perdido, pecado original, Vovô? Há alguma realidade nisso? — perguntou dona Angelina.

— Não como as religiões clássicas apregoam. O Livro dos Espíritos nos dá duas explicações que se completam. A primeira: paraíso, inferno, purgatório, são estados de consciência. O Espírito em qualquer lugar em que estiver, mas que tenha a consciência tranquila, que não o acuse de nada, que está em paz consigo e com o próximo, traz o paraíso dentro de si. O Espírito cuja consciência lhe mostre constantemente o mal que causou e ainda não corrigiu, que não está em paz consigo mesmo nem com o próximo, traz o inferno em seu interior. O Espírito pecador que muito errou, e que arrependido dispõe-se a consertar o mal que fez, e luta e trabalha para isso, e sente que aos poucos sua consciência se apazigua e a esperança desperta em seu coração, intimamente está no purgatório. Notem que lhes falei do paraíso, do inferno e purgatório como estados conscienciais: consciência pura é paraíso; consciência enegrecida pelo mal é inferno; consciência em regeneração é purgatório.

Vovô fez uma pausa, relanceou os olhos pelos ouvintes atentos, tomou um pouco d'água e continuou:

— Agora lhes darei a segunda explicação que completa a primeira: Espíritos de consciência pura ao desencarnarem ingressam em mundos superiores, que são verdadeiros paraísos; Espíritos que cultivam o mal, ao desencarnarem são atraídos irresistivelmente para regiões escuras, onde sofrem as consequências de seus atos malévolos; Espíritos que praticaram o mal, porém que se arrependem e querem saná-lo, ao desencarnarem vão para planos espirituais de aprendizado, próximos à Terra, onde aprendem a emendar o que fizeram de errado.

— Como vocês veem, ninguém está perdido; ninguém, por piores que tenham sido os seus atos, está condenado para a eternidade: basta dar uma volta em sua consciência e começar vida nova — disse o sr. Vésper.

— E uma alma penada, Vovô, o que é? Na fazenda sempre falavam disso — perguntou comadre Zita.

— É um Espírito errante e sofredor, incerto de seu futuro e que podemos ajudar com nossas preces.

— Vovô, Jesus nos disse: "Meu reino não é deste mundo". Como entender essas suas palavras? — perguntou dona Purezinha.

— O Cristo respondeu em sentido figurado. Queria dizer que não reina senão nos corações puros e desinteressados. Ele está em todos os lugares em que domine o amor do bem, mas os homens ávidos das coisas deste mundo e ligados aos bens da Terra não estão com ele.

— E o bem, Vovô, o reino do bem, um dia se realizará na Terra? — perguntou dona Corina.

— O bem reinará na Terra quando entre os Espíritos que a vêm habitar os bons superarem os maus. Então eles farão reinar o amor e a justiça, que são a fonte do bem e da felicidade. É pelo progresso moral e pela prática das leis de Deus que o homem atrairá para a Terra os bons Espíritos e afastará os maus. Mas os maus só a deixarão quando o homem tenha banido daqui o orgulho e o egoísmo.

"A transformação da Humanidade foi predita e chegais a esse momento em que todos os homens progressistas estão se apressando. Ela se realizará pela encarnação de Espíritos melhores, que constituirão sobre a Terra uma nova geração. Então, os Espíritos dos maus, que a morte ceifa diariamente, e todos os que tentem deter a marcha das coisas serão excluídos, porque estariam deslocados entre os homens de bem, cuja felicidade perturbariam. Irão para mundos novos, menos adiantados, cumprir missões penosas, nas quais poderão trabalhar pelo seu próprio adiantamento, ao mesmo tempo que trabalharão para o adiantamento de seus irmãos ainda mais atrasados. Não vedes na sua exclusão da Terra transformada a sublime figura do *paraíso perdido*? E no homem que veio à Terra em condições semelhantes, trazendo em si os germes de suas paixões e os traços de sua inferioridade primitiva, a figura não menos sublime do *pecado original*? Considerado dessa maneira, o pecado original se refere à natureza ainda imperfeita do homem que só é responsável por si mesmo e por suas próprias faltas.

"Vós todos, homens de fé e de boa vontade, trabalhai portanto com zelo e coragem na grande obra de regeneração, porque colhereis centuplicado o grão que tiverdes semeado. Infelizes dos que fecham os olhos à luz, pois preparam para si mesmos longos séculos de trevas e de decepções. Infelizes dos que colocam todas as suas alegrias nos bens deste mundo, pois sofrerão mais privações do que os gozos que desfrutaram. Infelizes sobretudo os egoístas, porque não encontrarão ninguém para os ajudara carregar o fardo de suas misérias."

— É o que nos ensina o Espírito de São Luís em comunicação em O Livro dos Espíritos — disse Vovô, terminando a leitura e fechando o livro. E com um acento de leve tristeza em suas palavras, anunciou:

O Último Serão

— Chegamos ao fim de O Livro dos Espíritos...

— E de nossas férias também. Nossos pais nos virão buscar com tempo de nos prepararmos para o reinicio das aulas — explicou Bruno.

— Teremos ainda o último serão, no qual lhes lerei a "Conclusão" com a qual Allan Kardec encerra O Livro dos Espíritos...

Aqui, Vovó tomou a palavra, interrompendo Vovô, e disse:

— Não haverá o último serão. No próximo domingo, depois de amanhã, em substituição ao último serão, haverá um almoço de despedida, para o qual todos estão convidados, e o sr. Vésper fará agora o programa para ele, concordam?

— Concordamos, concordamos, Vovó! Venha de lá o programa, Tio Vésper! — bradaram todos.

E o sr. Vésper, tomando ares de entendido e muito compenetrado, começou:

— Bem! Em primeiro lugar, teremos o almoço...

— É fora de dúvida! — exclamou dona Purezinha.

— ... para cuja confecção nomeio as exímias cozinheiras Carolina Maria e comadre Zita, sob a supervisão da Vovó...

— Muito bem! Nota dez! — gritou Bruno.

— Terminado o almoço, Vovô cochilará na rede por uma hora; eu lerei os jornais do dia; as senhoras dona Angelina, dona Corina, dona Emerenciana, dona Purezinha, ajudarão Vovó e suas maravilhosas auxiliares a pôr em ordem a cozinha.

— Apoiado, nota dez! — continuou Bruno.

— Depois de tudo em ordem e Vovô descansado, agrupar-nos-emos ao redor dele, e ele nos lerá a "Conclusão" de O Livro dos Espíritos...

Vovô interrompeu o sr. Vésper e disse:

— E mais ainda, Vésper: farei uma sabatina. Quero ver se vocês se lembram, se aproveitaram alguma coisa dos serões que tivemos.

E todos olharam para Bruno com os olhos arregalados, como a perguntar-lhe:

— E agora!??

Mas Bruno não se embaraçou e gritou:

— Reprovado, nota zero!!!

E ganhou uma salva de palmas.

— E, para o fim, uma poesia. Quem a declamará?

— Eu, Tio Vésper, já a tenho preparada — disse Alessandra. E, atendendo ao infalível convite de Carolina Maria, levantaram-se e foram para o caaafééé...

Conclusão

O domingo amanhecera brilhante. Algumas nuvens, que se haviam acumulado no sábado pelo lado oeste do céu, desvaneceram-se durante a noite, restando delas uma fímbria branca no horizonte, que o Sol, a levantar-se, transformara em ouro. O ar, suavemente perfumado e fresco, convidava a respirar a plenos pulmões. O orvalho da noite pendia em gotas da folhas das árvores, das flores do jardim, esparramando-se pela grama e pelo capim do pasto, como se tudo estivesse semeado de pérolas. Um grupo de sanhaços algazarrava na goiabeira do pomar. A criação toda despertava; duas galinhas chocas com seus pintinhos ciscavam ao pé da cisterna. Súbito, do alto da mangueira grande, uma araponga, o pássaro ferreiro, soltou o seu canto retinido, saudando o Sol que orgulhosamente se mostrava, como um globo luminoso pronto para a faina diária.

Dentro de casa era grande o movimento; Vovó pusera todos fora da cama, pois queria tudo bem arrumado antes de iniciarem os preparativos para o almoço.

Depois do café, os netos se trancaram na biblioteca a estudar *O Livro dos Espíritos*; nenhum deles queria fazer má figura. Bruno convidou os filhos do sr. Anselmo para participarem do estudo, já que tinham estado nos serões; dona Emerenciana, mãe deles, também veio ajudar na cozinha e nos arranjos da casa. Vovô mexia nos canteiros do jardim, cuidando das flores.

Por volta das onze horas, chegou o sr. Vésper, trazendo em seu automóvel velho dona Purezinha e dona Corina. E com a chegada, logo depois de dona Angelina e do sr. Vasco, completou-se o grupo: os homens sentaram-se no alpendre com Vovô, e as mulheres juntaram-se a Vovó.

O almoço foi simples, nada de pratos ricos; porém, as mãos de fada de comadre Zita transformaram aquela simplicidade em maravilha culinária. Terminado o almoço, as netas acomodaram carinhosamente Vovô na rede; o sr. Vésper ocupou uma poltrona com os jornais; o sr. Vasco e dona Angelina deram um pulo até sua granja, a ver como andavam as coisas por lá.

A hora passou depressa. E, por sugestão de dona Purezinha, reuniram-se sob a mangueira grande, gozando-lhe o frescor da sombra.

Vovô então leu a "Conclusão" de O Livro dos Espíritos ajudado pelo sr. Vésper, por ser um tanto longa. E explicou que nela Allan Kardec nos dá um retrato vivíssimo da filosofia espírita, comparando-a a uma alavanca poderosa que propulsionará o progresso moral e a consequente felicidade humana. Findando a leitura, Vovô sublinhou bem fortemente o último parágrafo da comunicação dada por Santo Agostinho, com a qual se encerra O Livro dos Espíritos:

"Durante muito tempo os homens se estraçalharam e se anatematizaram em nome de um Deus de paz e de misericórdia, ofendendo-o com tal sacrilégio. O Espiritismo é o laço que os unirá um dia porque lhes mostrará onde está a verdade e onde está o erro. Mas ainda por muito tempo haverá escribas e fariseus que o negarão, como negaram o Cristo. Quereis, pois, saber sob a influência de que Espíritos estão as diversas seitas que se repartem o mundo? Julgai-as pelas suas obras e pelos seus princípios. Jamais os bons Espíritos foram instigadores do mal; jamais aconselharam ou legitimaram o assassinato e a violência; jamais excitaram o ódio dos partidos nem a sede de riquezas e honrarias, nem a avidez dos bens terrenos. Somente os bons, humanos e benevolentes para com todos são os seus preferidos, como são também os preferidos de Jesus, porque seguem a rota indicada para levar a ele".

Em seguida teve lugar a sabatina. Vovô desenrolou uma comprida lista de perguntas. Carolina Maria, alegando tarefas, escapuliu-se para a cozinha; contudo os netos, arrastando-a pela saia, obrigaram-na a participar. Finda a sabatina, Vovô comentou-a e disse:

— Muito bem! Ninguém fez feio. Parabéns! Mas quem brilhou mesmo foi o Tio Vésper, concordam?

— Concordamos — bradaram em coro e às risadas.

O sr. Vésper tinha respondido de modo errado e cômico a algumas perguntas, o que muito os divertiu.

Mais uma pausa para uma refrescante limonada preparada com limões do pomar, e Alessandra declamou a poesia mediúnica.

Pai-Nosso

Pai-Nosso, Deus do amor, que estais no céu,
De luz enchendo a Terra e a imensidade;

Da corrupção salvai a Humanidade,
Dissipai de nossa alma o escuro véu.

Mais que da aurora os trémulos fulgores,
Santificado seja o vosso nome.
Vossa palavra o tempo não consome,
Pois ela é a vida para os pecadores.

Venha a nós vosso reino, brevemente,
O mundo encher de paz e de harmonia;
A noite se transforme em claro dia,
E Cristo reine sobre toda gente.

Seja feita, Senhor, vossa vontade,
Por todos os viventes deste mundo;
No céu, na Terra, e até no mar profundo,
Se exerça sempre amor e caridade.

Sem atender à voz dos fariseus,
Cumprindo a lei das santas escrituras.
Alegres vivam vossas criaturas.
Assim na Terra como lá nos céus.

Tende pena de nós, Pai amoroso,
E nos dai, hoje, o pão de cada dia;
Nossas dores mudando em alegria,
Nossos pesares transformando em gozo.

Da santidade dai-nos a fragrância,
A beleza dos espaços estrelados.
E perdoai-nos todos os pecados.
Que cometemos por ignorância.

E perdoamos também nossos devedores.
Que nos têm maltratado e perseguido;
Levai-os, Pai, para um jardim florido,
Recamado de pétalas de flores.

Nessa escada sem-fim da Perfeição,
Que para o céu azul vamos subindo,
Por vosso amor imenso, grande, infindo,
Não nos deixeis cair em tentação.

Até chegarmos à suprema luz,
À cidade eternal do Grande Rei,
Não nos deixeis violar as vossas leis,
Mas livrai-nos do mal, Senhor, Jesus.

A tarde caía linda, fresca, perfumada; contudo, ela é sempre melancólica, principalmente no campo. O Sol mais e mais se inclinava desferindo seus últimos raios já sem calor, mas de um dourado intenso, colorindo o horizonte de fulgurantes matizes e as nuvens que, como flocos de algodão, salpicavam o céu. Bandos de andorinhas gazeando aninhavam-se no arvoredo do pomar; as galinhas empoleiravam-se no galinheiro; os cavalos entravam na cocheira.

Todos estavam em silêncio, observando o morrer do dia; daí a instantes, chegaria a noite.

Um quê tristonho invadia os corações; aquele estado de alma foi quebrado pelo relógio da sala de jantar: eram seis horas. E Vovô convidou-os à prece.

— Então, quando partem? — perguntou o sr. Vésper, reiniciando a conversa.

— Nesta quarta-feira cedo nossos pais nos levarão — respondeu Paulo Guilherme.

O momento doloroso chegou: o das despedidas; havia lágrimas em todos os olhos. E o sr. Vésper consolou-os:

— Não se entristeçam. Aproveitem bem o ano estudando com afinco, com ardor. E nas férias vindouras estaremos juntos de novo, reunidos, viajando por esse mundo maravilhoso do Espiritismo, guiados por Allan Kardec, a quem devemos gratidão, respeito, admiração e amor.

PRÓXIMOS LANÇAMENTOS

Editora
Pensamento
SÃO PAULO

Para receber informações sobre os lançamentos da
Editora Pensamento, basta cadastrar-se no site:
www.editorapensamento.com.br

Para enviar seus comentários sobre este livro,
visite o site
www.editorapensamento.com.br
ou mande um e-mail para
atendimento@editorapensamento.com.br